民事執行の実務

第5版

不動産執行編 上

[編著] 中村さとみ 〔千葉地方裁判所民事第4部部総括判事・前東京地方裁判所民事第21部部総括判事〕

剱持 淳子 〔名古屋家庭裁判所家事第1部部総括判事・前東京地方裁判所民事第21部判事〕

一般社団法人 金融財政事情研究会

第5版の刊行に当たって

　本書の第4版が平成30年11月に刊行されてから3年半余が経ち、この間、民事執行法が令和元年5月に改正され（令和元年法律第2号）、令和2年4月1日から施行された。同改正は、財産開示手続の実効性強化のための見直し、第三者からの情報取得制度の新設、不動産競売における暴力団員の買受防止策の導入、差押禁止債権の範囲変更申立てに関する手続教示の義務化と給与等債権に係る取立権発生時期の見直しなど、民事執行実務に大きな影響を与えるものであった。

　本書のこのたびの改訂は、上記改正法に基づく東京地裁民事執行センターの最新実務を紹介するとともに、従前の実務上の論点について本センターの統一的な解釈と実際の運用を再確認し、それを反映させるよう心掛けたものである。上記改正の柱の一つとされた財産調査部分については、その多くを新規に書き下ろし、第4版の「債権執行編（上・下）」を拡充して「債権執行・財産調査編（上・下）」とした。

　改訂作業には、本センターに在籍し、あるいは昨年度まで在籍していた裁判官及び裁判所書記官がこれに当たった。改訂作業関与者一覧に記載し切れなかったメンバーにも、多大な協力を得た。一同、本書が旧版と同様に、民事執行手続の利用者や民事執行の実務に携わる実務家の皆様にとってお役に立つものとなることを願っている。

　なお、脱稿後である令和4年5月25日、民事訴訟法等の一部を改正する法律が同年法律第48号として公布された。同改正では、民事訴訟法について当事者の住所・氏名等の秘匿制度を創設する改正がされ、民事執行法においてもその規定が準用されている。そして、差押債権者等の住所又は氏名が秘匿されている場合等のために、第三債務者に対する供託命令の制度が設けられた。また、民事訴訟手続と同様に、民事執行手続における電子情報処理組織を用いた申立て等の方法が規定されるとともに、電磁的記録による債務名義について記録事項証明書に基づく申立ての規定も置かれるなどした。民事執行手続のIT化に関しては更なる法改正が予定されてお

り、今後、民事執行手続の利便性が大いに高まることが期待されるところである。これらに関しては、別途、本センターにおける運用をご紹介する機会を持たせていただきたいと考えている。

　本センターは、令和4年2月1日をもって開庁20周年を迎えた。本書初版が発刊されたのは本センター開庁の翌年であり、本書第5版までの改訂の経緯はまさに本センターの歩みそのものである。先人に深く感謝を申し上げたい。

　合わせて、本書の刊行に当たり温かいお励ましとご尽力をいただいた株式会社きんざい出版部の池田知弘氏ほかの方々に、あらためて謝意を表したい。

　令和4年6月

中村　さとみ
（千葉地方裁判所民事第4部部総括判事
前・東京地方裁判所民事第21部部総括判事）

第4版の刊行に当たって

　東京地方裁判所民事執行センターは、平成29年2月1日に開庁15周年を迎えたところである。本書の初版は、同センターの開庁を機に不動産執行編が平成15年4月に、債権執行編が同年6月に、それぞれ刊行されたものである。その後、平成15年及び平成16年の民事執行法の一部改正を経て、平成19年11月にそれぞれ第2版が刊行され、平成24年6月にそれぞれ第3版が刊行されてから既に6年近くが経過している。

　この間、民事執行実務に大きな影響を与える最高裁判所の判断が多く示されている。加えて、執行実務を取り巻く社会経済状況が変化する中、同センターにおいてはその運用について様々な改善を試みている。また、法制審議会民事執行法部会では民事執行法の一部改正について審議が重ねられ、要綱案の取りまとめに向けた検討が行われている。このような状況を踏まえ、約6年ぶりに第4版として改訂作業を行うこととした。この度の改訂に当たっては、同センターにおける最新の実務の動向を反映させるとともに、同センターにおける統一的な解釈とそれに基づく実際の運用を紹介することを心掛けた。

　本書は、同センターに在籍し、あるいは、本年3月まで在籍していた裁判官及び裁判所書記官が、努力を傾注して改訂作業を行ったものである。旧版同様に、民事執行実務に携わる実務家や民事執行手続の利用者の皆様に広く活用していただければ幸いである。

　本書の刊行に当たり、多大なご尽力をいただいた株式会社きんざい出版部の池田知弘氏ほかの方々に厚く御礼を申し上げる。

平成30年4月

相澤　眞木
（東京地方裁判所民事第21部部総括判事）

追　　記

　法制審議会民事執行法部会においては、債務者財産の開示制度の実効性の向上（現行の財産開示手続の見直し、第三者から債務者財産に関する情報を取得する制度の新設）、不動産競売における暴力団員の買受け防止の方策、子の引渡しの強制執行に関する規律の明確化、債権執行事件の終了をめぐる規律の見直し（差押債権者が取立権を行使しない場面等における規律、その他の場面（債務者への差押命令等の送達未了）における規律）、差押禁止債権をめぐる規律の見直し（取立権の発生時期の見直し、手続教示）等について議論されていたところ、本校正作業中である平成30年8月31日に開催された法制審議会民事執行法部会（第23回）において、民事執行法制の見直しに関する要綱案が部会資料23のとおりに取りまとめられたので、下巻の巻末に資料として要綱案を掲載することとした。

　また、脱稿後であり、要綱案の段階であることから、本文の記載内容に影響が大きいと考えられる事項に限り、該当箇所に、関係する規律の見直し等が要綱案としてまとめられた旨及び本文の記述は現行法に基づく取扱い等を記載している旨を付記することとした。適宜、要綱案を参照していただきたい。

平成30年9月19日

相澤　眞木
（東京地方裁判所民事第21部部総括判事）

第3版の刊行に当たって

　東京地方裁判所民事執行センターは、平成24年2月1日をもって開庁10周年を迎えた。本書初版は、同センターの開設を機会に発刊されたものであるが、初版の刊行から4年余り後である平成19年11月に第2版が刊行されてから、既に4年余りを経過している。この間、民事執行の分野では、実務に強い影響を与える最高裁判所の新判断が示されるなど、状況は絶えず変化し続けている。今回の改訂作業は、同センター開庁10周年を記念して企画されたものであり、初版以来の本書のコンセプトを維持し、最新の実務の動向を反映させ、同センターにおける統一的な解釈とこれに基づく実際の運用を紹介するよう心がけた。旧版同様広く活用していただければ幸いである。

　本書の刊行の仕事を担当してくださった金融財政事情研究会出版部の田島正一郎氏、佐藤友紀氏に謝意を表する。

平成24年2月

浜　　秀樹
（東京地方裁判所民事第21部部総括判事）

第2版の刊行に当たって

　本書の初版が平成15年4月（不動産執行編）及び6月（債権執行編）に刊行されてから4年余りが経過した。この間、民事執行法については、2度にわたり大幅な改正が加えられた。担保物権及び民事執行制度の改善のための民法等の一部を改正する法律（平成15年法律第134号。平成16年4月1日施行）による平成15年改正と民事関係手続の改善のための民事訴訟法等の一部を改正する法律（平成16年法律第152号。平成17年4月1日施行）による平成16年改正である。また、民事執行手続に深く関連する実体法や手続法、例えば民法（担保法）、会社法、破産法、不動産登記法等についても、全面的、あるいは大幅な改正がされた。加えて、金融機関等の不良債権処理が一段落したことなどを受けて、民事執行事件を取り巻く環境にも変化がみられ、実務にも相応の影響が及んでいる状況にある。

　本書〔第2版〕は、初版以降の平成15年改正あるいは平成16年改正等の民事執行法その他の主要法律の改正等を反映させるとともに、すべての論点について全面的に見直しをして、東京地方裁判所民事執行センターにおける現行実務の理論上、運用上の到達点に即して、初版に補筆修正を施したものである。改訂作業に際しては、初版の場合と同様に、民事執行センターに所属する裁判官及び裁判所書記官が協議を重ねて結論を導き出し、最終的に協議がまとまらず一致した結論に至らなかった場合には、問題の所在を明らかにするとともに、現時点における民事執行センターの運用を明らかにするようにした。

　ところで、本書の初版は、当時東京地裁民事執行センター（民事第21部）に在籍していた西岡清一郎判事（現・東京地裁民事部所長代行者）、畑一郎判事（現・仙台高裁判事）及び上田正俊民事次席書記官（現・最高裁事務総局総務局第三課長）が共同編集人となり、民事執行センターに所属していた裁判官と裁判所書記官が分担執筆して完成させたものであるが、その後、編集人3名を含む執筆担当者の多くは、民事執行センターから転出し、今回の改訂には携われないこととなった。そこで、今回の改訂を機に、今後も法令改正等に伴って本書の改訂が必要となることも考慮し、この第2版以降は、「東京地方裁判所民事執行センター実務研究会」の編著とすることとし、執筆者名については、全執筆者を一括して表示し、各論点ごとの担当

者を個別に記載しないこととした。この変更のうち、編集人名については、初版における3名の編集人からご了解をいただいたが、その余については、各執筆者の個別のご了解を得る時間的余裕がないまま、本書〔第2版〕を刊行する運びとなってしまった。初版執筆者各位のご宥恕をお願いする次第である。

　本書の初版は、民事執行の理論と実務の全容を解説した書籍として、理論面でも実用面でも優れて有用なものとして高い評価を得て、民事執行の実務に携わる者はもとより、民事執行法を研究する法律家等からも好評をもって迎えられていた。この第2版は、そのような評価が定着している初版の成果の上に乗って刊行するものであることをまず明らかにするとともに、たいへんなご苦労をされて所期の成果を達成された初版の編集人、執筆者各位に心からの感謝を申し上げたい。また、私は、昨年2月に東京地裁民事執行センターから転出し、その後の改訂の編集作業は、飯塚宏判事、角井俊文判事(現・福岡法務局訟務副部長)及び大澤知子判事(現・千葉地方裁判所一宮支部長判事)にもっぱらお願いしていたところであり、本書〔第2版〕の刊行が実現したことについて、飯塚判事らに対し、厚くお礼を申し上げたい。

　本書〔第2版〕は、東京地裁民事執行センターに在籍し、あるいは昨年度まで在籍していた裁判官や裁判所書記官が、妥当で安定した民事執行の実務の運用に向けた日頃の工夫と理論面における研究の成果を踏まえ、努力を傾注して改訂作業を担当し、協議と執筆に当たった成果として刊行される。別の機会にも述べたことがあるが、東京地裁民事執行センターは、民事執行の理論と実務の強力な専門家集団であり、民事執行における質の高い事件処理と理論研究が期待されているところである。本書〔第2版〕がその期待に応え、民事執行の実務と理論の発展にも寄与するものとして、初版と同様に、大方の支持を得られると確信している。

　本書〔第2版〕の刊行に当たっては、金融財政事情研究会出版部の佐藤友紀氏ほかの方々に、多大なご苦労をおかけした。あらためて謝意を表したい。

　平成19年8月

　　　　　　　　　　　　　　　　　　　　　　三　輪　和　雄
　　　　　　　　　　　　　　　　　　　　　　(青森地方・家庭裁判所長、
　　　　　　　　　　　　　　　前・東京地方裁判所民事第21部部総括判事)

はしがき

　東京地方裁判所民事第21部は民事執行事件を専門に扱う執行専門部であるが，昨年の2月1日，東京都目黒区内に開設された新庁舎「東京地方裁判所民事執行センター」に移転した。本書の執筆者は，いずれも，かつて民事第21部に在籍したか，現在，民事執行センター内で民事執行事件の実務に携わっている者である。

　民事執行事件の実務においては，民事執行法を始めとする手続法のほか，民法，商法，不動産登記法等の民事実体法に関する広範囲の法律知識が要求されるところ，実際に民事執行事件の処理を担当していると，これらの法律の解釈書には触れられていない問題点に出会うことがしばしばである。そしてそれらの問題の解決に当たっては，大量の事件を迅速かつ画一的に処理することが要請される民事執行事件の特質から，実務的にはできるだけ統一的な解釈が示されることが望ましいといえる。また，民事執行事件においては，例えば不動産執行事件を例に取ると，当事者である債権者，債務者あるいは所有者のほか，買受希望者や占有者といった多数の関係者が存在するため，その手続についてもできるだけ安定した透明性のある運用を確保することが必要である。

　本書は，この度の民事執行センターの開設を機会に，民事執行事件の中核を占める不動産執行事件に関し，現時点で実際に考えられる実務上の論点について，各執筆者がそれぞれ解説を加えたものであるが，先に述べたような経緯から，各論点ごとの問題点の指摘と考え方の紹介に止まらず，これらの論点に関する現在の民事執行センターにおける統一的な解釈とこれに基づく実際の運用について紹介することを心がけたものである。そのために，本書の執筆に当たっては，研究会のメンバーどうしでの検討の機会を重ね，できるだけ解釈を統一するよう努力したつもりである。その結果，各論点ごとに執筆者を割り振ってはいるものの，本書での記述が必ずしも執筆者個人の意見と一致しない場合もあることをお断りしておきたい。

　本書が，民事執行の実務に携わる実務家や民事執行の手続を利用する人

達にとって，不動産執行事件の実務に対する理解を深めるために少しでも役立てばと願うとともに，本書を活用することにより，不動産執行事件の手続がさらに利用しやすくなることを期待するものである。

　最後に，本書の刊行に当たり多大なる尽力をいただいた社団法人金融財政事情研究会金融法務編集部の一色保弘氏，大塚昭之氏ほかの方々に厚くお礼を申し上げる次第である。

　　平成15年2月

東京地方裁判所民事執行センター実務研究会

西岡清一郎
畑　　一郎
上田　正俊

初版執筆者一覧

(所属・肩書は平成15年2月現在)

● 編　集
西岡清一郎　東京地方裁判所民事第21部部総括判事
畑　　一郎　東京地方裁判所判事（民事第21部）
上田　正俊　東京地方裁判所民事次席書記官

● 執　筆（50音順）
青木　正人　東京地方裁判所主任書記官（民事第21部）
尼崎　州一　東京地方裁判所主任書記官（民事第21部）
伊澤　文子　東京地方裁判所判事（民事第21部）
伊丹　　恭　東京地方裁判所判事補（民事第6部）
井上　　崇　東京地方裁判所書記官（民事第21部）
猪瀬　芳昭　東京簡易裁判所判事
猪原　成一　東京地方裁判所書記官（民事第21部）
上田　正俊　東京地方裁判所民事次席書記官
内田　義厚　東京地方裁判所判事（民事第21部）
江尻　　禎　さいたま地方・家庭裁判所川越支部判事
大久保圭二　東京地方裁判所書記官（民事第21部）
大塚　竜央　東京高等裁判所書記官（第17民事部）
大部　律男　東京地方裁判所書記官（民事第21部）
大森　直哉　最高裁判所事務総局総務局付
岡村　浩二　東京地方裁判所主任書記官（民事第16部）
小川　理佳　東京地方裁判所判事補（民事第21部）
甲斐　　篤　東京地方裁判所書記官（民事第21部）
金井　裕子　東京地方裁判所書記官（民事第20部）
川上　恵子　東京地方裁判所書記官（民事第21部）
木所　賢一　公正取引委員会審決訟務室審判係長
清宮　貴幸　東京家庭裁判所書記官（家事部）
草野　和弘　東京地方裁判所書記官（民事第21部）
黒河内明子　東京地方裁判所書記官（民事第21部）
高良　久美　東京地方裁判所書記官（民事第21部）
境　　博英　東京地方裁判所書記官（民事第21部）

塩田　俊一郎	東京地方裁判所書記官（民事第21部）
鹿野　直人	東京地方裁判所書記官（民事第21部）
白崎　直彦	東京地方裁判所書記官（民事第8部）
新保　佳功	東京地方裁判所書記官（民事第21部）
杉村　鎭右	熊本家庭・地方裁判所八代支部判事補
園部　厚	稚内簡易裁判所判事
大門　香織	東京地方裁判所判事補
高橋　初音	東京地方裁判所書記官（民事第21部）
高久　洋子	東京地方裁判所書記官（民事第20部）
田中ひろみ	東京地方裁判所書記官（民事第21部）
谷口　豊	東京地方・家庭裁判所八王子支部判事
塚本真知子	東京地方裁判所書記官（民事第21部）
堤　とし子	東京地方裁判所主任書記官（民事第21部）
徳岡　治	最高裁判所事務総局広報課付
豊島　学	東京地方裁判所書記官（民事第21部）
永井　邦幸	東京地方裁判所八王子支部書記官
中田　広正	東京地方裁判所書記官（民事第21部）
中村　明博	東京地方裁判所書記官（民事訟廷事務室）
楢原　雅人	東京地方裁判所書記官（民事第14部）
西村　祥一	東京地方裁判所主任書記官（民事第21部）
野本　淑子	東京地方裁判所判事（民事第20部）
畑　一郎	東京地方裁判所判事（民事第21部）
林　恭之	東京地方裁判所書記官（民事第21部）
平野　照男	東京地方裁判所書記官（民事第21部）
深田　哲朗	甲府簡易裁判所庶務課長
福澤　正文	東京地方裁判所書記官（民事第21部）
星野　健史	東京地方裁判所書記官（民事第21部）
細江　秀男	大津地方裁判所書記官
堀込　清治	東京地方裁判所主任書記官（民事第21部）
前澤　功	鹿児島家庭・地方裁判所判事補
増田世一郎	東京地方裁判所書記官（民事第21部）
増本　晃一	東京地方裁判所書記官（民事第21部）
松本有紀子	東京地方裁判所判事補（民事第39部）
三浦　義和	東京地方裁判所書記官（民事第21部）
村上　雄彦	東京地方裁判所書記官（民事第9部）

村田　正臣	東京地方裁判所主任書記官（民事第21部）	
村松　忠司	東京地方裁判所書記官（民事第8部）	
森　　紀子	東京家庭裁判所書記官（家事部）	
矢口　俊哉	東京地方裁判所判事補	
山﨑　　毅	東京地方裁判所書記官（民事第21部）	
芳澤　清吉	東京地方裁判所書記官（民事第21部）	
吉成　博徳	東京地方裁判所書記官（民事第21部）	
嘉原　正志	東京地方裁判所主任書記官（民事第21部）	
若林　大三	東京地方裁判所主任書記官（民事第21部）	

第2版の改訂作業関与者一覧（50音順）

（所属・肩書は平成19年8月現在）

藍木　陽一	新潟地方裁判所総務課課長補佐	
秋山　英人	東京地方裁判所主任書記官（民事第21部）	
浅野　匡男	東京簡易裁判所書記官	
飯高　英渡	東京地方裁判所書記官（民事第20部）	
飯塚　　宏	東京地方裁判所判事（民事第21部）	
池田　知史	徳島地方裁判所判事補	
石川　重弘	東京地方裁判所判事（民事第9部）	
石川真紀子	山形家庭裁判所米沢支部判事補	
伊藤　　剛	東京高等裁判所総務課課長補佐	
伊藤　俊文	東京地方裁判所主任書記官（民事第18部）	
伊藤　良子	東京地方裁判所書記官（民事第21部）	
今井　純香	東京地方裁判所書記官（民事第21部）	
岩川　泰治	川越簡易裁判所庶務課長兼主任書記官	
内村　美穂	最高裁判所事務総局人事局能率課主任	
梅川　　剛	東京地方裁判所主任書記官（民事第21部）	
江添　　雄	東京高等裁判所管理課管理係長	
大井　章浩	東京地方裁判所書記官（民事第28部）	
大川　純子	最高裁判所事務総局行政局第一課調査員	
大澤　知子	千葉地方裁判所一宮支部長判事	
大野　啓史	東京地方裁判所主任書記官（民事第21部）	
大谷　　太	法務省大臣官房司法法制部付	
岡崎　秀史	東京地方裁判所書記官（民事第24部）	
小川　英之	預金保険機構法務統括室調査役	
加藤　正剛	東京簡易裁判所（墨田庁舎）民事訟廷副管理官兼刑事訟廷副管理官	
角井　俊文	福岡法務局訟務部副部長	
上條　亜子	東京家庭裁判所八王子支部書記官	
川上　　進	東京地方裁判所書記官（民事第21部）	
河村　　浩	総務省公害等調整委員会事務局審査官	
菊池　妙子	東京地方裁判所書記官（民事第21部）	
熊井　晶子	東京地方裁判所書記官（民事第21部）	
黒木　裕一	東京地方裁判所書記官（民事第21部）	
後藤　祥子	東京地方裁判所書記官（民事第21部）	
小林　裕和	東京地方裁判所書記官（刑事第18部）	

米田　祐佳	東京簡易裁判所書記官	
近藤さやか	東京地方裁判所書記官（民事第21部）	
齋藤　隆	東京地方裁判所民事第21部総括判事	
酒井　聡	東京地方裁判所書記官（民事第7部）	
坂田　大吾	東京地方裁判所判事補（民事第14部）	
佐久間義弘	東京地方裁判所主任書記官（民事第1部）	
新保　佳功	東京地方裁判所書記官（民事訟廷事件係）	
鈴木　謙也	東京地方裁判所判事（民事第21部）	
鈴木　応昭	東京地方裁判所書記官（民事第21部）	
高野　吉晴	東京地方裁判所主任書記官（民事第20部）	
田代　耕一	最高裁判所事務総局刑事局第三課調査員	
田中　俊行	東京地方裁判所判事（民事第16部）	
田村　文久	最高裁判所事務総局民事局第一課調査係長	
遠田加奈子	東京地方裁判所書記官（民事第21部）	
徳永　隆治	東京地方裁判所書記官（民事第23部）	
飛田　英夫	東京地方裁判所書記官（民事第21部）	
長井　清明	東京地方裁判所判事補（民事第24部）	
中川　智之	東京地方裁判所民事訟廷記録第一係長	
中島　豪伸	東京地方裁判所書記官（民事第33部）	
中野　琢郎	札幌地方裁判所判事補	
中原　竜太	東京地方裁判所書記官（民事第21部）	
野中　高広	在米日本大使館書記官	
登坂なほ子	東京地方裁判所主任書記官（民事第21部）	
筈井　卓矢	弁護士	
萩原　基	東京地方裁判所書記官（民事第21部）	
畑　美代子	東京地方裁判所書記官（民事第10部）	
林崎　雄彦	さいたま家庭裁判所越谷支部庶務課長兼主任書記官	
日野　直子	東京地方裁判所判事（民事第22部）	
平川　晶	最高裁判所事務総局情報政策課情報企画第一係主任	
平田　晃史	内閣官房副長官補室参事官補佐	
古市　文孝	東京地方裁判所判事補（民事第3部）	
増井　俊満	関東信越国税不服審判所審査官	
舛田　良	東京地方裁判所書記官（民事第21部）	
松戸　健一	東京地方裁判所書記官（民事訟廷記録第一係）	
丸山　亮子	札幌高等裁判所書記官	
水野　正則	金沢地方裁判所判事補	
峰岸　求	東京地方裁判所書記官（民事第21部）	
三輪　和雄	青森地方・家庭裁判所所長	

武藤真紀子	東京地方裁判所判事（民事第7部）
武良　　厚	東京地方裁判所書記官（民事第21部）
村上　典子	甲府地方裁判所判事補
村越　啓悦	東京地方裁判所判事（民事第11部）
目黒　大輔	山形家庭裁判所鶴岡支部判事補
矢田　幸美	東京家庭裁判所書記官
栁田　雅由	東京地方裁判所主任書記官（民事第21部）
山本　博文	東京地方裁判所書記官（民事第21部）
米満　信行	東京地方裁判所民事訟廷副管理官

第3版の改訂作業関与者一覧 (50音順)

(所属・肩書は平成24年2月現在)

秋枝　良治	東京地方裁判所主任書記官（民事第21部）
飯塚真紀子	東京地方裁判所書記官（民事第21部）
池田　弥生	東京地方裁判所判事（民事第21部）
伊東　智和	東京地方裁判所判事補（民事第21部）
猪股　直子	東京地方裁判所判事補（民事第21部）
大河原宗則	東京地方裁判所主任書記官（民事第21部）
大野　麗華	東京地方裁判所書記官（民事第21部）
生頼　祥子	東京地方裁判所書記官（民事第21部）
小山内孝充	東京地方裁判所書記官（民事第21部）
加藤　典克	宇都宮地方裁判所民事次席書記官
菊池いづみ	東京地方裁判所書記官（民事第21部）
岸　宏朗	東京地方裁判所書記官（民事第21部）
小池　将和	東京地方裁判所判事補（民事第21部）
小林　貴史	東京地方裁判所書記官（民事第21部）
佐伯　明彦	東京地方裁判所主任書記官（民事第21部）
榊原　正樹	東京地方裁判所書記官（民事第21部）
清水　光	東京地方裁判所判事補（民事第21部）
鈴木　誠	東京地方裁判所主任書記官（民事第21部）
関谷　久美	東京地方裁判所書記官（民事第21部）
瀬戸さやか	東京地方裁判所判事（民事第21部）
高井　善昭	東京地方裁判所主任書記官（民事第21部）
綱島　紀子	東京地方裁判所主任書記官（民事第21部）
中村　宣隆	東京地方裁判所書記官（民事第21部）
西川　太郎	東京地方裁判所書記官（民事第21部）
橋　和哉	東京地方裁判所書記官（民事第21部）
浜　秀樹	東京地方裁判所民事第21部部総括判事
原田佳那子	東京地方裁判所判事補（民事第21部）
本田　晃	東京地方裁判所判事（民事第21部）
正木　博之	東京地方裁判所書記官（民事第21部）
味元厚二郎	東京地方裁判所判事補（民事第21部）
茂木　広一	東京地方裁判所書記官（民事第21部）
森永　和夫	東京地方裁判所主任書記官（民事第21部）
山北　学	東京地方裁判所民事次席書記官
山中　翠	東京地方裁判所書記官（民事第21部）
行廣浩太郎	東京地方裁判所判事補（民事第21部）
渡辺　高	東京地方裁判所主任書記官（民事第21部）

第4版の改訂作業関与者一覧（50音順）

（所属・肩書は平成30年3月現在）

相澤　眞木	東京地方裁判所民事第21部部総括判事	
板垣　正之	東京地方裁判所主任書記官（民事第21部）	
太田　匡哉	東京地方裁判所書記官（民事第21部）	
岡本　　武	東京地方裁判所書記官（民事第21部）	
小津　亮太	東京地方裁判所判事（民事第21部）	
小原　且載	東京地方裁判所書記官（民事第21部）	
片山　　信	東京地方裁判所判事（民事第21部）	
金子　英司	東京地方裁判所主任書記官（民事第21部）	
白井　智美	東京地方裁判所書記官（民事第21部）	
鈴木　博敏	東京地方裁判所書記官（民事第21部）	
高木　和博	東京地方裁判所主任書記官（民事第21部）	
立野みすず	東京地方裁判所判事（民事第21部）	
田中由紀子	東京地方裁判所主任書記官（民事第21部）	
谷池　政洋	東京地方裁判所判事補（民事第21部）	
塚原　　聡	東京地方裁判所判事（民事第21部）	
長谷川武久	東京地方裁判所判事（民事第21部）	
丸山　　肇	東京地方裁判所総括主任書記官（民事第21部）	
水倉　義貴	東京地方裁判所判事（民事第21部）	
村井　佳奈	東京地方裁判所判事補（民事第21部）	
山﨑　克人	東京地方裁判所判事（民事第21部）	
吉川紀代子	東京地方裁判所主任書記官（民事第21部）	
米津　和哉	東京地方裁判所書記官（民事第21部）	

第5版の改訂作業関与者一覧 (50音順)

(所属・肩書は令和3年3月現在)

石田　憲一	東京地方裁判所判事（民事第21部）
岡　智香子	東京地方裁判所書記官（民事第21部）
尾崎　亜希	東京地方裁判所書記官（民事第21部）
小野　啓介	東京地方裁判所判事（民事第21部）
柏戸　夏子	東京地方裁判所判事補（民事第21部）
勝本　禎子	東京地方裁判所主任書記官（民事第21部）
上村　友恵	東京地方裁判所書記官（民事第21部）
川口　藍	東京地方裁判所判事（民事第21部）
草野　克也	東京地方裁判所判事（民事第21部）
劔持　淳子	東京地方裁判所判事（民事第21部）
佐藤　秀美	東京地方裁判所書記官（民事第21部）
髙木　和博	東京地方裁判所主任書記官（民事第21部）
高橋　農	東京地方裁判所書記官（民事第21部）
竹内　康	東京地方裁判所主任書記官（民事第21部）
田中　慶太	東京地方裁判所判事補（民事第21部）
谷藤　一弥	東京地方裁判所判事（民事第21部）
田村　昌人	東京地方裁判所書記官（民事第21部）
戸塚あい子	東京地方裁判所書記官（民事第21部）
外崎久美子	東京地方裁判所書記官（民事第21部）
中村さとみ	東京地方裁判所部総括判事（民事第21部）
中村　宣隆	東京地方裁判所書記官（民事第21部）
納田　尚代	東京地方裁判所書記官（民事第21部）
巴山　武	東京地方裁判所書記官（民事第21部）
平野　晃弘	東京地方裁判所主任書記官（民事第21部）
満田　智彦	東京地方裁判所判事（民事第21部）
三輪　泰子	東京地方裁判所書記官（民事第21部）

主な法令・判例・文献等の略記法

1　法令名の表記

　民事執行法は「法」、民事執行規則は「規則」とした。ただし、本書においては、令和4年法律第48号による改正前のものをいう。

　本文中で引用する法令名は通常の略記によった。頻出する法令名の略記は次のとおりである。

　　民訴法→民事訴訟法
　　民訴規則→民事訴訟規則
　　民保法→民事保全法
　　民保規則→民事保全規則
　　不登法→不動産登記法
　　仮担法→仮登記担保契約に関する法律
　　民訴費法→民事訴訟費用等に関する法律
　　会更法→会社更生法
　　民再法→民事再生法
　　民再規則→民事再生規則
　　不登法→不動産登記法
　　不登令→不動産登記令
　　滞調法→滞納処分と強制執行等との手続の調整に関する法律
　　滞調規則→滞納処分と強制執行等との手続の調整に関する規則
　　国徴法→国税徴収法
　　税通法→国税通則法
　　地税法→地方税法
　　登税法→登録免許税法
　　区分所有法→建物の区分所有等に関する法律
　　平成15年改正法→担保物権及び民事執行制度の改善のための民法等の
　　　　　　　　　一部を改正する法律（平成15年法律第134号）

平成16年改正法→民事関係手続の改善のための民事訴訟法等の一部を改正する法律（平成16年法律第152号）

令和元年改正法→民事執行法及び国際的な子の奪取の民事上の側面に関する条約の実施に関する法律の一部を改正する法律（令和元年法律第2号）

平成29年民法改正法→民法の一部を改正する法律（平成29年法律第44号）（いわゆる債権法改正）

平成30年民法改正法→民法及び家事事件手続法の一部を改正する法律（平成30年法律第72号）（いわゆる相続法改正）

家事法→家事事件手続法

非訟法→非訟事件手続法

旧競売法→昭和54年法律第4号による廃止前の競売法（明治31年法律第15号）

旧借地法→平成3年法律第90号による廃止前の借地法（大正10年法律第49号）

旧借家法→平成3年法律第90号による廃止前の借家法（大正10年法律第50号）

　なお、本文中（　）内の表記は、民事執行法は「法」のままであるが、「民事執行規則」は単に「規」、他の法令名のうち、「○○法」については「法」を省略し「○○」（例えば、民事訴訟法であれば「民訴」）、「○○規則」については「○○規」とした。

2　法令の条項の表記

　本文中の表記は、例えば、「法○○条○項○号」「破産法○○条」とし、（　）内の表記は「規○○条○項」「民○○条」とした。

3　判例・通達の表記

　判決・決定は、原則として次のように表記した。登載判例集・法律雑誌は、代表的なものを記載した。

　　大判大3.12.25（民録20輯1187頁）

最判平9.1.20（民集51巻1号1頁）
　　　東京地決平9.6.19（金法1496号42頁）
　なお、（　）内では、次のように表記した。
　　　（東京地八王子支判平13.1.17金法1607号52頁）
　通達は、原則として次のように表記した。
　　　平成2.11.13法務省民四第5003号民事局長通達
　　　平成2.11.27全銀協外業第213号

4　判例集・法律雑誌の表記

《判例集》
　　民録→大審院民事判決録（明治28年〜大正10年）
　　民集→大審院民事判例集（大正11年〜昭和21年）
　　民集→最高裁判所民事判例集（昭和22年〜）
　　集民→最高裁判所裁判集民事
　　高民集→高等裁判所民事判例集
　　下民集→下級裁判所民事判例集
　　東高時報→東京高等裁判所民事判決時報
《法律雑誌》
　　判時→判例時報
　　判タ→判例タイムズ
　　金法→金融法務事情
　　金判→金融・商事判例
　　法時→法律時報
　　曹時→法曹時報
　　ジュリ→ジュリスト
《判例解説》
　　最判解平成○年度(上)(下)→法曹会編『最高裁判所判例解説民事篇平成○
　　　　年度(上)(下)』（法曹会）

5 主要文献の表記

本文中で引用する主要文献名は次の略記によった。

田中康久「新民事執行法の解説」→田中康久『新民事執行法の解説〔増補改訂版〕』（金融財政事情研究会）

中野貞一郎「民事執行法」→中野貞一郎『民事執行法〔増補新訂六版〕』（青林書院）

中野＝下村「民事執行法」→中野貞一郎＝下村正明『民事執行法〔改訂版〕』（青林書院）

三ケ月章「民事執行法」→三ケ月章『民事執行法』（弘文堂）

林屋礼二「民事執行法」→林屋礼二『民事執行法』（青林書院）

深沢利一「民事執行の実務(上)(中)(下)」→深沢利一（園部厚補訂）『民事執行の実務上、中、下〔補訂版〕』（新日本法規）

園部厚「民事執行の実務(上)(下)」→園部厚『民事執行の実務(上)(下)』（新日本法規）

民事執行を学ぶ→新堂幸司＝竹下守夫編『民事執行法を学ぶ』（有斐閣）

基本構造→竹下守夫＝鈴木正裕編『民事執行法の基本構造』（西神田編集室）

新・実務民事訴訟講座(12)(14)→鈴木忠一＝三ケ月章監修『新・民事訴訟法講座12民事執行法』、『新・民事訴訟法講座14保全訴訟』（日本評論社）

裁判実務大系(7)→大石忠生＝岡田潤＝黒田直行編『裁判実務大系第7巻民事執行訴訟法』（青林書院）

現代裁判法大系(15)→井上稔＝吉野孝義編『現代裁判法大系15民事執行法』（新日本法規）

民事執行の基礎と応用→近藤崇晴＝大橋寛明＝上田正俊『法律知識ライブラリー7民事執行の基礎と応用〔補訂増補版〕』（青林書院）

不動産執行の理論と実務(上)(下)→東京地裁民事執行実務研究会編『改訂不動産執行の理論と実務(上)(下)』（法曹会）

齋藤＝飯塚「民事執行」→齋藤隆＝飯塚宏編著『リーガル・プログレッシブ・シリーズ民事執行〔補訂版〕』（青林書院）

民事執行の実務―債権(上)(下)→中村さとみ＝劔持淳子編著『民事執行の実務―債権執行・財産調査編(上)(下)第5版』（金融財政事情研究会）

不動産競売訴訟法→塩崎勤＝澤野順彦編『新・裁判実務大系7不動産競売訴訟法』（青林書院）

山﨑＝山田「民事執行法」→山﨑恒＝山田俊雄編『新・裁判実務大系第12巻民事執行法』（青林書院）

民事執行実務の論点→竹田光広編『裁判実務シリーズ10　民事執行実務の論点』（商事法務）

担保法大系(1)～(5)→加藤一郎＝林良平編『担保法大系第1巻～第5巻』（金融財政事情研究会）

不動産競売手続ハンドブック→東京地裁民事執行書記官実務研究会編『不動産競売手続ハンドブック』（金融財政事情研究会）

不動産競売申立ての実務と記載例→阪本勁夫（東京地裁民事執行実務研究会補訂）『不動産競売申立ての実務と記載例〔全訂3版〕』（金融財政事情研究会）

民事執行法上の保全処分→東京地裁民事執行実務研究会編『民事執行法上の保全処分』（金融財政事情研究会）

執行妨害対策の実務→高木新二郎監修『執行妨害対策の実務〔新版〕』（金融財政事情研究会）

伊藤善博ほか「配当研究」→伊藤善博＝松井清＝古島正彦『不動産執行における配当に関する研究』（裁判所書記官事務研究報告書21巻1号）（法曹会）

伊藤＝園尾「条解民事執行法」→伊藤眞＝園尾隆司編『条解民事執行法』（弘文堂）

注釈民事執行法(1)〜(8)→香川保一監修『注釈民事執行法第1巻〜第8巻』（金融財政事情研究会）

注解民事執行法(1)〜(8)→鈴木忠一＝三ケ月章編『注解民事執行法(1)〜(8)』（第一法規）

注解強制執行法(1)〜(5)→岩野徹ほか編『注解強制執行法(1)〜(5)』（第一法規）

浦野雄幸「条解民事執行法」→浦野雄幸『条解民事執行法』（商事法務研究会）

基本法コンメンタール民事執行法→浦野雄幸編『基本法コンメンタール民事執行法〔第六版〕』（日本評論社）

新基本法コンメンタール民事執行法→山本和彦ほか編『新基本法コンメンタール民事執行法』（日本評論社）

注解不動産法(9)→西村宏一＝佐藤歳二編『注解不動産法9不動産執行』（青林書院）

注解民事執行法(上)→石川明＝小島武司＝佐藤歳二編『注解民事執行法上巻』（青林書院）

民事執行セミナー→ジュリスト増刊民事執行セミナー（有斐閣）

判例展望→ジュリスト増刊民事執行法判例展望（有斐閣）

理論展望→ジュリスト増刊民事執行法理論展望（有斐閣）

民事執行法判例百選→別冊ジュリスト（127号）民事執行法判例百選（有斐閣）

民事執行・保全判例百選→別冊ジュリスト（177号）民事執行・保全判例百選（有斐閣）

条解民事執行規則(上)(下)→最高裁判所事務総局編『条解民事執行規則（第四版）上・下』（法曹会）

民事執行事件執務資料→最高裁判所事務総局編『民事執行事件執務資料』（法曹会）

民事執行事件執務資料(2)〜(4)→最高裁判所事務総局編『民事執行事件執

　　　　　　　　務資料(2)～(4)』（法曹会）
不動産評価執務資料→最高裁判所事務総局編『不動産評価執務資料』
　　　　　　　　（法曹会）
民事執行事件に関する協議要録→最高裁判所事務総局編『民事執行事件
　　　　　　　　　　　　　　に関する協議要録』（法曹会）
物件明細書の作成に関する研究→久保田三樹ほか『不動産執行事件等に
　　　　　　　　　　　　　　おける物件明細書の作成に関する研
　　　　　　　　　　　　　　究』（司法協会）
不動産配当の諸問題→東京地裁配当等手続研究会編著『不動産配当の諸
　　　　　　　　　問題』（判例タイムズ社）
国税徴収法精解→吉国二郎＝荒井勇＝志場喜徳郎共編『国税徴収法精解
　　　　　　　〔19版〕』（大蔵財務協会）
例題解説→法曹会編『例題解説不動産競売の実務〔全訂新版〕』（法曹
　　　　　会）
注釈民法(8)→林良平編集『注釈民法(8)物権(3)』（有斐閣）
新版注釈民法(1)→谷口知平＝石田喜久夫編集『新版注釈民法(1)総則(1)』
　　　　　　　　（有斐閣）
新版注釈民法(7)→川島武宜＝川井健編集『新版注釈民法(7)物権(2)』（有
　　　　　　　　斐閣）
新注釈民法(7)→森田修編集『新注釈民法(7)物権(4)』（有斐閣）
競売不動産評価マニュアル→東京競売不動産評価事務研究会編『競売不
　　　　　　　　　　　　動産評価マニュアル第3版』別冊判タ30号
改正担保・執行法の解説→谷口園恵＝筒井健夫編著『改正担保・執行法
　　　　　　　　　　　の解説』（商事法務）
民事保全の実務→江原健志＝品川英基編著『民事保全の実務(上)(下)〔第4
　　　　　　　版〕』（金融財政事情研究会）
内野宗揮ほか「Q&A」→内野宗揮ほか『Q&A令和元年改正民事執行
　　　　　　　　　　　法制』（金融財政事情研究会）
山本和彦「論点解説」→山本和彦監修『論点解説令和元年改正民事執行
　　　　　　　　　　　法』（金融財政事情研究会）

内野宗揮ほか「法令解説・運用実務」→内野宗揮＝劔持淳子編著『令和元年改正民事執行法制の法令解説・運用実務〔増補版〕』（金融財政事情研究会）

6　その他

「競売」は、不動産強制競売と担保不動産競売の両者を含む意味で用いている。

なお、担保不動産競売、担保不動産収益執行においては、法188条、規則173条によって不動産強制競売、強制管理の規定がほぼ準用されているため、これらの準用条文の表記は、特に注意を要する場合を除き、原則として省略した。

書式例等は、令和4年1月1日現在のものを掲載しており、本書出版後に変更される可能性がある。

〈上巻〉目　次

第1章　不動産執行総論

Q1　不当又は違法な民事執行に対する救済制度……………………3
　　不当又は違法な民事執行手続に対する不服申立てとして、どのようなものがあるか。

Q2　執行抗告と執行異議……………………………………………13
　　執行抗告及び執行異議は、どのような不服申立方法か。

Q3　執行抗告の原審却下……………………………………………21
　　執行抗告の原審却下とはどのようなものか。原審却下決定に対して執行抗告がされた場合、原審却下された執行抗告の対象である原裁判はいつ確定するか。

Q4　民事執行手続における代理人…………………………………26
　　民事執行事件において、弁護士以外の者が代理人となることができるのは、どのような要件を満たす場合か。また、弁護士以外の者が代理人となるための申立てはどのようにすべきか。

Q5　民事執行手続における送達……………………………………31
　　民事執行手続における送達について定められている特例の内容はどのようなものか。

Q6　不動産執行事件記録の閲覧、謄写……………………………36
　　不動産執行事件の記録は誰でも閲覧することができるか。謄写の申請、正本等の交付申請についてはどうか。

第2章　競売開始手続

第1節　申立手続

❏ 第1款　申立ての準備等

Q7　申立ての時期の選択……………………………………………46
　　競売の申立てをすべき時期の選択に当たっては、どのような点を考慮する必要があるか。

Q8　申立て前の準備……………………………………………51
　　競売の申立てをする前に、申立債権者は、どのような調査、準備をすることを要するか。

❏ 第2款　担保不動産競売

Q9　担保不動産競売の申立書……………………………………57
　　担保不動産競売申立書には、どのような事項を記載すべきか。また、添付書類としてどのようなものが必要か。

Q10　転抵当権に基づく担保不動産競売申立て及び配当等の手続………84
　　転抵当権者が担保不動産競売の申立てをする要件は、どのようなものか。また、その後の配当等の手続はどのように進行するか。

Q11　転抵当権が設定されている原抵当権に基づく競売申立て及びその後の手続………………………………………………………92
　　転抵当権が設定されている原抵当権の抵当権者は、競売の申立てをすることができるか。その要件は、どのようなものか。また、その後の手続はどのように進行するか。

Q12　一部代位弁済により移転した抵当権に基づく競売申立て…………99
　　抵当権の被担保債権の一部を弁済した者が、弁済による代位により取得した当該抵当権に基づき競売の申立てをする場合の要件及び手続はどのようなものか。

Q13　事前求償権を請求債権とする担保不動産競売申立て……………106
　　求償権を担保する抵当権の設定を受けていた場合において、事

前求償権を請求債権として担保不動産競売の申立てをすることができるか。これができるとして、担保不動産競売手続中に代位弁済をしたときは、請求債権を事後求償権に変更することができるか。

Q14 民法389条による一括競売の申立て……………………………112
　　民法389条による一括競売とは何か。その要件、申立方法はどのようなものか。また、土地について競売の申立てをした後に、地上建物についてのみ、一括競売の追加申立てをすることができるか。

Q15 抵当権消滅請求制度と担保不動産競売申立て………………118
　　抵当権消滅請求制度とは、どのような制度か。抵当権者が、抵当権消滅請求に対抗する手段として担保不動産競売を申し立てた場合、その後の手続は、どのように進行するか。

❏ 第3款　強制競売

Q16 執行開始要件………………………………………………………122
　　執行開始要件とは何か。次の場合、執行開始要件を具備したことを執行裁判所に証明する文書として、どのような書類が考えられるか。
　(1)　建物明渡しと引換えに移転料200万円を支払うとする和解条項に基づき、200万円を請求債権として強制競売の申立てをするに当たって、建物明渡債務の履行の提供をした場合
　(2)　建物所有権移転登記と引換えに移転料200万円を支払うとする和解条項に基づき、200万円を請求債権として強制競売の申立てをするに当たって、建物所有権移転登記手続債務の履行の提供をした場合

Q17 強制競売の申立て…………………………………………………129
　　不動産強制競売申立書には、どのような事項を記載すべきか。また、添付書類としてどのようなものが必要か。債務名義の種類にはどのようなものがあるか。

Q18 強制競売における目的不動産が債務者の責任財産であることの

証明‥‥‥‥‥‥‥‥‥‥‥‥‥‥‥‥‥‥‥‥‥‥‥‥‥‥‥140
　　　　強制競売において、目的不動産が債務者の所有に属することを
　　　証明するために提出すべき文書は何か。また、債務者を所有名義
　　　人とする登記がされていない不動産を強制競売の目的とする申立
　　　てができるか。
　Q19　強制競売の申立てに対する執行裁判所の審査の範囲‥‥‥‥‥146
　　　　強制競売の申立てを受けた執行裁判所は、執行開始要件の存否
　　　のほか、債務名義の内容、執行文付与の適法性等についても審査
　　　することができるか。

❏ 第4款　その他
　Q20　サービサーによる競売申立て‥‥‥‥‥‥‥‥‥‥‥‥‥‥‥153
　　　　サービサーが競売の申立てをする際に留意すべき点は何か。
　Q21　区分所有建物の管理組合による競売申立て、配当要求‥‥‥‥158
　　　　区分所有建物の管理組合が区分所有者から滞納管理費の回収な
　　　どを図るために不動産競売手続を利用するには、どのような方法
　　　があるか。その場合に注意すべき点は何か。
　Q22　自動車に対する競売の申立て及びその後の手続‥‥‥‥‥‥‥178
　　　　自動車に対する強制競売や、自動車を目的とする担保権実行と
　　　しての自動車担保競売の申立ての対象となる自動車はどのような
　　　ものか。また、これらの競売手続はどのように進められるか。

第2節　開始手続

　Q23　差押えの効力及び競売と時効の完成猶予・更新‥‥‥‥‥‥‥192
　　　(1)　差押えにはどのような効力があるか。
　　　(2)　競売による時効の完成猶予・更新とはどのようなものか。物
　　　　上保証人が所有する不動産に対する担保不動産競売の場合、被
　　　　担保債権についての消滅時効の完成猶予・更新の効力はいつ生
　　　　ずるか。
　Q24　二重開始決定の意義‥‥‥‥‥‥‥‥‥‥‥‥‥‥‥‥‥‥‥199
　　　　二重開始決定とは何か。先行事件の手続が進行している場合、

後行事件はどのように取り扱われるか。

Q25 二重開始の関係にある後行事件の手続の進行·····················205
　　次の場合、二重開始の関係にある後行事件の手続を、どのように進行すべきか。
　(1)　先行事件が取消し又は取下げによって終了した場合
　(2)　先行事件について執行停止文書が提出された場合

Q26 破産手続開始決定と二重開始決定がされた後行事件の手続の進行···210
　　強制競売事件の開始決定、担保不動産競売事件の二重開始決定が順次された後、債務者について破産手続開始決定がされた。この場合、破産手続開始決定をもって執行停止がされたのと同様に考え、後行事件について続行決定をすることができるか。

Q27 競売開始決定に対する不服申立て··································213
　　競売開始決定に対しては、どのような事由により不服申立てをすることができるか。

第3節　開始決定前後の当事者の変更

Q28 担保不動産競売手続における当事者の承継·····················220
　　担保不動産競売開始決定の前後において、当事者の承継があった場合、申立債権者はどのように対応すべきか。

Q29 強制競売手続における当事者の承継······························232
　　強制競売開始決定の前後において、当事者の承継があった場合、申立債権者はどのように対応すべきか。

Q30 債務者（所有者）の死亡後、不動産に相続登記がされていない場合の競売申立て··239
　　債務者（所有者）が死亡したにもかかわらず、不動産に相続登記がされていない場合、競売の申立てはどのようにすればよいか。

Q31 担保不動産競売手続における会社分割···························245
　　担保不動産競売開始決定の前後において、当事者に会社分割があった場合、申立債権者はどのように対応すべきか。

第4節　手続の進行の可否

Q32　滞納処分による差押えと競合する競売事件の進行……………252
　　競売開始決定前に滞納処分による差押えの登記がある場合、競売手続の進行はどうなるか。競売開始決定後に滞納処分による差押えの登記がある場合はどうか。

Q33　滞調法による続行決定の手続………………………………………257
　　滞調法による競売手続続行の決定とは何か。その手続はどのように行うか。

Q34　滞調法による続行決定の可否………………………………………263
　　滞納処分による差押えの後に目的不動産の所有権が移転され、その後、新所有者に対する競売による差押えがされた場合、滞調法に基づく競売手続続行の決定をすることができるか。後行の競売手続が次のとおりであるときによって、違いはあるか。
　⑴　後行の競売手続が強制競売手続であるとき
　⑵　後行の競売手続が滞納処分による差押えの後に設定登記された抵当権に基づく担保不動産競売手続であるとき
　⑶　後行の競売手続が滞納処分による差押えの前に設定登記された抵当権に基づく担保不動産競売手続であるとき

Q35　滞調法による続行決定の要否………………………………………266
　　次の場合、滞調法による競売手続続行の決定を要するか。
　⑴　二重開始の関係にある先行事件と後行事件との間に滞納処分による差押えがあり、先行事件が取消し又は取下げで終了した場合若しくは執行停止になった場合において、後行事件を進行させるとき
　⑵　二重開始の関係にある先行事件と後行事件がいずれも滞納処分に後れており、先行事件について滞調法による続行決定を経て進行させたところ、先行事件が取消し又は取下げで終了した場合若しくは執行停止になった場合において、後行事件を進行させるとき

(3) 滞納処分による差押え後に参加差押えがあった場合において、滞納処分による差押えの解除後に申し立てられた競売手続を進行させるとき
(4) 滞納処分による差押え後に参加差押えがあった場合において、参加差押えの後、滞納処分による差押えの解除前に申し立てられた競売手続を進行させるとき

Q36 最先順位の仮差押登記が担保不動産競売手続に及ぼす影響 …… 270
　　　最先順位に仮差押えの登記があり、その後に設定された抵当権に基づき担保不動産競売手続が開始された場合、当該競売手続を進行させることができるか。仮差押えの登記の前に他の抵当権の登記があり、仮差押えが最先順位ではない場合はどうか。

Q37 最先順位の登記が競売手続に及ぼす影響 ………………………… 274
　　　最先順位に次の登記がある場合に競売手続を進行させることができるか。
(1) 処分禁止の仮処分の登記
(2) 買戻登記
(3) 所有権移転仮登記

Q38 破産、民事再生、会社更生手続と担保不動産競売の進行 ……… 281
　　　担保不動産競売の開始決定後売却実施前に、目的不動産の所有者が破産手続開始決定を受けた場合、競売手続の進行にどのような影響があるか。民事再生手続や会社更生手続の開始決定を受けた場合はどうか。

Q39 破産手続と強制競売手続の進行 …………………………………… 289
　　　強制競売手続の開始決定後売却実施前に、債務者が破産手続開始決定を受けた場合、競売手続の進行にどのような影響があるか。

Q40 民事再生手続と強制競売手続の進行 ……………………………… 301
　　　強制競売手続の開始決定後売却実施前に、債務者が民事再生手続開始決定を受けた場合、競売手続の進行にどのような影響があるか。

Q41　土地収用法、都市再開発及びマンション建替えと競売手続……309
　　　競売による差押登記前に、土地収用法による裁決手続開始の登記、都市再開発法やマンションの建替え等の円滑化に関する法律等による権利変換の登記がされていた場合、競売手続にどのような影響を与えるか。また、差押登記後にこれらの登記がされた場合はどうか。

第3章　売却準備手続

第1節　債権関係調査

Q42　配当要求の終期……………………………………………328
　　　配当要求の終期とは何か。配当要求の終期を定めた後、執行裁判所は、どのような手続を行うか。
Q43　債権者の競売手続への参加………………………………335
　　　債権者が競売手続に参加して配当等を受けるには、どのような方法によるべきか。
Q44　不動産工事の先取特権の取扱い…………………………339
　　　不動産工事の先取特権は、競売手続においてどのように取り扱われるか。
Q45　交付要求の方法、効力……………………………………343
　　　交付要求はどのように行うのか。交付要求書に記載されていない確定延滞税に交付要求の効力が及ぶか。
Q46　国徴法22条5項による交付要求……………………………347
　　　国徴法22条5項による交付要求とは、どのようなものか。
Q47　債権届出と時効の完成猶予………………………………353
　　　競売手続において抵当権者がする債権届出によって、届出に係る債権の消滅時効の完成が猶予されるか。抵当権者が、届出に係る債権の一部に対する配当を受けた場合はどうか。

第 2 節　権利関係調査

Q48　現況調査 ··· 358
　　現況調査の意義・目的等は何か。現況調査に当たり、次のような各事情がある場合、執行官はどう対応すべきか。
　(1)　執行停止文書が提出された場合
　(2)　占有者が不在の場合
　(3)　占有者が調査を妨害する場合
　(4)　目的不動産内における死亡の事実が判明した場合
　(5)　目的不動産が暴力団事務所又は暴力団の構成員の住居として使用されている事実がある場合
　(6)　目的不動産がシェアハウスの場合

Q49　現況調査の留意点と現況調査報告書の記載 ··············· 365
　　現況調査に当たり、執行官は、どのような点に留意すべきか。また、執行官は、現況調査報告書に、どのような事項を記載すべきか。

Q50　評　　価 ··· 371
　　評価とは何か。次の場合に執行裁判所や評価人はどのような対応をとるべきか。
　(1)　評価命令発令後に執行停止文書が提出された場合
　(2)　占有者が不在の場合や調査を妨害する場合
　(3)　目的不動産に土壌汚染のあることがうかがわれる場合

Q51　評価の基準及び評価書 ··································· 380
　　評価人が評価を行うに当たって従うべき基準はどのようなものか。また、評価人は、評価書に、どのような事項を記載することが求められているか。

第 3 節　競売手続進行のための保全

Q52　地代等代払許可制度 ····································· 388
　　借地権付建物の所有者が地代や借賃の支払をしない場合に、差

押債権者において、借地契約が解除されることを防止する方法は
　　　あるか。差押債権者が建物の所有者に代わって地代や借賃を支払
　　　った場合に、これに要した費用等を執行手続内で求償することは
　　　できるか。
Q53　担保不動産競売開始決定前の保全処分……………………………394
　　　担保不動産競売開始決定前の保全処分の要件、手続等はどのよ
　　　うなものか。
Q54　売却のための保全処分…………………………………………………399
　　　売却のための保全処分とは、どのような保全処分か。また、そ
　　　の申立てに当たって、どのような点に留意すべきか。
Q55　買受けの申出をした差押債権者のための保全処分………………412
　　　差押債権者が買受けの申出をした上で行う保全処分とは、どの
　　　ような保全処分か。また、その申立てに当たって、どのような点
　　　に留意すべきか。
Q56　相手方を特定しないで発する保全処分……………………………419
　　　相手方を特定しないで発する保全処分とは、どのような保全処
　　　分か。
Q57　占有移転禁止の保全処分………………………………………………423
　　　民事執行法上の保全処分としての占有移転禁止の保全処分と
　　　は、どのような保全処分か。
Q58　売却のための保全処分としての執行官保管と買受人への不動産
　　　の占有移転の方法………………………………………………………428
　　　売却のための保全処分として執行官保管の保全処分の執行をし
　　　た場合、買受人への不動産の占有移転は、どのような方法によっ
　　　て行うのか。

第4節　売却条件の判断

Q59　消除主義と引受主義…………………………………………………432
　　　競売により売却される不動産上の権利は、どのように取り扱わ
　　　れるか。

Q60　抵当権に優先する賃借権等の処遇……………………………… 438
　　　目的建物の最先順位の抵当権に優先する賃借人の賃借権は、競売手続上どのように扱われるか。当該賃借人が、同建物に設定された抵当権の債務者である場合はどうか。賃借権ではなく、配偶者居住権の場合はどうか。

Q61　短期賃貸借保護制度の廃止と建物明渡猶予制度………………… 443
　　　短期賃貸借保護制度が廃止されたのはなぜか。これに代わり平成15年改正法により創設された建物明渡猶予制度とはどのようなものか。

Q62　短期賃貸借保護制度廃止後の短期賃借権の保護………………… 451
　　　平成15年改正法により廃止された短期賃貸借保護制度により保護されるのは、どのような場合か。

Q63　抵当権者の同意により賃貸借に対抗力を与える制度…………… 462
　　　抵当権者の同意により賃貸借に対抗力を与える制度とはどのような制度か。

Q64　仮差押登記又は滞納処分による差押登記に後れる用益権の処遇……………………………………………………………………… 466
　　　仮差押登記又は滞納処分による差押登記に後れる用益権は、どのように取り扱われるか。

Q65　建物共有持分の一部に対する滞納処分と賃借権の処遇………… 470
　　　共有に係る建物の全体に抵当権が設定されている場合において、一部の共有持分に滞納処分による差押えがされた後に建物共有者の全員を賃貸人として設定された賃借権は、上記抵当権の実行による競売手続上どのように扱われるか。滞納処分による差押えがされた共有持分が3分の2の場合と、3分の1の場合とで、違いはあるか。

Q66　建物共有者の一人を賃貸人とする賃借権の処遇………………… 474
　　　次のような賃借権は、競売手続上どのように取り扱われるか。
　(1)　建物全体に設定された抵当権が実行されている場合において、建物共有者の一人のみを賃貸人とする賃借権が設定されて

いるとき
　(2) 建物共有持分に設定された抵当権が実行されている場合において、
　　① 抵当権設定者である共有者のみを賃貸人とする賃借権が設定されているとき
　　② 抵当権設定者でない共有者のみを賃貸人とする賃借権が設定されているとき

Q67　定期借家権の処遇……………………………………………479
　　競売手続において、定期借家権はどのように取り扱われるか。

Q68　配偶者居住権・配偶者短期居住権の処遇……………………485
　　競売手続において、配偶者居住権・配偶者短期居住権はどのように取り扱われるか。

Q69　建物建築工事請負人の敷地に対する商事留置権の成否………495
　　土地に抵当権が設定された後、土地所有者との間で当該土地上に建物を建築する請負契約を締結し、建物建築工事を施工した請負人は、当該土地について開始された競売手続において、請負代金を被担保債権として敷地に対する商事留置権を主張することができるか。

Q70　民法389条による一括競売と建物の売却条件………………498
　　民法389条による一括競売において、建物の売却条件はどのように定められるか。

Q71　法定地上権制度………………………………………………502
　　民法388条の法定地上権とは何か。どのような場合に成立するのか。

Q72　建物再築と法定地上権の成否………………………………506
　　Xは、Y所有の土地建物に共同抵当権の設定を受けた。次の場合、再築建物のために法定地上権が成立するか。
　(1) Yが建物を取り壊して新たに建物を建築した場合
　(2) Xが、再築建物について土地の抵当権と同順位の共同抵当権の設定を受けた場合

(3) (2)の事例で、再築建物に抵当権を設定する前に法定納期限が
　　　到来した国税について交付要求があった場合
Q73　共有と法定地上権………………………………………………510
　　　土地又は建物の一方又は双方が共有の事案において、法定地上
　　権が成立するのはどのような場合か。
Q74　件外建物と附属建物の判断…………………………………516
　　　土地及び建物が競売の対象とされている場合において、現況調
　　査により、土地上に未登記の申立外建物が発見されたとき、この
　　申立外建物を件外建物とするか目的建物の附属建物とするかは、
　　どのような基準で判断されるか。

事項索引……………………………………………………………521

《下巻》の主要内容
第3章　売却準備手続（承前）（Q75～81）
第4章　売却手続（Q82～91）
第5章　代金納付・買受人保護・引渡命令（Q92～107）
第6章　配当手続（Q108～137）
第7章　手続の停止・取消し及び取下げ（Q138～143）
第8章　強制管理・担保不動産収益執行（Q144～147）
第9章　形式的競売（Q148～151）

第 1 章

不動産執行総論

Q1 不当又は違法な民事執行に対する救済制度

不当又は違法な民事執行手続に対する不服申立てとして、どのようなものがあるか。

1 不当又は違法な民事執行に対する救済制度

(1) 不当執行と違法執行

ア 救済制度の必要性

民事執行手続において、執行機関は、原則として、債務名義又は法定文書等の資料を形式的に審査するだけで、実体上の権利の存否を実質的に判断することはない。執行の対象となる財産の帰属についても、権利の外観によって判断し、外観と実体とが一致しているか否かを実質的に審査することはない。これは迅速な執行を目的とするものであり、このような仕組みの下では、債務名義や法定文書等に表示されている権利が実体上の権利と齟齬する事態が生じ得る。こうした場合に執行を実施すると不当な結果をもたらすことから、利益を害される者を救済する手続を設ける必要がある。

また、民事執行法及び同規則は、関係者の立場に配慮しながら利害を調整しつつ、手続が円滑に遂行することができるように、執行機関が遵守すべき詳細な手続規定を置いている。このうち関係者の利益保護のために設けられた手続規定に執行機関が違背した場合には、これにより利益を害された者を救済する方法を用意する必要がある。

イ 不当執行と違法執行

執行機関が民事執行法に定められた債務名義の正本や法定文書等に基づいて執行を実施した場合は、その文書に表示されたところと実体上の権利関係が齟齬していても、それ自体としては民事執行法上適法なものとされる。このように、実体上権利が存しないにもかかわらず執行が行われ、又は第三者の財産に執行が行われる場合のように、手続上は適法であるが、

Q1

それを認める実体上の根拠を欠く執行を、不当執行という。

他方、執行機関が手続規定に反して執行処分を行い、又は定められた執行処分を行わなかった場合は、民事執行法上違法と評価されることから、これを違法執行という。

(2) 救済手続

不当執行に対する救済手続としては、請求異議の訴え（法35条）及び第三者異議の訴え（法38条）が典型的であり、通常の訴訟手続と同様に、対立した当事者による口頭弁論において審理される。実体上の権利関係については、簡易・迅速な手続の実行を旨とする執行手続の中で扱うのは相当でなく、当事者に主張立証を十分に尽くさせた上で判断すべきと考えられたためである。受訴裁判所の判断が示されるまでの間には、原告に強制執行の停止の申立権（法36条、38条4項）が与えられている。受訴裁判所の判断は判決によって示され、判決に対する不服申立ても、通常の訴訟手続と同様である。

これに対し、違法執行に対する救済手続である執行異議及び執行抗告は、執行手続の迅速性の要請から、決定手続という比較的簡易な方法により審理され、申立人に強制執行の停止の申立権は与えられていない（法10条6項、11条2項参照）。裁判所の判断に対する不服申立方法にも、執行手続の不当な遅延を防ぐため、後述のとおり、一定の制限が設けられている。

もっとも、権利の確定手続を経ていない法定文書等によって実施される担保権の実行では、上記の区別は貫徹されておらず、不動産執行の場合、担保不動産競売の開始決定に対する執行異議や、担保不動産収益執行の開始決定に対する執行抗告において、担保権の不存在又は消滅といった実体上の理由を主張することができる（法182条）。ただし、その救済には決定手続により審理されることによる一定の限界がある（〔Q27〕参照）。

2　不当執行に対する救済

(1) 不当執行に対する救済手続

民事執行法は、不当執行に対する救済訴訟として、債務名義についての

事実到来（条件成就）の有無又は執行力の拡張の可否に関する執行文付与に対する異議の訴え（法34条）、債務名義の請求権の存否又は内容に関する請求異議の訴え（法35条）、民事執行の目的たる財産に対する第三者の権利の存否に関する第三者異議の訴え（法38条、194条）を定めている。

なお、執行文付与に対する異議の訴えについては、不当執行に対する救済手続に分類されないこともあるが、この訴えによる強制執行の不許の判決がない限り、執行裁判所は執行文付与機関の判断を前提に強制執行を実施すべきであり、かつ、実施された強制執行は手続的に適法とされる点において、請求異議の訴え及び第三者異議の訴えと異なるところはないので、ここで取り上げることとする。また、不当執行に対する救済手続に分類されることもある配当異議訴訟については、強制執行の不許の判決を求めるものではないことなどから、ここでは取り上げない（配当異議訴訟に関しては、〔Q136〕参照）。

(2) 執行文付与に対する異議の訴え

ア　意　義

執行文付与に対する異議の訴えは、債権者の証明すべき事実の到来（条件成就等）が文書によって立証されたとして、裁判所書記官又は公証人が事実到来執行文（いわゆる条件成就執行文）を付与したのに対し、債務者がその事実の到来を争ったり、又は、当事者に承継があったとして承継執行文が付与されたのに対し、債務者が承継の事実を争ったりして、当該執行文が付与された債務名義の正本に基づく強制執行の不許を求めるために認められた訴えである（法34条）。

イ　異議の事由

異議の事由は、事実の到来又は承継の事実がないのに事実到来（条件成就）執行文又は承継執行文が違法に付与されたことである。これと併せて形式的要件の欠缺を主張することができるかどうかについては争いがある（中野＝下村「民事執行法」281頁）。異議の事由が数個あるときは、債務者（原告）は、同時にこれを主張しなければならない（法34条2項）。

なお、執行文付与に対する異議の申立て（法32条）の異議事由は、執行文付与の形式的要件又は実体的要件の欠缺であり、事実到来（条件成就）

又は承継の欠缺を異議事由とする場合には、執行文付与に対する異議の訴えと競合する関係にあるから、債務者は、執行文付与に対する異議の申立てと執行文付与に対する異議の訴えとのいずれを選択してもよいこととなる。

ウ　当事者及び管轄裁判所等

この訴えにおいて原告適格を有するのは事実到来（条件成就）執行文又は承継執行文に表示された債務者であり、被告適格を有するのはこれらの執行文に表示された債権者である。

訴えを提起することができるのは、これらの執行文が付与された後、債権者がその債務名義に表示された請求債権につき満足を受けるまでである。

管轄裁判所は、法33条2項（法34条3項において準用）において、債務名義ごとに定められており、主なものを掲げると、①確定判決、仮執行宣言付判決、抗告によらなければ不服申立てのできない裁判（引渡命令等）、請求認諾調書等については、第一審裁判所（1号）、②仮執行宣言付支払督促については、原則として当該支払督促を発した裁判所書記官の所属する簡易裁判所（2号）、③和解又は調停調書（上級審において成立したものを除く。）については、原則としてその和解又は調停が成立した簡易裁判所、地方裁判所、家庭裁判所（6号）、④執行証書については、債務者の普通裁判籍（民訴4条）の所在地を管轄する裁判所（この普通裁判籍がないときは、請求の目的又は差押対象となる財産の所在地を管轄する裁判所）（5号）となっている。

エ　審理及び判決

執行文の付与に対する異議の訴えは、通常の判決手続の規定に従って、口頭弁論手続において審理される。この訴えにおいては、通常の事実到来（条件成就）執行文又は承継執行文の付与手続（法27条）とは異なり、事実の到来や承継の事実を証するために文書を提出しなければならないとの制限はなく、どのような証拠方法によって事実の到来又は承継の事実を立証してもよい。執行文付与の実体的要件である事実の到来や承継の事実の立証責任は、裁判所書記官等から事実到来（条件成就）執行文又は承継執行

文の付与を受ける場合と同様、債権者（被告）にある（同条）。これらの事実の存否は、執行文付与申立て時ではなく、当該訴訟の事実審の口頭弁論終結時を基準として判断される。

　受訴裁判所は、債務者（原告）の請求を認容する場合は、判決主文において、執行文の付与された債務名義正本に基づく強制執行を許さない旨を宣言する。

　なお、認容判決が確定しても、既に開始されている強制執行が当然に停止されるわけではなく、強制執行の停止・取消しの効果を得るためには、確定した認容判決の正本を執行機関に提出する必要がある（法39条1項1号、40条。〔Q138〕参照）。

オ　執行停止

　執行文付与に対する異議の訴えが提起されても、審理対象とされている債務名義に基づく強制執行の開始及び続行自体は直接には妨げられないが、受訴裁判所（急迫の事情があるときは、裁判長）は、申立てにより、仮の処分として執行停止等の裁判をすることができる（法36条1項）。執行債務者は、この裁判の正本を執行機関に提出することにより、強制執行の一時停止の措置を受けることができる（法39条1項7号）。

　なお、受訴裁判所の裁判を得る時間的余裕がないときは、受訴裁判所による執行停止の裁判を得られるまでの暫定的措置として、執行裁判所に執行停止等の裁判を申し立てることができるが（法36条3項）、実例は多くない。

(3)　請求異議の訴え

ア　意　義

　請求異議の訴えは、債務者が債務名義に表示された給付請求権について、実体上の事由に基づき、その債務名義の有する執行力を排除し、不当な強制執行の不許を求める訴えである（法35条）。

イ　異議の事由

　異議の事由は、債務名義の執行力の排除を求める理由となり得る具体的な事実であり、法35条1項に定めがある。①請求権の存在及び内容についての異議事由（法35条1項前段）としては、請求権を消滅させる事由（弁

済、代物弁済、更改、債務免除、相殺、消滅時効の完成、解除条件の成就、契約の解除等）、請求権の効力の停止又は制限を生じさせる事由（弁済期限の猶予、停止条件の付加、相続の限定承認、破産等における免責等）、請求権の主体の変更（債権譲渡、免責的債務引受等）があり、②債務名義の成立についての異議事由（同項後段）としては、裁判以外の債務名義（執行証書、和解調書、調停調書等）について、その成立に瑕疵のある場合（成立に関与した代理人につき代理権の欠缺がある場合、意思表示に通謀虚偽表示がある場合、錯誤、詐欺又は強迫による意思表示として取り消された場合等）がある。その他の異議事由としては、不執行の合意がある場合（最決平18.9.11民集60巻7号2622頁参照）や、強制執行を行うことが信義則に反し、あるいは権利濫用となる場合（最判昭37.5.24民集16巻5号1157頁、最判昭62.7.16集民151号423頁、最判令元.9.13集民262号89頁等参照）等がある。なお、確定判決についての異議の事由は、口頭弁論の終結後に生じたものに限る（法35条2項）。

　異議の事由が数個あるときは、債務者（原告）は、執行文の付与に対する異議の訴えと同様、同時にこれを主張しなければならない（法35条3項、34条2項）。

ウ　当事者及び管轄裁判所等

　原告適格を有するのは、債務名義に債務者として表示された者又はその承継人その他債務名義の執行力が拡張されて強制執行を受けるおそれがある者であり、被告適格を有するのは、債務名義に債権者として表示された者又はその承継人その他債務名義の執行力拡張の効力を受ける者である。

　請求異議の訴えは、債務名義の執行力の排除を目的としているから、債務名義が成立した後であれば執行文が付与される前であっても提起することができる。他方、当該債務名義による強制執行が完了した場合や、債権者が執行債権の全額の弁済を受けた場合には、訴えの利益を欠くものとして却下される。

　管轄裁判所は、執行文付与に対する異議の訴えの場合と同じである（法35条3項、33条2項。なお、34条3項参照）。

エ　審理及び判決

　請求異議の訴えも、通常の判決手続の規定に従って、口頭弁論手続で審理され、債務名義の執行力を排除すべきか否か、すなわち、債務者（原告）が主張する異議事由が存在するか否かが判断される。

　異議事由が存在すれば、受訴裁判所は、債権者（被告）から債務者（原告）に対する当該債務名義に基づく強制執行を許さない旨の判決をする。なお、請求異議の訴えについても、執行文付与に対する異議の訴えの場合と同様、強制執行の停止・取消しを求めるためには、確定した認容判決の正本を執行機関に提出する必要がある（法39条1項1号、40条。〔Q138〕参照）。

オ　執行停止等

　請求異議の訴えについても、執行文付与に対する異議の訴えと同様、訴えが提起されても強制執行の開始及び続行自体は直接には妨げられないが、受訴裁判所等が、申立てにより仮の処分として執行停止等の裁判をすることができる（法36条）。

(4)　第三者異議の訴え

ア　意　義

　第三者異議の訴えは、執行の対象とされた財産について、所有権その他目的物の譲渡又は引渡しを妨げる権利を有している第三者が、執行の不許を求めて提起する訴えである（法38条）。

　執行機関は、債務者の責任財産（強制執行において、執行の対象となり得る適格を有する財産）に属する外観を備えている物及び債権その他の財産権に対して強制執行をなし得る。ここでいう外観とは、不動産であれば債務名義に表示された者が登記記録上所有者とされていることである。しかし、執行の目的とされた財産が外観上債務者の責任財産にみえても、債務者の財産でない場合があり得るし、また、債務者の財産ではあるが、その財産に第三者が法的に保護される権利を有することがある。このような場合に、その財産について権利を有する第三者の救済方法として認められているのが第三者異議の訴えである。

　第三者異議の訴えは、特定の財産に対する執行の排除を求めるものであ

Q1

り、担保権実行（法194条）及び形式競売（法195条）にも準用される。

イ　異議の事由

異議の事由は、当該第三者が「所有権その他目的物の譲渡又は引渡しを妨げる権利」（法38条1項）を有することであり、具体例としては、①第三者が目的物につき執行債権者に対抗することのできる所有権を有していること、②第三者が目的物につき執行債権者に対抗することのできる共有持分権を有していること、③第三者が目的物につき執行行為によって侵害される占有権を有しており、執行債権者に対して当該侵害を受忍すべき理由がないこと（最判昭38.11.28民集17巻11号1554頁参照）等がある。その他、異議の事由となり得る権利には、地上権、賃借権等の用益権、留置権、譲渡担保権等（最判昭58.2.24集民138号229頁参照）があるが、どのような権利者がどのような場合に救済を受け得るかについては、それぞれ実体法上の効力や法的地位等に応じて個別の問題がある。

ウ　当事者及び管轄裁判所等

原告適格を有するのは、執行の目的物につき譲渡又は引渡しを妨げる権利を主張する者、被告適格を有するのは、目的物についての執行債権者である。

第三者異議の訴えの提起は、特定財産に対する執行を排除することを目的とするから、当該財産に対する執行開始後から執行が終了するまでの間にのみ訴えを提起できることを原則とするが、特定物の引渡し（明渡し）の強制執行の場合には、執行の対象は既に特定しているから、強制執行のおそれが肯定される限り、執行開始前でも許されると解される。

第三者異議の訴えの訴訟手続は、執行裁判所の専属管轄となる（法38条3項）。

エ　審理及び判決

第三者異議の訴えの審理も、通常の判決手続の規定に従って、口頭弁論手続で審理され、請求債権の存否ではなく、原告の主張する異議事由が存在するか否かが判断される。

異議事由が存在すれば、受訴裁判所は、債権者（被告）に対して目的物に対する強制執行を許さない旨の判決をする。なお、第三者異議の訴えに

ついても、執行文付与に対する異議の訴えの場合と同様、強制執行等の停止・取消しを求めるためには、確定した認容判決の正本を執行機関に提出する必要がある（法39条1項1号、40条。〔Q138〕参照）。

オ　執行停止等

　第三者異議の訴えについても、執行文付与に対する異議の訴えと同様、訴えが提起されても強制執行等の開始及び続行自体は直接には妨げられないが、受訴裁判所等が、申立てにより仮の処分として執行停止等の裁判をすることができる（法38条4項、36条）。

3　違法執行に対する救済（詳細は〔Q2〕参照）

(1)　執行抗告及び執行異議

　民事執行法は、執行機関の違法な執行処分（違法執行）に対する救済の手段として、執行抗告（法10条）及び執行異議（法11条）の2種類の不服申立てを規定している。このうち、執行抗告は、執行裁判所の民事執行の手続に関する裁判で、執行抗告をすることができる旨の特別の定めがあるもの（法10条1項）を対象とする不服申立てであり、執行異議は、執行裁判所の裁判その他の執行処分で執行抗告をすることができないもの（法11条1項前段）並びに執行官の執行処分及びその遅怠（同項後段）を対象とする不服申立てである。

　なお、期限の到来、引換給付の履行等の欠如は、実体上の事由ではあるが、執行開始要件として執行裁判所が判断すべき手続上の事由（法30条1項、31条）でもあるので、他の執行開始要件（強制執行について法29条、30条、31条、担保権実行について法181条1項）の欠如とともに執行異議事由となる。また、前記のとおり、担保不動産競売の開始決定に対しては、担保権の不存在又は消滅という実体上の事由を理由とする執行異議が、担保不動産収益執行の開始決定に対しては、担保権の不存在又は消滅を理由とする執行抗告が、それぞれ認められている（法182条、188条、93条5項）。

(2)　決定手続

　執行抗告及び執行異議においては、前記(1)のとおり、原則として、執行処分が実体的な権利関係に照らして適切であるか否かではなく、手続規定

Q1

上、執行機関の執行処分が適法であるか否かが審理される。このように、執行抗告及び執行異議は、実体的な権利関係の存否の終局的な確定を目的とするものではないため、当事者対立の手続による審理が必要不可欠ではないから（対立して手続を進めるような相手方がそもそも存在しない場合もある。）、その審理は、執行手続内における執行裁判所又は抗告裁判所の決定手続によることとなる（法10条、11条）。

　違法執行に対する救済の申立てが、このように決定手続という簡易な手続によって審理されるのは、執行手続の迅速性の要請に応えるためでもある。執行異議の申立てに対する決定に原則として不服を申し立てることができないこと（法12条参照）、執行抗告の申立期間が原決定の告知を受けた日から１週間の不変期間とされており（法10条２項）、一定の場合には原審が却下しなければならないこと（同条５項）等も、執行手続の迅速性を担保するものである。

Q2

Q2　執行抗告と執行異議

執行抗告及び執行異議は、どのような不服申立方法か。

1　執行抗告と執行異議

　民事執行法は、執行機関が行った裁判その他の執行処分に瑕疵がある場合に、その是正を求めるための不服申立方法として、執行抗告（法10条）及び執行異議（法11条）を定めている。

　執行抗告は、執行裁判所が行った民事執行の手続に関する裁判のうち、執行抗告を行うことができる旨の規定がある場合に限り行うことができ（法10条1項）、その審理は、原則として抗告裁判所が行う。これに対し、執行異議は、執行裁判所の裁判その他の執行処分で執行抗告を行うことができないもの並びに執行官の執行処分及びその遅怠に対して申し立てることができ（法11条1項）、その審理は、執行裁判所が行う。

　なお、強制執行の場合、実体上の権利関係との齟齬については、訴訟手続でその是正を求めるべきであるが、実体上の権利の確定手続を経ていない法定文書等によって実施される担保権の実行の場合、担保不動産競売の開始決定に対する執行異議や、担保不動産収益執行の開始決定に対する執行抗告において、担保権の不存在又は消滅といった実体上の理由も主張することができる（〔Q1〕参照）。

2　執行抗告の手続

(1)　執行抗告の対象

　執行抗告は、前記のとおり、執行裁判所の執行手続に関する裁判のうちで、民事執行法（又は民事執行規則）に執行抗告をすることができる旨の規定がある場合に限り許されている（法10条1項）。執行抗告の対象となる裁判を限定しているのは、執行手続の迅速性を保持しつつ、関係者に重大な影響を及ぼすこれらの裁判について特に抗告裁判所の判断を仰ぐ機会を

Q2

与えるためである。不動産執行に関係する手続で、法が執行抗告をすることができる旨を規定しているものの一例は、次のとおりである。実務的には、売却許可決定に対する執行抗告及び引渡命令に対する執行抗告がほとんどである。

① 執行抗告の原審却下決定（法10条8項）
② 執行手続の取消決定（法12条1項）
③ 費用不納付による申立却下決定（法14条5項）
④ 執行費用額確定処分に対する異議の申立てについての決定（法42条7項）
⑤ 不動産競売や船舶執行等の申立却下決定（法45条3項、121条、188条、189条。なお、不動産競売や船舶執行等の競売開始決定に対しては執行抗告をすることはできない。これに対し、例えば自動車執行の開始決定に対しては執行抗告をすることができる。規89条3項）
⑥ 配当要求却下決定（法51条2項、105条2項）
⑦ 売却のための保全処分の申立てについての決定（法55条6項）
⑧ 買受けの申出をした差押債権者のための保全処分の申立てについての決定（法68条の2第4項、55条6項）
⑨ 売却許可決定・売却不許可決定（法74条1項）
⑩ 売却許可決定取消しの申立てについての決定（法75条2項）
⑪ 買受人等のための保全処分の申立てについての決定（法77条2項、55条6項）
⑫ 引渡命令の申立てについての決定（法83条4項）
⑬ 強制管理及び担保不動産収益執行の申立てについての決定（法93条5項）
⑭ 建物の使用許可の申立てについての決定（法97条3項）
⑮ 収益等の分与の申立てについての決定（法98条2項、97条3項）
⑯ 管理人の報酬等についての決定（法101条2項）
⑰ 担保不動産競売開始決定前の保全処分の申立てについての決定（法187条5項、55条6項）

(2) 抗告状の提出

　執行抗告をすることができるのは、執行抗告の対象となる裁判によって自己の法的利益を害される者である。したがって、執行抗告の当事者は、必ずしも執行手続の執行当事者に限定されるものではない。どのような者が当該裁判によって自己の法的利益を害されるかは、対象となる各裁判の性質に応じて個別的に判断されることとなる（売却許可決定について〔Q90〕、引渡命令について〔Q106〕参照）。

　執行抗告をすることができる期間は、裁判の告知を受けた日から1週間の不変期間であり（法10条2項）、抗告人が裁判の告知を受けるべき者（規2条）でないときは、裁判の告知を受けるべき全ての者に告知された日から進行する（規5条）。初日は算入しない（法20条、民訴95条1項、民140条）。

　執行抗告は、抗告状を原裁判所（執行裁判所）に提出して行うこととされ（法10条2項）、口頭による執行抗告は認められていない。抗告状が誤って抗告裁判所に提出された場合には、手続の進行が遅れることを防ぐため、抗告裁判所は、これを原裁判所に移送することなく直ちに不適法として却下すべきであるとされている（最決昭57.7.19民集36巻6号1229頁）。

　抗告状には、必ずしも抗告の理由を記載することを要しないが、抗告状に理由を記載しなかった場合には、抗告状提出の日から1週間以内に、執行抗告の理由書を原裁判所に提出しなければならない（法10条3項）。また、抗告人は、一旦理由書を提出しても、抗告状提出の日から1週間の期間内であれば理由書の追加をすることができるが、同期間の経過後に理由書を提出して新たな理由を追加することはできない。

　執行抗告の理由には、原裁判の取消し又は変更を求める事由を具体的に記載しなければならず、その事由が法令の違反であるときは、その法令の条項又は内容及び法令に違反する事由を、事実の誤認であるときは誤認に係る事実を摘示しなければならない（規6条）。また、執行抗告では、原裁判時における原裁判の誤りのみではなく、その後理由書提出時までに生じた事由を理由とすることができる。

Q2

(3) 執行抗告の審理
ア　原審却下
　原裁判所（執行裁判所）は、執行抗告が次の事由に該当するときは、当該執行抗告を不適法なものとして却下しなければならない（法10条5項。これを原審却下という。〔Q3〕、〔Q107〕参照）。
① 抗告状に執行抗告の理由の記載がなく、かつ、抗告人が、抗告状提出の日から1週間以内に執行抗告の理由書を提出しなかったとき（1号）
② 執行抗告の理由の記載が具体的でないとき（2号）
③ 執行抗告が不適法であってその不備を補正することができないことが明らかであるとき（3号）
④ 執行抗告が民事執行の手続を不当に遅延させることを目的としてされたものであるとき（4号）
　なお、抗告人は、この原裁判所による却下決定に対しても、執行抗告をすることができる（法10条8項）。

イ　審　理
　原裁判所は、当該執行抗告に理由があると判断した場合には、自ら再度の考案により原裁判を取り消し、又は変更することができる（法20条、民訴333条）。原裁判所が前記アにより自ら執行抗告を却下することができず、再度の考案による原裁判の取消し又は変更もしなかった場合には、事件記録が抗告裁判所に送付され（規15条の2、民訴規205条、174条）、抗告裁判所が当該執行抗告の審理を開始する。
　抗告裁判所は、原則として、抗告状又は執行抗告の理由書に記載された理由に限り調査することになるが、原裁判に影響を及ぼすべき法令違反又は事実誤認については、職権で調査することができる（法10条7項）。

(4) 執行抗告に伴う執行停止
　執行抗告には、手続の迅速処理の要請から、民訴法上の即時抗告（民訴334条1項）と異なり、原則として手続の執行停止の効力が与えられていない。しかし、民事執行法は、競売手続の取消決定（法12条1項、2項）、売却許可決定・売却不許可決定（法74条5項）、引渡命令（法83条1項、5項）等の関係者に大きな利害を与える一定の裁判については、手続の適正

の要請から、確定しなければ効力を生じないと定めており、このような定めのある裁判は、執行抗告によって確定が遮断されている間は効力を生じないこととなる。

確定しなければ効力を生じないとの定めのある裁判以外の裁判についても、抗告裁判所（記録が原裁判所にある間は原裁判所も同様）は、必要があると判断したときには、執行抗告についての裁判が効力を生ずるまでの間、原裁判の執行の停止等の処分を行うことができる（法10条6項）。この処分は裁判所の職権によるものであり、当事者にその申立権はないから、当事者が執行停止の申立てを行ったとしても、それは裁判所の職権発動を促すものにすぎない。

3 執行異議の手続

(1) 執行異議の対象

執行異議の対象となるのは、執行裁判所の裁判その他の執行処分で執行抗告をすることができないもの並びに執行官の執行処分及びその遅怠である（法11条1項）。なお、少額訴訟債権執行の手続において裁判所書記官が行う執行処分に対しても、執行異議の申立てができる（法167条の4第2項）。

執行異議の対象となる執行裁判所の執行処分の例としては、不動産競売及び船舶執行等の競売開始決定（法45条1項、114条1項、188条、189条）、地代等の代払の許可決定（法56条1項）、売却基準価額の決定・変更（法60条1項、2項）、一括売却の決定（法61条）、二重開始事件における後行事件の続行決定（法47条6項）、強制管理及び担保不動産収益執行における管理人の選任決定・解任決定（法94条1項、102条）等が挙げられる。

また、執行官が執行機関として行う執行処分は、独立性があれば執行異議の対象となる。執行官が執行裁判所の補助機関として行うものについても、これを執行処分として執行異議を認める見解があるが、当該行為に基づいてされた執行裁判所の裁判その他の執行処分に対する執行異議を認めれば足りると解される。

Q2

(2) 執行異議の申立て

執行異議について管轄を有するのは、執行裁判所である（法11条1項）。執行官の行う執行処分に関しては、その執行官の所属する地方裁判所が執行裁判所となる（法3条）。この管轄は、いずれも専属管轄である（法19条）。

執行異議の申立権者は、執行機関の執行処分により自己の法律上の利益を害される者であり、執行抗告と同様、必ずしも執行当事者に限定されるものではない。

なお、申立権者に代位（民423条）して執行異議の申立てをすることはできないとされている（大決昭5.7.19民集9巻9号699頁参照）。

執行異議には、執行抗告のような申立期間の制限はないが、執行機関の執行処分を執行手続内において是正しようとするものであるから、違法な処分を含む執行手続が終了した後は許されない。また、申立てには異議の利益があることが必要であるから、執行手続の是正が可能であり、かつ、是正による利益が存続している場合でなければ、申立てを行うことは許されない。いつまで是正による利益が存続しているかは、執行異議の対象となる執行処分の内容に応じて判断されることとなる。

執行異議の申立ては、書面で行うのが原則である（規8条1項。なお、同条2項参照）。執行異議申立書の提出先は執行裁判所とされている。

執行異議申立書においては、異議の理由を明らかにしなければならない（規8条2項）。執行抗告の理由書（規6条）とは異なり、違反する法令の条項又は内容及び法令に違反する事由や、誤認に係る事実の摘示までは必要とされていないが、異議の理由が明らかにされないときは、直ちに執行異議の申立てを却下することができる（条解民事執行規則(上)41頁）。異議の理由については、法11条1項の文言上必ずしも明確ではないが、担保不動産競売及び担保不動産収益執行について特別に担保権の不存在、消滅等の実体上の事由を異議の理由とする執行異議が認められている（法182条）ことの反対解釈として、これらの場合を除き、執行手続における形式的な手続上の瑕疵に限られ、請求権の不存在、消滅等の実体上の事由を異議の理由とすることはできないと解されている。

(3) 執行異議の審理・裁判

 執行異議の審理においては、理論的には口頭弁論を開くことも可能であるともいわれている。しかし、民事執行法が、強制執行については、債務名義作成手続と執行手続とを分離し、その開始、停止及び取消しについて法定文書の提出を求め（法22条以下、39条、40条）、担保権の実行については、その開始、停止及び取消しについて法定文書の提出を求め（法181条、183条）、いずれについても定型的に迅速かつ大量の事件の進行を図っている趣旨に鑑みれば、執行異議の審理としては、口頭弁論によらない簡易迅速な審理が予定されていると解される（したがって、競売開始決定に対する実体上の事由による執行異議の申立ての審理には一定の限界がある。〔Q27〕参照）。このような解釈の下、執行裁判所は、必要があると認めるときに、当事者を審尋し（法20条、民訴87条2項。中野＝下村「民事執行法」96頁）、あるいは、法5条に基づき、利害関係人その他参考人を審尋することができるとされ（伊藤＝園尾「条解民事執行法」93頁〔笠井正俊〕）、実務上は、執行裁判所の裁量的判断によって、異議内容に応じ、対立利害関係者に反論の機会を与えるなどの措置がとられている（新基本法コンメンタール35頁〔古賀政治〕）。

 執行裁判所は、審理の結果、執行異議の申立てが不適法であり、又は理由がない場合には、執行異議の申立てを却下又は棄却し（実務上は、申立てに理由がない場合にも申立てを却下することがほとんどである。なお、法12条1項の「却下」には申立てに理由がない場合の棄却決定を含むとされる。）、執行異議の申立てに理由がある場合には、自ら、執行処分を取り消し、又は変更する。執行異議の申立てを認容する裁判は、これにより何らの手続を経ないで、新しい執行処分としての効力を生じる。しかし、執行官の執行処分に関する執行異議の申立てを認容する裁判は、執行官に対し是正を命じるものにすぎないから（法12条1項参照）、執行官がその裁判に応じた新しい執行処分をしない限り、その裁判に応じた新しい執行処分の効力は生じない（注釈民事執行法(1)332頁〔田中康久〕）。

 執行異議の申立てについての裁判は、原則として執行異議の申立人に対して告知すれば足りる（規2条2項）。しかし、民事執行の手続を取り消す

Q 2

旨の決定、執行官に民事執行の手続の取消しを命ずる決定、又は執行停止等の裁判（法11条2項、10条6項前段）がされた場合における執行異議の申立てについての裁判であるときは、執行異議の申立人だけでなく、その相手方にも告知しなければならない（規2条1項2号、4号。注釈民事執行法(1)332頁〔田中康久〕）。

執行異議は、執行裁判所限りの不服申立てであり、当該執行処分を行った裁判所に対する再度の考案としての実質を有するものであるから、執行異議の申立てについての執行裁判所の裁判に対しては、法12条1項に定める場合（執行異議の申立てに理由があるとして、民事執行の手続を取り消す旨の決定、執行官に民事執行の手続の取消しを命ずる決定等）を除き、執行抗告をすることはできない。

(4) 執行異議の申立てに伴う執行停止

執行異議の申立ては、執行抗告の場合と同様、執行停止の効力を有しない。執行裁判所が、必要があると判断した場合には、執行異議についての裁判が効力を生ずるまでの間、職権で原執行処分の執行停止等を命じることができるが、当事者に執行停止等の申立権がないことは、執行抗告の場合と同様である（法11条2項、10条6項）。

Q3 執行抗告の原審却下

執行抗告の原審却下とはどのようなものか。原審却下決定に対して執行抗告がされた場合、原審却下された執行抗告の対象である原裁判はいつ確定するか。

1 執行抗告の原審却下

執行抗告の抗告状及びその理由書は、原裁判所に提出される（法10条2項、3項）。これは、手続の適正・迅速な処理の要請から、執行抗告が抗告審の判断を要するものか否かの選別を、原裁判所において行うためであり、原裁判所は、次の各場合には、自ら執行抗告を却下しなければならない（同条5項）。このように、執行抗告を原裁判所の段階で却下することを、一般に「執行抗告の原審却下」と呼んでいる。

(1) 抗告状に執行抗告の理由の記載がなく、かつ、抗告人が、抗告状提出日から1週間以内に執行抗告の理由書の提出をしなかったとき（1号）

ただし、後記のとおり、およそ抗告の利益のない者からの執行抗告（3号）や、不当遅延目的を認定することができる執行抗告（4号）は、理由書の提出を待つまでもなく原審却下することができる。

(2) 執行抗告の理由の記載が具体的でないとき（2号）

規則6条を受けた規定であり、法10条7項との関係で判断の対象を確定することができないためである。

(3) 執行抗告が不適法であってその不備を補正することができないことが明らかであるとき（3号）

例えば、執行抗告ができない裁判に対する執行抗告、執行抗告期間を徒過した後の執行抗告、抗告人に抗告の利益がない執行抗告等である。抗告人が執行抗告の手数料を納めないときは、不適法ではあるが、その不備は補正することができるから、原審却下することはできない（条解民事執行

第1章 不動産執行総論 21

規則(上)36頁)。

　なお、平成10年法第128号による改正当初の文献には賃借人からの執行抗告はおよそ抗告の利益がないとするものもあるが、買受人に対抗することができないことを自認する賃借人からの執行抗告であっても、手続的瑕疵を理由として競売手続自体が取り消されれば賃借人の占有権原が確保されることになるので、抗告の利益がないとはいい難い。もっとも、このような執行抗告は、記録に現れた諸般の事情から、不当遅延目的を認定することができる場合が多い。

(4) **執行抗告が民事執行の手続を不当に遅延させることを目的としてされたものであるとき（4号）**

　平成10年法第128号による改正により追加されたものであるが、この改正には、いわゆる抗告屋（所有者等の窮状につけこみ、引渡し等の延期を図るとして手数料名下の不正な利益を取得し、所有者等に代わり執行抗告をする者）が、執行抗告の処理に要する事実上の手続遅延を狙って執行抗告をする執行妨害の事例が少なくなかったことが背景にある。「手続を不当に遅延させる」とは、理由がないことが明らかな執行抗告によって手続の進行が妨げられる状況が生ずることをいい、そのような執行抗告であれば、不当遅延を目的とすることも推認されるのが通常である（伊藤＝園尾「条解民事執行法」78頁〔笠井正俊〕）。不当遅延目的は、記録に現れた諸般の事情のほか、執行抗告の理由（売却許可決定に対する執行抗告を例にとると、任意売却交渉中であるとして売却許可決定の猶予を懇願するもの、単に抽象的に評価が不当である旨主張するもの等）から認定することになるが、性質上、1号又は2号にも該当することが少なくない。

　なお、執行抗告の理由が主張自体失当であっても、民訴法の一般的考え方によれば不適法とはいえないが、執行抗告の理由が明らかに主張自体失当なものであれば、そのこと自体から不当遅延目的を認定して却下することができることがある（最決平12.6.23判タ1103号155頁参照）。おって、引渡命令に対する執行抗告の原審却下については、〔Q107〕を参照されたい。

2　原審却下決定に対して執行抗告がされた場合の原裁判の確定時期

(1)　原裁判の確定時期を論じる意義

執行手続の迅速処理を確保するため、執行抗告は、原則として、裁判の執行停止効を有しないものとされている。したがって、執行抗告の対象となる裁判のうち、効力発生時期について特段の定めのないもの（民事執行法上の保全処分等）は、裁判の告知により直ちに効力を生じ、執行抗告の影響を受けない。

しかし、不動産競売手続における売却許可決定や不動産引渡命令のように関係人に重大な影響を与える裁判は、確定しなければその効力を生じないものとされており（法74条5項、83条5項）、執行抗告期間内にこれらの裁判に対して執行抗告があると、確定が遮断され（法20条、民訴122条、116条）、執行抗告について却下又は棄却の裁判があるまで効力を生じないことになる。

そこで、これらの裁判に対する執行抗告が原審却下され、この原審却下決定に対して執行抗告がされた場合、売却許可決定や不動産引渡命令のような執行手続上重要な効果をもたらす裁判がいつ確定するのかを論じる必要が生じるのである。

(2)　確定事由及び確定時期

原審却下決定（法10条5項）に対しては執行抗告が可能である（同条8項）。しかし、このような執行抗告がされた場合でも、原審却下決定には「確定しなければその効力を生じない。」旨の規定が存在しないため、その告知の時点で原審却下の効力を生じると解される。したがって、当初の執行抗告の確定遮断効も、原審却下決定の告知の時点で解除され、確定しなければその効力を生じない売却許可決定や引渡命令も、原審却下決定の告知により確定することになる（田中康久「新民事執行法の解説」38頁、注釈民事執行法(1)261頁〔田中康久〕、伊藤＝園尾「条解民事執行法」78頁〔笠井正俊〕）。

これに対し、原審却下決定に対する執行抗告にも確定遮断効を認め、基

Q3

本的には、この執行抗告につき却下決定又は棄却決定が確定して初めて原裁判も確定すると解しつつ、法10条5項1号又は2号による原審却下決定に対して執行抗告をしながら、再び理由書を提出せずあるいは不適式な記載の理由書しか提出せず、再度、原審却下された場合には、もはや執行抗告できないと解すべきであり、この場合には、再度の原審却下決定の告知時に原裁判が確定するとの見解（注解民事執行法(1)140頁〔竹下守夫〕）も存在する。しかし、この見解は、執行抗告を速やかに処理し、執行手続の円滑、迅速な遂行を図るという同項の趣旨を十分反映しているとはいえないので、東京地裁民事執行センターでは、上記のとおり、原審却下決定の告知により原裁判が確定するものと扱っている。

(3) 具体的な確定時期

ア 原審却下決定が、原裁判の執行抗告期間内に告知された場合

原審却下決定の告知の時点で執行抗告の確定遮断効が解除され、原裁判の告知の時点から執行抗告期間が進行していたことになるから、その執行抗告期間の経過により、原裁判が確定することになる。

イ 原審却下決定が、原裁判の執行抗告期間経過後に告知された場合

東京地裁民事執行センターでは、原裁判の確定時期は、原裁判の執行抗告期間経過時（執行抗告期間満了日の翌日）に遡るものと取り扱っている。これは、民事訴訟において、控訴却下判決が確定した場合、控訴提起に基づく判決確定遮断効も遡及的に消滅し、本来の期間満了時に遡って第一審判決が確定すると解されている（兼子一ほか『条解民事訴訟法〔第2版〕』（弘文堂）1551頁、秋山幹男ほか『コンメンタール民事訴訟法Ⅵ』（日本評論社）106頁）のと同様の考え方によるものである。

なお、このように解する場合、規則56条1項が「代金納付の期限は、売却許可決定が確定した日から1月以内の日としなければならない。」旨規定していることとの関係で、売却許可決定に対する執行抗告が原審却下された場合、同項所定の期間の起算日をいつとすべきかという問題があるが、東京地裁民事執行センターでは、「売却許可決定が確定した日」を「原審却下決定告知の日」と読み替える取扱いである。

3 原審却下決定に対する執行抗告と執行停止

　前記2のとおり、原審却下決定に対する執行抗告によっては、原審却下決定に対する執行停止効は働かず、当初の執行抗告の確定遮断効は、原審却下決定の告知の時点（前記2(3)イの場合。同アの場合は、原裁判の執行抗告期間の経過。以下同じ）で解除され、確定しなければその効力を生じない売却許可決定や引渡命令も、原審却下決定の告知により確定する。したがって、執行手続を停止させるためには、原審却下決定に対する執行抗告と併せて、執行裁判所に対し、法10条6項に基づく執行停止の職権発動を促す必要がある。原裁判が執行停止にならないと、最終的に原裁判が取り消されても、その時点で手続が進行してしまっており、実際上、抗告人は救済されないことになりかねないからである。

　もっとも、法10条5項1号ないし3号による原審却下決定の場合は当然のこととして、執行裁判所が同項4号の不当遅延目的を認定して原審却下をする場合であっても、実務上は、不当遅延目的認定の一つの要素として、理由のない執行抗告をしていること、すなわち原裁判に違法事由がないことも考慮した上で判断しているから、原審却下決定に対する執行抗告に伴う執行停止がされることは、まずないといってよい。

〈参考文献〉
原道子「執行抗告と執行異議」現代裁判法大系(15)48頁、杉浦正樹「原審却下」山﨑＝山田「民事執行法」13頁、林道晴「不良債権処理のための民事執行法及び民事執行規則の改正について」判タ986号4頁

Q4 民事執行手続における代理人

民事執行事件において、弁護士以外の者が代理人となることができるのは、どのような要件を満たす場合か。また、弁護士以外の者が代理人となるための申立てはどのようにすべきか。

1 許可代理制度

　民事執行法制定前は、昭和54年法律第4号による改正前の民訴法の中に規定されていた強制執行手続については、同法79条以下の規定（現行の民訴法54条以下に相応）が適用され、支配人等のほかは弁護士でなければ代理人になれないと解されていた一方、担保権の実行としての競売（任意競売）については、代理人資格の制限がないとされていた。しかし、職権進行主義、職権探知主義をとり、執行裁判所が主導的な立場に立って手続を進めるという点において、両者を区別すべき実質的な差異はなく、また、執行手続は権利関係の確定を目的としたものではなく、確定した権利関係に基づいて手続を進めるのであるから、代理人の資格を弁護士に限る必然性もない。そこで、民事執行法は、執行裁判所でする手続のうち、訴え又は執行抗告に係る手続を除いては、民訴法54条1項の規定により訴訟代理人となることのできる者以外の者でも、執行裁判所の許可を受けることにより代理人となることができるものとした（法13条1項）。

　代理人の許可基準としては、代理人選任の必要性と代理人の適格性の2点が挙げられる。必要性とは、本人又は法人の代表者自らが手続に関与することが困難であること、代理人となるべき者の方が当該事件に関し本人より知識を有していること等をいい、適格性とは、代理人となるべき者が事実及び法律について相当の知識を有すること、本人との間に一定の身分的又は社会的関係を有すること、手続の進行及び公正を害するおそれがないこと、その者が非弁護士活動（非弁活動）を業とする者でないことをいう。なお、債権回収会社（サービサー）に関する許可代理に関する留意点

に関しては、〔Q20〕参照。

　代理人の適格性として求められる「事実及び法律について相当の知識」は、裁判所の許可の下で認められる点において共通する簡易裁判所の訴訟代理人の許可（民訴54条1項ただし書）の場合とは、やや異なるといえよう。すなわち、訴訟事件の場合、審理の中心は口頭弁論期日における弁論及び証拠調べであるから、代理人は、口頭弁論期日において、事実上及び法律上の主張をするとともに証人等に対する主尋問、反対尋問等をすることが予定されている。したがって、訴訟事件における代理人の適格性の判断に当たっては、代理人が期日において適切な弁論活動をすることができるか否かの観点が重要である。これに対して、執行事件の場合は、手続の各過程で、執行裁判所の対外的窓口である裁判所書記官と接する際に、その説明を的確に理解し、適切な対応をすることが可能な能力を備えているか否かという観点が重要である。

　なお、司法書士については、簡裁訴訟代理権を有する認定司法書士が、請求の価額が140万円を超えない少額訴訟債権執行の手続について代理する場合を除き、強制執行に関する事項について代理することはできない（司法書士3条1項6号ホ参照）。このような司法書士法の規制の趣旨からすると、親族関係、雇用関係等の一般的な基準（後記2参照）を満たさない場合には、司法書士が許可を受けて民事執行手続の代理人となることも想定されない。

2　代理人許可申立ての手続

　代理人許可の申立ては、書面によることを要する。許可申立書には、代理制度の趣旨に照らし、その者を代理人とする必要性があること及びその者が代理人としての適格性を有することを具体的に記載するほか、本人と代理人との関係を証明する文書を添付することを要する（規9条）。

　なお、代理人許可申立てと同時にその代理人名義で民事執行の申立てをすることは、代理人許可を条件とする民事執行の申立てとして許容するのが実務の扱いである。

Q4

(1) 申立書の記載事項

申立書には、代理人となるべき者の氏名、住所、職業及び本人との関係並びにその者を代理人とすることが必要である理由を記載することを要する（規9条1項）。

ア　代理人となるべき者の氏名、住所、職業

代理人を特定するための記載である。

イ　本人との関係

本人と代理人との関係を具体的に記載する。代理人の適格性に関し、本人との間に一定の身分的又は社会的関係があり、手続の進行及び公正を害するおそれがないことを確認するとともに、非弁活動を防止するためである。実務では、一般に親族又は雇用関係にある場合に代理を許可する運用がされている。これ以外の場合（例えば知人友人関係にある場合。条解民事執行規則(上)42頁は、このような場合も許可をする余地がないわけではないとする。）には、明らかに非弁活動に該当しないことを証明することは通常困難であるから、実務上許可例はまれである。

なお、東京地裁民事執行センターでは、独立行政法人住宅金融支援機構や、株式会社日本政策金融公庫等による不動産競売の申立てにおいて、その業務委託を受けた金融機関等（株式会社日本政策金融公庫14条、独立行政法人住宅金融支援機構16条等）の従業員が許可代理人となることを認めている。

ウ　その者を代理人とすることが必要である理由

これは、本人自身の事情と代理人となるべき者の事情に分けて考えることができる。本人については、本人の病気、多忙等により本人が執行手続に関する行為をすることができないか、又はそれが不適格である事情をいう。代理人については、代理人となるべき者が、当該事件の業務担当者であることや、当該事件に関し本人より相当程度の法律知識を有していること等、本人に代わって執行手続に関与するのに適している事情をいう。

(2) 添付書類

代理人許可申立書には、次の書類を添付する必要がある。また、実務上、代理人の使用印を限定するために使用印の印影を代理人許可申立書上

明示することが望ましい。なお、東京地裁民事執行センターでは、申立債権者以外の債権者が代理人許可申立てをする場合、配当金受領との関係で、申立書等の書類に実印を押印することを求めている（〔Q131〕参照）。

ア 資格証明書

本人が法人の場合に必要となる。本人が申立債権者の場合には、競売手続等の申立ての際の添付書類として資格証明書が提出されているから、代理人許可申立てのために重ねて資格証明書を提出する必要はない。

イ 委任状

代理権授与の事実と代理権の範囲を明らかにするために提出を要する。その提出の時期については明文の規定はない。しかし、代理人許可の裁判があっても代理権の授与がないといった事態を避けること、また、代理人許可があった場合には、許可に係る代理人が執行裁判所に対して書面によって代理権限を証明しなければならない（規15条の2、民訴規23条）ことから、東京地裁民事執行センターでは、あらかじめ代理人許可申立ての際に委任状の提出を求める取扱いである。代理人に対する代理権の範囲は、本人の委任（授権）によって定めることができるから、委任状において、基本となる民事執行事件について包括的に委任することも、ある特定の手続上の行為に限定して委任することもできる。特別授権事項（基本となる民事執行事件の取下げ、復代理人の選任等）についても、特に限定がなければ許可代理人は本人を代理することができるとの見解もあるが、東京地裁民事執行センターでは、授権を明確にするため委任状への記載を求める取扱いである。

ウ 本人と代理人となるべき者との関係を証する文書（規9条2項）

両者が親族関係にある場合には戸籍謄・抄本、住民票等、雇用関係にある場合には本人の社員、業務担当者であることの証明書等をいう（サービサーが競売の申立てをする場合の代理人許可については〔Q20〕参照）。

(3) 申立手数料

代理人許可申立書には、手数料として500円の収入印紙を貼付することを要する（民訴費3条1項別表第一・17ロ）。

3　代理人許可申立てに対する裁判

　代理人許可申立てに対し、執行裁判所は、代理人選任の必要性の有無、代理人となるべき者の適格性を審査する（民事執行事件に関する協議要録9頁〔21問〕）。審査の結果、許可すべき申立てであると認めるときは許可の裁判を、要件を欠くと認めるときは不許可の裁判をする。この裁判は執行処分ではないから、執行異議の申立てをすることはできないし、通常抗告をすることもできない（注解民事執行法(1)172頁〔井上稔〕、民事執行事件に関する協議要録9頁〔22問〕）。執行裁判所は、一旦申立てを許可しても、代理人の法律知識の欠如等の理由により、いつでも許可の取消しをすることができる（法13条2項）。

4　許可代理人の権限

　許可を受けた代理人は、代理権の範囲内で、民事執行の申立て、執行異議の申立て、配当要求、期日（売却決定期日、配当期日等）における陳述等をすることができ、また、各種書類を提出し、執行裁判所から送達又は通知を受ける権限を有する。ただし、執行抗告に係る手続や訴えに関する手続はすることができない（法13条1項）。

　許可を受けた代理人は復代理人を選任することができるが、その復代理人について執行裁判所の許可が必要となるのは当然である。もっとも、復代理人を恒常的に利用する必要があるような場合は、許可代理人の適格性に問題があることになるので、許可代理人の交替を検討すべきであろう。

Q5 民事執行手続における送達

民事執行手続における送達について定められている特例の内容はどのようなものか。

1 送達の特例の趣旨

特別の定めがある場合を除き、民事執行の手続に関しては民訴法の規定が準用される（法20条）。この点は送達についても例外ではなく、例えば補充送達や公示送達については、それぞれ民訴法106条1項及び2項、110条が準用されることになる。

しかし、民事執行の手続においては、特に手続進行の迅速性、そして実施した手続の安定性が求められていることから、法16条において特例が定められている。

2 送達場所の届出義務者に関する特例

民訴法上の送達場所の届出義務者は、当事者、法定代理人又は訴訟代理人に限られる（民訴104条1項）。しかし、民事執行の手続には様々な立場の者が関与するため、法16条1項前段は、①執行裁判所に対して申立て、申出又は届出をした者、②執行裁判所から文書の送達を受けた者に対し、送達場所の届出義務を負わせる旨を規定している。①の具体例としては、申立債権者、配当要求債権者、債権届出書を提出した担保権者等が、②の具体例としては、債務者や所有者で開始決定の送達を受けた者が挙げられる。これらの者から送達場所の届出がされたときは、以後の送達は届出に係る場所においてすることになり、同所において送達ができなかったときは、同所に宛てて書留郵便に付する送達を実施することができる（付郵便送達。法16条2項、民訴107条1項2号）。

一方、これらの者から送達場所の届出がされなかったときは、その者に対する送達を実施する場所は、条文上、次のとおりとされている。すなわ

Q5

ち、

㋐　その者に対する送達が、民訴法104条3項各号に定める場所においてなされた場合には、同項所定の場所においてする（法16条2項）。

㋑　申立て等をしたことにより送達場所の届出義務が発生しているが送達を受けたことがない者の場合又は送達を受けたことにより送達場所の届出義務が発生しているがその送達が民訴法104条3項各号に定める場所以外の場所においてなされた場合（例えば、裁判所書記官による交付送達、出会送達、外国送達等）には、事件の記録に表れたその者の住所、居所、営業所又は事務所においてする（法16条3項。就業場所が含まれていない点に注意を要する。）。

なお、債務者や所有者らに初めて裁判所から文書を送達する場合において、送達が不奏功になり、付郵便送達又は公示送達をするときは、当然に民訴法が規定する要件（民訴107条、110条）を満たしていなければならない。この場合、東京地裁民事執行センターにおいては、原則として、申立債権者に対し、受送達者の送達すべき場所の調査及び報告を依頼するとともに（規10条の3）、再送達方法について上申させた上で、付郵便送達又は公示送達をする取扱いである。さらに、開始決定の送達ができず、又は適法な送達であることの確認ができない場合、執行裁判所は、申立債権者に対して、送達すべき場所を明確にするよう命ずる補正命令を発令し、補正期限を過ぎても補正されなかったときは、競売手続を取り消すこともできると解される（東京地決平3.11.7判タ769号246頁・金法1314号31頁）。

3　届出義務の内容

前記2のとおり、①執行裁判所に対して申立て、申出又は届出をした者及び②執行裁判所から文書の送達を受けた者は、送達場所の届出をしなければならない（法16条1項）。届出の内容は、日本国内において送達を受けるべき場所である。

送達場所の届出は、書面によってすることを要する（規10条の2、民訴規41条1項）。また、就業場所を送達場所として届出をするときは、届出場所が就業場所である旨明示する必要がある（規10条の2、民訴規41条3

項)。就業場所においては、補充送達受領資格者の範囲が通常の場合と異なること(民訴106条2項)、補充送達受領資格者に対して差置送達ができないこと(同項、3項)及び補充送達を実施したときは受送達者に対する通知が必要であること(民訴規43条)がその理由である。さらに、受送達者の知人、親戚等の第三者の住所を送達場所として届け出る場合には、送達受取人の届出(法16条1項後段、規10条の2、民訴規41条1項)をすることが望ましい。

4 送達場所の届出義務者に対する送達場所の認定

(1) 送達場所の届出をした場合

　届出による送達場所(法16条2項、民訴104条2項)が、その者にとっての唯一の送達場所となり、他の場所を送達場所にすることができない。したがって、届出場所以外に受送達者の住所、就業場所等が判明していたとしても、これらの場所は送達場所とならない(民訴104条2項が「前条の規定にかかわらず」と規定していることから、送達場所の届出があった場合には、住所等は送達場所とはなり得ない。)。届出場所において送達ができなかった場合には、不奏功の事由が何であろうと、届出場所に宛てて付郵便送達を実施することによって送達の目的を遂げることができる(法16条2項、民訴107条1項2号)。

(2) 届出義務を怠った場合

　送達場所の届出義務があるのにその届出をしなかった者に対する送達を実施する場所は、次のとおりである。すなわち、

① 執行裁判所に対して申立て、申出又は届出をした者(前記2の①)に対する送達は、事件の記録に表れたその者の住所、居所、営業所又は事務所においてする(法16条3項)。ただし、その者が民訴法104条3項各号に掲げる送達を受けた場合には、その後の送達は当該各号所定の場所においてする(法16条2項、民訴104条3項)。

② 執行裁判所から文書の送達を受けた者(前記2の②)に対する送達は、その者が民訴法104条3項各号に掲げる送達を受けた者である場合には、その後の送達は当該各号所定の場所においてする(法16条2項)。他方、

Q5

　その者が民訴法104条3項各号に掲げる送達を受けた者でない場合には、条文上は、前記2のとおり、事件記録に表れたその者の住所、居所、営業所又は事務所においてすることができるとされているが（法16条3項）、東京地裁民事執行センターにおいては、このような者は執行裁判所に対して積極的な行為をしていないことから、慎重を期して、前回の送達が奏功した場所がある場合に限り同場所を送達すべき場所としている（したがって、出会送達が行われた等の理由により前回の送達が奏功した場所がない場合には、申立債権者に受送達者の送達すべき場所の調査及び報告を依頼することになる。）。

　これらの事件記録に表れた住所等への送達又は前回の送達が奏功した場所への送達は、特別送達をすることによって実施する。この特別送達が不奏功となったときは、同一の場所に付郵便送達を実施することができ、以後の送達も付郵便送達による（法16条4項又は民訴107条1項3号、同条2項）。

5　配当を受けるべき債権者に対する配当期日呼出状の送達の特則

　配当期日には、配当を受けるべき債権者を呼び出さなければならない（法85条3項）。呼出しは、呼出状を送達する方法による（法20条、民訴94条1項）。そのため、抵当権者等が不動産登記記録上の住所変更を怠っていた場合には、その者に対する呼出状の送達ができず、配当期日の取消し又は変更を余儀なくされるケースがあり、これが手続遅延の一因となっていたが、平成10年法律第128号による改正により、配当を受けるべき債権者について、法16条3項及び4項を準用する規定が設けられた（法85条7項）。その結果、申立債権者以外の抵当権者等に対する配当期日呼出状は、その者が債権届出をしていない場合であっても、事件記録に表れた住所等、すなわち不動産登記事項証明書に記載された住所に宛てて特別送達を実施し、それが不奏功となった場合には同所に宛てて付郵便送達を実施すればよいこととなった（他方、債権届出をしていれば当然に法16条1項及び2項が適用される。）。この取扱いは、当該抵当権者等にとっては不利益な

ものであるが、民事執行法は、不動産登記記録上の住所変更を怠るような債権回収に対する熱意に欠ける者の保護よりも、手続の遅延防止、迅速化の要請に重きを置くこととしたものである。

Q6 不動産執行事件記録の閲覧、謄写

不動産執行事件の記録は誰でも閲覧することができるか。謄写の申請、正本等の交付申請についてはどうか。

1 閲覧、謄写に関する民事執行法の規律

民事執行手続は、非公開が原則の非訟事件(非訟30条参照)の性質を有する。民事執行法は、一般的に民訴法の規定を準用しているが(法20条)、法17条で、民事執行事件記録の閲覧等を請求することができる者を「利害関係を有する者」に限定し、また、事件記録の正本、謄本又は抄本の交付及び事件に関する事項の証明書の交付についても同様の制限をしている。なお、閲覧等を請求することができる者を利害関係人に限るのは、事件終局後も同様である。

2 閲覧等の対象となる事件記録

閲覧等の対象となる事件の記録とは、執行裁判所の手続を進める上で事件ごとに編成する書類綴りのことで、手続上の書類が順次編綴されている。不動産競売事件であれば、申立書、配当(交付)要求書、債権届出書といった事件関係人の提出書類や、各種決定書、現況調査報告書、評価書、物件明細書、配当表等の裁判所側が作成する書類の各原本が編綴されている。

なお、法62条2項、規則31条3項により、執行裁判所に備え置かれる現況調査報告書、評価書及び物件明細書の各写し(いわゆる「3点セット」)は、一般の閲覧に供するために作成して備え置かれるものであるから、法17条にいう事件の記録には含まれず、利害関係人に限らず誰でも閲覧することができる。

3 閲覧等を許す時期

　利害関係人からの請求であっても、執行裁判所の執務又は記録の保存に支障があるときは、閲覧等を拒み得る（法20条、民訴91条5項）。その例として、東京地裁民事執行センターでは、法68条の4による警察への調査嘱託等の事務の都合上、㋐開札期日から5開庁日まで及び㋑売却決定期日の1開庁日前から売却決定期日の午後1時までは閲覧等を認めていない。

　また、東京地裁民事執行センターでは、物件明細書の作成や売却基準価額の決定前の現況調査報告書及び評価書については、執行裁判所に提出され、事実上記録とともに綴ってあるとしても、いまだ作成途中の未完成の書類であって事件記録とはいえないものとして、利害関係人の閲覧等を認めない取扱いをしている（東京高決平3.10.11判タ784号261頁参照）。

4 利害関係を有する者

　法17条にいう「利害関係」とは、法律上の利害関係、すなわちその者の権利関係に法律上影響を受けることを指し、事実上の利害関係では足りないと解されている。ここにいう利害関係を有する者には、不動産競売事件における当事者（申立債権者、債務者、所有者）が含まれることは当然である。また、直接的に法律上の影響を受ける者だけでなく、間接的に法律上の影響を受ける者も含まれ、その範囲は不動産競売の各手続及び各段階に応じて個別に判断される。記録上利害関係を有することが明らかでないときには、閲覧等を請求する者は、利害関係を有することを証する書面を提出する必要がある。東京地裁民事執行センターにおいて、不動産競売事件における利害関係を有すると取り扱われている者の代表例を示すと、次のとおりである。

① 　差押債権者（後行事件の差押債権者を含む。）
② 　債務者（破産管財人、破産者、後行事件の債務者を含む。）
　　なお、債務者の配偶者、親族等は、その事情のみで法律上の利害関係を有するとはいえない（現実の占有がある場合には後記⑩により利害関係が認められる場合もある。）。

③ 所有者（破産管財人、破産者、差押登記後に所有権移転登記を経由した者を含む。）

差押え後に所有権移転登記を経由した者を除くとする取扱いも考えられるが、差押え後に所有権移転登記を経由した者は売却によって所有権を失うのであり、競売手続が取り下げられ、又は取り消されることに法律上の利益が認められるから、東京地裁民事執行センターにおいては利害関係人と認める取扱いである。

④ 配当要求をした者、交付要求をした租税官庁

配当要求の終期は、買受人が代金納付をすると変更される余地がなくなり、確定する（法52条参照）。そこで、代金納付前の場合、その時点までに配当要求をした債権者は、終期が変更される可能性があるから、利害関係人と認められる。代金納付後の場合、代金納付によって確定した配当要求終期までに配当要求をしていた債権者は、利害関係人と認められるが、確定した配当要求終期に後れて配当要求をした債権者は、配当受領資格を取得する余地がないから、利害関係人とは認められない。

交付要求をした租税官庁も同様である。なお、行政共助による事件記録の閲覧等も可能である（⑤及び⑦において同じ。）。

⑤ 滞納処分による差押え（参加差押えを含む。）をした租税官庁

⑥ 配当要求をする資格を有する者（代金納付前に限る。）

執行力のある債務名義の正本を有する者（執行文が必要な場合には、債務名義に執行文の付与を受けていることを要する。）、差押えの登記後に登記された仮差押債権者及び一般の先取特権を有することを証明した債権者（法181条1項4号の文書による証明を要する。）は、配当要求をする資格を有するから、これらの者には利害関係が認められる。ただし、これらの者も、買受人の代金納付後は、配当要求をして配当等を受ける資格を取得する余地が確定的になくなるから、その後は利害関係が認められない。

⑦ 交付要求予定の租税官庁（代金納付前に限る。）

交付要求をした場合に限る、あるいは、債権届出の催告を受けた租税官庁に限るとの取扱いも考えられないわけではないが、配当要求をする

資格を有する者との均衡からすると、交付要求が未了の場合であっても、利害関係を認めて差し支えない。ただし、買受人の代金納付後は、交付要求をして配当等を受ける資格を取得する余地が確定的になくなるから、交付要求をしていない場合には、その後は利害関係が認められない。

⑧ 自らが目的不動産の真実の所有者であると主張する者（未登記所有権者、現所有者との売買契約の効力を争う元所有者等）

　所有権の登記には公信力がないが、真実の所有者であると主張する者には、第三者異議の訴え等の訴訟を提起した上で、不動産競売手続の執行停止決定を得るなどの法的手段を講じるべき利害関係が認められるから、閲覧等を認めることが相当である。もっとも、その認定のためには、このような立場にあることを証明する必要があり、真実の所有者であると単に主張するのみでは足りない。証明資料としては、売買契約書、売買契約解除通知書、訴状、仮処分決定等が考えられる（なお、現況調査報告書等の既に記録に表れている資料を再度提出する必要はない。）。

⑨ 登記された担保権者、用益権者（いずれも仮登記を含む。）、買戻特約、仮差押え、処分禁止の仮処分等の登記を経由した者、所有権移転仮登記権利者

　差押え後にこれらの登記を経由した者を除くとする取扱いも考えられるが、差押え後の登記といえども、売却により権利を失うのであり、競売手続が取り下げられ、又は取り消されることに法律上の利益が認められるから、東京地裁民事執行センターにおいては利害関係人と認める取扱いである。

⑩ 未登記の用益権者、現実の占有者

　現況調査報告書等に表れていない場合には、占有の事実を証明する資料の提出を要する。

⑪ 目的建物の敷地（件外土地）の所有者（マンション等の区分所有建物の敷地共有者は除く。）、目的土地の地上建物（件外建物）の所有者、賃借人等

　目的土地の地上建物の賃借人等についても、これらの者は、土地占有

者として、建物退去土地明渡しの対象とされるおそれがあるから、利害関係が認められる。
⑫ 実行担保権設定者である元所有者、このような元所有者と現所有者との間の中間所有者

　これらの者は、目的不動産が売却されることにより、現所有者等から損害賠償請求等をされるおそれがあるので、法律上の利害関係が認められる。
⑬ 配当受領資格を有する担保権者の被担保債権に係る債務者
⑭ 実行担保権又は配当受領資格を有する担保権者の被担保債権に係る債務者の連帯債務者又は（連帯）保証人
⑮ 不動産共有持分の競売における他の共有者（マンション等の区分所有建物の敷地共有者は除く。）
⑯ 目的不動産がマンション等の区分所有建物である場合の管理組合

　区分所有者は必然的に管理組合と一定の法律関係に立つことになるので、管理組合が所有者（区分所有者）に対する滞納管理費等に係る一般先取特権を有していなくとも利害関係が認められる。また、買受人の代金納付によっても利害関係は失われない。
⑰ 目的土地について境界紛争があると主張する隣地所有者

　現況調査報告書等に表れていない場合は、このような立場にあることを訴状、仮処分決定等で証明する必要がある。なお、単なる隣地の所有者は、目的土地について法律上の利害関係を有するとはいえない。
⑱ 目的不動産に関する占有移転禁止の仮処分をした債権者
⑲ 買受けの申出をした者（開札後に限る。）

　開札後から売却許可決定確定までの間は、全買受申出人が利害関係人に該当する。そして、売却許可決定確定後は、最高価買受申出人及び次順位買受申出人のみが利害関係人に、買受人の代金納付後は、買受人のみが利害関係人に該当する。それ以外の一般の買受希望者は、法律上の利害関係を有するとはいえない。
⑳ 執行抗告又は執行異議の申立てをした者

　ただし、専ら閲覧等のために執行抗告等を申し立てた場合等の、権利

濫用と認められる場合は除かれる。

5　閲覧等に必要な書類等

　閲覧等に必要な書類等は次のとおりである。なお、東京地裁民事執行センターでは、代理人が弁護士以外の場合には、後記(1)イ(イ)及び(2)イ(イ)のとおり、代理人を、本人との間に一定の関係が存する者に限定し、その関係を証する書面の提出を求めている（東京高決平元.9.14金法1251号30頁参照）。記録上利害関係を有することが明らかでないときは、以下の書面に加えて、利害関係があることを証する書面も必要である。

(1)　申出人が自然人の場合

ア　本人申請の場合

　本人であることを証する書面（運転免許証、パスポート（旅券）、特別永住者証明書、マイナンバーカード（個人番号カード）等。本人の顔写真が入ったものが望ましい。以下同じ。）、印鑑（認め印でも可）

イ　代理人申請の場合

(ア)　代理人が弁護士の場合

　委任状（既に提出しており、かつ内容に変更のない場合は不要。なお、閲覧・謄写票に弁護士の押印があれば、弁護士の事務員は、使者として閲覧等をすることを認めている。）、弁護士の印鑑（職印）

(イ)　代理人が親子、兄弟姉妹及び同居の親族の場合

　委任状、本人と代理人との身分関係を証する書面（戸籍謄本、住民票等）、代理人が同居の親族である場合にはその事実を明らかにする書面（住民票、民生委員の証明書等）、本人が閲覧等のために来庁することができない理由を記載した書面、代理人がその委任状に表示された代理人本人であることを証する書面（運転免許証、パスポート、特別永住者証明書、マイナンバーカード等）、代理人の印鑑（認め印でも可）

(2)　申出人が法人等の場合

ア　代表者本人申請の場合

　当該法人等の資格証明書（既に提出しており、かつ内容に変更のない場合は不要）、代表者本人であることを証する書面（運転免許証、パスポート、

Q6

特別永住者証明書、マイナンバーカード等。なお、これらの書面の住所地と資格証明書の住所地が異なる場合は、両住所地のつながりがつく住民票の提出を要する。)、印鑑（認め印でも可）

イ　代理人申請の場合

　(ア)　代理人が弁護士の場合

　委任状（弁護士の事務員の取扱いは前記(1)イ(ア)に同じ。）、資格証明書（既に提出しており、かつ内容に変更のない場合は不要）、弁護士の印鑑（職印）

　(イ)　代理人が従業員の場合

　委任状、当該法人等の資格証明書（既に提出しており、かつ内容に変更のない場合は不要）、代理人が従業員であることの証明書（いわゆる社員証明書。ただし、事案によっては、健康保険証等の雇用関係を客観的に確認することができる資料を求める場合がある。）、代理人がその委任状に表示された代理人本人であることを証する書面（運転免許証、パスポート、特別永住者証明書、マイナンバーカード等）、代理人の印鑑（認め印でも可）

　なお、法人格を有しない個人企業の従業員についても、以上に準じて取り扱う。

6　閲覧等の手続

　閲覧等を希望する者は、執行裁判所に備え付けてある閲覧・謄写票に必要事項を記入し押印して、申請する。事件係属中に当事者等が申請する場合は手数料は不要であるが、それ以外の場合には手数料（収入印紙150円）が必要である（民訴費7条別表第二・1）。

第2章

競売開始手続

第1節

申立手続

第1款　申立ての準備等

Q7　申立ての時期の選択

競売の申立てをすべき時期の選択に当たっては、どのような点を考慮する必要があるか。

1　他の債権者の申立てがまだない場合

他の債権者による競売申立てがまだない場合、特に次のような事情があるときは、競売の申立てを急ぐ必要があるのが通常である。

(1)　目的不動産の名義を変更されるおそれがある場合

債務者（所有者）が不動産の名義を変更するおそれがある場合、強制競売については早期の申立てを検討する必要がある。不動産の第三取得者が現れると、仮差押えをしていない限り当該不動産に対する強制競売は不可能となるからである。また、担保不動産競売の場合には、抵当不動産の第三取得者が抵当権消滅請求をする可能性があることに留意が必要である（民379条）。もっとも、抵当権消滅請求については、平成15年改正法により、抵当権実行通知の制度が廃止され、第三取得者は、担保不動産競売による差押えの効力が発生する前に抵当権消滅請求をしなければならず（民382条）、また、抵当権消滅請求を受けた抵当権者も、請求後2か月以内に担保不動産競売の申立てをすれば足り、増価競売の負担を負わないこととされたため（民384条1号）、第三取得者の出現による抵当権者の負担は、以前よりは軽減されている（〔Q15〕参照）。

(2)　詐害的賃借権の設定のおそれがある場合

執行妨害目的の詐害的な賃借権は、明渡猶予制度（民395条）の適用を受けることはなく、同賃借権に基づく占有者は引渡命令の執行により排除されることになる（〔Q61〕参照）。しかし、そのような占有者が現れた場合、その排除のための調査・判断に時間がかかる上、買受けを躊躇する要

因ともなることから、結果的に売却されるまでに日時を要することもあり得る。したがって、競売申立要件を具備した後、このような事情が認められる場合には、競売申立てを急ぐ必要がある。なお、担保不動産競売申立ての準備中に目的不動産に詐害的な賃借権が設定されたことが判明したときは、不動産競売開始決定前の保全処分（法187条）の活用も検討すべきである（〔Q53〕参照）。

(3) 目的不動産を第三者が占拠するおそれがある場合

第三者が何らの権原もなく目的不動産を占拠した場合、買受人はその者を引渡命令によって排除することができるほか、民事執行法上の保全処分を利用することも可能である。しかし、第三者が目的不動産を占拠してしまうと、前記イと同様、買受希望者が現れにくく結果的に売却されるまでに日時を要することもあり得る。したがって、競売申立要件を具備した後、このようなおそれが認められる場合には、競売申立てを急ぐ必要がある（保全処分につき、〔Q53〕ないし〔Q55〕、〔Q58〕参照）。

(4) 借地上の建物について地代の不払がある場合

借地上の建物は、借地権が存在して初めてその経済的価値があるから、地代の不払がある場合、申立債権者において、地代を建物所有者に代わって支払う等の手続をとり、借地契約が債務不履行により解除されることを防止して借地権の存続を図る必要がある。債権者は競売の申立てをしなくても、建物所有者に代わって地代を弁済することができるが（第三者弁済。民474条1項）、競売開始決定後に、執行裁判所の許可を受けて地代を弁済すると、その金額は共益費用として認められ（法56条、55条10項）、配当等の手続で優先的に償還を受けることができる。したがって、債権者としては、地代の代払の許可の手続をすることを視野に入れた上で、早期に競売の申立てをすることが考えられる（〔Q52〕参照）。

2 他の債権者が既に競売の申立てをしている場合

差押登記前に登記を経た抵当権者は、他の債権者が申立てをした競売手続において、当然に配当を受ける資格があるから（法87条1項4号）、既に他の債権者が競売手続の申立てをしている場合には、債権届出（法49条2

Q7

項2号、50条)をすることによって債権の回収を図ることができる(〔Q43〕参照)。

　また、債務名義を有する債権者や先取特権を有する債権者は、他の債権者が申立てをした競売手続において、配当要求(法51条1項)をすることにより、配当を受ける資格を取得し(法87条1項2号)、債権の回収を図ることができる(〔Q43〕参照)。

　したがって、他の債権者が申立てをした競売手続がある場合には、同手続を利用すれば足り、自ら重ねて競売申立てをする必要がないのが原則である。

　しかし、次のような場合には、二重に競売の申立てをするか否か(二重開始)を検討する必要があり、この場合、先行事件の進行状況に留意する必要がある。

(1)　消滅時効の完成猶予及び更新の措置をとる必要がある場合

　債務名義を有する債権者や先取特権を有する債権者が不動産競売事件においてした配当要求に関しては、平成29年民法改正法による改正前の事案であるが、差押えに準ずるものとして、配当要求債権につき時効中断の効力を生ずるとされており(最判平11.4.27民集53巻4号840頁・判タ1002号133頁、最判令2.9.18民集74巻6号1762頁・判タ1481号21頁・金法2163号62頁参照)、同改正後は消滅時効の完成猶予及び更新事由に当たると解される。なお、上記最判令2.9.18は、区分所有法上の先取特権を有する債権者が配当要求をした事案であり、時効の中断の効力が生ずるためには、法181条1項各号に掲げる法定文書により先取特権を有することが競売手続において証明されれば足り、債務者が配当要求債権についての配当異議の申出等をすることなく配当等が実施されるに至ったことを要しない旨判示している。

　これに対し、抵当権者が行う債権届出に関しては、平成29年民法改正法による改正前の民法下において、債権届出には被担保権の時効の中断の効力がないとするのが確定した判例(最判平8.3.28民集50巻4号1172頁)であり、同改正後は消滅時効の完成猶予及び更新事由に当たらないと解釈されることとなろう(〔Q47〕参照)。したがって、被担保債権について消滅

時効の完成猶予及び更新の措置をとる必要がある場合には、競売の申立てをすることが相当である。

(2) 先行の競売手続が無剰余を理由に取り消されるおそれがある場合

目的不動産が買受可能価額で売却された場合に、手続費用及び差押債権者より優先する債権を弁済すると差押債権者の請求債権に対する配当の見込みがないとき（無剰余）は、競売手続は取り消される（法63条）。そこで、当該目的不動産からの回収を視野に入れている債権者は、目的不動産の評価の見込みと優先債権の額の見込みをよく調査判断して、先行事件が無剰余を理由に取り消されるおそれが高いと判断されるときは、二重開始の申立てを検討することが考えられる（〔Q77〕、〔Q79〕参照）。

(3) 最先順位の抵当権を有する者に対抗することができる賃借権により不動産を占有する者（最先賃借権者）が当該不動産に自己の債務を担保するために抵当権の設定を受けている場合（担保不動産競売の場合）

最先順位の抵当権を有する者に対抗することができる賃借権により不動産を占有する者（最先賃借権者）が、当該不動産に自己の債務を担保するために抵当権の設定を受けている場合には、当該抵当権の実行としての競売開始決定（二重開始決定を含む。）がされている場合を除き、この最先賃借権者に対して引渡命令を発することができないとする最高裁決定がある（最決平13.1.25民集55巻1号17頁・金法1609号50頁）。同最決の法理からすると、最先賃借権者を債務者とする実行外抵当権の抵当権者には、二重開始の申立てをするメリットが生ずる場合があることになる。すなわち、抵当不動産の最先賃借権者が実行抵当権の債務者でないときは、この最先賃借権者に対して引渡命令を発することはできないものの、最先賃借権者を債務者とする（先行事件においては実行外）抵当権の抵当権者の競売申立てにより二重開始決定がされれば、この最先賃借権者に対する引渡命令の発令が可能となり、その結果、引渡命令が発令されることを前提に売却基準価額が決定され、現実の売却価額も高額になって、当該抵当権者に対する配当額が増加する場合も生じ得る。そこで、この

Q7

ような抵当権者においては、二重開始の申立てを検討する必要がある（〔Q105〕参照）。

Q8 申立て前の準備

競売の申立てをする前に、申立債権者は、どのような調査、準備をすることを要するか。

1 はじめに

競売の申立てに当たり、申立債権者は、単に法定の書面を作成するだけでなく、手続が迅速に行われ、早期の債権回収が実現するよう、できるだけ事前に準備し、手続進行の障害となる事態が生じないようにするとともに、そのような事態が生じたときにも早期に対処することができるように備えておくべきである。申立ての準備としての一般的手順は、以下のとおりである。

2 被担保債権・請求債権の確認

まず、申立債権者は、残元本の額、未払利息の額、遅延損害金等を確認する必要がある。申立債権者は、残債権の一部のみを請求債権として競売の申立てをした場合には、請求債権の後日の拡張は認められないことに留意し、競売申立書に記載すべき請求債権額を確認する必要がある（〔Q115〕参照）。

次に、強制執行の開始には、被担保債権・請求債権が履行遅滞にあることが必要であるから、分割弁済の定めがある場合には、期限の利益喪失条項により、期限の利益を喪失していることを確認する。分割弁済をしている債務について、期限の利益喪失条項があり、その要件として催告が必要な場合には、債務額全額につき履行遅滞に陥らせるため、債務者に対し期限を定めて催告することが必要となる。

3 登記事項証明書の取寄せ

目的不動産の登記事項証明書を取り寄せる。そして、目的不動産につい

て配当等を受ける資格のある債権者が存在するか否か、短期賃借権の(仮)登記等があるか否か、抵当権設定後の所有権移転登記があるか否か等について、登記の記載から調査する。また、まれに登記事項の表題部が変更されていることがあるので、不動産の特定に関しても登記記録に記載された情報が重要となる。

4　当事者の住所等の確認

(1)　当事者の住所等の確認の必要性

　執行裁判所が競売開始決定をすると、債務者(所有者)に対して開始決定正本を送達する(法45条2項)。ここで、債務者(所有者)に対する送達ができなければ、手続が著しく遅延することになる。また、債務者(所有者)の住所等の調査は、申立債権者の責任に属する事項であるから、開始決定正本の送達が不奏功となった場合に、申立債権者が執行裁判所からの補正命令に応じず、当事者の住所等を調査しなかったときには、競売手続が取り消されることがある(東京地決平3.11.7判タ769号246頁・金法1314号31頁)。したがって、競売の申立てに際しては、債権者において、事前に債務者(所有者)の住所等の調査をしておく必要がある。

(2)　当事者の住所等の調査の方法等

　事前の債務者(所有者)の住所等の調査に当たっては、①住民票を取り寄せること、②実際に住所に赴いて生活の実態を調査すること、③就業場所を調査することの3点が基本である。

　住民票上の住所は、全ての調査の出発点となる場所であるが、債務者(所有者)が住民票上の住所に現に居住しているとは限らないから、実際に住民票上の住所に赴いて居住しているか否かを調査し、そこに居住していないときは、現実に居住している場所を可能な限り調査し、その結果を書面に残す必要がある(調査報告書は、後日、移転先が判明しない場合に公示送達の申立てをする際の証明資料にもなり得る。)。

　債務者(所有者)が会社等に勤務する者である場合には、就業場所(通常は勤務先)も調査する必要がある。開始決定正本の送達が不奏功となった場合、就業場所があるときには、就業場所における送達を試みても功を

奏しないことが、付郵便送達（法20条、民訴107条）又は公示送達（法20条、民訴110条）の要件とされているからである。そこで、債務者（所有者）の就業場所をあらかじめ調査し、就業場所を明らかにしておけば、開始決定正本の住所への送達が不奏功となったとしても、直ちに就業場所送達の実施を求めることができる。他方、上記の調査を行ったにもかかわらず就業場所が判明しなかった場合には、その旨を明らかにして、速やかに付郵便送達又は公示送達の手続に進むことができる。

なお、債務者（所有者）の電話番号は、執行官が現況調査を実施するのに有用であるから、迅速的確な現況調査のために、調査報告書にその電話番号を記載するなどして執行裁判所に伝えることが適切である。

5 不動産の所在場所、占有状況等の確認

開始決定及び差押登記に引き続いて、執行官による目的不動産の形状、占有関係その他の現況についての現況調査（法57条）、評価人による目的不動産の評価（法58条）の手続が行われる。そして、裁判所書記官は、執行官が作成提出した現況調査報告書や評価人が作成提出した評価書等を資料として、物件明細書を作成する（法62条）。また、執行裁判所は、現況調査報告書及び評価書に基づき売却条件を確定するとともに、評価書に基づき売却基準価額を決定し（法60条1項）、売却の手続を進めることになる。現況調査、評価のためには、目的不動産を現地において調査、見分することが必要となるから、申立債権者において、以下の事項についても競売申立て前に調査しておくことが望ましい。

なお、不動産競売の対象となる不動産は、登記することができない土地定着物を除く民法上の不動産（法43条1項、民86条1項）、法43条2項により不動産とみなされる、不動産の共有持分、登記された地上権及び永小作権並びにこれらの権利の共有持分、その他特別法上のみなし不動産である。

(1) 不動産の所在場所の調査

目的不動産の特定の責任は一般的に申立債権者が負っているから、執行官が調査を尽くしても目的不動産の所在等を明らかにすることができない

Q8

場合には、執行裁判所は、申立債権者に対し、特定のための立証を促し、その立証がされないときには競売手続を取り消すことがある（名古屋高決昭58.11.4執行官雑誌15号76頁。なお、浦野雄幸「条解民事執行法」240頁は、法53条、188条の規定の類推適用により取り消すことができるとする。〔Q142〕参照）。したがって、このような事態を避けるには、競売の申立てに先立ち、十分に現地において目的不動産の所在等を調査することが必要となる（担保を徴求する際に不動産の現地調査を行ったとしても、その後に状況の変化があって、不動産の特定が困難になることもある。）。

(2) 不動産の占有状況の調査

執行官の現況調査においては、差押え時における目的不動産の占有状況を調査し、占有者の権利が買受人に対抗することができるか否かの判断資料を執行裁判所に提供することが目的の一つとなっている（〔Q49〕参照）。しかし、執行官としては、差押えにできるだけ近接した時期に調査を行うことを旨としてはいるが、差押え時と同時に行うことはできないために、占有者が主張する占有開始時期を正しく把握することが困難な場合もある。そのため、真実は差押えの直後に占有を開始した占有者であるにもかかわらず、執行裁判所が差押え前の占有者であると認定してしまうことがないとは限らない。このような事態を防ぐには、申立債権者においても、競売申立ての直前に目的不動産の占有状況を詳細に調査しておくことが重要となる。そして、これらの調査の結果を書面に残し、執行裁判所に提出すれば、執行裁判所が妨害目的の占有を認定するのに極めて有用な資料となる。

なお、申立債権者が申立て前に目的不動産の現況調査又は評価をし、「不動産の現況の調査の結果又は評価を記載した文書」を保有する場合には、これを執行裁判所に提出する（規23条の2第4号。〔Q9〕参照）。

(3) 抵当権設定後の建物建築状況の把握（担保不動産競売の場合）

抵当権設定後、抵当地上に建築された建物は、抵当権の効力が及ぶことも、同効力の及ばない件外建物として取り扱わなければならないこともある（件外建物と附属建物の認定に関しては〔Q74〕参照。また、民389条の一括競売の手続については〔Q14〕、〔Q70〕参照）。

特に、抵当権設定後に建築された建物が未登記の場合には、差押え後に第三者名義で保存登記をする方法による執行妨害のおそれがある。したがって、競売申立てに当たっては、このような執行妨害に悪用されるおそれがある建物等の有無についても、現地、法務局等で調査することが重要である。そして、調査の結果は、書面にまとめ、いつでも執行裁判所に提出することができるよう準備しておくとよい。

(4) 地代の支払状況の調査

借地上の建物を売却する場合には、当該建物の評価額は建物そのものの価値に土地の利用権である借地権価額が加算された額となるが、建物の評価額のうち借地権価額の占める割合が大きいことから、借地権が消滅すると、建物の評価は激減することとなる。そのため、借地権が現に存続していること（通常は債務者（所有者）が地代を滞りなく支払っていること）が重要となる。しかし、債務者（所有者）が地代の支払を怠っている事案もまれではなく、そのために土地所有者により借地契約が解除されてしまう事態も生じる。

借地上の建物に担保権を設定する場合、建物所有者（賃借人）が地代の支払を怠っているときには、借地契約解除の前提として土地所有者が担保権者に不払地代の支払を催告するとの特約を交わしていることが多いと思われる。しかし、この特約があるからといって、土地所有者からの催告がない以上地代の不払はない、あるいは、借地契約が現に存続していると即断することはできない。また、地代の不払による借地契約の解除は、差押えによる処分制限の効力と抵触することなく行うことができるから、差押えに奏功したからといって、借地契約が存続するとも限らない。

したがって、申立債権者は、ある債務の支払が滞り始めたときは、他の債務の支払も滞り始めるおそれがあると考え、抵当権設定の有無にかかわらず、適宜、土地所有者に地代の支払状況等を確認し、支払の滞りが発生しているときには、差押え後であっても、代払等により借地権の存続を図る措置を講ずる必要がある。このように、競売申立て前に借地契約の内容及び地代の支払状況を把握しておくことは、借地権の存続を図る上で重要である。

Q 8

　なお、競売開始決定後は、執行裁判所の許可を得て地代の代払をすることができ、代払をするとその代払地代は共益費用として優先的に償還を受けることができる（地代代払の手続については〔Q52〕参照）。

(5)　競売開始決定前の保全処分の活用（担保不動産競売の場合）

　競売申立ての準備のための調査の過程で、執行妨害が認められる場合には、競売開始決定前の保全処分（法187条）の活用を検討する必要がある。競売開始決定前の保全処分とは、競売申立て前に、申立ての対象とする不動産（目的不動産）の価値を保全するために、債務者（所有者）その他一定の占有者が目的不動産の価格減少行為を行うことを禁止し、あるいは、目的不動産を執行官の保管に移すといった保全処分をいう（競売開始決定前の保全処分については〔Q53〕参照）。

6　申立書及び添付書類等の準備

　以上の調査の結果、競売の申立てが可能となったときは、申立書及び添付書類等の準備をする（詳細は〔Q9〕参照）。

〈参考文献〉
例題解説43頁

第2款　担保不動産競売

Q9　担保不動産競売の申立書

担保不動産競売申立書には、どのような事項を記載すべきか。また、添付書類としてどのようなものが必要か。

1　担保不動産競売申立書

担保不動産競売申立書の記載内容は、規則170条に規定されている。実務では、申立書本文に当事者目録、担保権・被担保債権・請求債権目録及び物件目録を併せて一通の申立書とする。

(1)　申立書本文（【書式1】参照）

ア　標題及び不動産競売を求める旨の記載

担保権の実行としての競売の申立書であることを明らかにするために、標題として「担保不動産競売申立書」と記載する。さらに、本文中にも、担保不動産競売を求める旨を記載する。

また、弁済期の到来は、実体上の執行開始要件と考えられているから、その旨を記載する。実務では、弁済期を記載した請求債権目録を引用する形で記載されていることが多い（【書式1】、【書式3-1】ないし【書式3-3】参照）。

イ　裁判所の表示

管轄する地方裁判所の名称を記載する。不動産競売事件は、不動産の所在地を管轄する地方裁判所が管轄権を有する（法44条）。支部に申し立てる場合、申立書に支部名も記載し、当該支部に提出する。民事執行事件を担当する専門部が置かれている裁判所に申し立てる場合は、担当部名も記載すべきである。東京地裁本庁の場合は、東京都目黒区に「東京地方裁判所民事執行センター」を設置して不動産執行事件等を専門に取り扱っているが、担当部名は「民事第21部」である。

Q9

ウ　作成年月日

　申立書の作成日を記載する。申立日に合わせる必要はない。

エ　申立債権者又は代理人の記名押印

　申立債権者又は代理人の記名押印をする（規15条の2、民訴規2条1項）。執行裁判所の担当書記官等からの連絡の便宜のため、電話番号（あれば内線番号も）、ファクシミリ番号、事務担当者の氏名、所属部課等も記載することが望ましい（当事者目録に記載してもよい。）。

　押印に使用する印鑑は、認め印で足りる。同一事件で、申立て後に執行裁判所に書面を提出する場合は、申立書に使用した印鑑を使用することが望ましい。なお、取下書を提出する場合で、申立書に使用した印鑑を使用することができないときは、印鑑登録された印鑑を使用し、かつ、印鑑登録証明書を提出するのが実務の一般的な取扱いである。

オ　特別な場合の記載事項

　(ｱ)　民法389条による一括競売の申立てである旨

　民法389条による一括競売とは、土地の抵当権者が、土地に設定された抵当権を実行する際に、抵当地上に存在する建物について抵当権が設定されていなくとも、抵当地とともにその建物の競売を申し立てることを認める制度である。この申立てをするときは、一括競売の要件を具備している旨の主張及び一括競売を求める旨を記載し、その要件を証する書面を添付することを要する（民389条の一括競売の手続については〔Q14〕、〔Q70〕参照）。

　(ｲ)　二重開始である旨

　既に競売の開始されている不動産について重ねて競売の申立てをするときは、二重開始である旨を記載するのが実務の取扱いである。先行事件の事件番号が判明していれば、当該事件番号を記載することが望ましい。また、一部の不動産について二重開始の関係にあるときは、当該不動産を特定することが望ましい（二重開始事件の意味、進行等については〔Q24〕、〔Q25〕参照）。

　(ｳ)　競売開始決定前の保全処分事件の表示

　開始決定前の保全処分等の申立て（法187条1項）をした者が担保不動産

競売の申立てをする場合には、担保不動産競売申立書に開始決定前の保全処分等の申立てに係る事件の表示を記載することとされている（規170条2項。競売開始決定前の保全処分については〔**Q53**〕参照）。これは、担保不動産競売の申立てを受けた裁判所に対し、その担保権に基づいて先に開始決定前の保全処分等の申立てがされていることを知らせて、事件の審理をする上での参考とするとともに（執行裁判所としては、事件の進行を考える上で、開始決定前の保全処分等の申立て及び発令の有無を把握しておく必要がある。）、開始決定前の保全処分等及び担保不動産競売の各申立てが時期的に重なる場合であっても、これらに対する判断が適切に行われるようにするためである。

(2)　当事者目録（【書式2】参照）

ア　記載事項

　競売事件の当事者を当事者目録に記載する。担保不動産競売事件における当事者は、申立債権者、債務者及び所有者の三者である。また、代理人がある場合には、代理人を当事者目録に記載する。

　なお、代理人となるために執行裁判所の許可を要する場合であっても、実務上、あらかじめ当事者目録に代理人を表示することを認めている（添付書類については後記2(5)参照）。理論的には、競売申立ての段階では、執行裁判所の許可がないのであるから、当事者目録に代理人を表示することに問題がないとはいえないが、執行裁判所の許可を条件とした表示とみることができる。

　不動産登記記録上の当事者の住所・氏名等と現在の住所・氏名等とが異なる場合には、これらのつながりを証する文書を提出するとともに、当事者目録にはこれらを併記する取扱いとしている。

　また、申立債権者は、競売の申立てをすると、執行裁判所に対して送達場所の届出をすべき義務が発生することから（法16条1項）、当事者目録中に送達場所の記載をすることが望ましい。

イ　特別代理人

　当事者である未成年者若しくは成年被後見人の法定代理人又は法人の代表者が欠けたときは、債権者は執行裁判所に特別代理人の選任を求めるこ

とができる（法20条、民訴35条、37条）。担保不動産競売の申立てに当たり特別代理人の選任が認められる場合としてよくある例は、①申立て時に債務者又は所有者である法人が破産しており、資格証明書から、破産手続廃止決定が確定して新たに清算人が選任されていないことが明らかな場合や、②債務者又は所有者が特例有限会社で、選任されている代表取締役が欠けた場合（他の取締役が当然に代表権を有することにはならないため、法人の代表者が欠けたときに該当する。）、③債務者又は所有者が、債権者の調査、債務者又は所有者の親族等の申出などにより、事理弁識能力を欠く常況にある蓋然性が高いと認められる場合等である。なお、いずれの場合も、剰余金が生ずる可能性があるときには、特別代理人においてこれを受領することができないため、特別代理人を選任した状態ではその後の手続を進めることはできないことになる。

　申立て時に債務者又は所有者が死亡しており、相続人が不存在又は不分明な場合は、相続財産管理人を選任するのが原則であるが、相続財産管理人の選任を待っていたのでは債権者が損害を受けるおそれのあるときに（時効による消滅により損害が生ずる可能性がある等）、例外的に特別代理人選任を認めることがある（〔Q30〕）。ただし、このうち所有者が死亡した場合については、開始決定を原因とする差押えの登記嘱託を含めて、その後の手続は、相続財産管理人の選任及び相続財産法人への所有権移転登記を待たなければならない（不動産執行の理論と実務(上)19頁）。

ウ　（連帯）債務者のうち一部の者を当事者としない申立て

　(ア)　連帯債務者のうち一部の者を当事者としない抵当権実行申立て

　民事執行の当事者とは、執行の申立人と執行の相手方の総称であり、執行手続上攻撃防御の機会を保障されるべき者であるともいえる。したがって、当事者の表示には、攻撃防御の機会を保障されるべき者全てが記載されなければならない。そのため、抵当権の被担保債権が連帯債務である場合、債権者が所有者でない連帯債務者のうちの一部の者に対する請求はしないとして、連帯債務者の一部の者を当事者から除外した申立ては、当事者の記載を欠く不適法な申立てであり（規170条）、却下を免れない（不動産執行の理論と実務(上)4頁）。

すなわち、連帯債務者は、所有者の財産である目的不動産の売却代金により被担保債務が弁済されると、所有者から求償を受ける立場にあるため、抵当権の被担保債務の不存在及び抵当権の不存在を主張して、競売開始決定に対する異議を申し立てることができる。このような連帯債務者の防御権を保障するためには、連帯債務者の全員を当事者として掲げなければならない。

(イ) 債務者のうち一部の者を当事者としない根抵当権実行申立て

被担保債権が複数あり、債務者も複数いる根抵当権を実行する場合で、複数の被担保債権のうち、一部の債権のみを請求債権とするときは、請求債権とされた被担保債権の債務者のみを当事者とすれば足り、請求債権とされなかった被担保債権の債務者を当事者目録に記載しなくても違法とはならない（不動産執行の理論と実務(上)5頁）。これは、請求債権とされなかった被担保債権については、その競売手続では弁済されず、その被担保債権の債務者は所有者から求償を受けることはなく、このような被担保債権の債務者には、防御の機会を与える必要がないからである。

(3) 担保権・被担保債権・請求債権目録（【書式3－1】ないし【書式3－3】参照）

ア 担保権の表示

担保権は、㋐設定日、㋑権利の種類、㋒根抵当権の場合は極度額及び債権の範囲によって特定する。登記された担保権の場合には、登記に関する事項（登記所名、受付日、受付番号）も記載する。当初の登記が変更されている場合、東京地裁民事執行センターにおいては、債務者の変更、最後の極度額の変更、最後の債権の範囲の変更について記載することを求めている。根抵当権について、極度額等の変更がある場合の記載例は【書式3－2】のとおりである。

イ 被担保債権・請求債権の表示

被担保債権の全額について担保権を実行する場合、すなわち被担保債権と請求債権が一致する場合には、担保権の次に、「被担保債権及び請求債権」を記載する（【書式3－1】参照）。これらの記載は、債権を特定するに足りる事項として、元金は、金額、債権の種類（売買代金残金、貸金残

Q9

金等）を記載し、附帯請求として利息、遅延損害金も掲げるときは、これらの利率、発生期間、利率に関する特約を記載する。

　利息に関し、不動産の登記事項証明書を法定文書とする申立ての場合、優先弁済を受けるのは登記された被担保債権の範囲にとどまるから、当該登記事項証明書に利息を被担保債権とする登記がないのに利息を請求債権とし、又は、登記された利率を上回る利率によって算出された利息を請求債権とすることはできないのが原則である。ただし、利息を付する旨の合意がなくても利息が発生する場合、すなわち、ⓐ利息合意以外の利息債権の発生原因がある場合（例えば、保証人の求償権に対する利息（民459条2項、442条2項）や商人間の金銭消費貸借契約による貸金返還請求権に対する利息（商法513条）など）で、かつ、ⓑその発生原因の存在が抵当権設定登記上明らかであるときには（例えば、債務者及び抵当権者のいずれも会社である場合など）、利息の存在が公示されているといえるから、利息の登記がされていなくても、法定利率の範囲内で利息を請求債権とすることができると解される（伊藤善博ほか「配当研究」410頁以下）。また、登記のされていない遅延損害金については、東京地裁民事執行センターでは、ⓘ登記された利息の利率が、債務者が遅滞の責任を負った最初の時点における法定利率（民404条3項参照）を超える場合はその利率の範囲内で、ⓘⓘ登記された利息の利率が上記法定利率以下又は利息の登記もない場合は上記法定利率の範囲内で、遅延損害金を請求債権とすることを許容している（伊藤善博ほか「配当研究」414頁以下参照）。

　根抵当権の被担保債権としての貸金残金、利息及び遅延損害金の記載は【書式3−2】のとおりである。

　なお、東京地裁民事執行センターでは、被担保債権及び請求債権が準消費貸借契約に基づく金員であるが、登記記録上根抵当権の債権の範囲として「金銭消費貸借取引」としか記載されていないときは、申立書に既存債務の併記を求め、既存債務が根抵当権の被担保債務の範囲に含まれるか否かを判断する取扱いである。準消費貸借契約は金銭消費貸借取引には当たらないものの、根抵当権の債権の範囲として「準消費貸借取引」との記載が登記上認められていないことや（昭和47.8.2法務省民事甲第3299号回答）、

準消費貸借契約に基づく債務は、当事者の反対の意思が明らかでない限り、既存債務と同一性を維持しつつ、単に消費貸借の規定に従うこととされるにすぎないものと推定されること（最判昭50.7.17民集29巻6号1119頁）などからすれば、既存債務が根抵当権の被担保債務に含まれていれば、当事者の反対の意思が明らかでない限り、準消費貸借契約に基づく債務も被担保債務に含まれるとの考えによるものである。

ウ　被担保債権の一部についての担保権の実行

被担保債権の一部について担保権の実行をするときは、一部実行である旨及びその範囲も記載する（規170条1項4号）。この場合、「被担保債権及び請求債権」という一つの項にまとめて記載するのではなく、「被担保債権」の項と「請求債権」の項に分けて各記載をすることにより、一部実行であることを明らかにすべきである。被担保債権の一部について担保権の実行をする場合の記載例は、【書式3－3】のとおりである。

なお、最判平17.11.24（集民218号517頁・金法1766号57頁）は、一部実行であるか否かが争点となった配当異議訴訟において、不動産競売事件の申立書の「被担保債権及び請求債権」の部分における「金　8億円　但し、債権者が債務者に対して有する下記債権のうち、下記記載の順序にしたがい上記金額に満つるまで」との記載について、これに続けて合計8億円を超える7件の手形貸付に係る債権が記載されていること、同申立書添付の登記簿謄本には他の同順位根抵当権者の各根抵当権が記載されていること、同申立書には被担保債権の一部について根抵当権を実行する旨の明示の記載がないことなどの事実関係の下では、平成15年最高裁判所規則第22号による改正前の規則170条4号（現行の規170条1項4号）の「被担保債権の一部について担保権の実行」をする旨及び「その範囲」を示す記載であると解することはできないと判示している。このような紛争を未然に防ぐためにも、一部実行の場合には、被担保債権と請求債権を区別して記載することが望ましい。

(4)　物件目録（【書式4－1】ないし【書式4－3】参照）

競売の対象とする不動産（目的不動産）を記載する。目的不動産の記載は、登記事項証明書の表題部の記載に従って記載する。

目的不動産ごとに物件番号を記載する。実務では、目的不動産が1個の場合でも、物件番号を記載する取扱いである。

担保権が不動産の共有持分に設定されている場合は、各不動産の表示の末尾に当該持分の共有者の氏名（名称）及びその持分割合を記載する。

また、目的不動産中に所有者が異なる物件がある場合には、各不動産の表示の末尾に、その不動産の所有者の氏名（名称）を記載する。なお、目的不動産が共有であり、担保権が共有持分ではなく、共有不動産全体に設定されている場合には、共有者全員の氏名（名称）及び各持分割合を記載する。

2　申立書の添付書類

申立書には、次の書類の添付を要する（法181条1項、規23条）。東京地裁民事執行センターにおいて提出を求めている添付書類、予納金の額、予納郵便切手の内容は、【資料】のとおりである。

(1)　担保権の存在を証明する文書

ア　登記された担保権の実行の場合

担保権の存在を証明する文書（法181条1項）は、実務では、ほとんどが登記された担保権の実行であるから、登記事項証明書が提出されている。

民事執行法施行前は、債権証書等により被担保債権の存在を疎明することを要すると解されていた。しかし、民事執行法は、一般先取特権の実行の場合を除き担保権の存在の立証方法を一定の文書に限定し（法181条1項1号ないし3号）、当該法定文書の提出があれば担保権の存在についての実体判断をすることなく競売開始決定をすることとした。その代わり、担保権の不存在又は消滅という実体上の事由に基づいて、債務者又は所有者が競売開始決定に対する執行異議の申立てをすることを認めている（法182条）。このような仕組みの下では、担保権の存在を証明する文書に加えて被担保債権の存在を証明する文書の提出を求めることは、法の趣旨に反すると考えられるから、民事執行規則では、被担保債権の存在を証明する文書を申立書に添付すべき文書とはしていない（条解民事執行規則(下)750頁）。また、被担保債権の存在を証明する文書の提出が義務付けられていない以

上、被担保債権の弁済期の到来を証明する文書の提出も不要である。弁済期が未到来であるのに競売開始決定がされた場合には、競売開始決定に対する執行異議の申立ての異議事由とすることができる（条解民事執行規則(下)750頁。競売開始決定に対する不服申立てについては〔Q27〕参照）。

イ　一般先取特権の場合

　一般先取特権の実行としての担保不動産競売の場合は、担保権の存在を証する文書であれば足り、公文書である必要はなく、その文書の種類も限定されていない（法181条1項4号）。

　また、一般先取特権者は、まず不動産以外の財産から弁済を受け、なお不足があるのでなければ、不動産から弁済を受けることができない（民335条1項）。したがって、一般の先取特権に基づき担保不動産競売を申し立てる者は、申立てに当たり、不動産以外の財産に対する担保権の実行では請求債権額に足りないことを主張立証する必要がある。立証の程度については、陳述書又は報告書の提出等、事例に即して柔軟に考えられるべきであろう。

　区分所有法7条の先取特権に基づく担保不動産競売を申し立てる場合も、同先取特権は、優先権の順位及び効力については、共益費用の先取特権（民306条1号）とみなされることから（区分所有7条2項）、同様である（〔Q21〕参照）。

(2)　不動産の登記事項証明書

　目的不動産を登記記録において特定するとともに、所有者の所有に属することを証明するため、提出が必要となるものである（規23条1号）。したがって、未登記の不動産については、所有者の所有に属するものであることを証明する文書及び不登令2条に規定する図面等を提出する必要がある（規23条2号）。

　所有者の所有に属することを証明する文書は、その種類に制限がないので、公文書でも私文書でもよい。実務上よく利用されるものとしては、所有者の住所及び氏名が記載された固定資産課税台帳登録事項証明書、固定資産税の納付証明書、建築確認証明書、建築請負人の引渡証明書等がある。不登令2条に規定する図面とは、土地の場合は土地所在図及び地積測

量図であり、建物の場合は建物図面及び各階平面図である。これらの図面は、差押えの登記をするのに必要な書類である。すなわち、未登記の土地又は建物については、差押えの登記の前提として、登記記録を作成する必要があるので、登記記録の作成に必要な図面を添付して差押登記の嘱託をしなければならないからである。

　また、目的不動産が土地の場合で、その土地上に建物があるときは建物の登記事項証明書を、建物のみが目的不動産である場合にはその敷地の登記事項証明書もそれぞれ提出しなければならない（規23条3号、4号）。東京地裁民事執行センターでは、目的不動産が更地の場合は、その旨を記載した上申書の提出を求める取扱いをしている。

　なお、目的不動産については、担保権の存在を証する文書として登記事項証明書が提出されていれば、重ねて提出する必要はない。

(3)　**目的不動産の公課証明書**

　買受人が負担することとなる公課の額を売却手続において明らかにする（規36条1項7号）ための資料として、提出しなければならないものである（規23条5号）。非課税の不動産については、非課税の記載がある評価証明書の提出が必要である。

(4)　**当事者の資格証明書、住民票**

　申立債権者、債務者又は所有者が法人である場合には、その代表者が法人を代表するから、その資格証明書（商業登記事項証明書。申立債権者については、代表者事項証明書でもよい。）を提出しなければならない。不動産登記記録上の本店所在地・名称と現実の所在地・名称が異なるときは、同一性を証明するために、本店の移転・名称の変更の経緯を商業登記事項証明書によって明らかにする必要がある（申立債権者がマンションの管理組合など権利能力のない社団である場合については、マンションの管理組合についての〔Q21〕参照）。

　また、債務者又は所有者が個人（住民登録された外国人も含む。）の場合には、債務者又は所有者に対する競売開始決定の送達を確実にするために、これらの者の住民票を提出する（規23条の2第2号）。不動産登記記録上の債務者又は所有者の住所・氏名の記載と住民票の記載とが異なるとき

は、移転・変更の経緯を住民票や戸籍の附票で明らかにする必要がある。

　不動産登記記録上、甲区欄で住所等変更登記がされているものの、乙区欄では変更されていないことがあるが、このような場合は、前記同一性の証明は不要である。甲区欄で現住所への変更登記がされていれば、その際に現住所に変更したことを証明する資料が添付され、審査されているからである（不登61条、64条参照）。

(5)　代理人に関する書面
ア　代理権限を証明する文書
　競売申立てを代理人が行う場合には、代理権限を書面で証明しなければならない。弁護士が代理人となる場合には、委任状を提出し、支配人が代理人として申立てをする場合は、資格証明書（支配人登記のされた商業登記事項証明書等）を提出する。

イ　代理人許可申立書及びその附属書面
　民事執行法は、執行裁判所でする手続のうち、訴え又は執行抗告に係る手続を除き、民訴法54条１項の規定により訴訟代理人となることのできる者以外の者でも、執行裁判所の許可を受けて代理人となることができるものとしている（法13条）。
　代理人許可の申立ては、書面によることを要する。許可申立書には、代理制度の趣旨に照らし、その者を代理人とすることについての必要性及び代理人としての適格性を有することを具体的に記載するほか、本人と代理人との関係を証明する書面を添付することを要する（規９条。法人の場合には社員証明書、個人の場合には業務担当者又は一定の親族関係にあることの証明書）。また、実務では委任状も同時に提出している（代理人許可申立ての手続については〔Q4〕参照）。

(6)　特別売却実施に関する意見書
　入札又は競り売りの方法による売却を実施させても適法な買受けの申出がなかったときは、執行裁判所は、あらかじめ差押債権者の意見を聴いた上で他の方法による売却（実務では「特別売却」と呼んでいる。）を実施させることができる（規51条１項、２項）。このため、申立債権者に対し、競売の申立てと同時に、特別売却実施に関する意見書の提出を求めて、その

Q9

意見を聴取する取扱いである（特別売却の実施については〔Q87〕参照）。意見書の書式は【別紙2】のとおりであるが、競売申立書に意見を記載する場合は作成不要である。

(7) その他手続の進行に資する書類

以上のほか、規則23条の2により提出を要するものとされる書類がある。いずれも、規則制定前から、裁判所が、運用上、申立債権者に対し、現況調査、評価等の円滑な実施に資する資料として提出を求めていた書類について、規則において一律に提出するものと明文化されたものである。

ア 公図、建物所在図の写し等（1号）

不登法14条の規定により登記所（法務局）に備え付けられることになっている地図（公図）及び建物所在図の写しである。これらの書類は、現況調査や評価をするに当たって目的物の特定等において参考になる。

イ 物件案内図（3号）

不動産の所在地に至るまでの通常の経路、方法等を記載した図面である。

ウ 不動産の現況調査の結果又は評価を記載した文書（4号）

申立債権者が申立て前に不動産の現況調査又は評価をし、その文書を保有しているときに、現況調査や評価の円滑な実施に有益であることから、それを提出書類とするものである。

3 手数料等の納付

(1) 競売申立手数料の納付

手数料は実行担保権1個につき4000円である（民訴費3条1項別表第一・11イ）。目的不動産が複数あっても、共同担保の関係にあるときは、担保権を1個として計算する。手数料は、収入印紙を担保不動産競売申立書に貼り付けて納付する（民訴費8条）。

(2) 費用の予納

競売手続の遂行に必要な費用の支払をするために、申立て時に裁判所書記官の定める金額を予納しなければならない（法14条1項）。また、郵便料金の支払に充てるために一定の金種別の一定金額の郵便切手も納付する取

扱いもある。

(3) 登録免許税の納付

競売開始決定がされると、裁判所書記官は、差押登記の嘱託をしなければならない（法48条1項）。差押登記には登録免許税の納付が必要であることから、競売の申立ての際に、差押登記の登録免許税（税額は、確定請求債権（1000円未満切捨て）の1000分の4で、100円未満切捨て。ただし算出額が1000円未満の場合は、税額は1000円となる。）に相当する金銭を最寄りの金融機関で納付してその領収証書を執行裁判所に提出するか（現金納付の方法）、収入印紙を執行裁判所に提出する（税額が3万円以下の場合に限る。）。提出された領収証書又は収入印紙は、差押登記嘱託書に貼り付けられる。

根抵当権に基づく競売で、確定請求債権額が極度額を上回っているときは、極度額を確定請求債権額として税額を計算する。

なお、形式的競売（共有物分割、遺産分割、区分所有59条に基づく競売等）などの請求債権のない申立てについては、〔Q148〕参照。

Q9

【書式1】申　立　書

担保不動産競売申立書

東京地方裁判所民事第21部　御中

令和〇〇年〇〇月〇〇日
債権者　〇〇〇〇　印
電　話　〇〇-〇〇〇〇-〇〇〇〇
ＦＡＸ　〇〇-〇〇〇〇-〇〇〇〇
（担当者：〇〇）

当　事　者　　別紙目録記載のとおり
担　保　権　⎫
被担保債権　⎬　別紙目録記載のとおり
請　求　債　権　⎭
目 的 不 動 産　　別紙目録記載のとおり

　債権者は、債務者（兼所有者）に対し、別紙請求債権目録記載の債権を有するが、債務者がその支払をしないので、別紙担保権目録記載の抵当権に基づき、別紙物件目録記載の不動産の担保不動産競売を求める。
　☐　上記不動産につき、入札又は競り売りの方法により売却しても適法な買受けの申出がなかったときは、他の方法により売却することについて異議ありません。(注1)

添付書類

1	不動産登記事項証明書	2通
2	公課証明書	2通
3	資格証明書	1通
4	住民票	1通
5	代理人許可申請書	1通(注2)
6	委任状	1通(注3)

（注1）　特別売却の実施に同意する場合は、☐にチェックを入れる。この文章の代わりに【別紙2】を添付してもよい。
（注2）　申立代理人が許可代理人である場合のみ記載する。
（注3）　申立代理人がいる場合のみ記載する。

【書式2】当事者目録

```
                        当事者目録

〒□□□-□□□□  東京都○○区○○町○丁目○番○号
                債 権 者   株式会社○○○○
                代表者代表取締役    ○  ○  ○  ○
〒□□□-□□□□  東京都○○区○○町○丁目○番○号（送達場所）
                株式会社○○○○内
                上 記 代 理 人   ○  ○  ○  ○ (注1)
〒□□□-□□□□  東京都○○区○○町○丁目○番○号
                債 務 者 (注2) 株式会社○○○○
                代表者代表取締役    ○  ○  ○  ○
〒□□□-□□□□  東京都○○区○○町○丁目○番○号
                （不動産登記記録上の住所 東京都○○区○○町○丁
                目○番△号）(注3)
                所 有 者 (注2) ○  ○  ○  ○
```

（注1） 許可代理人がいる場合の記載例。
（注2） 債務者と所有者が異なる場合の記載例。債務者と所有者が同一の場合は「債務者兼所有者」とまとめて記載する。
（注3） 現住所が不動産登記記録上の住所と異なる場合の記載例。現住所と不動産登記記録上の住所が同一の場合は記載不要。

【書式3－1】抵当権の場合の担保権・被担保債権・請求債権目録

```
                担保権・被担保債権・請求債権目録

1  担 保 権
 (1) 令和○○年○○月○○日設定 (注1)(注2) の抵当権
 (2) 登  記   ○○法務局○○出張所
              令和○○年○○月○○日受付○○○○号
2  被担保債権及び請求債権
```

> (注3)
> (1) 元　　金　4000万円
> 　　ただし、令和○○年○○月○○日付け金銭消費貸借契約に基づく貸金4500万円の残元金(注4)
> (2) 利　　息　150万円
> 　　ただし、上記元金に対する令和○○年○○月○○日から令和○○年○○月○○日まで年4.7%（年365日の日割計算）の割合による利息金
> (3) 損　害　金
> 　　上記元金に対する令和○○年○○月○○日から支払済みまで年9.4%（年365日の日割計算）の割合による遅延損害金
> なお、債務者は、令和○○年○○月○○日に支払うべき分割金の支払を怠ったため、約定により同日の経過により期限の利益を失ったものである。

(注1)　不動産登記記録上の「権利者その他の事項」欄記載の抵当権設定の日付を記載する。例えば、同欄に「令和2年10月1日金銭消費貸借令和2年10月10日設定」とある場合は、「令和2年10月10日設定」と記載する。

(注2)　抵当権の移転がある場合には、「令和○○年○○月○○日設定、令和○○年○○月○○日移転の抵当権」と記載する。この場合には、併せて下記（注3）及び下記【書式3－2】の1(2)のとおり記載する。

(注3)　抵当権の移転の原因が債権譲渡である場合は、「被担保債権及び請求債権」欄の冒頭に、「債権者が申立外××株式会社から令和○○年○○月○○日に譲り受けた下記債権」、代位弁済である場合は、「債権者が、申立外××株式会社に対して、債務者との間の令和○○年○○月○○日付け保証委託契約に基づき令和○○年○○月○○日、下記(1)、(2)と同額の金員を保証債務の履行として支払ったことにより、取得した下記債権」、合併による承継である場合は「債権者が令和○○年○○月○○日申立外○○銀行株式会社を合併したことにより承継した下記債権」などと記載する。

(注4)　抵当権の被担保債権が連帯債務である場合は、「ただし、令和○○年○○月○○日付け金銭消費貸借契約に基づく、債務者○○、同△△両名（連帯）に対する貸金4500万円の残元金」などと記載する。

【書式3−2】根抵当権の場合の担保権・被担保債権・請求債権目録

> 1　担　保　権
> (1)　令和○○年○○月○○日設定(注1)、令和○○年○○月○○日変更(注2)の根抵当権
> 　　　極度額　　　金5000万円
> 　　　債権の範囲　　銀行取引、手形債権、小切手債権
> (2)　登記　東京法務局目黒出張所
> 　　　主登記　　令和○○年○○月○○日受付第○○○○号
> 　　　付記登記　令和○○年○○月○○日受付第○○○○号
> 2　被担保債権及び請求債権
> 　　下記の債権のうち、極度額金5000万円の範囲
> 　　　　　　　　　　　　　記
> (1)　元　　金　4000万円
> 　　　ただし、令和○○年○○月○○日付け金銭消費貸借契約に基づく貸金4500万円の残元金(注3)
> (2)　利　　息　150万円
> 　　　ただし、上記元金に対する令和○○年○○月○○日から令和○○年○○月○○日まで年4.7%（年365日の日割計算）の割合による利息金
> (3)　損　害　金
> 　　　上記元金に対する令和○○年○○月○○日から支払済みまで年9.4%（年365日の日割計算）の割合による遅延損害金
> 　　なお、債務者は、令和○○年○○月○○日に支払うべき分割金の支払を怠ったため、約定により同日の経過により期限の利益を失ったものである。

(注1)　不動産登記記録上「権利者その他の事項」欄記載の根抵当権設定の日付を記載する。例えば、同欄に「令和2年10月1日設定」とある場合は、「令和2年10月1日設定」と記載する。
(注2)　極度額等の変更がある場合の記載例。
(注3)　根抵当権の被担保債権が連帯債務である場合の記載例は前記【書式3−1】(注4)と同様である。ただし、連帯債務である被担保債権が複数ある場合は、被担保債権欄冒頭に「下記の債権は、債務者○○、同△△両名の連帯債務である。」と一括して記載すれば足りる。
(注4)　複数の被担保債権の債務者のうち、一部の者を当事者としない根抵当権実行申立ての場合（前記1(2)ウ(イ)参照)、目録の末尾に、「申立外○○の債務と本件債務者の債務は、それぞれ個別債務であり、申立外○○に

Q9

対しては、弁済期未到来のため本件では請求しない。」、「申立外○○の債務と本件債務者の債務は、それぞれ個別債務であり、申立外○○の債務は弁済済みである。」などと記載する。

【書式3－3】被担保債権の一部についての担保権の実行の場合の担保権・被担保債権・請求債権目録

```
1  担 保 権
   ～【書式3－1】【書式3－2】参照～
2  被担保債権
   元　　金　5000万円
   ただし、令和○○年○○月○○日付け金銭消費貸借契約に基づく貸金
   （弁済期令和○○年○○月○○日）
3  請求債権
   3000万円
   ただし、上記被担保債権5000万円の内金
```

【書式4－1】土地及び建物の場合の物件目録

```
                物 件 目 録

1  所　　　在    ○○区○○丁目
   地　　　番    ○○番○
   地　　　目    宅地
   地　　　積    143.54平方メートル
   共有者    ○○○○　持分○分の1（注1）

2  所　　　在    ○○区○○丁目○○番地○
   家屋番号      ○○番○
   種　　　類    居宅
   構　　　造    木造一部コンクリート造瓦葺2階建
   床 面 積     1階　65.44平方メートル
                 2階　45.42平方メートル
```

Q9

```
    所有者    △△△△(注2)
```

(注1) 担保権が不動産の共有持分に設定されている場合は、各不動産の表示の末尾に当該持分の共有者の氏名（名称）及びその持分割合を記載する。
(注2) 目的不動産中に所有者が異なる物件がある場合には、各不動産の表示の末尾に、その不動産の所有者の氏名（名称）を記載する。目的不動産が共有であり、担保権が共有持分ではなく、共有不動産全体に設定されている場合には、「共有者　○○○○　持分2分の1、共有者△△△△　持分2分の1」などと、共有者全員の氏名（名称）及び各持分割合を記載する。

【書式4－2】敷地権の登記がある区分所有建物の場合の物件目録

```
                物 件 目 録

1（一棟の建物の表示）
    所　在      ○○区○○丁目○番地○
    建物の名称   ○○○○マンション(注1)
  （専有部分の建物の表示）
    家屋番号    ○○区○○丁目○番○の○
    建物の名称   ○○○号
    種　類      居宅
    構　造      鉄骨造1階建
    床面積      1階部分65.44平方メートル
  （敷地権の目的たる土地の表示）
    土地の符号   1
    所在及び地番  ○○区○○丁目○番○
    地　目      宅地
    地　積      143.54平方メートル
  （敷地権の表示）
    土地の符号   1
    敷地権の種類  所有権
    敷地権の割合  ○○○○○分の○○○
        共有者　○○○○　持分○○分の○
```

Q9

　　　　　共有者　○○××　持分○○分の○ (注2)

（注1）　不動産登記記録の一棟の建物の表示の欄に、「建物の名称」の記載がある場合には、一棟の建物の構造及び床面積の記載はしなくてもよい。「建物の名称」が定められていない場合の一棟の建物の構造及び床面積の表示は【書式4－3】参照。
（注2）　記載については、【書式4－1】参照。

【書式4－3】敷地権の登記がない区分所有建物の場合の物件目録

物　件　目　録

1　所　在　　　○○区○○丁目○番○
　　地　番　　　○番○
　　地　目　　　宅地
　　地　積　　　243.54平方メートル
　　　共有者　○○××　持分△△分の△ (注)
2（一棟の建物の表示）
　　所　在　　　○○区○○丁目○番地○
　　構　造　　　鉄骨造一部鉄骨鉄筋コンクリート造陸屋根11階建
　　床面積　　　1階　165.44平方メートル
　　　　　　　　2階ないし11階　各65.44平方メートル
　（専有部分の建物の表示）
　　家屋番号　　○○区○○丁目○番○の○
　　建物の名称　○○○号
　　種　類　　　居宅
　　構　造　　　鉄骨造1階建
　　床面積　　　3階部分65.44平方メートル
　　　所有者　○○××

（注）　記載については、【書式4－1】参照。

(R4.3現在)

【資料】

不動産競売の申立てについて

東京地方裁判所民事第21部（民事執行センター）

1　予納金の額
　　請求債権額が2000万円未満……………………………………80万円
　　　　　　　2000万円以上5000万円未満………………………100万円
　　　　　　　5000万円以上1億円未満……………………………150万円
　　　　　　　1億円以上………………………………………………200万円
　（請求債権のない申立ては、申立ての対象物件（以下「物件」という。）の評価額による。二重開始事件は原則として30万円。ただし、先行事件に含まれない物件があるときは上記の例による。）

2　申立手数料（下記の額の収入印紙を申立書に貼付。割印はしない）
　⑴　担保権実行による競売（ケ事件）の場合　担保権1個につき　　4000円
　⑵　強制競売（ヌ事件）の場合　　　　　　　請求債権1個につき　4000円
　⑶　形式的競売（ケ事件）の場合　　　　　　　　　　　　　　　　4000円

3　郵便切手等（「保管金提出書」用紙等の送付用）
　⑴　84円切手＋10円切手1組（ただし、保管金提出書を入れた封筒に、裁判所の受付日付印を押した不動産競売申立書の写し等の同封を希望する場合や、相続代位登記のために戸籍関係書類を返送する必要がある場合等は、重量に応じた郵便切手が必要）
　　※以上のほか、郵便切手の予納は不要
　⑵　債権者あての住所等が記載された封筒1枚（原則として長形3号（約23cm×約12cm）。ただし、送付書類に応じてこれより大きい封筒でも可）

4　差押登記のための登録免許税
　⑴　国庫金納付書により納付（3万円以下なら収入印紙でも可）
　⑵　納付額は確定請求債権額の1000分の4
　（確定請求債権額の1000円未満を切り捨て、これに1000分の4を掛けて100円未満を切り捨てる。算出額が1000円未満のときは1000円とみなす。確定請求債権額が根抵当権極度額を上回っているときは極度額を確定請求債権額として算出する。）

5　不動産競売の申立てに必要な提出書類、添付目録等
　⑴　競売開始決定発令等に必要な書類
　　①　競売申立書
　　②　発行後1か月以内の不動産登記事項証明書（全部事項証明書又は現在事項証明書）
　　　a　物件が土地・建物の一方のみの場合　→　他方の登記事項証明書も必要
　　　b　物件が敷地権付区分所有建物である場合　→　敷地たる土地の登記事項証明書も必要
　　　c　物件が更地である場合　→　その旨の上申書が必要
　　③　公課証明書（最新の公課及び評価の額が記載されているもの。非課税の不動産については評価証明書を提出）。形式的競売等の請求債権のない申立ては、評価証明書も必要
　　④　商業登記事項証明書（当事者の中に、法人がある場合には、1か月以内に発行されたものを提出。なお、申立債権者については、代表者事項

証明書でも可。）
⑤ 住民票（債務者又は所有者が個人の場合には、1か月以内に発行されたものを提出。なお、その者が外国人である場合も同じ。）
⑥ 破産管財人資格証明書（各当事者に破産管財人が選任されている場合。ただし、破産者が法人の場合で、商業登記事項証明書に記載がある場合は不要）
⑦ マンション管理組合の申立ての場合の資格証明書等（〔Q21〕参照）
⑧ 委任状（社員をその法人の代理人とする場合は、代表者作成の代理人許可申立書と社員証明書が必要（委任状または社員証明書に代理人となる者の届出印の押印が必要。収入印紙500円を申立書に貼付。割印はしない。））
⑨ 特別売却に関する意見書（【別紙2】参照。競売申立書に意見を記載する場合は不要）
⑩ 強制競売の場合は、上記①～⑨の書類のほか、執行力のある債務名義の正本（執行文付判決正本、執行文付公正証書正本、仮執行宣言付支払督促正本等）及び送達証明書が必要

なお、仮差押えの本執行移行を目的とした強制競売の場合は、その旨記載した上申書及び仮差押決定正本の写し（仮差押執行後に目的不動産の名義が移転している場合は写しではなく正本が必要）を提出

形式的競売の場合は、上記①～⑨の書類のほか、競売を命じる判決（審判）の謄本及び確定証明書が必要
⑪ （対象物件について、すでに滞納処分庁による差押登記がなされている場合）続行決定申請書
⑫ 代位による相続登記を要する申立ての場合（〔Q30〕参照）
⑬ 一部弁済代位により移転した（根）抵当権に基づく競売申立ての場合（〔Q12〕参照）

(2) 現況調査等に必要な書類

下記①～⑦のコピーを各1部ずつセットにしたものを2組と、⑧を3部提出してください。

① (1)の②に記載した登記事項証明書（物件が更地である場合は、その旨の上申書）
② (1)の③の公課証明書
③ 公図写し（法務局の登記官による認証のあるもので、1か月以内に発行されたもの。縮小コピー不可。申立ての対象が建物のみの場合にも提出）
④ 法務局備付けの建物図面（法務局の登記官による認証のあるもので、1か月以内に発行されたもの。縮小コピー不可。申立ての対象が土地のみの場合にも提出。備付けがない場合はその旨の上申書）
⑤ 物件案内図（住宅地図等。物件に目印をしたもの。）
⑥ 債務者・所有者の商業登記事項証明書（法人の場合）
⑦ 債務者・所有者の住民票（個人の場合）
⑧ 形式的競売の判決（審判）の写し
⑨ 「不動産競売の進行に関する照会書」（対象物件が建物のみの場合には、「対象物件が建物のみの場合の競売事件に関する照会書」も提出）、

その他、事件の進行に有益な資料
　　　　　　　　　　（※照会書の書式は、【別紙1】参照）

(3) 提出目録の部数
　担保権・被担保債権・請求債権目録（強制競売は請求債権目録）　1部

Q9

【別紙1】照 会 書

```
令和　　年（ケ／ヌ）第　　　号（債権者名　　　　　　）
　　　　　　　不動産競売事件の進行に関する照会書
　　　　　　　　　　　　　　　　　東京地方裁判所民事第21部
　本件の円滑かつ迅速な進行を図るため、下記の照会事項にご回答の上、早急に当部不動産開始係に3部提出されるよう、ご協力をお願いします。
　所定の欄が不足する場合、余白や裏面を利用してください。

1　債務者、所有者について
　・住民票住所地での居住実体（法人の場合、本店所在地での営業実体）
　・債務者につき、□あり　□なし　□不明
　・所有者につき、□あり　□なし　□不明
　（いずれも「なし」の場合、次頁1参照）
　・電話番号　　・債務者　　　－　　　－
　　　　　　　・所有者　　　－　　　－
2　物件及び占有者について
　(1)現地調査の有無　　　□あり（　年　月　日実施）□なし
　(2)物件の利用状況　　　□個人住居（□戸建□ワンルーム）□共同住宅
　　　　　　　　　　　　（戸数　　）□事務所□店舗□ビル一棟（　階建）
　　　　　　　　　　　　□建物敷地□空地□駐車場□その他（　　　）
　(3)占有者の有無　　　・抵当権設定時に、□あり　□なし　□不明
　　　　　　　　　　　・申立ての際に、　□あり　□なし　□不明
　(4)抵当権設定時の占有者は誰ですか
　　　　　　　　　　　□所有者□所有者の家族（間柄　　　　）
　　　　　　　　　　　□第三者：名称＊（　　　　　　　　）
　(5)申立ての際の占有者は誰ですか
　　　　　　　　　　　□所有者□所有者の家族（間柄　　　　）
　　　　　　　　　　　□第三者：名称＊（　　　　　　　　）
　　　＊占有者が法人の場合、代表者氏名及び本店所在地が分かれば、お書き
　　　　ください（　　　　　　　　　　　　　　　　　　　　　　）
　(6)その他占有者に関する参考事項（いわゆる占有屋等）があれば、お書き
　　　ください。
　　（　　　　　　　　　　　　　　　　　　　　　　　　　　　　）
　(7)件外建物の有無　　□あり　　□なし　（ありの場合、次頁3参照）
　(8)地代滞納の有無　　□あり　　□なし　（ありの場合、次頁4参照）
　(9)土壌汚染の有無　　□あり　　□なし　□不明（次頁6参照）
3　その他
　(1)買受希望者の有無　□あり　　□なし
　(2)自己競落の予定　　□あり　　□なし　□検討中
令和　年　月　日
債権者の担当者氏名（　　　　　　　）、TEL（　　　　　　　　）

＊この欄は、記入しないでください。
□A　□B　□C　□K
　　　　　　　　　　　　　　　　　　　　　　（担当　　　　　）
```

お 願 い

1 現地調査報告書について
　担保権設定時又は申立てに近い時点に、物件の現地調査を行っている場合には、可能な限り、その調査報告書を提出してください。
　債務者・所有者の現実の居住地についても調査している場合には、可能な限り、その調査報告書を提出してください。

2 地積測量図について
　対象物件である土地を特定することが不能な場合、競売手続が取り消されることがあります。そのような事態を避けるため、地積測量図（写し可）があれば提出してください。

3 対象物件が土地のみの場合
　対象物件が土地のみであっても、その土地上に建物（競売対象外）がある場合は、可能な限り、建物の構造、所有者、土地利用権原等が分かる資料（建物の写真等）を提出してください。

4 対象物件が建物のみの場合（「対象物件が建物のみの場合の競売事件に関する照会書」の提出も必要となります。）
　建物の土地利用権原の内容等が分かる資料（土地利用契約書等）がある場合には、可能な限り、提出してください。また、建物が借地権付建物で、地代の滞納がある場合には、地代代払許可の申立てをするかどうかご検討ください。

5 所有者、債務者以外の法人が物件を占有している場合
　占有している法人の登記事項証明書がお手元にありましたら提出してください。

6 土壌汚染について
　土壌汚染の有無に関するデータ等があれば提出してください。

7 続行決定申請について
　所有者に税金等の滞納があり、滞納処分庁による差押えが先行している場合には、事件続行のための続行決定申請が必要です。続行決定申請には、別途、関連手続、書類等が必要です。
　※続行決定申請の書式のご案内は、民事執行センター・インフォメーション21内にあります。

8 その他事件の円滑な進行に有益な資料があれば、提出してください。

＊上記1～6の資料は、いずれも3部（写し可）提出してください

Q9

令和　　年（ケ／ヌ）第　　　号（債権者名　　　　　　　）
　　　対象物件が建物のみの場合の競売事件に関する照会書
　　　　　　　　　　　　　　　　東京地方裁判所民事第21部
　迅速な進行を図るため、下記の照会事項にご回答の上、当部不動産開始係に３部提出されるようお願いします。書ききれない場合は、余白や裏面を利用してください。

1　建物の土地利用権原について
　　□賃借権　　□地上権
　　→　次の２以下の質問にご回答ください。

　　□使用借権　□無権原　□不明
　　→　次の３以下の質問にご回答ください。

2(1)　借地契約書等のコピーがありますか。
　　　□あり（ある場合はそのコピーを２部提出してください。）
　　　□なし
　(2)　地代の滞納はありますか。
　　　□あり　　□滞納があるので、債権者が代わりに支払っている
　　　　→　次の（３）の質問にもご回答ください。
　　　□なし
　　　□不明
　(3)　地代滞納がある場合に地代代払許可の申立てをする予定はありますか。
　　　□あり（ある場合は早急に申立てをお願いします。）
　　　□なし
　　　□未定

3　敷地に関する争い等がありますか。
　　□ない
　　□借地契約が解除された。（解除通知書等のコピーを２部提出してください。）
　　□訴訟等が係属中である。（係属裁判所、事件番号をお知らせください。訴状、調停申立書等のコピーを２部提出してください。）
　　　　　　　地方・簡易裁判所　　　平成・令和　　年（　）第　　号
　　□不明
　　□その他（　　　　　　　　　　　　　　　　　　　　　　　　　）

4　土地所有者の連絡先（住所・電話番号）が分かれば記載してください。

5　その他参考事項がある場合は記載してください。

　　債権者の担当者氏名（　　　　　　　　）、ＴＥＬ（　　　　　　　　）

【別紙2】 特別売却に関する意見書

令和　年（　）第　　号

東京地方裁判所民事第21部　御中

意見書

　本件不動産につき、入札又は競り売りの方法により売却しても適法な買受けの申出がなかったときは、他の方法により売却することについて異議ありません。

　　令和　年　月　日

　　　　申立債権者　　　　　印

Q10 転抵当権に基づく担保不動産競売申立て及び配当等の手続

転抵当権者が担保不動産競売の申立てをする要件は、どのようなものか。また、その後の配当等の手続はどのように進行するか。

1 総　説

(1) 転抵当の性質

抵当権者は、その抵当権をもって他の債権の担保とすることができる（民376条）。これは、抵当権者（原抵当権者）が、抵当権（原抵当権）という優先弁済を受ける権利を、さらに原抵当権者の債権者（転抵当権者）のために担保に供することができる旨を定めたものであり、このことを「転抵当」という。

抵当権者において、債務者から被担保債権を回収する前に、金銭の調達をする必要が生じた場合、抵当権者が把握している不動産の経済的価値（抵当権）を流動化してこれを実現することが考えられる。転抵当は、この要請に応えるものである。

転抵当の法的性質については、以下の説があるが、ア(イ)の抵当権再度設定説が通説といわれている。また、イの債権・抵当権共同質入説によれば、後記のとおり、原抵当権者による担保不動産競売の申立ては認められないことになるが、判例及び実務は、一定の要件の下に原抵当権者による競売申立てを認めているので（〔Q11〕参照）、債権・抵当権共同質入説に立っていないことは明らかである。

ア　抵当権単独処分説

原抵当権を被担保債権から切り離して単独で担保に供することが転抵当であるとする説である。

(ア)　抵当権単独質入説

原抵当権につき質権（一種の権利質）を設定するのが転抵当であるとする説である。

(イ) 抵当権再度設定説

抵当目的物を、原抵当権者が把握している担保価値の限度で再度抵当に入れるのが転抵当であるとする説である。

イ 債権・抵当権共同質入説

原抵当権とその被担保債権の双方に、共同して質権を設定することが転抵当であるとする説である。

この説によれば、転抵当権者は債権質権者として原抵当権の被担保債権を直接取り立てることができる（民366条）。また、原抵当権及びその被担保債権全額が質入れされているのであるから、原抵当権者は、それによる拘束を受け、担保不動産競売の申立ては認められないことになる。

(2) 転抵当権の成立要件

ア 被担保債権額

まず、転抵当権の被担保債権額が原抵当権の被担保債権額を超過してもよいかという問題がある。かつては、転抵当権の被担保債権額は、原抵当権の被担保債権額を超過してはならないと解されていた。しかし、現在は、これは転抵当の要件の問題ではなく、効果の問題であり、転抵当権の被担保債権額が原抵当権の被担保債権額を超過する転抵当の設定も許されるが、転抵当権者は原抵当権の被担保債権額の範囲内で優先弁済を受けるにすぎないと解されている（新注釈民法(7)42頁〔占部洋之〕）。

イ 弁済期の前後

また、転抵当権の被担保債権の弁済期が、原抵当権の被担保債権の弁済期後に到来してもよいかという問題もある。従前、転抵当権の被担保債権の弁済期は原抵当権の被担保債権の弁済期より前でなければならないと解されていたが、現在では、この点についても、転抵当の要件の問題ではなく、効果の問題と解されている（東京高判昭42.1.18金法470号33頁。占部・前掲43頁）。具体的には、後記2で述べるように、転抵当権の実行は、転抵当権者が転抵当権の目的とされた原抵当権を自己の債権の満足を得るために実行するものであるから、その際には、転抵当権及び原抵当権の被担保債権の双方の弁済期が到来していることが必要になる。また、原抵当権の債務者は、自己の債務（原抵当権の被担保債権）の弁済期が到来し、転

抵当権の被担保債権の弁済期が到来していないときは、自己の債務の弁済金額を供託することができる（この場合、転抵当権の効力はこの供託金返還請求権に及ぶ。占部・前掲43頁）。

2　転抵当権の実行としての競売申立ての要件

　転抵当権の実行としての担保不動産競売の申立ての要件は、転抵当権及び原抵当権がそれぞれ存在すること、転抵当権及び原抵当権の被担保債権の双方の弁済期が到来していることである。

　このうち、転抵当権及び原抵当権の存在については、転抵当権の設定を第三者に対抗するには原抵当権に付記登記をする必要があるところ、通常は、この転抵当権の付記登記のされた登記事項証明書（法181条1項3号の法定文書）を提出することで足りる。

　なお、原抵当権者が民法377条に基づいて行う債務者に対する通知又は債務者の承諾は、債務者等に対する対抗要件であるが、執行異議事由となるにすぎず、転抵当権実行の申立ての要件ではないと解されている。したがって、申立転抵当権者は、通知又は承諾を証する書面を提出することなく、転抵当権の実行として不動産競売の申立てをすることができる。一方、抵当不動産の所有者等は、競売開始決定に対する執行異議の申立てをして（法182条）、通知又は承諾の欠缺を主張して開始決定の適法性を争うことができ、その場合、申立転抵当権者は、結局、通知又は承諾を証する書面を提出することになるため（大橋寛明「転抵当が設定されている場合の競売申立て」金法1378号66頁）、このような事態を想定して申立ての準備をする必要がある。

3　申立書の記載等（【書式】参照）

(1)　当事者の表示

　転抵当権実行の場合に、原抵当権の被担保債権の債務者が当事者となるか否かについては、議論のあるところであるが、同債務者が、転抵当権に基づく競売手続に重大な利害関係を有することは明らかであるから、東京地裁民事執行センターでは、申立書の当事者目録に同債務者を記載すべき

ものとしている（不動産執行の理論と実務(上)15頁）。

(2) 担保権の表示

転抵当権実行の場合、転抵当権とその基礎となっている原抵当権を記載する必要がある。加えて、転抵当権は、原抵当権の被担保債権額の範囲内で、自己の債権について優先弁済を受けること、転抵当権実行のためには、転抵当権と原抵当権双方の被担保債権の弁済期が到来している必要があることから、申立書の担保権目録には、転抵当権の被担保債権とその債権額及び弁済期に加え、原抵当権の被担保債権とその債権額及び弁済期についても記載する。

なお、東京地裁民事執行センターでは、転抵当権の被担保債権の弁済期の到来について通常の抵当権の実行の例と同様（〔Q9〕参照）、債権者の主張のみで足り、立証を求めないで開始決定をする取扱いであるが、原抵当権の被担保債権の弁済期到来（期限の利益喪失）の事実を知った事情については、申立債権者の調査の結果判明した事実を記載した上申書を提出するよう求めている（不動産執行の理論と実務(上)32頁）。

4 転抵当権者への配当等

(1) 転抵当権者と民法375条の関係

前記1(1)ア(イ)の抵当権再度設定説によれば、転抵当権は原抵当権の把握する担保価値の上に設定されているのであるから、転抵当権が優先弁済を受ける範囲は、原抵当権が優先弁済を受け得る被担保債権の範囲である民法375条によって画されることになる。したがって、転抵当権者は、原抵当権の後順位担保権者等との関係では、原抵当権の被担保債権の元本及び最後の2年分の利息・損害金等の合計額を超えては優先弁済を受けることができない（伊藤善博ほか「配当研究」431頁）。

さらに、転抵当権の被担保債権について民法375条が適用されるか否かも問題になる。抵当権再度設定説によれば、転抵当権の被担保債権についても民法375条の適用を肯定せざるを得ないから、転抵当権者は、転抵当権者同士の関係又はこれと同視し得る関係にある者、すなわち、同一原抵当権についての後順位転抵当権者や他の転抵当権の処分（転抵当権又はそ

の順位の譲渡・放棄）を受けた者に対しては、転抵当権の被担保債権の最後の２年分を超える利息・損害金等について優先弁済権を主張することができない。一方、それ以外の原抵当権の後順位担保権者等との関係では、そもそも原抵当権について元本及び最後の２年分の利息・損害金等の範囲内で優先弁済を受けるという枠が設定されているのであり、その枠の範囲内であれば、原抵当権の後順位担保権者にとっては優先弁済を受けられないことを覚悟すべきであるから、転抵当権の被担保債権の最後の２年分を超える利息・損害金等の優先弁済を受けても、これらの者に予期しない不利益を与えるものではなく、転抵当権の被担保債権について重ねて民法375条を適用する必要はない（伊藤善博ほか「配当研究」432頁）。

　以上を前提に具体的配当の方法を考えると、転抵当権の実行により換価された不動産の代金は、①原抵当権の被担保債権の優先弁済の範囲である元本及び最後の２年分の利息・損害金等の合計額の範囲内で配当がされる分と②その余とに分けられ、①からは、まず転抵当権の被担保債権に優先的に配当がされて（この配当に際して、転抵当権の被担保債権の優先弁済の範囲は、後順位転抵当権者等との関係を除き、考慮されない。）、残余があれば原抵当権の被担保債権に配当がされることになる。そして、なお残余があれば、原抵当権の後順位担保権者及び後順位の交付要求債権者、一般の私債権者等に順次配当がされることになる。②については、原抵当権の後順位の担保権者等にまず配当がされ、なお残余があれば一般債権者に配当がされる。

(2) 原抵当権者の届出債権額が登記記録上の被担保債権額より少ないときの配当等

　この場合、根抵当権を除く抵当権については、転抵当権者の承諾を受けずにした原抵当権の被担保債権の弁済等は転抵当権者に対抗することができないから（民377条２項）、登記記録上の記載どおりの債権があるものとして、転抵当権に対する配当等をすることになる。そして、これに不服のある他の債権者等は、原抵当権者の弁済又は転抵当権設定時における原抵当権の被担保債権の一部消滅等について転抵当権者の承諾があることを理由として配当異議の申出をすべきである（古島正彦「転抵当及び抵当権の譲

渡と配当」不動産配当の諸問題209頁)。

　もっとも、転抵当権者が、あらかじめ裁判所に対して、原抵当権の被担保債権が弁済等のため登記記録上の債権額より減少しており、これを承諾している旨申し出ているなどの例外的な場合には、原抵当権者の届出債権額を上限として転抵当権者に配当等をする取扱いが認められることもあろう。

　これに対し、原抵当権が根抵当権の場合、元本確定前の根抵当権の被担保債権の弁済は、転抵当権者の承諾等がなくても転抵当権者に対抗することができるから（民398条の11第2項）、原根抵当権者の届出額により配当額を決することになる（古島・前掲214頁）。

【書式】転抵当権者による担保不動産競売申立書

```
　　　　　　　　　担保不動産競売申立書

　　　　　　　　　　　　　　　　　　　令和○○年○月○日
東京地方裁判所民事第21部　御中
　　　　　　　　　　　債権者代理人　○　○　○　○　印
　　　　　　　　　　　（電話　○○○－○○○－○○○○）
　　　当　事　者　　別紙目録記載のとおり
　　　担　保　権
　　　被担保債権　　別紙目録記載のとおり
　　　請　求　債　権
　　　目的不動産　　別紙目録記載のとおり
　債権者は、債務者（原抵当権者）に対し、別紙請求債権目録記載の債権
を有するが、債務者がその弁済をしないので、別紙担保権目録記載の転抵
当権に基づき、別紙物件目録記載の不動産の担保不動産競売を求める。
　　　　　　　　　　　　添付書類
（以下省略）
```

```
                            当 事 者 目 録

〒□□□-□□□□   ○○県○○市○○町○丁目○番○号　○○ビル○階
                債　権　者　○　○　○　株式会社
                代表者代表取締役　○　○　○
                上　記　代　理　人　○　○　○
〒□□□-□□□□   ○○県○○市○○町○丁目○番○号　○○ビル○階
                債務者（原抵当権者）　株式会社　△　△　△
                代表者代表取締役　○　○　○
〒□□□-□□□□   ○○県○○市○○町○丁目○番○号
                （原抵当権の債務者）　○　○　○
〒□□□-□□□□   ○○県○○市○○町○丁目○番○号
                所有者　○　○　○
```

```
                担保権・被担保債権・請求債権目録

1  担　保　権
  (1) 原抵当権
      令和○○年○月○日設定の抵当権
      ア　被担保債権　令和○○年○月○日付け金銭消費貸借契約に基づく
                  貸金債権　金○○○○万○○○○円
                  弁済期　令和○○年○月○日
      イ　登　　記　○○地方法務局○○出張所令和○○年○月○日受付第
                  ○○○○○号
  (2) 転抵当権
      令和○○年○月○日設定の転抵当権
      付記登記　○○地方法務局○○出張所令和○○年○月○日受付第○○
              ○○○号
2  被担保債権及び請求債権
  (1) 元　　金　○○○万○○○○円
      ただし、令和○○年○月○日付け金銭消費貸借契約に基づき貸し付
      けた金○○○万円の残金
  (2) 利　　息　○○万○○○○円
```

　　　　ただし、上記元金に対する令和○○年○月○日から令和○○年○月○日まで約定の年○%の割合による利息金
　(3)　遅延損害金　　○○万○○○○円
　　　　ただし、上記金員に対する令和○○年○月○日から令和○○年○月○日まで約定の年○%の割合による損害金
　なお、債務者は、令和○○年○月○日に支払うべき金員の支払を怠ったため、特約により同日の経過により当然に期限の利益を喪失したものである。

（注）　別紙物件目録省略

Q11 転抵当権が設定されている原抵当権に基づく競売申立て及びその後の手続

　転抵当権が設定されている原抵当権の抵当権者は、競売の申立てをすることができるか。その要件は、どのようなものか。また、その後の手続はどのように進行するか。

1　総　　説

　抵当権に転抵当権が設定されている場合、転抵当権に優先弁済権があり、また、原抵当権者は原抵当権を消滅させてはならない義務を負う。さらに、転抵当権の設定について債務者への通知又は債務者の承諾がされたときは、転抵当権者の承諾がない限り、原抵当権の被担保債権の弁済等は転抵当権者に対抗することができない（民377条2項）。そこで、原抵当権者が単独で競売の申立てをすることができるか否かが問題となる。

　判例及び実務は、原抵当権の被担保債権額が転抵当権の被担保債権額を上回っていること等、一定の要件の下に、原抵当権者の競売の申立てを認めるという限定的肯定説に立っている（大決昭7.8.29民集11巻1729頁、名古屋高決昭52.7.8判タ360号172頁）。すなわち、転抵当権が設定されている場合、転抵当権の被担保債権が原抵当権の被担保債権に優先するが、原抵当権の被担保債権額が転抵当権の被担保債権額を上回るときは、その超過する分については原抵当権者が自己の被担保債権の弁済を受けることができるので、後記2の要件を満たしてさえいれば、原抵当権者の競売申立てを認めてよいとする見解である。

　上記見解のほか、原抵当権の被担保債権額が転抵当権の被担保債権額を上回っているか否かに関係なく、原抵当権者による競売の申立てを肯定する見解（鈴木禄弥『抵当制度の研究』（一粒社）204頁（ただし、競売代金全額を供託すべきであるとする。）、道垣内弘人『担保物権法〔第4版〕』（有斐閣）196頁（ただし、無剰余措置による処理がされるとする。））、債権・抵当権共同質入説の立場からこれを否定する見解（柚木馨＝高木多喜男『担保物権法

〔第3版〕』（有斐閣）298頁等）がある（なお、転抵当の法的性質との関係につき〔Q10〕参照）。

2　申立ての要件

　東京地裁民事執行センターでは、限定的肯定説に立ち、原抵当権者の競売申立ては、以下の要件が満たされている場合に限り認めている（不動産執行の理論と実務(上)45頁）。

(1)　原抵当権の被担保債権額が転抵当権の被担保債権額を上回っていること（差額要件）

　原抵当権の被担保債権額が転抵当権の被担保債権額を上回っていなければ、原抵当権者が配当等を受けることができないからである。この差額要件は、本来、無剰余の判断に際して審査されるべきものであるが（法63条参照）、申立ての時点において類型的に配当等を受ける見込みがない原抵当権者については、競売の申立てを認める必要もないというのが、申立ての要件とする理由である（大橋寛明「転抵当が設定されている場合の競売申立て」金法1378号68頁）。

　この差額要件を充足する場合として、原抵当権の被担保債権の元本等の額が転抵当権の被担保債権の元本等の額を上回っている場合のほか、元本は同額であっても利息・損害金の利率が上回っている場合も挙げられる。ただ、あくまでも申立て時における見込みに基づく判断であるから、その後の利率の変動や、元本の一部弁済等により原抵当権の被担保債権額が転抵当権の被担保債権額を下回ることもあり得る。そのような場合の取扱いについては、後記4で説明する。

(2)　原抵当権の被担保債権及び転抵当権の被担保債権がいずれも弁済期にあること（弁済期要件）

　原抵当権の被担保債権の弁済期の到来を要求するのは、原抵当権の実行である以上当然である。また、転抵当権の被担保債権の弁済期の到来を要求するのは、同弁済期が到来していない限り、転抵当権は実行することができない状態にあり、その間は原抵当権の実行も許されないからである（大橋・前掲68頁）。

(3) 原抵当権者が単独で競売の申立てを行うことについて、転抵当権者が承諾していること（承諾要件）

　転抵当権者の承諾がないとしても、剰余主義により転抵当権者に対する弁済は保証されている。しかし、原抵当権を担保として把握している転抵当権者は、自己の選択した時期に原抵当権を実行する権利を有しているのであるから、自己の抵当権を担保として差し出した原抵当権者に、転抵当権者の上記権利を害してまで競売申立てをすることを認めるのは、不合理である。そこで、原抵当権者が単独で競売の申立てを行うことについての転抵当権者の承諾も要件となる（大橋・前掲68頁）。

3　申立書の記載等（【書式1】参照）

　原抵当権者の競売申立ての場合、前記の三つの要件を充足している旨を申立書に記載して主張する必要がある。このうち、差額要件及び弁済期要件については、転抵当権が設定されている場合における原抵当権者からの競売申立てであることを明確にするとともに、これらの要件を充足していることを競売開始決定上明らかにする趣旨で、被担保債権・請求債権目録の末尾に転抵当権の内容について表示をする。また、承諾要件については、転抵当権者の承諾書（印鑑登録証明書添付。【書式2】参照）を提出する。

4　無剰余の判断

　競売申立ての時点において、原抵当権の被担保債権が転抵当権の被担保債権を上回っていても、無剰余（法63条参照）の判断時点において、買受可能価額から他の優先債権等を控除した金額が転抵当権の被担保債権額より少ないことが判明したときは、無剰余を理由として競売手続を取り消すべきか否かという問題がある。

　これについては、競売手続を取り消すべきとの立場もあるが（東京高決平8.11.21判タ962号251頁）、東京地裁民事執行センターでは、無剰余取消しをしない取扱いである。その理由としては、①転抵当権者に配当がされれば、原抵当権者の転抵当権者に対する債務がその分減少するから、一概

に無益執行とはいえない、②転抵当権者の承諾は、仮に原抵当権について無剰余であった場合も含め、換価時期選択の利益の放棄を含む趣旨とみることができるといった点が挙げられる（忠鉢孝史「無剰余取消し」山﨑＝山田「民事執行法」159頁）。

　これらの理由からすると、原抵当権者の競売申立てについて、承諾要件がある以上、差額要件は不要ではないかとの疑問も生じ得る。しかし、差額要件を廃止することは他人に競売申立てをさせることを認めるに等しくなりかねず、かつ、これから手続を開始する申立て段階と、既に手続が積み重なり多数の利害関係人が生じている剰余判断の段階とでは利益状況が異なるから、必ずしも両段階で要件を同じにすべきであるとはいい難い（大島雅弘「転抵当と担保権実行」山﨑＝山田・前掲33頁）。したがって、東京地裁民事執行センターでは、上記2のとおり、差額要件の充足を求めている。

5　配 当 等

　売却代金の配当等においては、まず、転抵当権者に対して原抵当権の被担保債権の範囲内で配当等がされ、残余がある限り、原抵当権者に配当等がされることになる。その他の問題については〔Q10〕参照。

【書式1】転抵当権を設定した場合の原抵当権者による担保不動産競売申立書

```
                担保不動産競売申立書

                                    令和○○年○月○日
 東京地方裁判所民事第21部　御中
         債権者代理人　○　○　○　○　印
         （電　話　○○○－○○○－○○○○）
         （ＦＡＸ　○○○－○○○－○○○○）
     当　事　者　　　別紙目録記載のとおり
```

担　保　権 ｝
被担保債権 ｝　　　別紙目録記載のとおり
請　求　債　権 ｝
目的不動産　　　　別紙目録記載のとおり

1　債権者は、債務者（兼所有者）に対し、別紙請求債権目録記載の債権を有するが、債務者がその弁済をしないので、別紙担保権目録記載の原抵当権に基づき、別紙物件目録記載の不動産の担保不動産競売を求める。
2　原抵当権者が競売の申立てを行い得る理由
　(1)　原抵当権者である申立債権者は、申立外○○○株式会社（以下「転抵当権者」という。）から融資を受ける担保として、令和○○年○月○日転抵当権者のために前記担保権目録記載の抵当権に転抵当権を設定した。
　(2)　本日現在の、申立債権者が債務者に対して有する抵当権の被担保債権である貸金債権残額合計は５○○○万○○○○円（内訳：残元金○○○○万○○○○円、利息○○万○○○○円、損害金○○万○○○○円）であり、転抵当権者が申立債権者に対して有する貸金債権残額合計は３△△△万△△△△円（内訳：残元金△△△△万△△△△円、利息△△万△△△△円、損害金△△万△△△△円）である。また、今後発生する利息及び損害金についても、申立債権者の債務者に対する前記貸金債権の利率（利息８％、損害金16％）の方が、転抵当権者の申立債権者に対する前記貸金債権の利率（利息６％、損害金12％）よりも大きく、原抵当権者である申立債権者の被担保債権額が、転当権者の被担保債権額を上回っている。
　(3)　申立債権者の債務者に対して有する貸金債権（原抵当権の被担保債権）の弁済期は、令和○○年○月○日（債務者の債務不履行による期限の利益喪失日）であり、転抵当権者が申立債権者に対し有する貸金債権（転抵当権の被担保債権）の弁済期は、令和△△年△月△日（一括弁済期日）であっていずれも弁済期が到来している。
　(4)　転抵当権者は、本件抵当権の目的不動産について、申立債権者が単独で競売申立てをすることについて、異議なく承諾している。
　　　添付書類（以下省略）

当　事　者　目　録

〒□□□－□□□□
　　　　○○県○○市○○町○丁目○番○号　○○ビル○階（送達場所）
　　　　　　債　　権　　者　　株式会社△△△
　　　　　　代表者代表取締役　　○　○　○　○

　　　　　　　　上　記　代　理　人　○　○　○　○
〒□□□−□□□□
　　　　○○県○○市○○町○丁目○番○号　○○ビル○階
　　　　　　　　債務者兼所有者　○　○　○　○

担保権・被担保債権・請求債権目録

1　担　保　権
　(1)　令和○○年○月○日設定の抵当権
　(2)　登　　記　○○地方法務局○○出張所令和○○年○月○日受付第○
　　　　　　　　○○○○号
2　被担保債権及び請求債権
　(1)　元　　金　　5○○○万○○○○円
　　　ただし、令和○○年○月○日付け金銭消費貸借契約に基づき貸し付けた○○○○万円の残金
　(2)　利　　息　　○○万○○○○円
　　　ただし、上記元金に対する令和○○年○月○日から令和○○年○月○日まで約定の年8％の割合による利息金
　(3)　遅延損害金　　○○万○○○○円
　　　ただし、上記元金に対する令和○○年○月○日から令和○○年○月○日まで約定の年16％の割合による損害金
　なお、債務者は、令和○○年○月○日に支払うべき金員の支払を怠ったため、特約により同日の経過により当然に期限の利益を喪失したものである。
(上記1の抵当権に設定されている転抵当権)
　(1)　令和○○年○月○日設定の転抵当権
　　　ア　被担保債権　貸金△△△万円
　　　　　現在の残額合計3△△△万△△△△円（内訳：残元金△△△△万△△△△円、利息△△万△△△△円、損害金△△万△△△△円）
　　　イ　貸付日　令和△年△月△日
　　　ウ　利息　年6％
　　　エ　損害金　年12％
　　　オ　弁済期　令和△△年△月△日
　　　カ　債務者　原抵当権者　株式会社△△△
　　　キ　転抵当権者　○○○株式会社

Q11

 (2) 付記登記
   ○○地方法務局○○出張所令和○○年○月○日受付第○○○○○号

(注) 別紙物件目録省略

【書式2】承　諾　書

承　諾　書

令和○○年○月○日
 （甲）○○県○○市○○町○丁目○番○号　○○ビル○階
  （転抵当権者）　○○○株式会社
   代表者代表取締役　○　○　○　○　印

　○○○株式会社（以下「甲」という。）は、○○県○○市○○町○丁目○番○号○○ビル○階株式会社△△△（以下「乙」という。）に対し、下記事項を異議なく承諾します。

記

　乙が、別紙物件目録記載の不動産に設定した抵当権（令和○○年○月○日設定、○○地方法務局○○出張所令和○○年○月○日受付第○○○○○号で登記を経由した抵当権）に基づき、前記目録記載の不動産について、乙が単独で抵当権の実行による担保不動産競売の申立てを行うこと。

(注) 別紙物件目録省略
  印鑑登録証明書を添付する。

Q12 一部代位弁済により移転した抵当権に基づく競売申立て

抵当権の被担保債権の一部を弁済した者が、弁済による代位により取得した当該抵当権に基づき競売の申立てをする場合の要件及び手続はどのようなものか。

1 代位弁済とその効果

(1) 弁済による代位の制度と弁済者の行使する債権

弁済による代位の制度とは、代位弁済者が債務者に対して取得する求償権を確保するために、法の規定により弁済によって消滅するはずの債権者の債務者に対する債権（以下「原債権」という。）及びその担保権を代位弁済者に移転させ、代位弁済者がその求償権の範囲内で原債権及びその担保権を行使することを認める制度をいう。そして、代位弁済者が弁済による代位によって取得した担保権を実行する場合の被担保債権は、保証人の債務者に対する求償債権ではなく原債権である（最判昭59.5.29民集38巻7号885頁・金法1062号6頁）。この場合、代位弁済者は、①原債権の額が求償債権の額より少ない場合には、原債権の範囲内で原債権及び担保権を行使し、②原債権の額が求償債権の額を超えている場合には、原債権の全額が代位弁済者に移転するが、求償債権の範囲を超えて原債権及び担保権を行使することはできない。

(2) 求償債権の利率についての特約の効力

求償債権の利率についてした特約の効力は有効であるとするのが判例の考え方である（前記最判昭59.5.29）。

したがって、求償債権について約定利率がある場合には、約定利率により計算した求償債権を上限として原債権を行使することができる。

Q12

2 一部代位弁済者の競売申立て

(1) 一部代位弁済者の権利行使の方法
ア 債権者の同意

被担保債権の一部の代位弁済がされた場合に、一部代位弁済者が原抵当権者と準共有する抵当権を単独で実行することができるか否かについては、従前、肯否両説があり、東京地裁民事執行センターでは一部代位弁済者の単独での競売申立てを認める運用であった（大決昭6.4.7民集10巻9号535頁参照）。

平成29年民法改正法では、原抵当権者が担保不動産を換価する時期を選択する利益に考慮して、一部代位弁済者は、権利行使に当たり原抵当権者の同意を得て共同で権利を行使するものとされた（民法502条1項）。原抵当権者の同意は、競売申立ての要件として申立債権者が証明すべき事項であり、東京地裁民事執行センターでは、後記(2)のとおり、一部代位弁済者の単独での競売申立てについて、原抵当権者作成にかかる同意書の提出を求める運用である。そして、同改正法の施行日の前日である令和2年3月31日までに生じた債務を一部弁済した場合については従前の例によることとされているが（同改正法附則25条1項）、同改正法による改正前の民法にはこの点に関する明確な規定があったわけではないことから、同改正法による改正の趣旨を踏まえ、一部代位弁済者の単独の競売申立てについても可能な限り原抵当権者作成にかかる同意書の提出を求める運用である。

イ 抵当権の一部移転の証明方法

一部代位弁済者が担保不動産競売を申し立てる場合、抵当権を一部承継した事実を証明する公文書の提出を要する（法181条3項）。一部代位を原因とする抵当権の一部移転の付記登記を経由した登記事項証明書が一般的であるが、一部承継の合意が記載された公正証書やその他の公文書を提出することも可能である。ただし、平成29年民法改正法による改正前の民法においては、目的不動産の第三取得者に対して債権者に代位するにはあらかじめ付記登記をすることを要するとされていたため（同改正法による改正前の民法501条1号）、同改正法の施行日前に生じた債務を弁済した場合

には、従前の例により（同改正法附則25条1項）、必ず付記登記を経由した登記事項証明書の提出を要する。

(2) 申立書の記載等

一部代位弁済者による単独の競売申立ての場合、申立書本文に原抵当権者の同意があることを記載する（【書式1】参照）。

添付書類として原抵当権者の同意書（印鑑証明書添付。【書式2】参照）を提出する。

なお、原抵当権者と一部代位弁済者が共同で競売の申立てを行う場合、同意書の添付は不要である。

【書式1】申立書

担保不動産競売申立書

東京地方裁判所民事第21部　御中

　　　　　　　　　　　　　　　　令和〇〇年〇〇月〇〇日
　　　　　　　債　権　者　　〇〇〇〇株式会社
　　　　　　　代表者代表取締役　〇　〇　〇　〇　印
　　　　　　　　電　話　〇〇〇-〇〇〇-〇〇〇〇
　　　　　　　　ＦＡＸ　〇〇〇-〇〇〇-〇〇〇〇
　　　　　　　　　　　　担当者　〇　〇

　　当　事　者　　　別紙目録のとおり
　　担　保　権　⎫
　　被担保債権　⎬　別紙目録のとおり
　　請　求　債　権　⎭
　　目的不動産　　　別紙目録のとおり

　債権者は、債務者（兼所有者）に対し、別紙請求債権目録記載の債権を有するが、債務者がその弁済をしないので、別紙担保権目録記載の抵当権に基づき、別紙物件目録記載の不動産の担保不動産競売を求める。

　なお、申立債権者は、申立外株式会社〇〇の有する抵当権の一部を代位弁済により取得した者であり、本件競売申立てについて申立外株式会社〇〇から同意を得ている。

　□　上記不動産につき、入札又は競り売りの方法により売却しても適法な

Q12

買受けの申出がなかったときは、他の方法により売却することについて異議ありません。(注2)

	添付書類	
1	不動産登記事項証明書	○通
2	公課証明書	○通
3	資格証明書	○通
4	住民票	○通
5	同意書	1通

（注1） 別紙各目録は省略
（注2） 特別売却の実施に同意する場合は、□にチェックを入れる。この文章の代わりに〔Q9〕の【別紙2】を添付してもよい。

【書式2】同 意 書

同　　意　　書

令和○○年○○月○○日

（甲）東京都目黒区鷹番1丁目○番○号
　　　〔原抵当権者〕　株式会社○○
　　　　　代表者代表取締役　○　○　○　○　　印

　株式会社○○（以下（甲）という。）は、東京都千代田区霞が関1丁目○番○号○○株式会社（以下（乙）という。）に対し、下記事項に同意します。

記

　甲が別紙物件目録記載の不動産に設定した抵当権（令和○○年○○月○○日設定、○○法務局○○出張所令和○○年○○月○○日受付第○○号。以下「本件抵当権」という。）について、乙が令和○○年○○月○○日一部代位弁済による本件抵当権の一部移転（同出張所令和○○年○○月○○日受付第○○号）を受けたことにより、乙が単独で本件抵当権の実行による担保不動産競売の申立てを行うこと。

以上

　添付書類　　　印鑑証明書　　1通

（注）　別紙物件目録省略

(3) 担保権・被担保債権・請求債権の記載方法
ア 担保権の記載方法
　一部代位弁済者が抵当権を単独で実行する場合、抵当権が準共有状態にあることを示すため、抵当権移転の原因を記載する。なお、原抵当権者と一部代位弁済者が共同で申立てを行うときは、債権者ごとに担保権・被担保債権・請求債権目録を別紙とし、表題の次に「（債権者○○分）」として債権者を明示する。

【書式3】担保権目録（根抵当権の例）

```
　　　　　　　　担保権・被担保債権・請求債権目録

1　担　保　権
 (1) 令和○○年○○月○○日設定、令和○○年○○月○○日一部代位弁
　　済による一部移転の根抵当権
　　　極度額　　　金5000万円（注1）
　　　債権の範囲　銀行取引、手形債権、小切手債権
 (2) 登　　記　東京法務局○○出張所
　　　主登記　　令和○○年○○月○○日受付○○○○号
　　　付記登記　令和○○年○○月○○日受付○○○○号（注2）
2　被担保債権及び請求債権（略）
```

(注1)　極度額は、もとの根抵当権の額でよい。なお、代位弁済額は、この額を上回ることもある。
(注2)　元本確定登記の記載は不要である。

イ　被担保債権及び請求債権の記載方法
　代位弁済者が弁済による代位により取得した抵当権を実行する場合に、請求債権となるのは求償債権ではなく原債権であることは前記のとおりである。そして、この場合に実行する抵当権は、原抵当権者から移転を受けた抵当権であるから、これを移転型と呼んでいる。
　移転型の請求債権の記載方法について、次の〔事例〕に基づいて説明

する。

〔事例〕

> 甲の乙に対する第1順位の抵当権の被担保債権
>   元　金　1000万円
>   利　息　年7％（1年365日の特約）令和2.10.16から令和2.11.15まで5万9452円
>   損害金　年18％（1年365日の特約）令和2.11.16から支払済みまで
> 保証人丙の甲に対する代位弁済額（令和3.11.15全額弁済）
>   元　金　1000万円
>   利　息　5万9452円
>   損害金　180万円（令和2.11.16から令和3.11.15まで365日間）
>   求償債権につき代位弁済の翌日から支払済みまで年18％の割合による遅延損害金を支払う旨の特約がある。

　丙は、代位弁済により、求償債権とともに甲の原債権及び抵当権も取得するが、この抵当権の被担保債権として主張することができるのは、原債権であり、求償債権は原債権を行使する場合の上限を画するにすぎない。
　丙の取得する求償債権は、代位弁済額及びこれを元本とする約定利率による損害金である。上記の例でいうと、求償債権は次のとおりとなる。
　　求償債権元本＝1000万円＋5万9452円＋180万円
　　　　　　　　＝1185万9452円
　　遅延損害金＝1185万9452円×0.18×令和3.11.16以降の日数÷365
　一方、原債権は次のとおりである。
　　元　金　　1000万円
　　利　息　　5万9452円
　　損害金　　180万円＋（1000万円×0.18×令和3.11.16以降の日数÷365）
　上記の求償債権と原債権とを比較すると、常に求償債権の額が大きいから、丙は原債権の全額を行使することができる。そこで、債権計算書には原債権をそのまま記載すれば足りる。厳密には、求償債権についての利率の特約の主張を要するが、実務上は、債権計算書に記載された原債権は求

償債権の範囲内で主張されているものとみて取り扱っている。

　一方、仮に求償債権の遅延損害金について年18％の約定がなければ法定利率によることになり、ある時点から原債権の額が求償債権の額より大きくなる。この場合には、丙は、求償債権の範囲内でのみ原債権を行使することができるから、次のように記載する。

　2　被担保債権及び請求債権
　⑴　元　　　金　1000万円
　⑵　利　　　息　5万9452円。ただし、元金1000万円に対する令和2年10月16日から同年11月15日まで年7％（年365日の日割計算）の割合によるもの
　⑶　損　害　金
　　ア　確定損害金　180万円。ただし、元金1000万円に対する令和2年11月16日から令和3年11月15日まで年18％（年365日の日割計算）の割合によるもの
　　イ　元金1000万円に対する令和3年11月16日から支払済みまで年18％（年365日の日割計算）の割合による約定損害金
　ただし、下記求償債権の範囲内
　　　　　　　　　　　　　　　記
1　求償債権元本　1185万9452円
2　損　害　金　求償債権元本1185万9452円に対する令和3年11月16日から支払済みまで年3％の割合による損害金

⑷　そ　の　他

　配当における一部代位弁済者の取扱い（一部代位弁済者と原抵当権者との優劣・他の債権者が申し立てた競売手続における一部代位弁済者の配当受領資格）については、〔Q123〕で説明する。

Q13 事前求償権を請求債権とする担保不動産競売申立て

求償権を担保する抵当権の設定を受けていた場合において、事前求償権を請求債権として担保不動産競売の申立てをすることができるか。これができるとして、担保不動産競売手続中に代位弁済をしたときは、請求債権を事後求償権に変更することができるか。

1 求償権の種類と性質

委託を受けていない保証人は、事後求償のみが認められるが（民462条）、委託を受けた保証人は、事後求償（民459条、459条の2）のほか、事前求償（民460条）が認められている。

事後求償権とは、保証人が保証債務を履行したことによって主債務者に対して取得する求償権をいう。委託を受けた保証人に関する民法459条、459条の2は受任者の費用償還請求権（民650条1項）の、委託を受けていない保証人に関する民法462条は事務管理者の費用償還請求権（民702条）のそれぞれ特別の規定と解されている（我妻榮『新訂債権総論』（岩波書店）488頁）。

事前求償権とは、保証人が保証債務を履行する前にあらかじめ主債務者に対して行使する求償権をいう。民法の事前求償権に関する規定は、受任者の費用前払請求権（民649条）の特別の定めに当たる。受任者は原則として費用の前払を請求することができるが、求償権については原則として事前には認められない。これを無制限に認めると、保証の意味がなくなるからである。そこで、民法は、事前求償することができる場合について、①主債務者が破産手続開始決定を受け、債権者が配当加入しないとき（民460条1号）、②債務が弁済期にあるとき（同条2号本文）、③保証人が過失なくして債権者に弁済すべき旨の裁判の言渡しを受けたとき（同条3号）と定めている。これらに加え、事前求償に関する民法の規定は任意規定であり、主債務者と保証人との間に事前求償を認める特約があるときにも事

前求償が認められると解されている。なお、令和2年3月31日までに締結された保証契約に係る保証債務については、平成29年民法改正法による改正前の民法459条、460条が適用されるため（同改正法附則21条1項）、上記に加え、「弁済期が不確定で最長期が確定することができない場合において、保証契約後10年を経過したとき」も事前求償が認められる。

2 事前求償権を請求債権とする担保不動産競売申立ての可否

　民法461条2項は、主債務者は、求償権について担保を供することによって、委託を受けた保証人による事前求償につき償還の義務を免れることができる旨規定している。そこで、将来の求償権を担保する抵当権の設定は主債務者の担保供与に当たることから、このような抵当権が設定されている場合に、保証人が事前求償権を請求債権として、担保不動産競売を申し立て、あるいは抵当権者として配当を受け得るかにつき、争いがある。

　消極説は、民法461条2項の定める保証人免責の場合、保証人の事前求償権の発生自体が妨げられると解さざるを得ないとした上で、同項は、主債務者の事前償還義務免除の場合として、担保供与と保証人免責とを区別しないで規定しているから、主債務者が求償権について抵当権の設定を受けている場合も、保証人に事前求償権は発生せず、これを請求債権とする担保不動産競売申立てや抵当権者としての配当受領は許されないとする。これに対し、積極説は、民法461条2項は、主債務者が担保を供した場合には、保証人が主債務者に直接求償権を行使することができないことを規定したにすぎないのであって、主債務者の担保供与によって、委託を受けた保証人の事前求償権の発生自体を妨げるものではなく、供された担保から満足を受けることを排斥するものではないとする。

　東京地裁民事執行センターでは、積極説に立ち、事前求償権を行使することができる所定の事実（前記1）が発生したときには、保証人の主債務者に対する事前求償権の行使としての抵当権の実行を認める取扱いをしている。その理由は、上記積極説の理由のほか、民法461条2項が担保供与と保証人免責の場合とを区別せず規定しているとしても、そもそも担保供

与と求償権発生の余地がない保証人免責とを同様に解する必要はないこと、積極説によらなければ、将来の求償権について抵当権を設定した意味がほとんど失われる結果となることが挙げられる（保証人の求償権を担保する根抵当権が設定されていた場合の配当要求（昭和54年法律第4号による改正前の民訴法下のもの）に関し、最判昭34.6.25民集13巻6号810頁参照）。

3 事前求償権を請求債権とする担保不動産競売申立ての方法

前記1のとおり、民法が事前求償権の行使を認めている場合のほか、主債務者と保証人との間に事前求償を認める特約があるときにも事前求償が認められる。金融取引実務では、債務者が債権者に対する割賦金の支払を怠ったときは、保証人が債権者に対して代位弁済をする義務を負うとともに、保証人が債務者に対して事前求償権を行使することができる旨の特約があるのが通常であり、実際の申立てでも、このような特約に基づく事前求償権が請求債権とされている。

(1) 事前求償権の元本

事前求償権の元本の額は、通常、㋐原債権の残元本、㋑期限の利益喪失前の原債権の元本に対する約定利息、㋒期限の利益喪失後代位弁済時までの原債権の元本に対する約定遅延損害金の合計金額であり、このうち登記された債権額の範囲内で請求債権とすることができる。そして、㋐ないし㋒の合計額が登記された債権額を超えないように、競売申立書において、「下記の合計額のうち〇〇万円の範囲」と表示する（【記載例】参照。この「〇〇万円」の上限は、登記された債権額である。）。

(2) 遅延損害金の請求の可否（消極）

事前求償権の元本には性質上遅延損害金が発生しない。すなわち、事前求償はいまだ代位弁済していないが将来発生する額（厳密には、その他代位弁済までに避けられない費用なども含まれる。）の前払請求を認めたものであるところ、債務者が保証人の事前求償に応じず、原債権者に対する弁済もしなければ、保証人の保証債務は増大するけれども、事前求償権の元本自体も同じ額だけ増額していくのであって、結局、債務者が事前求償に応

じないことによる損害は発生しないからである。保証委託契約において、事前求償権発生の日の翌日から遅延損害金が発生する旨の約定がされていることがあるが、少なくとも他の債権者に対する抵当権の対外的な効力として、事前求償権の元本に対する遅延損害金が被担保債権に含まれるとすることには疑問がある。したがって、このような約定がある場合を含め、東京地裁民事執行センターでは、事前求償権を請求債権とする担保不動産競売申立てにおいて、事前求償権元本に対する遅延損害金を請求債権とすることは認めていない。

4 担保不動産競売手続中の請求債権の変更の可否

(1) 事前求償権と事後求償権との関係

事前求償権と事後求償権との関係については、委託を受けた保証人の求償権は委託に基づいて保証した事実から生ずる一つの権利であって、事前求償権はその時期が繰り上がったにすぎないとする一元説(石井眞司「事前求償権と事後求償権は別個の権利か」金法1112号4頁参照)と、別個の権利であるとする二元説(林良平「事前求償権と事後求償権」金法1143号29頁)の争いがある。

事前求償権と事後求償権とでは、その発生要件が異なるから、権利はその発生を直接理由付ける事実によって特定されるとする旧訴訟物理論によると、両者は別個の権利と解することになる。事前求償権と事後求償権の消滅時効の起算日が異なることを判示した最判昭60.2.12(民集39巻1号89頁)も、両者は法的性質の異なる別個の権利であるとしている。

(2) 事前求償権から事後求償権への変更

事前求償権と事後求償権とが異なる権利であるという前提に立つと、事前求償権を請求債権として担保不動産競売申立てをした後に、委託を受けた保証人が原債権を代位弁済した場合、請求債権を事後求償権に変更することができるか否かが問題となる。この点については、東京地裁民事執行センターでは、次の理由により、変更を認める取扱いである。すなわち、事前求償権は、事後求償権とは別個の権利ではあるものの、事前求償権の発生・消滅は事後求償権保全の必要性の発生・消滅にかかっており、事前

求償権は事後求償権を確保するために認められた権利であるという関係にある。このような両者の関係からすると、委託を受けた保証人が事前求償権を請求債権として担保不動産競売申立てをした場合、事後求償権についても請求債権としているものと評価することが可能である。また、上記のような両者の関係に鑑みれば、委託を受けた保証人が事前求償権を請求債権として担保不動産競売申立てをした場合であっても、原債権を代位弁済した後に改めて事後求償権を請求債権とする担保不動産競売申立てをしなければならないとすることは、当事者の合理的な意思ないし期待に反し相当でない(なお、最判平27.2.17民集69巻1号1頁は、事前求償権と事後求償権の関係及び当事者の合理的な意思等を理由に、事前求償権を被保全債権とする仮差押えは事後求償権の消滅時効をも中断する効力を有する旨判示している。)。

 なお、請求債権を事前求償権から事後求償権に変更したときに、代位弁済日の翌日から支払済みまでの保証委託契約所定の割合による遅延損害金を請求することは、申立て後の請求の拡張になるが、この場合、申立て後の請求の拡張を許さない一般的な理由(〔Q115〕参照)は当てはまらないため、東京地裁民事執行センターでは、事前求償権の元本に加え、代位弁済日の翌日から支払済みまでの保証委託契約所定の割合による遅延損害金を請求することを認めている。

【記載例】 事前求償権による競売申立ての場合の担保権・被担保債権・請求債権目録の表示

担保権・被担保債権・請求債権目録

1　担保権(略)
2　被担保債権及び請求債権
　　債権者が債務者との間の令和○○年○月○日付け保証委託契約に基づき、債務者の申立外○○に対する下記各債務につき保証したことによる事前求償権。

下記(1)、(2)の合計額のうち〇〇万円の範囲(注1)
　　　　　　　　　　　　記
(1)　申立外〇〇が令和〇〇年〇月〇日金銭消費貸借契約に基づいて債務者に貸し付けた〇〇円の残元金△△円及び未払利息〇〇円の合計額
(2)　(1)の残元金△△円(注2)に対する令和〇〇年〇月〇日から支払済みまで年〇〇.〇%（年365日の日割計算）の割合による遅延損害金

　なお、上記(1)及び(2)の金員は、債務者の債務不履行の結果（令和〇〇年〇月〇日に支払うべき割賦金の支払を怠ったため、特約により、同日限り期限の利益を喪失した。）、債権者と債務者間の令和〇〇年〇月〇日付け債務保証委託契約に基づき、債権者が債務者の連帯保証人として、申立外〇〇に代位弁済をする義務を生じたもので、上記保証委託契約第〇条により債務者に請求することができるものである。

（注1）　「下記(1)、(2)の合計額のうち〇〇万円の範囲」の「〇〇万円」は、登記された債権額である。
（注2）　(2)の「(1)の残元金△△円」とは、(1)の「申立外〇〇が令和〇〇年〇月〇日金銭消費貸借契約に基づいて債務者に貸し付けた〇〇円の残元金△△円」のことである。

Q14 民法389条による一括競売の申立て

民法389条による一括競売とは何か。その要件、申立方法はどのようなものか。また、土地について競売の申立てをした後に、地上建物についてのみ、一括競売の追加申立てをすることができるか。

1 民法389条による一括競売の制度趣旨

　民法389条による一括競売とは、土地の抵当権者が土地に設定された抵当権を実行する際に、抵当地上に存在する建物について抵当権が設定されていなくとも、抵当地とともにその建物の競売を申し立てることを認めた制度である。

　土地に抵当権が設定された後、抵当地上に建物が築造された場合、その建物は、土地の抵当権が設定されたときには存在していなかったのであるから、民法388条の法定地上権が成立する要件を満たしていないことになる。したがって、土地の抵当権者が抵当権を実行した場合には、その建物は、土地利用権を失って収去される可能性が高く、社会経済上の損失が大きい。また、建物のある土地は、建物の収去が可能であるとしても、買受希望者が現れにくく、更地よりも売却基準価額が低額となるばかりか、現実の売却価格も低額となることが予想されるから、事実上、抵当権の実行において、多大な障害となり得るし、この障害を生じさせることを目的とした執行妨害もみられる。これら社会経済上の要請と抵当権の実効性の確保を目的として、民法389条の一括競売の制度が設けられたのである。

　もっとも、平成15年改正法による改正前の民法389条は、土地に抵当権が設定された後、その設定者が抵当地上に建物を築造した場合に限り、その建物を土地とともに競売することを認めていたため、抵当権設定後、抵当権設定者以外の第三者が抵当地上に建物を築造した場合、抵当権者は、土地のみを競売するしかなかった。この場合、土地の買受人が建物所有者に対して建物収去土地明渡請求訴訟を提起する等の負担を負うこととな

り、競売における土地の売却価格が低下する、又は売却そのものが困難となるという問題が指摘されていた。そこで、平成15年改正法により、抵当権設定後、抵当地上に建物が築造された場合には、その建物を築造したのが抵当権設定者以外の第三者であったとしても、建物所有者が抵当地について抵当権者に対抗することができる権利を有する場合を除き、抵当権者は、建物も土地とともに競売することができるとされた。

この改正に関しては、経過措置が設けられておらず、平成15年改正法施行日前に抵当権設定者以外の者により抵当地上に築造された建物についても、平成15年改正法による改正後の民法389条1項により抵当地との一括競売が認められる。平成15年改正法を適用して一括競売を認めても、建物所有者が実質的な不利益を受けることはない点を考慮したものである。

平成15年改正法による改正後も、土地抵当権者が建物の売却代金からは配当等を受けられないことに変わりはない。建物の売却代金については、建物について抵当権者等があればその者に交付され、剰余が出れば建物所有者に交付される。

なお、民法389条による一括競売の場合の売却条件については〔Q70〕を参照されたい。

2　民法389条による一括競売の要件

民法389条による一括競売の要件は、(1)土地抵当権設定時に抵当地上に建物が存在しなかったこと、(2)土地抵当権設定後、抵当地上に建物が築造され、当該建物が抵当権実行時に存在していること、及び(3)土地抵当権者が一括競売の申立てをしたことである。

(1)　土地抵当権設定時に抵当地上に建物が存在しなかったこと

この要件は、更地に抵当権が設定された後、抵当地上に建物が建てられたことを念頭に置いているが、抵当権設定当時に更地である必要まではない。例えば、同一の所有者に帰属する土地とその地上建物に共同抵当権が設定されていた場合（このままであれば、民388条の法定地上権が成立し、民389条の適用はない。）において、この建物が取り壊され再築されたが、その新建物がもとの抵当権の目的として追加されなかったときであっても、

Q14

　抵当権者は、新建物について土地とともに民法389条による一括競売の申立てをすることができる。なぜなら、判例は、所有者が土地建物に共同抵当権を設定した後、建物が取り壊されて同土地上に新たな建物が建築（再築）されたときは、抵当権設定当時の合理的意思を考慮し、①新建物の所有者と土地の所有者とが同一であり、②新建物が建築された時点で土地の抵当権者が新建物に土地の抵当権と同順位の共同抵当権の設定を受けたときなどの特段の事情がない限り、法定地上権は成立しないとし（最判平9.2.14民集51巻2号375頁・金法1481号28頁）、また、そのような特段の事情があっても、新建物についての抵当権の被担保債権に優先する公租公課（中間租税債権）について交付要求がされたときは、新建物のために法定地上権は成立しない（最判平9.6.5民集51巻5号2116頁）としている（〔Q72〕参照）。そうすると、上記各判例の事案のように新建物のために法定地上権が成立しない場合には、前記1のとおり、社会経済上の要請と抵当権の実効性の確保を目的として民法389条の規定が設けられた趣旨に鑑み、抵当権者が新建物について土地とともに同条による一括競売を申し立てることを認めるのが相当だからである。

(2) 土地抵当権設定後、抵当地上に建物が築造され、当該建物が抵当権実行時に存在していること

　平成15年改正法により、抵当権設定者以外の者が抵当権設定後に抵当地上に建物を築造した場合も一括競売申立ての対象とされた（民389条1項本文）。これにより、土地抵当権設定後に第三者が抵当地を譲り受け、その上に建物を建てた場合及び第三者が抵当権者に対抗し得ない権利に基づいて抵当地上に建物を建てた場合についても、土地抵当権者が土地及びその地上建物の一括競売を申し立て得ることとなった。

　なお、平成15年改正法による改正前は、抵当権設定者が建物築造後、当該建物を第三者に譲渡した場合、建物が抵当権設定者の所有であることが一括競売の要件であるから土地抵当権者は一括競売を申し立てられないとする見解と、建物所有権が移転したことに伴い、建物について民法389条による一括競売をされるという地位も移転して承継されたものであるとして、一括競売を認める見解とがあり、後者の見解の裁判例が多いとされて

いた（東京高決平6.8.9判夕876号272頁、大阪高決平7.9.13判夕896号174頁、大阪高決平5.6.11判夕828号268頁等）。この問題も、平成15年改正法により、一括競売が明文で認められるようになったことで解決された（新注釈民法(7)224頁〔松本恒雄〕）。また、抵当権を設定していない建物所有者が抵当地を占有するにつき抵当権者に対抗することができる権利を有する場合は一括競売申立ての対象から除かれている（民389条2項）。民法389条は、建物所有者が抵当権者に対抗することができる権利を有することを抗弁事由として規定していると解するのが自然であること、抵当権者が抵当権設定後の他人間の契約関係等の事情を調査することは必ずしも容易でないことなどに鑑みれば、建物所有者が抵当権者に対抗することができる権利について、「同権利を有しないこと」は、一括競売の発令要件ではないものと解すべきであり、このように解すると、発令を争う者が、建物所有者が同権利を有することを異議の事由として、執行異議を申し立てることになる。

もっとも、平成15年改正法により、抵当権の登記後に登記された賃借権であっても、これに優先する全ての抵当権者が同意し、その同意について登記されたときは、当該抵当権者及び競売における買受人に対抗することができるとされており（民387条）、同賃借権は民法389条2項にいう「抵当権者に対抗することができる権利」に当たり、かつ、同賃借権の存在は登記記録上明らかであるから、同賃借権がある場合については、一括競売の申立てをすることができないことになる。

なお、抵当権が設定された土地と、隣接する（抵当権の設定されていない）土地にまたがって建築された建物につき、主たる建物の相当部分が抵当地上に築造され、抵当地以外の土地上に築造された部分のみでは建物としての経済的効用を維持することができない程度に至っている場合に、民法389条の一括競売を認めた裁判例（大阪地決平16.11.1金法1738号118頁）がある。

(3) 土地抵当権者が一括競売の申立てをしたこと

民法389条による一括競売の要件が存する場合でも、土地の抵当権者が同条による一括競売を申し立てるかどうかは自由であり、土地のみの競売を申し立てることも可能である（大判大15.2.5民集5巻82頁）。

Q14

3 申立書の記載と添付書類

(1) 申立書の記載

　一括競売の申立てに当たっては、通常の競売の申立書本文に、建物の建築時期や所有関係の経緯等、前記の民法389条の要件となる事実を主張して、申立書の末尾に一括競売を求める旨を付加して記載することになる。また、物件目録については、通常の競売と同様に土地と建物を表示し、建物の表示の末尾に「（民法389条１項による一括競売物件）」と記載する。

(2) 添付書類

　通常の競売申立ての際に必要な書類のほかに、一括競売の要件を証明しなければならないので、土地建物の登記事項証明書（地上建物の新築からの所有権の移転が分かるもの）が必要になる。地上建物の登記事項証明書と土地の登記事項証明書とを対照することにより、前述した各要件を認定するためである。東京地裁民事執行センターでは、地上建物が未登記の場合には、規則23条２号イ所定の所有権の証明文書として、固定資産税の納税証明書類の提出を求めている。この建物について新築等の理由により納税証明書類を取得することができない場合には、建築請負契約書、領収書、引渡証明書（建築請負人の印鑑登録証明書付き）の提出を求めている。さらに、表示登記のために、建物図面及び各階の平面図、不登令別表32項添付情報欄ハ又はニに掲げる情報を記載した書面（不登令７条１項６号）の提出も要する。

4 地上建物についての一括競売の追加申立て

(1) 追加申立ての方法

　東京地裁民事執行センターでは、土地の抵当権者が土地のみの競売を申し立てた後に、抵当権設定後に建築された建物に対して追加的に民法389条による競売の申立てがあった場合、後記(2)の時的限界以外の点では、これを制限する理由がないので、原則としてこれを認めている。

　追加申立ての方法としては、申立書本文に、先に土地に対する通常の競売事件が係属している旨を記載し、民法389条の要件となる事実のほかに、

その競売事件に追加して建物の一括競売を求める旨を記載する。そして、双方の事件を併合して進行することが必要であるため、申立書本文の末尾に、先の事件に本件を併合することを求める旨を記載する。

　物件目録には、表題を「物件目録（土地）」と「物件目録（建物）」とに分け、「物件目録（土地）」の目録の末尾には、「（東京地方裁判所令和○年(ケ)第○○号として係属中）」などと記載し、「物件目録（建物）」の目録の末尾には、「（民法389条1項による一括競売物件）」と記載する。

　添付する書類は、前記3(2)で述べたもののほかに、建物についての申立てではあるが、担保権の登記に関する証明書として土地の登記事項証明書の添付も要する。

(2) 追加申立ての時的限界

　条文上は一括競売の追加申立ての時的限界について特段の規定はないが、土地の競売事件において売却実施処分に基づき不動産の期間入札の公告がされた後は、一般買受希望者が買受申出の準備を始めるなど利害関係を有することになるので、一括競売の追加申立てを認めるのは売却実施処分に基づく不動産の期間入札の公告時までとするのが相当と考えられ、実務でもそのように取り扱われている。もっとも、期間入札の公告がされた後に一括競売の追加申立てがあった場合でも、執行裁判所は直ちに申立てを却下するのではなく、土地のみの競売について売却許可決定が確定し、代金が納付された後に、申立てを却下すべきである。代金が納付されない場合は、土地について再び売却を実施する可能性があるからである。

〈参考文献〉

新注釈民法(7)213頁〔松本恒雄〕、上田正俊「民法389条による一括競売をめぐる諸論点」金法1411号13頁、不動産執行の理論と実務(下)714頁、園部厚『〔新版〕不動産競売マニュアル』（新日本法規）50頁

Q15 抵当権消滅請求制度と担保不動産競売申立て

抵当権消滅請求制度とは、どのような制度か。抵当権者が、抵当権消滅請求に対抗する手段として担保不動産競売を申し立てた場合、その後の手続は、どのように進行するか。

1 抵当権消滅請求制度の趣旨

平成15年改正法による改正前の民法に規定されていた滌除制度は、同改正法により抵当権消滅請求制度（民379条ないし386条）に改められた。

滌除とは、抵当不動産の第三取得者等が、自身が評価した抵当不動産の価値相当額を抵当権者に提供して、抵当権を消滅させることをいう。滌除制度については、抵当権者に対し、抵当権実行前に滌除権者への通知義務を課していたことが、執行妨害を招く要因となっていると指摘されていた。また、抵当権者の滌除権者に対する対抗手段である増価競売（競売において第三取得者が提供した金額より10分の1以上増価された価額で抵当不動産を売却することができなかったときは、当該増価額で抵当権者自ら抵当不動産を買い受けるという条件の下に行われる競売）及び増価買受義務が抵当権者にとって過大な負担となっているとも批判されていた。他方で、滌除制度は、不動産の第三取得者に対して、被担保債権の全額を弁済せずとも抵当権を消滅させることができる機会を与えるもので、債務超過の不動産の流通促進を図る制度として積極的に評価する声もあった。

そこで、平成15年改正法において、この制度自体は廃止することなく、抵当権者の実行前の通知義務や増価買受義務を廃止するなど制度の合理化を図るとともに、抵当権消滅請求というより平易で制度の実質を反映した用語に改めることにしたものである。

2 抵当権消滅請求手続及び対抗手段としての担保不動産競売の進行

(1) 第三取得者からの抵当権消滅請求

抵当不動産の第三取得者は、抵当権の実行としての競売による差押登記前であれば、抵当権消滅請求が可能である(民382条)。なお、同条は、「抵当権の実行としての競売による差押えの効力が発生する前に」と規定していることから、一般債権者が強制競売を申し立て、当該強制競売に基づく差押登記がされた後であっても、抵当権の実行としての競売による差押登記前であれば、抵当権消滅請求が可能である。

主たる債務者、保証人及びこれらの者の承継人は、抵当権消滅請求をすることができない(民380条)。また、抵当不動産の停止条件付第三取得者は、その停止条件の成否が未定である間は、抵当権消滅請求をすることができない(民381条)。

抵当権消滅請求は、抵当不動産の第三取得者が、抵当権等の登記をした全債権者(抵当権者以外の債権者としては先取特権者や不動産質権者が考えられる(民341条、361条)。以下「抵当権者等」という。)に対し、①不動産の取得の原因、代価等を記載した書面、②抵当不動産に関する登記事項証明書、③抵当権者等が2か月以内に抵当権を実行して競売の申立てをしないときは、第三取得者が①の代価又は特に指定した金額を債権の順位に従って弁済し又は供託すべき旨を記載した書面を送付して、これを行う(民379条、383条)。

(2) 抵当権者等の対応

抵当権消滅請求を受けた抵当権者等としては、以下のような対応手段が考えられる。

ア 抵当権者等が提示額について満足した場合

抵当権者等が、申出のあった額で抵当権の消滅を承諾する場合には、抵当権消滅請求者が抵当権者等にその額を直接支払ったとき又は供託したときに抵当権は消滅する(民386条)。抵当権消滅請求者が支払った額が被担保債務額より小さい場合には、その差額は無担保債務として残り、債務者

は依然として弁済する義務を負う。

　また、抵当権者等が抵当権消滅請求後2か月以内に競売を申し立てない場合には、抵当権者等は、抵当権消滅請求を承諾したものとみなされ（民384条1号）、前記と同様の結論になる。

イ　抵当権者等のうち一人でも提示額に満足しない場合
　㋐　担保不動産競売申立て

　抵当権者等のうち、抵当権消滅請求者の提示した額に満足しない者は、抵当権消滅請求後2か月以内に、債務者及び抵当不動産の譲渡人に競売申立てをする旨通知した上で（民385条）、競売申立てをすることができる。これは通常の競売手続であって増価競売手続ではないから、抵当権者等は増価買受義務を負わない。また、抵当権消滅請求を受けた複数の抵当権者等がいる場合において、そのうちの一人だけが競売を申し立てたときであっても、抵当権消滅請求の効力は全て失われる。

　競売申立て時において、抵当権の被担保債権の弁済期が到来していない場合には、申立書に抵当権消滅請求を受けての申立てであることを記載する必要がある。これを記載しない場合には、抵当権実行の要件を満たしておらず、不適法となるからである。

　㋑　競売申立ての取下げ等によるみなし承諾

　抵当権者等が競売を申し立てた場合であっても、その競売申立てを取り下げたとき（民384条2号）、その競売申立てを却下する決定が確定したとき（同条3号）、その競売申立てに基づく競売手続を取り消す旨の決定が確定したとき（同条4号）は、その競売申立てはなかったものとされ、当該抵当権者等は承諾したものとみなされる。その結果、他の抵当権者等が競売申立てをしていない場合には、全抵当権者等が承諾したものとみなされることになり、抵当権消滅請求者が抵当権者等にその額を直接支払ったとき又は供託したときに抵当権は消滅する（民386条）。

　なお、競売申立ての取下げに当たり、他の抵当権者等の承諾は不要である。

　㋒　法63条3項による取消し等の場合

　これに対して、㋐法63条3項による取消しの場合（無剰余通知に対し、

抵当権者が同条2項2号の申出及び保証の提供をしたが、買受可能価額を超える価額の買受けの申出がない場合の取消し)、㋑法68条の3第3項による取消しの場合（売却の見込みがない場合の取消し）及び㋒法183条1項5号、2項による取消しの場合（執行取消文書の提出による取消し）には、前記㋑のみなし承諾は働かない（民384条4号括弧書）。㋐、㋑の場合にみなし承諾を認めたのでは抵当権者の買受義務を否定した改正の趣旨が没却されかねず、㋒の場合には、抵当権者に何の帰責性も認められないからである。これらの場合には、抵当権消滅請求の効力が既に失われているので、抵当権等は消滅せず、第三取得者は、抵当権等の消滅を求めるのであれば、再び抵当権消滅請求をする必要がある。また、競売を申し立てた抵当権者においても、競売手続取消し後に、既に効力が失われた抵当権消滅請求に対して承諾して、抵当権消滅の効力を改めて生じさせることはできない。

⑷　目的不動産に買受人が現れた場合

　当該競売申立てが取消し等になることなく、競売手続が進行し、買受人が代金を納付したときは、抵当権が消滅することになる（法59条1項）。

〈参考文献〉
改正担保・執行法の解説20頁、東京地裁民事執行センター「さんまエクスプレス第20回」金法1680号54頁、山野目章夫＝小粥太郎「平成15年法による改正担保物権法・逐条研究⑷抵当権消滅請求」NBL792号50頁

第3款　強制競売

Q16　執行開始要件

　執行開始要件とは何か。次の場合、執行開始要件を具備したことを執行裁判所に証明する文書として、どのような書類が考えられるか。
(1)　建物明渡しと引換えに移転料200万円を支払うとする和解条項に基づき、200万円を請求債権として強制競売の申立てをするに当たって、建物明渡債務の履行の提供をした場合
(2)　建物所有権移転登記と引換えに移転料200万円を支払うとする和解条項に基づき、200万円を請求債権として強制競売の申立てをするに当たって、建物所有権移転登記手続債務の履行の提供をした場合

1　強制執行の開始要件

　強制執行は、執行力のある債務名義の正本に基づいて実施する。強制執行を開始するには、債権者からの有効な書面による申立て（法2条、規1条）及び執行力のある債務名義正本の提出（法25条、規21条）が必要である。また、一般の民事訴訟手続と同様に、当事者能力、訴訟能力、当事者適格、管轄等の要件を具備することも必要であるのは当然であるが、これらに加えて、特に強制執行の開始のためにその存在を要する積極要件を執行開始要件と呼んでいる。
　執行開始要件は、債務者に対する手続保障として特に債権者に履践させることが必要な事項、又は実体上の事由のうち、認定が比較的容易で、これを執行機関の判断に委ねても迅速性が阻害されず、かえって手続の煩わしさを避けることができる事項を取り上げて、執行を開始するための特別の要件として規定されているものである。具体的には次のとおりである。

(1) 債務名義の送達

　強制執行は、債務名義又は確定により債務名義となるべき裁判の正本又は謄本が、執行に先立ち又はこれと同時に債務者に送達されたときに限って開始することができる（法29条前段）。これは、債務者に対し、どのような債務名義に基づいて強制執行を受けるのかを知らせて防御の機会を与えるためである。

　送達の時期については、執行官が執行機関となる強制執行においては、送達実施機関でもある執行官が執行開始と同時に送達することが可能である。すなわち、例えば動産執行は、執行官の目的物に対する差押えによって開始するから（法122条1項）、債務者が執行現場にいる場合には、執行開始と同時に債務名義の送達を実施することも可能である。

　これに対して、執行裁判所が執行機関とされている不動産に対する強制競売や債権に対する強制執行の場合には、執行裁判所が執行処分としての裁判をしたときに強制執行が開始するから（不動産に対する強制競売の場合は強制競売開始決定（法45条1項）、債権執行の場合は差押命令（法143条）による。なお、少額訴訟債権執行の場合は裁判所書記官による差押処分（法167条の2第2項）により開始する。）、債務名義の同時送達は不可能であり、常に債務名義の送達が先行することになる。そこで、通常は、強制競売の申立書に債務名義の送達証明書を添付することによって、法29条前段の要件を証明することになる。

(2) 事実到来（条件成就）執行文又は承継執行文が付与されているときは、当該執行文謄本及び証明文書謄本の送達

　請求が債権者の証明すべき事実の到来に係る場合には、執行文付与機関である裁判所書記官又は公証人に対し、債権者がその事実の到来したことを証明する文書を提出し、事実到来執行文（いわゆる条件成就執行文）の付与を求める（法27条1項）。また、債務名義に表示された当事者以外の者を債権者又は債務者とする強制執行をする必要があるときは、同様に承継執行文の付与を求める（同条2項）。これらの執行文が付与されたときは、この執行文の謄本及び債権者が提出した証明文書の謄本も執行に先立ち又はこれと同時に債務者に対して送達する必要がある（法29条後段）。この送

達を要求する趣旨も前記(1)と同一である。

(3) 確定期限の到来

債務名義に表示された請求債権が確定期限付きのものである場合には、その期限の到来後に限り強制執行をすることができる（法30条1項）。

期限付債権の場合に、期限が到来しなければ強制執行をすることができないことは当然であるが、確定期限の到来の事実は、暦によって容易に判定することができるので、執行機関が判断すべき執行開始要件とされている。これに対し、不確定期限の場合には、執行機関において容易に判断することができるとは限らないので、法27条1項の規定により、債権者が期限の到来した事実を証明し、事実到来（条件成就）執行文の付与を受けなければならない。

(4) 立担保の証明

担保を立てることを強制執行の実施の条件とする債務名義の場合（例えば、担保を条件とする仮執行宣言付判決を債務名義として強制執行の開始を求める場合）には、債権者が担保を立てたことを文書で証明した場合に限って強制執行を開始することができる（法30条2項）。担保の提供は、当該債務名義の執行力発生の条件となっているが、担保を立てたことは執行機関において定型的に判断することができるから、執行開始要件とされている。

(5) 代償請求の場合における他の給付の執行不能の事実

代償請求とは、債務者の給付が、他の給付について強制執行の目的を達することができない場合に、これに代えてすべき請求をいう。例えば、物の引渡しを命ずるとともに、その執行が不能の場合は一定の金銭の支払を命ずる内容の判決に基づいて、金銭の支払を求める強制執行をする場合である。この例でいうと、債権者が他の給付である物の引渡しについての強制執行の目的を遂げられなかった事実を証明したときに限り、金銭の支払を求めるための強制執行を開始することができる（法31条2項）。この場合、物の引渡しの強制執行の目的を遂げられなかった事実は、執行不能調書（規13条1項7号）の謄本の提出によって証明することができる。

2 引換給付の関係にある反対債務の履行の提供の証明方法

(1) 法31条1項の趣旨等

債務者の給付が反対給付と引換えにすべきものである場合には、債権者が反対給付の履行又は履行の提供の事実を執行機関に証明した場合に限り、強制執行を開始することができる（法31条1項）。したがって、反対給付の履行又はその提供の事実は、執行開始要件として、債権者が執行機関に対して証明することを要する。

反対給付の履行又はその提供の事実の認定は、必ずしも執行機関にとって容易なものではない。しかし、執行開始要件ではなく例えば執行文付与の要件（法27条1項）とすると、債権者に対して反対給付の先履行を強いることになり、引換給付の実体法の趣旨に明らかに反する結果を招くことになる。また、反対給付についてその履行の完了を要求すると、反対給付の内容が金銭や有価証券以外のもの（例えば不動産の引渡し）である場合には、そもそも供託することができないし、設例の建物明渡しや移転登記のように受領行為なしには履行が完了しないものである場合には、相手方の協力がない限り引換給付の債務名義に基づく強制執行ができないことになってしまう。そこで、反対給付の履行又はその提供を、執行文付与の要件ではなく執行開始要件とし、少なくとも反対給付の履行の提供があれば執行を開始してよいこととされたものである。

なお、反対給付の履行の提供は、執行開始の要件であるとともに執行継続の要件でもあるから、強制執行手続の間、履行の提供は継続する必要があるとされている。しかし、現実には履行の提供を継続することは困難であることから、一度現実の提供があれば、特に提供を中止したと認めるべき事情がない限り提供は継続していると解すべきである（注解民事執行法(1)532頁〔町田顕〕）。

弁済の提供の程度は、民法の解釈によるから、相手方があらかじめ受領を拒絶した場合には、口頭の提供でも足りるが、それ以外の場合には債務の本旨に従った現実の提供をしなければならない（民493条）。

(2) 具体的な証明方法

履行の提供の証明方法について法文上の制限はなく、執行裁判所が執行機関となる場合、法律上は審尋（法5条）をしてもよいことになるが、実務上は、一般的に書面による証明が求められている。また、債権者がどの程度の行為をしたときに債務の本旨に従った履行の提供があったものと認定することができるのかは事案によって異なる。

以下、設例に基づいて、これまで多くとられており、望ましいと考えられる証明方法を紹介することとする。

ア 建物明渡債務の履行の提供をした事実（設例(1)）

200万円の移転料債権の支払債務と引換給付の関係にある反対債務は建物明渡債務である。したがって、200万円の移転料債権の支払を求めるための強制執行を開始するには、反対債務である建物の明渡しをした事実（履行の事実）又は建物の明渡しの提供をした事実（履行の提供の事実）を証明する必要がある。建物の明渡しは、特定物の引渡しを目的とする債務であるから、履行の場所は、債権発生当時その物が存在した場所、すなわち、明け渡すべき建物の所在地である（民484条1項）。

明渡しをした場合には、その事実の証明は、移転料支払債務の債務者（執行債務者）作成による明渡しを受けた事実を認める旨の書面を証明文書として提供すれば足りる。しかし、移転料債権の債権者は、同時履行の抗弁権により、移転料の支払を受けるまでは、建物の明渡しを拒絶することができる。そこで実務では、執行債務者が移転料の支払をしない限り明渡しを拒絶する旨を明らかにするとともに、移転料支払債務の強制執行開始要件を充足させるために、一定の明渡しの期日を定め、その期日において移転料の支払を受けるのと引換えに建物を明け渡すべき旨を執行債務者に通知し、その期日において明渡しの履行又はその提供をする方法が用いられている。

実務で最も多いのは、公証人による事実実験公正証書（公証人自身が現場に立ち会って、現認した事実を記載したもので、私権に関する事実について作成される公正証書である。公証人35条）による証明である。

公正証書は、次の手順で作成される。

(ア) 履行の提供の申出の事実

履行の提供の申出を記載した内容証明郵便を配達証明付きで債務者に送付する。その上で、日本郵便株式会社の内容証明の付記印の押された差出人控えと配達証明書を公証人に提示し、公証人の確認を得る。公証人は、公正証書に、これを確認した旨を記載し、提示された書面の写しを公正証書に添付する。

(イ) 明渡しの準備ができている事実

公証人は、指定の日時に指定の場所（明け渡すべき建物の所在地）に赴き、明渡しの準備が整っている事実を確認し、その結果を公正証書に記載する。

なお、このほか、建物の明渡しの履行に必要な書類として、通常考えられるものとしては、①引換給付を命ずる債務名義、②明渡しの準備が整っている事実を証明する写真がある。②は、公証人の現認した事実の記載を補充するものである。

イ 建物所有権移転登記手続債務の履行の提供をした事実（設例(2)）

200万円の移転料債権の支払債務と引換給付の関係にある反対債務は、建物の所有権移転登記手続債務である。したがって、200万円の移転料債権の支払を求めるための強制執行を開始するには、反対債務である建物の所有権移転登記手続をした事実（履行の事実）、又は、建物の所有権移転登記手続に必要な書類を交付する準備をし、その交付の提供をした事実（履行の提供の事実）を証明する必要がある。

登記手続をした場合には、その事実の証明は、移転登記のされた登記事項証明書を証明文書として提出すれば足りる。しかし、移転料債権の債権者は、同時履行の抗弁権により、移転料の支払を受けるまでは、建物の所有権移転登記手続を拒絶することができる。そこで実務では、債務者が移転料の支払をしない限り、所有権移転登記手続を拒絶する旨を明らかにするとともに、移転料支払債務の強制執行開始要件を充足させるために、一定の所有権移転登記手続の期日を定め、その期日において移転料の支払を受けるのと引換えに所有権移転登記手続に必要な書類を交付する旨を債務者に通知し、その期日において所有権移転登記手続の履行又はその提供を

する方法が用いられている。これもやはり、公証人による事実実験公正証書（公証人35条）によることが多い。この場合の公正証書は、次の手順で作成される。

(ア) 履行の提供の申出の事実

履行の提供の申出を記載した内容証明郵便を配達証明付きで債務者に送付する。その上で、日本郵便株式会社の内容証明の付記印の押された差出人控えと配達証明書を公証人に提示し、公証人の確認を得る。公証人は、公正証書に、これを確認した旨を記載し、提示された書面の写しを公正証書に添付する。

なお、登記申請は、登記義務者と登記権利者による共同申請が原則であり、通常は、特定の司法書士に手続を依頼することが多いので、管轄登記所近くの特定の司法書士事務所を履行の提供場所として指定することで足りよう。

(イ) 登記申請の準備ができている事実

公証人は、指定の日時に、指定の場所（司法書士事務所）に赴き、債権者が建物の所有権移転登記手続の申請に必要な書類等を持参した事実を確認し、その結果を公正証書に記載する。建物の所有権移転登記手続の申請に必要な書類として、通常考えられるものとしては、㋐引換給付を命ずる債務名義、㋑登記識別情報、㋒委任状、㋓印鑑登録証明書である。

なお、債権者が持参した登記申請に要する書類の写しを公正証書に添付することが望ましい。

Q17 強制競売の申立て

不動産強制競売申立書には、どのような事項を記載すべきか。また、添付書類としてどのようなものが必要か。債務名義の種類にはどのようなものがあるか。

1 強制競売申立て

(1) 不動産強制競売申立書の記載事項

強制競売の申立書の記載事項のうち、裁判所の表示、年月日、申立債権者又は代理人の記名押印等の記載事項については、担保不動産競売申立書（〔Q9〕参照）の場合と基本的に異なるところはないので、ここでは、強制競売特有の記載事項について説明する。

ア 債務名義の表示、強制執行の方法（規21条2号、3号）

法22条各号には債務名義となるべき文書が法定されているので、どの債務名義に該当するのか特定し、強制執行の方法として強制競売の手続の開始を求める旨も併せて記載することになる（【書式1】参照）。

イ 当事者の表示（規21条1号）

債権者及び債務者を債務名義の表示と一致させて記載し、代理人がいる場合には併せてその記載をする。債権者及び債務者の債務名義上の氏名、商号又は住所が変更された場合には、「債務名義上の氏名（名称）」、「債務名義上の住所」などと記載して債務名義上の氏名等を記載するとともに現在の氏名等を記載する。この場合、住民票等の公文書によって両者の同一性を証明しなければならない。担保不動産競売と異なり、債務者の所有する不動産のみが強制競売の対象となるから、当事者の表示として所有者を表示する必要はない（【書式2】参照）。

ウ 請求債権の表示（規21条4号）

請求債権の表示は直接的に法文に規定されてはいないが、規則21条4号は、金銭の支払を命ずる債務名義に係る請求権の一部について強制執行を

求めるときは、その旨及びその範囲を記載することを定めており、債務者に対しても強制執行の原因となった請求権を明らかにしておく必要があるから、全額請求する場合においても、請求債権の表示は必要である。また、請求債権は債務名義に表示される給付請求権であるから、申立書に記載される請求債権は、債務名義に記載されている給付請求権の内容と矛盾があってはならない（【書式3-1】、【書式3-2】、【書式3-3】、【書式3-4】参照）。

エ　目的不動産の表示（規21条3号）

目的不動産の表示は、強制競売の対象となる不動産を特定し、これを当事者に認識させる意味がある。不動産登記記録上の記載と一致するよう記載する（【書式4】参照）。強制競売の場合、目的不動産は債務名義に表示された債務者の責任財産であることが必要である。したがって、目的不動産の不動産登記記録上の甲区欄に記載されている所有者の表示と債務名義上の債務者の表示は原則として一致している必要があり、両者が異なる場合には、住民票等の公文書によって同一性を証明しなければならない。

(2) 添付書類

ア　執行文の付与された債務名義の正本

強制競売の申立てには、原則として執行文の付与された債務名義の正本の添付が必要になる（法22条、25条、規21条柱書）。債務名義とは、強制執行によって実現される請求権の存在と範囲を証明する公の文書であり、この債務名義に基づいて強制執行手続が進行する（債務名義の種類については後記2参照）。また、執行文とは、裁判所書記官や公証人が、債務名義が債務名義としての要件を備え、その執行力があることを証する文言で、正本の末尾に、「債権者甲は、債務者乙に対し、この債務名義により強制執行をすることができる。」と記載した執行文を付し、これと債務名義の正本とに契印を押す方式で行われるのが普通である。ただし、後記2(11)の執行力のある債務名義と同一の効力を有する文書のほか、少額訴訟の確定判決並びに仮執行宣言を付した少額訴訟の判決及び支払督促については、単純執行文の付与は不要である（法25条ただし書）。

イ　送達証明書

　債務名義又は確定により債務名義となるべき裁判の正本又は謄本があらかじめ又は同時に債務者に送達されているときに、強制執行を開始することができるので（法29条前段）、債務名義の送達証明書を添付する必要がある。

　また、債務名義に付与された執行文の種類が事実到来（条件成就）執行文（法27条1項）又は承継執行文（同条2項）である場合には、当該執行文及び同条の規定により債権者が提出した文書の謄本もあらかじめ又は同時に債務者に送達されていなければならないから（法29条後段）、それらの送達証明書も添付する必要がある（〔Q16〕参照）。

ウ　目的不動産の登記事項証明書

　強制競売の目的不動産の登記事項証明書を添付する必要がある（規23条1号）。土地のみを目的とする場合においてその土地上に建物があるときはその建物の登記事項証明書も（同条3号）、建物のみを目的とする場合には建物の存する土地の登記事項証明書も（同条4号）、それぞれ添付する必要がある。このように強制競売の目的外の建物又は土地の登記事項証明書も申立書に添付すべき理由は、法定地上権（法81条）の成否の判断の重要な資料となるためである。なお、東京地裁民事執行センターでは、目的不動産が更地の場合は、その旨を記載した上申書を求める取扱いである。

　目的不動産が未登記の場合には、債務者の所有に属することを証明する文書及び不動産登記令2条2号に規定する土地所在図等を添付することを要する（規23条2号。〔Q9〕、〔Q18〕参照）。

エ　公課証明書

　強制競売手続では、買受申出の際の参考に供するため、買受人が負担することとなる目的不動産の租税その他の公課の額を売却の公告で明らかにすることとしている（規36条1項7号）。そこで、その資料を得ることを目的として、申立債権者に提出義務を課したものである（規23条5号）。非課税の不動産については、非課税の記載がある評価証明書の提出が必要である。

2 債務名義の種類

(1) 確定判決（法22条1号）

強制執行可能な給付を内容とする終局判決で、上訴により取り消され又は変更される余地のなくなった判決である（民訴116条1項）。

(2) 仮執行宣言付判決（法22条2号）

財産上の給付に係る判決については、仮執行ができる旨を宣言することができる（民訴259条1項）。この仮執行宣言の付いた判決は、確定前においても、これに基づいて強制執行を行うことができる。ただし、この判決が上訴裁判所の判決によって取り消され、又は変更された場合、仮執行の効果も遡及的に失われる（民訴260条1項。上訴裁判所は、債務者（被告）の申立てがあれば、当該判決において、仮執行の宣言に基づいて債務者が給付（債権者が取得）した財産の返還及び仮執行によって又はこれを免れるために債務者が受けた損害の賠償を債権者に命ずることとされている。同条2項）。

(3) 決定、命令（法22条3号）

抗告によらなければ不服を申し立てられない裁判とは、決定及び命令のことである。間接強制の金銭支払決定（法172条1項）等がその例である。

(4) 仮執行宣言付損害賠償命令（法22条3号の2）

犯罪被害者等の権利利益の保護を図るための刑事手続に付随する措置に関する法律32条に定める損害賠償命令であって、仮執行宣言が付されたもの（同条2項）を指す。

(5) 仮執行宣言付届出債権支払命令（法22条3号の3）

消費者の財産的被害の集団的な回復のための民事の裁判手続の特例に関する法律44条に定める届出債権の支払を命じる簡易確定決定（届出債権支払命令）であって、仮執行宣言が付されたもの（同条4項）を指す。

(6) 仮執行宣言付支払督促（法22条4号）

支払督促は、督促手続（民訴382条以下）において、裁判所書記官が行う処分であり、金銭その他の代替物又は有価証券の一定の数量の給付を目的とする請求について、債権者の申立てにより、裁判所書記官が発することができる（民訴382条）。債務者が支払督促の送達を受けてから2週間以内

に督促異議の申立てをしないときは、裁判所書記官は、宣言前に督促異議の申立てがあったときを除き、債権者の申立てにより仮執行宣言の処分をする（民訴391条1項）。

(7) **費用額確定処分（法22条4号の2）**

訴訟費用、裁判上の和解の費用、非訟事件・家事事件の手続費用の負担額を定める裁判所書記官の処分（民訴71条ないし73条、非訟28条1項、家事31条1項）は債務名義となる。なお、国際的な子の奪取の民事上の側面に関する条約の実施に関する法律29条に規定する子の返還に関する事件の手続費用の負担額を定める裁判所書記官の処分についても同様に取り扱われる（同法58条）。また、執行費用等の額を定める裁判所書記官の処分で、確定したもの（法42条4項、8項）についても同様である。

(8) **執行証書（法22条5号）**

公証人が作成した公正証書で、一定額の金銭の支払又は他の代替物若しくは有価証券の一定の数量の給付を目的とする請求の表示があり、債務者が直ちに強制執行に服する旨の陳述が記載されているものである。

(9) **外国判決、仲裁判断（法22条6号、6号の2）**

法24条、民訴法118条による確定した執行判決のある外国判決、仲裁法45条1項、46条による確定した執行決定のある仲裁判断も、債務名義となる。

(10) **確定判決と同一の効力を有する文書（法22条7号）**

和解又は請求の認諾を調書に記載したときは、その記載は確定判決と同一の効力を有することから（民訴267条）、給付請求権が内容になっている場合は、和解調書及び認諾調書は債務名義となる。

(11) **執行力のある債務名義と同一の効力を有する文書**

個別の法律の規定によって執行力のある債務名義と同一の効力を有すると規定されている文書は、単純執行文を必要としない。ただし、給付義務が債権者の証明すべき事実の到来に係る場合には、事実到来（条件成就）執行文の付与（法27条1項）を、債務名義に表示された当事者以外の者を債権者又は債務者とする強制執行をするには承継執行文の付与（同条2項）を、それぞれ要する。

Q17

　執行力のある債務名義と同一の効力を有する文書の例としては、金銭の支払を命ずる審判（確定証明書は必要。家事75条）及び家事法39条別表第二に掲げる事項に関する調停調書（家事268条1項）がある。このほか、金銭の支払を命ずる仮処分命令についても、単純執行文を要しない債務名義となる（民保43条1項本文、52条2項）。

【書式1】申　立　書

```
                    不動産強制競売申立書

東京地方裁判所民事第21部　御中
                                        令和　　年　　月　　日
                              申　立　債　権　者　　○○○株式会社
                              代表者代表取締役　　○　○　○　○　㊞
                                       電話　○○－○○○○－○○○○
                                       FAX　○○－○○○○－○○○○
                                       （担当部　○○部　○○○○）


                当　事　者　　別紙目録のとおり
                請　求　債　権　　別紙目録のとおり
                目　的　不　動　産　　別紙目録のとおり

　債権者は債務者に対し、別紙請求債権目録記載の執行力ある判決正本に表示された上記債権を有しているが、債務者がその支払をしないので、債務者所有の上記不動産に対する強制競売の手続の開始を求める。
□　上記不動産につき、入札又は競り売りの方法により売却しても適法な買受けの申出がなかったときは、他の方法により売却することについて異議ありません。(注)


                    添　付　書　類
            1　執行力ある判決の正本　　1通
            2　送達証明書　　　　　　　1通
            3　不動産登記事項証明書　　1通
            4　公課証明書　　　　　　　1通
```

5	資格証明書	1通
6	住民票	1通

(注) 特別売却の実施に同意する場合は、□にチェックを入れる。この文章の代わりに〔Q9〕の【別紙2】を添付してもよい。

【書式2】当事者目録

```
                         当事者目録

〒□□□-□□□□  東京都○○区○丁目○番○号（送達場所）
                債　権　者　　○○○株式会社
                代表者代表取締役　○　○　○　○
〒□□□-□□□□  東京都○○区○丁目○番○号
        （債務名義上の住所）
            東京都○○区○丁目○番□号（注1）
        （不動産登記記録上の住所）
            東京都○○区○丁目○番△号（注2）
                債　務　者（注3）　○　○　○　○
        （債務名義及び不動産登記記録上の氏名）
                              △　△　○　○（注4）
```

(注1) 債務名義上の住所と現住所が異なる場合の記載例。
(注2) 不動産登記記録上の住所と現住所が異なる場合の記載例。
(注3) 強制競売においては所有者としての表示は不要。
(注4) 債務名義及び不動産登記記録上の氏名と現在の氏名が異なる場合の記載例。なお、債務者が法人である場合は、「氏名」との記載を「名称」に変更する。

Q17

【書式3−1】債務名義が判決である場合の請求債権目録

請求債権目録(注1)

　東京地方裁判所令和○○年(ワ)第○○号事件の執行力ある判決(注2)正本に表示された下記金員

記

1　元　　金　　1000万円
　　ただし、判決主文第1項記載の金員(注3)
2　利　　息　　4万3835円
　　ただし、上記元金に対する令和2年4月1日から同年4月30日まで年3％の割合による利息金
3　損　害　金
　　上記元金に対する令和2年5月1日から支払済みまで年3％の割合による遅延損害金

(注1)　当事者が複数の場合又は複数の債務名義による申立ての場合には、請求債権目録は、債権者ごと、債務者ごと又は債務名義ごとに区別して記載する。このとき、当事者が複数の場合には、標題の末尾に、例えば、「(債務者○○分)」などと記載する。
(注2)　判決書に代わる調書の場合には、「第○回口頭弁論調書(判決)」とするなど、債務名義の標題に合わせる。
(注3)　給付条項が複数ある場合は記載する。請求債権が残金又は内金であるときは、「ただし、1500万円の残金(内金)」などと記載する。

【書式3−2】債務名義が和解調書である場合の請求債権目録

請求債権目録(注1)

　東京地方裁判所令和○○年(ワ)第○号事件の執行力ある和解調書正本に表示された下記金員

記

1　元　　金　　100万円

　　　　ただし、和解条項第1項記載の金員
　2　損　害　金
　　　　ただし、上記1の金員に対する令和2年5月1日から支払済みまで年3％の割合による遅延損害金

　　なお、債務者は令和2年3月31日及び同年4月30日に支払うべき分割金の支払を怠り、かつ、その額が10万円に達したので、同日の経過により期限の利益を喪失した。(注2)

(注1)　【書式3－1】(注1) 参照。
(注2)　債務名義上、請求債権に弁済期の定めがある場合又は期限の利益の喪失が条件にかかる場合は、債務名義の記載に合わせて弁済期の到来又は期限の利益の喪失を主張する。最終弁済期が到来した場合は「ただし、和解条項第1項記載の金員（最終弁済期　令和2年4月30日）」などと記載する。

【書式3－3】債務名義が支払督促である場合の請求債権目録

請求債権目録(注)

　東京簡易裁判所令和○○年㋺第○○○○号事件の仮執行宣言付支払督促正本に表示された下記金員

記

1　元　　　金　　100万円
2　損　害　金
　　　ただし、上記1の金員に対する令和2年5月1日から支払済みまで年3％の割合による遅延損害金
3　督促手続費用　　　○○○○円
4　仮執行宣言手続費用　　○○○○円

(注)　【書式3－1】(注1) 参照。

Q17

【書式3-4】債務名義が執行証書(公正証書)である場合の請求債権目録

請求債権目録(注1)

　東京法務局所属公証人○○○○作成令和○○年第○○○○号金銭消費貸借契約公正証書の執行力ある正本に表示された下記金員(保証債務履行請求権)(注2)
　　　　　　　　　　　記
1　元　　金　　100万円
　　ただし、令和2年4月1日付け金銭消費貸借契約に基づく貸付金(注3)
　(最終弁済期　令和2年5月31日)(注4)
2　損　害　金
　　ただし、上記1の金員に対する令和3年6月1日から支払済みまで年3%の割合による遅延損害金

(注1)　【書式3-1】(注1)参照。
(注2)　「(保証債務履行請求権)」という文言は、保証人に対する請求の場合にのみ記載する。
(注3)　債務名義が執行証書(公正証書)の場合には、その作成に債務者が直接立ち会っていないときもあり、債務名義の表示のみでは債務者が執行債権を確知するのに十分でないことがあるから、実務上は、債権の種類及び発生原因を記載する取扱いである。
(注4)　債務名義上、請求債権に弁済期の定めがある場合又は期限の利益の喪失が条件にかかる場合は、債務名義の記載に合わせて弁済期の到来又は期限の利益の喪失を主張する(期限の利益を喪失した場合は【書式3-2】参照)。

【書式4】物件目録

物件目録

1　所　　在　　○○区○○丁目
　　地　　番　　○番○

```
         地    目    宅地
         地    積    1000.01平方メートル
         共有者       ○○○○　持分2分の1 (注1)
   2  所    在    ○○区○○丁目○番地○
      家屋番号       ○番○
      種    類    居宅
      構    造    木造瓦葺平家建
      床 面 積    100.01平方メートル
      所有者       △△△△（＝債務者の氏名）(注2)
```

※詳細は〔Q9〕参照。
(注1) 強制競売の場合、目的不動産は債務者の所有する不動産（責任財産）に限定されるため、債務者が不動産の共有持分のみを有している場合は、当該持分のみを記載する。
(注2) 債務者が複数の場合には、各不動産の表示の末尾に、その不動産の所有者である債務者を記載する（債務者が1名の場合には、不動産の所有者を記載する必要はない。）。目的不動産が共有であって、各共有者が債務者である場合には、「共有者　○○○○　持分2分の1、共有者△△△△　持分2分の1」などと、債務者である共有者全員及び各持分割合を記載する。

Q18 強制競売における目的不動産が債務者の責任財産であることの証明

強制競売において、目的不動産が債務者の所有に属することを証明するために提出すべき文書は何か。また、債務者を所有名義人とする登記がされていない不動産を強制競売の目的とする申立てができるか。

1 登記がされた不動産

強制競売は、債務者の責任財産（強制執行において、執行の対象となり得る適格を有する財産）を差し押さえて換価し、その代金から債務名義に表示された金銭債権の回収を図る執行手続であるから、執行裁判所は、まず差し押さえるべき不動産（目的不動産）が債務者の所有に属することを認定しなければならない。

「登記がされた不動産」（規23条1号前段）の所有権の帰属は、登記によって公示される。「登記がされた不動産」とは、所有権の登記がされた不動産に限らず表示に関する登記のみがされたものも含むので、以下、それぞれ説明する。

(1) 所有権の登記がされた不動産の場合

不動産の所有権の帰属は登記によって公示されるから（所有権の登記は甲区欄にされる。）、所有権の登記名義人が債務者であれば、登記事項証明書（全部事項証明書のことをいう（条解民事執行規則(上)116頁）。以下、本設例において同じ。）の提出のみで目的不動産が債務者の責任財産であることを証明することができる（規23条1号前段）。

他方、所有権の登記名義人が債務者以外の者である場合には、後記(3)の場合を除いては、目的財産が債務者の責任財産に属するものということはできず、他の証拠によって債務者の所有に属することを証明したとしても、強制競売を開始することはできないのが原則である。この理由としては、不動産の所有権の帰属は登記名義により一律に判断するのが手続の安

定に適うこと、他人名義のままでは差押えの登記ができないことが挙げられる。そこで、この場合には、債権者は、債権者代位権を行使して債務名義上の債務者への所有権移転登記手続を経た上で、移転登記後の登記事項証明書を提出しなければならない。

(2) 表示に関する登記のみがされた不動産の場合

登記記録の表題部の所有者欄に債務者の氏名及び住所が記載されている場合は（表示に関する登記は表題部にされる。）、登記事項証明書のみを提出すれば足り、ほかに当該不動産が債務者の所有に属することの証明を要しない。表題部の所有者欄の記載は、甲区欄の記載と異なり「権利に関する登記」ではないが、所有権の登記がない場合には当該不動産の所有者を特定するために最も確実な資料である。手続的にも、表題部に記載された者はいつでも所有権保存登記を申請することができる（不登74条1項1号）という強い推定力が与えられており、さらに、差押登記嘱託を受けた登記官が、差押登記の前提として職権で債務者名義に保存登記を行うことによって、差押えの登記をすることもできる（不登76条2項）からである。

登記記録の表題部の所有者欄に債務者以外の者の氏名及び住所が記載されている場合は、登記事項証明書のほかに、債務者の所有に属することの証明文書も添付しなければならない（規23条1号後段）。表題部の所有者欄の記載による所有権の推定を覆すためである。前記のとおり、表題部の所有者の記録は、権利に関する登記ではないため、所有権の登記名義人が債務者以外の者である場合と異なり、他の文書による証明があれば、上記の推定を覆すことができる。

「債務者の所有に属することを証する文書」には制限がないので、公文書でも私文書でもよい。実務でよく見られるものとしては、所有者として債務者の住所及び氏名が記載された固定資産課税台帳登録事項証明書、固定資産税の納付証明書、建築確認証明書、建築請負人作成の引渡証明書等がある。

(3) 権利能力のない社団の構成員の総有不動産の場合

ア 問題の所在

権利能力のない社団の構成員全員に総有的に帰属する不動産、すなわち

当該社団の責任財産である不動産については、権利能力のない社団は登記名義人となることができず、社団の代表者が社団の構成員の受託者たる地位において個人の名義で登記することができるにすぎず、登記名義人に当該社団の代表者である旨の肩書を付すこともできない（最判昭47.6.2民集26巻5号957頁）。したがって、仮に前記(1)に記載の原則どおり、所有権の登記名義人が債務者以外の者である場合には当該不動産に対する強制競売ができないと解すると、権利能力のない社団に対して債権を有する者は、当該社団の構成員全員に総有的に帰属する不動産を目的物とする強制競売を申し立てることはできないことになる。

イ 最高裁平成22年6月29日判決

この点について、最判平22.6.29（民集64巻4号1235頁）は、権利能力のない社団を債務者とする金銭債権を表示した債務名義を有する債権者が、当該社団の構成員の総有不動産に対して強制競売をしようとする場合において、当該不動産につき、当該社団のために第三者がその登記名義人とされているときは、債権者は強制執行の申立書に当該社団を債務者とする執行文の付された債務名義の正本のほか、当該不動産が当該社団の構成員全員の総有に属することを確認する旨の上記債権者と当該社団及び上記登記名義人との間の確定判決その他これに準ずる文書を添付して、当該社団を債務者とする強制競売の申立てをすべきものと解するのが相当であるとした。その理由として、通常の強制競売と同様に、不動産の登記名義人が当該社団であることを要すると、当該債権者が権利能力のない社団に対して有する権利の実現を法が拒否するに等しく、かかる解釈をとることは相当でないという点を挙げている。

ウ 提出が必要な文書等

したがって、権利能力のない社団を債務者として、その構成員の総有不動産に対する強制競売を申し立てるには、当該不動産が当該社団の構成員全員の総有に属することを確認する旨の申立債権者と当該社団及び登記名義人との間の確定判決その他これに準ずる文書の提出が必要である。このうち、確定判決については、判決謄本及び確定証明書の提出が必要であるが、送達証明書の提出は不要である。また、「その他これに準ずる文書」

にどのような文書が該当するかについては、前記最判平22.6.29の田原睦夫裁判官の補足意見では、当該不動産が当該社団の構成員の総有不動産であることが判決理由中において明らかな確定判決（債権者代位による権利能力のない社団の代表者名義への移転登記手続請求の認容判決など）及び和解調書、当該不動産が当該社団の構成員の総有に属することを記載した公正証書、登記名義人を構成員の特定の者とすることを定めた規約が挙げられている。

　そのほかに、権利能力のない社団を当事者とする申立てであることから、当該団体が権利能力のない社団であることの証明資料や、その代表者の証明資料（〔Q21〕参照）も必要となることは当然である。

　なお、権利能力のない社団の構成員の総有不動産に対する強制競売においては、当事者目録の債務者欄に当該権利能力のない社団を記載し、物件目録に「登記記録上の所有者」として登記名義人である第三者の氏名又は名称を付記する。これは、登記嘱託書の登記権利者義務者目録には、登記記録上所有者とされている者の住所氏名を登記義務者として記載するとともに、その下に、強制競売事件の債務者である権利能力のない社団の名称及び住所を付記するものとされているためである（平成22.10.22民三第000811号民事局長通知）。

エ　登記名義人を所有者とする先行事件がある場合

　権利能力のない社団の構成員の総有不動産は、登記名義上、第三者が所有者となっているため、当該不動産につき、当該第三者を所有者として競売事件が申し立てられることがある。このような競売事件が先行している場合、権利能力のない社団を所有者とする競売事件（後行事件）を申し立てたとしても、当該先行事件の処分禁止効によって、その進行を妨げられることとなる（民事執行実務の論点237頁参照）。そこで、当該後行事件を申し立てた債権者は、この状態を解消する必要がある。具体的には、先行事件が強制競売の場合、当該社団に代位して、先行事件の申立債権者に対する第三者異議訴訟を提起し、それに伴う執行停止決定を受け（法38条4項、36条1項）、その正本を執行裁判所に提出し、先行事件の執行手続の停止を受けることが考えられる（法39条1項7号。〔Q1〕参照。上田正俊「不動

産執行における所有権の認定と登記」金法1441号16頁）。また、先行事件が担保不動産競売の場合、当該社団に代位して、先行事件の申立債権者に対する担保権不存在確認の訴えを提起し、これを本案とする担保権実行禁止の仮処分（民保23条2項）を求め、その裁判の謄本を執行裁判所に提出し、競売手続の停止を求めることが考えられる（法183条1項6号）。

(4) 所有名義人につき仮装登記がされた不動産の場合

前記最判平22.6.29の示す強制競売の申立ての方法は、債務名義上の債務者と登記名義人とを一致させることができる通常の不動産につき、仮装登記がされているような場合にまで応用することができるものではない。このような場合には、前記(1)のとおり、債権者は、債権者代位権を行使して債務名義上の債務者への所有権移転登記手続を経た上で、移転登記後の登記事項証明書を提出しなければならない（最判解平成22年度(上)427頁〔榎本光宏〕）。

2　未登記不動産

未登記不動産についても、債務者の所有に属することを証明し、かつ、保存登記に必要な資料（原本）を提出することにより、強制競売の申立てをすることができる（規23条2号）。すなわち、強制競売の目的とする土地又は建物が未登記不動産の場合には、①その土地又は建物が債務者の所有に属することを証する文書、②土地の場合は土地所在図（不登令2条2号）及び地積測量図（同条3号）、建物の場合は建物図面（同条5号）及び各階平面図（同条6号）、区分所有建物の場合は不登令別表32項添付情報欄ハ又はニに掲げる情報を記載した書面を提出しなければならない。

「債務者の所有に属することを証する文書」については、前記1(2)のとおりである。なお、同文書は、当該不動産が債務者の所有に属することを執行裁判所が認定するためのものであり、差押登記嘱託書に添付する必要はない。

差押登記の嘱託書には前記②の図面や書面の原本を添付することを要する（不登令7条1項6号、別表31項、32項）。

なお、未登記不動産については、土地は地番が、建物は家屋番号が定め

られていない。したがって、申立書に添付する物件目録には、地番及び家屋番号の欄に「未登記につきなし」と記載すれば足りる。

Q19 強制競売の申立てに対する執行裁判所の審査の範囲

強制競売の申立てを受けた執行裁判所は、執行開始要件の存否のほか、債務名義の内容、執行文付与の適法性等についても審査することができるか。

1 原　則

　執行裁判所は、強制競売の申立てがあると、申立ての方式の具備、管轄の有無などの形式的要件のほか、当事者能力、当事者適格、代理権の有無、執行力のある債務名義の正本の有無、執行開始要件具備等の実質的要件を審査し、申立てが適法と認められたときに、強制競売の開始決定をする。審査のため必要があると認めるときは、当事者や参考人を審尋することもできる（法5条）。実質的要件のうち、最も重要なものは、以後の強制競売手続の推進力となる執行力のある債務名義の正本の存在であるが、通常は、債務名義には執行文が付与されており、これにより、給付請求権及び執行力の存在が公証されるから、執行機関は、債務名義が現在の実体関係と一致するかどうかを調査しないで、債務名義に表示されているところに従って強制執行をすべき職責を有する。給付請求権や執行力の判断機関とそれを実現する執行機関とを分離して、執行機関を強制執行の根拠となる権利及び執行力の存否の判断から解放し、迅速に権利実現を図るためである（〔Q1〕参照）。

　したがって、執行裁判所は給付請求権及び執行力の存否について審査する権限を有しないから、給付請求権が実体上存在しないことを理由に強制競売の申立てを却下することはできない（東京高決平6.5.30金法1408号39頁。ただし、傍論で、強制競売の申立てが権利の濫用に当たることが明らかであるというような例外的な場合には、執行裁判所は申立てを却下することができると解する余地があることを認める。）。また、債務名義、執行文の成立又は内容に関する瑕疵も、請求異議の訴え又は執行文付与に対する異議の訴

えによってその有無を判断することが原則である。しかし、執行裁判所は、実体関係以外の法22条に定められた債務名義の要件については、これを満たしているか否かを審査しなければならないから、成立や内容について疑義のある債務名義であれば、この点の審査に必要な範囲においては、債務名義の内容や執行文付与の適法性についても審査することができると解すべきである。債務名義に執行文が付与されていても執行力が認められないことがあり、そのような場合は強制競売の申立てを却下する実務上の取扱い（不動産執行の理論と実務(上)86頁）も、このような審査権を前提としているものと考えられる。

2　債務名義に関する審査

(1)　債務名義の成立に関する審査

　提出された債務名義に作成者の記名押印が欠けている場合は、債務名義の成立が否定され、強制競売の申立ては却下される。執行文が付されていても、給付文言が欠落している場合や（公正証書の給付文言につき、東京高決令3.3.31金法2179号70頁）、給付文言があっても給付文言から給付内容を確定することができない場合も、同様である。

　給付内容の確定との関係でよく問題とされるのは、事後求償権に基づく給付を内容とする公正証書である（詳細は、菊池憲久「事後求償と公正証書」山﨑＝山田「民事執行法」37頁を参照）。東京地裁民事執行センターでは、以下のとおり、連帯保証人が事後求償権を行使し得ることを合意した公正証書は、一定額の金銭の支払の表示がないため執行証書としては無効であるとして取り扱っている。すなわち、法22条5号は、債務名義となる公正証書（執行証書）の要件として、一定額の金銭の支払又は他の代替物、有価証券の一定数量の給付を目的とする請求権の表示があることを必要としている。しかしながら、委託を受けて連帯保証をした連帯保証人が、債権者に債務を弁済した場合に主債務者に対して取得する事後求償権を給付内容とする公正証書は、通常、主債務が分割払の契約になっており、主債務者が分割払を怠ると期限の利益が失われ、連帯保証人が残額を一括して支払うという構成になっているため、主債務者の弁済合計額の多寡によっ

て、連帯保証人の代位弁済する額、すなわち、主債務者に求償することのできる額が変動する。したがって、公正証書には、連帯保証人が取得する事後求償権の金額が確定的には記載されておらず、このような事後求償権については、公正証書上に一定額の金銭の支払の表示がされていないものとして、強制競売の申立ては却下されることとなる（執行証書として有効と解する余地を認めるものとして福岡高判平2.4.26判時1394号90頁があり、執行証書として無効とするものとして大阪高決昭58.6.8判タ509号149頁がある。）。なお、このような審査がされずに強制競売が開始された場合は、債務者は、執行文付与に対する異議のほか、執行異議の申立て（法11条）により救済を受け得ることになる。

　また、公正証書の記載自体から給付内容とその原因事実が符合していないことがうかがえるような場合は、事案によっては、審尋等も活用した上で、債務名義としての効力を否定して、強制競売の申立てを却下することもあり得ないではない。この点に関し、最判平6.4.5（集民172号201頁・金法1449号50頁）は、配当異議訴訟において債務名義とされた公正証書の効力が問題となった事案であるが、当該公正証書には昭和61年2月13日に2000万円を貸し付けたと記載されている一方で、実際には、同年2月5日から3月19日までの間に7回にわたり合計778万円余の消費貸借及び準消費貸借契約を締結し、公正証書作成日である同月22日ころ、債権者が債務者に対し、各債権を含め将来2000万円の限度で逐次貸し付ける旨を約していたなどという事実関係の下では、公正証書に記載された債権と各貸付債権と準消費貸借債権との同一性を認めることはできないとして、公正証書は債務名義としての効力を認められない旨判示している。このような考え方に立てば、債務名義の記載自体から、給付請求権と原因行為との間に補正することができないような矛盾が認められる場合には、執行機関の審査段階で、強制競売の申立てを却下することとなる。

(2) 債務名義の内容に関する審査

　債務名義の内容については、原則として執行機関の審査は及ばない。給付内容が公序良俗や強行法規に反するものであっても、請求異議で争われることはあれ、執行開始に当たって、審査が予定されているものではな

い。ただし、給付内容が利息制限法違反になっているような場合には、実務上、執行裁判所において、利息制限法に従って元利金を再計算して請求債権を減縮するよう促すことが通常である。これは、上記のとおり、本来審査が予定されているものではないことから、請求異議の訴えが提起されることなどによる紛争を未然に防止するための窓口指導としての意義があるにとどまる（民事執行実務の論点34頁）。

3 執行文付与に関する審査

(1) 執行文の形式に関する審査

必要な執行文が付与されていない場合のほか、執行文の付与機関である裁判所書記官又は公証人の記名押印がない場合も、執行文の付された債務名義の正本がないことになるから、強制競売を開始することはできない。

(2) 事実到来執行文（いわゆる条件成就執行文）

執行文が付与されている債務名義であっても、その執行文付与の適法性が疑われるような場合は、そのような債務名義に基づく強制競売の申立ては却下されることになる。例えば、請求が債権者の証明すべき事実の到来に係る場合は、事実到来（条件成就）執行文が必要になるが（法27条1項。なお、規17条は特に単純執行文と区別することができるような記載は求めていないが、実務上は、事実の到来を明らかにする文言が使用されるのが通常である。)、債務名義に表示される給付請求権の発生が一定の条件に係る場合であるのに、債務名義に単純執行文が付与されているときは、執行文付与の適法性に疑義があることになる。また、事実到来（条件成就）執行文及び事実の到来を証する文書の謄本の送達証明書が添付されていないときは、執行開始要件も欠けていることになるから（法29条後段）、執行裁判所は、そのような債務名義で強制競売を開始することはできない。

一方、送達された文書の標題などから、事実の到来（条件成就）についての証明に疑義が生じたとしても、執行裁判所において事実到来（条件成就）執行文の効力を審査することはできない。

(3) 承継執行文

執行力を債務名義に表示された当事者以外の者に拡張する場合は、承継

執行文が必要になる。執行裁判所は、承継執行文が正しく付与されているか否かの審査をすることになるが、送達された文書の標題などから、承継についての証明に疑義が生じても、承継執行文の効力を審査することができないことは、事実到来（条件成就）執行文と同様である。

4　債務名義の送達に関する審査

　債務名義の送達のような執行開始要件は、専ら執行機関が判断すべき事項であるから、執行開始要件を具備していない強制競売の申立ては却下しなければならない。

　執行開始要件を具備していないにもかかわらず強制競売を進めた場合には、その手続は違法であり、債務者は執行異議の申立てをして救済を求めることができる。例えば、債務名義が送達されていないにもかかわらず、送達証明書が提出されたために強制競売を開始した場合、送達証明書について外観上の観点からこれに疑義を容れる余地がないときには、執行機関としては執行開始要件が具備されたと考えることは当然であるが、実体的には執行開始要件を具備していないので、当該強制競売手続は違法である。

　このように、債務名義が送達されていないのに実施された強制競売手続の効力については、民事執行法施行前には、①たとえ事後に送達がされても、絶対に無効とする無効説、②後に送達されれば、将来に向かって有効とする補充説、③送達の追完又は責問権の放棄があれば、将来に向かって有効とする補正説、④債務者の執行異議等によって取り消されない限り、有効とする取消説等の対立があったが、民事執行法の下では、上記④の取消説が通説になっていると考えられる（注釈民事執行法(2)221頁以下〔近藤崇晴〕、中野＝下村「民事執行法」154頁）。強制執行の開始要件としての債務名義の送達は、債務者の保護を主眼としたものであり、平等主義を採用する我が国の民事執行法制の下では、他の債権者との公平を考慮する必要がないから、その瑕疵の非難は専ら債務者の責問権の行使に委ねれば足りるとするのが取消説の論拠である。なお、民事執行法施行前であるが、債務名義送達前に強制競売開始決定がされており、当該強制競売開始決定が

違法であるとしながら、異議により執行が取り消されるまでの間に債務名義が執行債務者に送達されており、その不送達の違法は治癒され執行の取消しを要しないとした東京高決昭45.5.14（判タ253号273頁）がある。

5　弁済期到来に関する審査

　弁済期の到来は執行開始要件であるから（法30条）、債務名義上、請求債権に弁済期の定めがある場合又は期限の利益喪失が条件に係る場合は、これに符合する弁済期の到来又は期限の利益喪失の主張があることを審査する。

　なお、貸金の元利金の分割払による返済期日が「毎月X日」と定められ、その日が日曜日その他の休日に当たる場合の取扱いが明定されなかった場合の取扱いについて、東京地裁民事執行センターでは、X日が日曜日、国民の祝日、土曜日又は年末年始（12月31日、1月2日及び3日。以下「日曜日等」という。）に当たるときは、日曜日等を返済期日とする期限の利益喪失の主張を原則として認めていない。このような場合には、特段の事情がない限り、契約当事者間にX日が日曜日等であるときは翌営業日を返済期日とする旨の黙示の合意があったものと推認されるからである（最判平11.3.11民集53巻3号451頁参照）。

6　執行対象財産の帰属に関する審査（〔Q18〕参照）

　執行機関は、執行対象財産の帰属について外観主義を採用しており、不動産については、通常、登記を基準として判断する。債務者に帰属する不動産の登記名義人が第三者である場合、債権者は、債権者代位権を行使して債務名義上の債務者への所有権移転登記手続を経なければならない。債務名義上の債務者と登記名義人とが一致しない場合には、原則として、強制競売を開始することができない。

　ただし、債務者が権利能力のない社団である場合、権利能力のない社団を登記名義人とする登記ができず、常に債務名義上の債務者と登記名義人とが一致しないため、当該社団のために第三者がその登記名義人とされているときは、強制競売の申立書に、当該不動産が当該社団の構成員全員の

Q19

総有に属することを確認する旨の債権者と当該社団及び登記名義人との間の確定判決その他これに準ずる文書が添付されていれば、当該社団を債務者とする強制競売を開始することができる（最判平22.6.29民集64巻4号1235頁。〔Q18〕参照）。

〈参考文献〉
民事執行実務の論点29頁

第4款 その他

Q20 サービサーによる競売申立て

サービサーが競売の申立てをする際に留意すべき点は何か。

1 サービサーの意義等

　債権回収会社（いわゆるサービサー。以下「サービサー」という。）とは、債権管理回収業を営むことについて法務大臣の許可を受けた株式会社をいう（債権管理回収業に関する特別措置法（以下「サービサー法」という。）2条3項、3条）。ここにいう「債権管理回収業」とは、弁護士又は弁護士法人以外の者が委託を受けて法律事件に関する法律事務である特定金銭債権の管理及び回収を行う営業又は他人から譲り受けて訴訟、調停、和解その他の手段によって特定金銭債権の管理及び回収を行う営業をいい（サービサー2条2項）、「特定金銭債権」とは、金融機関が有する貸付債権等、サービサー法2条1項各号に掲げられたものをいう。

2 競売申立書の記載及び添付書類に関する留意点

(1) 総　論

　サービサーは、委託を受けて債権の管理又は回収の業務を行う場合には、委託者のために、自己の名をもって、委託を受けた債権の管理・回収に関する一切の裁判上又は裁判外の行為を行う権限を有していることから（サービサー11条1項）、委託者のための競売申立てについても、弁護士に依頼することなく、サービサー自らが行うことができる。

　サービサーがその業務を行うに当たっては、前記1のとおり、委託を受けて行う場合（委託型）と、譲渡を受けて行う場合（譲渡型）とがある。このうち、譲渡型は、サービサーが当該特定金銭債権の債権者として競売申立てをするのであるから、通常の競売申立てと異なるところはない。こ

れに対し、委託型の場合は、委託者（「オリジネーター」と称されることがある。）が本来の権利主体であるから、競売申立ての際には、次の点に留意すべきである。

(2) 委託型の場合の当事者の表示等
ア 競売申立書及び開始決定での当事者の表示

サービサー法11条1項は、債権管理回収業の効率性を確保する観点等から、委託を受けたサービサーについて、いわゆる任意的訴訟担当を認めた規定と解される（法務省債権回収監督室編『Q&Aサービサー法』161頁）。したがって、委託型の場合であっても、申立債権者は委託者ではなくサービサーとなるので、競売申立書及び競売開始決定にはサービサーを申立債権者として表示すべきである。

東京地裁民事執行センターでは、これに加えて、委託関係を手続上明らかにする目的のほか、後記イの登記実務との関係から、競売申立書の当事者目録に、申立債権者と委託者を併記することを求め、競売開始決定の当事者目録においても、申立債権者と委託者を併記する取扱いにしている。ただし、強制競売の場合において、債務名義上の権利者がサービサーとなっているときには、後記イのとおり、登記嘱託書における権利者もサービサーとすれば足りるから、委託者の名称等の併記は要しない。

イ 差押登記嘱託書における権利者の表示

登記実務上、不動産登記記録の当事者については、担保権者等の本来の権利主体を公示する取扱いになっており、サービサーが申立債権者になっていたとしても、本来の権利主体は委託者であるから、不動産登記記録には本来の権利主体である委託者を登記権利者として公示すべきことになる。したがって、裁判所書記官がする差押登記の嘱託においても、委託者を登記権利者として表示することになる。ただし、強制競売の場合において、債務名義上の権利者がサービサーとなっているときには、手続上委託者との関係が問題となることはなく、サービサーを権利者として差押えをすれば足りるから、東京地裁民事執行センターでは、差押登記嘱託書の権利者をサービサーとする取扱いである（なお、仮差押えからの本執行移行であることを明らかにしたい場合など、当事者目録に委託者を併記し、委託者を

権利者とする差押登記嘱託を行う取扱いもあり得る。)。

(3) 競売申立ての際の添付書類等

ア 申立債権者がサービサーであることを証明する文書

　サービサーは、その商号中に「債権回収」という文字を用いなければならない(サービサー13条1項)。一方、サービサーでない者は、その商号中にサービサーであると誤認されるおそれのある文字を用いてはならず(同条2項)、これを用いた場合には刑事罰に処せられる(サービサー35条)。したがって、資格証明書として提出する商業登記事項証明書又は代表者事項証明書の商号中に「債権回収」の文字が用いられていれば、原則として、申立債権者がサービサーであることを認定することができるから、これらの書類以外に、特段の証明資料の提出は不要である。

イ 委託契約の存在を証明する文書

　委託者とサービサーとの間の委託契約の存在を証明する文書として、①委託者とサービサーとの間の委託契約書又は委託者作成の委託証明書、②委託者の資格証明書を提出する必要がある。①について、実務上は、その簡便性のため、委託証明書が提出されるのが一般的である。なお、強制競売の場合において、債務名義上の権利者がサービサーとなっているときには、委託契約の存在の証明は不要である。

ウ 請求債権が特定金銭債権であることを証明する文書

　前記1のとおり、サービサーが管理・回収を行うことができる債権は特定金銭債権に限られるから、サービサーは、請求債権が特定金銭債権であることを証明する必要がある。もっとも、特定金銭債権にも種々のものがあり、どのような文書を提出して証明すべきかはそれぞれにより異なる。例えば、サービサー法2条1項1号イ所定の金融機関が有する貸付債権の場合は、委託者の商号から特定金銭債権であることが判明するため、前記イの文書のほかに特段の文書を提出する必要がない。他方、同項8号所定の資産流動化に関する特定資産である金銭債権のように、それが特定金銭債権であることを証明する定型的かつ的確な文書が存しないものもある。後者のような特定金銭債権については、サービサー法がサービサーによる債権管理回収を認めた趣旨に照らすと、ある程度の資料の提出があれば、

競売開始決定をして競売手続を進行させ、問題があれば、債務者又は所有者の競売開始決定に対する執行異議により対応するという取扱いも考えられるところである。もっとも、現時点では、このような特定金銭債権を請求債権とする申立てはまれであり、執行実務における取扱いは、なお流動的である。

3 許可代理に関する留意点

サービサーに関する許可代理についての東京地裁民事執行センターの取扱いは次のとおりである（許可代理一般に関しては〔Q4〕参照）。

(1) **サービサー従業員をサービサーの許可代理人とすることの可否**
譲渡型、委託型いずれの場合であっても、許可している。

(2) **委託者従業員をサービサーの許可代理人とすることの可否**
あえてサービサーに債権管理回収を委託しておきながら、競売手続はサービサー従業員ではなく委託者従業員に追行させる必要がある場面は必ずしも多くはないと思われるが、これを認めても、許可代理制度の趣旨には反しないため、許可している。

(3) **サービサー従業員を委託者の許可代理人とすることの可否**
サービサーに債権管理回収を委託したものの、サービサー自体は申立債権者とはならず、委託者を申立債権者、サービサー従業員をその許可代理人とする競売の申立ての事例がある。この場合、許可代理を認める必要性に問題がないわけではないが、このような許可代理を認めることが、サービサーを利用した債権管理回収を認めたサービサー法の趣旨や許可代理制度の趣旨に必ずしも反するものではないことのほか、前記(2)の取扱いとの均衡も考慮して、許可している。類似の取扱いとして、独立行政法人住宅金融支援機構や株式会社日本政策金融公庫等について、その業務委託を受けた金融機関等の従業員を許可代理人として認める例がある（〔Q4〕参照）。

(4) **サービサー自体を委託者の許可代理人とすることの可否**
サービサー自体は申立債権者とならず、委託者を申立債権者、サービサーという法人自体を許可代理人とする競売の申立ての事例がある。前記

(3)で指摘した許可代理を認めることの必要性のほか、法人であること自体をもって許可代理人から排除すべき理由はなく、サービサーの許可代理人としての適格性には問題がないといえること等から、許可している(山田俊雄「執行当事者」山﨑=山田「民事執行法」9頁)。

4 強制競売の申立ての場合の留意点

　強制競売の申立てをする場合には、債務名義に執行文の付与を受けて申立てをするのが原則であるが、サービサーが強制競売の申立債権者となる場合には、どのような執行文が必要となるかという問題がある。
　㋐サービサーが原告となって訴訟を提起し、自らを権利者とする債務名義(「被告は、(サービサーである)原告に対し、○○円を支払え。」を主文とする債務名義)を取得した場合は、単純執行文で足りる。㋑サービサーが原告となって訴訟を提起し、委託者を権利者とする債務名義(「被告は、委託者に対し、○○円を支払え。」を主文とする債務名義)を取得した場合には、サービサーが訴訟当事者として取得した債務名義であるため、やはり単純執行文で足りる。㋒委託者が原告となり自らを権利者とする債務名義(「被告は、(委託者である)原告に対し、○○円を支払え。」を主文とする債務名義)を取得した場合、委託により当事者適格の移転を受けたサービサーは、法23条1項3号の承継人に当たるから、承継執行文が必要となる(山田・前掲6頁)。
　なお、サービサーが上記㋐の債務名義を取得した後、委託者が当該債権を譲渡し、譲受人から同一のサービサーが委託を受けて強制競売を申し立てる場合がある。この場合、原告の地位に承継が生じているとみるのが相当であるから、承継執行文(債権者を「甲(委託者A)承継人甲(委託者B)」とするもの)が必要であると解される。

Q21 区分所有建物の管理組合による競売申立て、配当要求

区分所有建物の管理組合が区分所有者から滞納管理費の回収などを図るために不動産競売手続を利用するには、どのような方法があるか。その場合に注意すべき点は何か。

1 当事者とその資格証明

(1) 当事者となり得る者

区分所有建物の区分所有者の団体（区分所有3条。一般に「管理組合」と呼ばれるものであり、以下では「管理組合」という。）が、区分所有者の滞納管理費等を回収するために不動産競売手続を利用する場合、当事者となり得る者としては、①管理組合法人（区分所有47条）、②権利能力のない社団としての管理組合、③管理者（区分所有25条）が考えられる（以下、本設例ではこれら三者を総称して「管理組合法人等」という。）。

ア 管理組合法人（区分所有47条）

管理組合法人が設立されている場合には、管理組合は管理組合法人としてのみ当事者として関与することができる。この場合、法人の存在の証明のため、当該管理組合法人の登記事項証明書（直近1か月以内に発行されたもの）が必要である。

イ 権利能力のない社団としての管理組合

管理組合法人が設立されていない場合であって、かつ、管理組合が権利能力のない社団としての要件を満たす場合には、権利能力のない社団としての管理組合が当事者となることができる（民訴29条）。

この場合、管理組合の規約を提出し、管理組合が民訴法29条にいう「その名において訴え、又は訴えられることができる」社団であること、すなわち、団体としての組織を備え、多数決の原理が行われ、構成員の変更にもかかわらず、団体そのものが存続し、代表の方法、総会の運営、財産の管理等、団体としての主要な点が内容として盛り込まれていることを示す

必要がある（最判昭39.10.15民集18巻8号1671頁参照）。
ウ　管理者（区分所有25条）
　管理組合法人が設立されていない場合には、管理組合が権利能力のない社団としての要件を満たすか否かにかかわらず、管理者を選任して管理者を当事者とすることができる。
　この場合、管理者に選任されたことを示す規約又は集会の決議が記載された議事録を提出する必要がある。また、個人の管理者（通常は理事長であるため、以下では理事長が管理者である場合について説明する。）が集会の決議により選任されている場合には、後記(3)の権利能力のない社団の場合と同様、現在もその者が管理者の資格を有していることを示す資料、具体的には、理事長以外の理事2名の連署により、集会等で選任された者が現在も管理者であることを証明するという内容の書面の提出が原則として必要である。一方、規約上、管理会社が管理者と定められているような場合には、管理会社の資格を示す登記事項証明書は必要であるが、理事による連署の書面は不要である。
(2)　手続を追行するための授権
　前記(1)のいずれの場合であっても、また、不動産競売開始の申立てであると配当要求であるとを問わず、管理組合法人等が手続を追行するための区分所有者による授権（管理者につき、区分所有26条4項、管理組合法人につき、区分所有47条8項、権利能力なき社団としての管理組合につき、同項の類推適用）が必要である。これは訴訟要件であって職権調査の対象となり、授権を裏付ける書類の提出がなければ、各申立ては不適法として却下される。
　具体的には、規約に授権が定められている場合には規約のみで足りるが、規約に規定がない場合には授権する旨の集会の決議を記載した議事録（必要に応じて議案書を添付する。以下、明記しない場合も同様である。）、規約に理事会等の機関への委任が定められている場合には規約と委任された機関の決議を証する書類（理事会の議事録等。規約において、理事会等の集会以外の機関に対して授権の権限を委任することは可能であると解される。）の提出が必要である。なお、権利能力のない管理組合に対しては、包括的な授

権はできず、個別の事案ごとに具体的な授権が必要となる（濱﨑恭生『建物区分所有法の改正』（法曹会）222頁、229頁（注6））。

　これらの書類について、先行する訴訟等の手続において既に提出していたとしても、訴訟等の手続と執行手続は別個のものであるから、改めて提出する必要がある。もっとも、先行する訴訟等の手続に係る授権の決議に、執行手続まで授権する趣旨が含まれている場合も多く、そのような場合、先行手続において提出したものと同じ議事録等を提出することで足りる。

(3) 代　表　者

　管理組合法人等のうち、管理組合法人及び権利能力のない社団としての管理組合については、代表者（理事長が代表者とされることが一般的である。）の資格を証明する文書の提出が必要である。具体的には、管理組合法人については法人の資格証明書として提出が必要な登記事項証明書で足りる。一方、権利能力のない社団としての管理組合については、代表者である理事長が選任された集会の議事録又は理事会の議事録、理事長の資格証明書を提出する必要がある。東京地裁民事執行センターでは、理事長の資格証明書として、理事長以外の理事2名の連署により、集会等で選任された者が現在も理事長であることを証明するという内容の書面の提出を原則として求めている（【書式3】。なお、理事長を選任する集会の決議がなされた日が申立ての日から1か月以内である場合には、理事による連署の書面を提出する必要はない。）。

(4) ま と め

　以上を表にすると、次のとおりとなる。

【管理組合法人等が当事者となる場合に必要な資料】(注1)

	法主体性（申立ての資格）(民訴28条、29条、任意的訴訟担当)	授権 (注2)(民訴34条1項、民訴規15条)	代表者（民訴37条）
①管理組合法人	登記事項証明書※（直近1か月以内に発行されたもの）	訴訟追行の授権を示す書類（規約又は個別の授権決議）	登記事項証明書※（直近1か月以内に発行されたもの）
②権利能力なき社団	最判昭39.10.15の要件が具備されていることを示す書類（規約※）(注3)	訴訟追行の授権を示す書類（規約※又は個別の授権決議）	理事長として選任され、現在も理事長であることを示す資料（選任決議、理事2名の連署による書面)(注4)
③管理者	管理者を選任したことを示す書類（規約※、選任決議）、現在も管理者であることを示す資料（理事2名の連署による書面。管理者が法人である場合には、管理者の登記事項証明書）	訴訟追行の授権を示す書類（規約※又は個別の授権決議）	―

(注1) このほか、区分所有法59条の訴訟については集会の特別決議が必要である。同訴訟については、被告以外の区分所有者全員、管理組合法人、管理者、集会において指定された区分所有者が当事者となる（区分所有59条2項、57条1項、3項）。なお、後記3参照。
(注2) 規約で授権を行う機関を理事会等への委任をすることができる。この場合は、機関への委任を定めた規約及び当該機関の授権決議等の提出が必要である。
(注3) ※を付したもの（登記事項証明書、規約）は、同一のものを1通提出すれば足りる（重複して提出する必要はない）ものである。
(注4) 理事長が代表者として定められている場合の例である。

2 滞納管理費等の回収を図るための不動産競売の申立て

(1) 区分所有建物の管理費等と先取特権

区分所有建物にあっては、集会の決議（区分所有18条1項）又は規約

Q21

（同条2項）に基づき、通常の建物維持管理、区分所有者の団体（区分所有3条）の運営、建物の大規模（特別な）修繕に要する費用の積立等を目的として、管理費等（共用部分に係る費用）として、毎月一定額を徴収するのが一般的である。管理費等の負担者は各区分所有者であり（区分所有19条）、債務者たる区分所有者の特定承継人も負担者となり得る（区分所有8条）。

　管理費等の債権は、区分所有者の団体である管理組合に帰属し（管理組合法人でない場合には区分所有者全員に総有的に帰属する。）、区分所有法7条1項前段にいう「区分所有者が…規約若しくは集会の決議に基づき他の区分所有者に対して有する債権」に該当する。したがって、滞納管理費等の債権者である管理組合は、同条により、債務者の区分所有権（共用部分に関する権利及び敷地利用権を含む。）及び建物に備え付けた動産の上に先取特権を有する。先取特権により担保される債権には、規約又は集会決議で定められた管理費等の債権のほか、これに付加される遅延損害金も含まれると解されるが、区分所有関係に由来しない自治会費や町内会費の支払請求権等は含まれない。

　この先取特権は、優先権の順位及び効力については、一般の先取特権である共益費用の先取特権とみなされる（区分所有7条2項。後記4(3)）。

(2) 区分所有法7条の先取特権に基づく担保不動産競売の申立て
ア　申　立　て

　管理組合法人等は、区分所有法7条の先取特権に基づき（法181条1項4号）、債務者が所有する区分所有建物につき担保不動産競売を申し立てることができる。

　この場合の申立書の記載例は、【書式1】のとおりである。

イ　申立書の添付書類

　申立書の添付書類は、原則として、（根）抵当権に基づく担保不動産競売の申立ての場合（〔Q9〕参照）と同様である。また、申立てに際して提出を要する資格証明書等については、前記1のとおりである。先取特権に基づく申立てについて特に留意すべき点は、以下のとおりである。

　区分所有法7条の先取特権に基づく担保不動産競売の申立てをするため

には、先取特権の存在を証する文書を提出する必要があるが（法181条1項4号）、その文書は私文書でもよいとされている（〔Q9〕参照）。具体的には、⑦管理費等について定めた管理組合の規約と④管理費等について決議した集会の議事録（及び決議内容が明記されていない場合にはその議案書）を提出する必要がある。

また、前記(1)で述べたように、区分所有法7条の先取特権は、優先権の順位及び効力については、共益費用の先取特権とみなされるから（区分所有7条2項）、申立てに際しては不動産以外の財産（当該先取特権の対象となる建物に備え付けた動産）に対する担保権の実行では請求債権額に足りないことを主張立証する必要があることに注意が必要である（民335条1項。〔Q9〕参照）。具体的には、建物に備え付けた動産に対する担保権の実行では請求債権額に足りないことを申立書に記載した上、これを証明するための陳述書又は報告書を提出するのが通常である（弁護士が代理人として申し立てる場合には、申立人若しくは関係者作成の陳述書又は代理人作成の報告書を提出することになる。）。このような陳述書又は報告書の内容としては、当該専有部分の使用状況（区分所有者自らが使用しているか、あるいは第三者に賃貸しているか）、区分所有者の職業や生活状況、請求債権額等の具体的な事情から、建物に備え付けた動産に対する担保権の実行では請求債権額に足りないことが具体的に分かるものであることが必要である（【書式2】）。

(3) 管理費等請求訴訟の認容判決等に基づく強制競売の申立て

ア 申立て

管理組合法人等は、管理費等請求訴訟の認容判決等の債務名義を取得した上で、当該債務名義に基づく強制競売の申立てをすることができる。

この場合の申立書の記載例は、【書式4】のとおりである。

イ 申立書の添付書類

申立書の添付書類は、一般的な強制競売の場合（〔Q17〕参照）と同様である。すなわち、管理費等請求訴訟の認容判決等に基づく強制競売は、滞納管理費等の支払を命じる判決等の債務名義に基づくものであるから、①執行力のある債務名義（管理費等請求訴訟の認容判決等）の正本と②送達証

明書を提出する必要がある。申立てに際して提出を要する資格証明書等については、前記1のとおりである。

3 区分所有法59条に基づく不動産競売（形式的競売）の申立て

(1) 申立て

区分所有者が建物の保存に有害な行為その他建物の管理又は使用に関し区分所有者の共同の利益に反する行為をし、区分所有者の共同生活上の障害が著しく、他の方法によってはその障害を除去して区分所有者の共同生活の維持を図ることが困難であるときは、訴えをもって、当該行為に係る区分所有者の区分所有権及び敷地利用権の競売を請求することができる（区分所有59条1項）。この競売請求を認容する確定判決に基づき、不動産競売を申し立てるのが区分所有法59条に基づく不動産競売である（この競売は形式的競売である。〔Q150〕参照）。

この不動産競売の申立てをすることができるのは、管理組合法人、管理組合法人が設立されていない場合は他の区分所有者の全員、集会の決議により他の区分所有者の全員のために訴えを提起することができることとされた管理者又は集会において指定された区分所有者である（区分所有59条1項、2項、57条3項参照。権利能力のない社団としての管理組合には当事者適格がないことに注意が必要である。）。また、この不動産競売の申立ては、相手方の地位を長期間不安定な状態に置くことを避けるため、競売請求を認容する判決が確定した日から6か月を経過したときはすることができない（区分所有59条3項）。

区分所有者が管理費等を滞納している場合、本来は前記2(1)の先取特権の規定による解決がされるべきものであるが、区分所有建物の管理は、通常、区分所有者が納める管理費等で賄われており、その滞納が多額にのぼると区分所有建物の管理自体に支障を来しかねない。そこで、区分所有者が管理費等を長期間にわたって滞納している場合には、区分所有法59条1項の要件を満たすものとして、当該区分所有権及び敷地利用権の競売請求が認められる可能性がある（濱﨑恭生『建物区分所有法の改正』（法曹会）

360頁）。

　この不動産競売の申立ては、区分所有者を排除するための手続であり、滞納管理費等の回収を図ることを目的とするものではないため、売却代金から手続費用を控除し、配当等を受けるべき債権者（法87条1項）に配当金等を交付してもなお残額がある場合には、その残額が区分所有者に交付される。したがって、この申立てをしただけでは、滞納管理費等の回収を図ることはできず、滞納管理費等を回収するためには、一般債権者又は先取特権者として後記4の配当要求をする必要がある。

　区分所有法59条に基づく不動産競売の申立てをする場合の申立書の記載例は、【書式5】のとおりである。

(2) 申立書の添付書類

　区分所有法59条に基づく不動産競売の申立ては、競売請求を認容する判決に基づくものであるから、ⓐ競売請求を認容する判決の正本又は謄本を提出する必要がある。また、この不動産競売の申立ては、競売請求を認容する判決が確定しなければ行うことができないため、ⓑ判決確定証明書の提出も必要となる。ただし、この不動産競売は形式的競売であって債務名義に基づく強制競売ではないため、判決の正本又は謄本の送達証明書の提出は不要である。

　なお、管理組合法人及び管理者が当該申立てをするに際して提出を要する資格証明書等については、区分所有法7条に基づき担保不動産競売を申し立てる場合とほぼ同様であるが（前記1参照）、申立ての授権については、規約であらかじめ授権しておくことはできず、個別の事案ごとに集会の決議によって授権しなければならない（区分所有59条2項、57条3項）とされていることに注意が必要である。

4　滞納管理費等による配当要求

(1) 配当要求の可否

　不動産の競売手続で配当要求をすることが認められているのは、執行力のある債務名義の正本を有する債権者、差押登記後に登記された仮差押債権者及び法181条1項各号に掲げる文書により一般の先取特権を有するこ

とを証明した債権者である（法51条1項）。ところで、滞納管理費等についての先取特権は、特定の不動産を目的とする不動産の先取特権であり、債務者の総財産を目的とする通常の一般先取特権とは異なることから、一般の先取特権を有する債権者として配当要求をすることができるか否かが問題となる。この点については、前記2(1)で述べたように、滞納管理費等についての先取特権は、優先権の順位及び効力については、一般の先取特権である共益費用の先取特権とみなされるから、一般の先取特権を有する債権者として配当要求をし得ると解することができ（伊藤善博ほか「配当研究」216頁）、実務の運用も同様に取り扱われている。なお、後記(5)の最判令2.9.18も、前記運用が正当であることを前提とした判断をしている。

したがって、管理組合法人等は、滞納管理費等の債権について、一般の先取特権と同様に配当要求をすることができる。なお、前記2(1)で述べたように、区分所有関係に由来しない自治会費や町内会費の支払請求権等は先取特権の範囲には含まれないので、これらの請求権について配当要求を行うには、債務名義を取得するか仮差押えをする必要がある点に注意が必要である。

配当要求は、債権（利息その他の附帯の債権を含む。）の原因及び額を記載した書面でしなければならず（規26条）、この場合の配当要求書の記載例は、【書式6】のとおりである。

(2) 配当要求書の添付書類

一般先取特権者として配当要求をする場合には、その一般先取特権の存在を証する文書を添付する必要がある（法51条1項、181条1項4号）。したがって、この場合には、区分所有法7条に基づく不動産競売を申し立てる場合と同様の文書の提出が必要となる（前記2(3)イ参照）。ただし、民法335条1項所定の事実を証明する文書については、提出する必要はない（同条4項）。

他方、一般債権者として配当要求をする場合には、執行力のある債務名義の正本（債務名義を取得していない段階であれば仮差押決定正本）を提出する必要がある。

配当要求をする際に提出を要する資格証明書等については、前記1のと

なお、東京地裁民事執行センターでは、配当要求に際して、差押債権者及び所有者に配当要求の通知を普通郵便でする関係で（規27条）、通知を受けるべき当事者の人数に相当する数の配当要求書副本の提出を求めている。

(3) 配当の順位

　滞納管理費等についての先取特権は、前記2(1)で述べたように、優先権の順位及び効力については、一般の先取特権である共益費用の先取特権とみなされるので、配当の順位及び効力は以下のようになる。もっとも、滞納管理費等についての先取特権が登記されるということは実務上ほとんど考えられないので、ⅰが問題となることはまずない。

ⅰ　一般の先取特権と抵当権、質権その他の担保物権との優劣は、物権変動の一般原則により、登記の前後によって定められる（民341条、373条）。したがって、目的不動産について登記がされた場合には、抵当権、質権その他の担保物権との優劣は、登記の前後によって定められ、公租公課との関係においても、法定納期限等と登記の先後によって優劣が定められる（国徴20条1項4号、地税14条の14第1項4号）。

ⅱ　目的不動産に登記がされていない場合は、目的不動産に登記をした抵当権者・質権者等の担保権者に対抗することができないから（民336条ただし書）、これらの担保権者に劣後する。

ⅲ　目的不動産に登記がされていない場合でも、担保を有しない一般債権者には対抗することができるから（民336条本文）、一般債権者に優先する。

ⅳ　共益費用の先取特権とみなされるから、一般の先取特権の中では第1順位となるが（民329条1項、306条）、特別の先取特権には劣後する（民329条2項本文）。

　なお、民法329条2項ただし書により、共益費用の先取特権はその利益を受けた総債権者に対して優先する効力を有することとされているが、この規定はその利益を受けた債権者に対してのみ適用があることから、滞納管理費等についての先取特権はこれに該当せず、この規定は適

用されない（注釈民法(8)199頁〔西原道雄〕、伊藤ほか・前掲216頁）。
ⓥ 滞納管理費等についての先取特権者が、同一債務者に対する動産執行において配当手続が行われたり、特別担保の目的となっていない不動産の競売手続等において配当手続が行われたりしたにもかかわらず配当加入を怠った場合において、後に特別担保の目的となっている不動産についての配当手続が行われ、これに配当要求をしたときには、先に行われた動産執行又は不動産競売手続で配当加入していたならば弁済を受けることができた額については、登記をした第三者に対して先取特権を行使することができない（民335条1項ないし3項）。もっとも、動産の代価に先立って不動産の代価を配当する場合や特別担保の目的でない不動産の代価に先立って特別担保の目的である不動産の代価の配当等をする場合には、これらの規定は適用されない（同条4項）。このような事情については、執行裁判所は当然には知り得ないことであるから、利害関係を有する第三者が配当異議等において主張したときに考慮することとなる。

(4) 請求の拡張の可否

　滞納管理費等についての先取特権者は、配当要求終期までに書面で配当要求をした場合にのみ配当等の受領資格が与えられる（法51条、87条1項2号、規26条）。そして、配当要求書には、配当等を求める債権の原因及び額を記載しなければならない（規26条）。したがって、配当要求債権者が配当期日等において配当等を受けることができるのは、配当要求書記載の債権のみであり、配当等の時に債権計算書で配当要求書を超える債権について請求の拡張をしたとしても、拡張した債権について配当等を受けることはできないと解されている。

　なお、滞納管理費等の附帯請求である遅延損害金は、支払済みまで請求する旨配当要求書に記載してあれば、配当期日等までの分について配当等を受けることができる。

(5) 配当要求と時効の完成猶予・更新の効力

　最判令2.9.18（民集74巻6号1762頁）は、不動産競売手続において区分所有法7条1項（区分所有66条で準用）の先取特権を有する債権者が配当

要求をしたことにより、同配当要求における配当要求債権について、差押え（平成29年民法改正法による改正前の民法147条2号）に準ずるものとして消滅時効の中断の効力が生ずるためには、法定文書により上記債権者が先取特権を有することが同手続において証明されれば足り、債務者が配当要求債権についての配当異議の申出等をすることなく配当等が実施されるに至ったことまでを要しないとした。同最判は平成29年民法改正法による改正後の消滅時効の完成猶予・更新についてもその趣旨が当てはまると考えられる。

5　滞納管理費等がある場合の評価上の取扱い

　前記2(1)で述べたように、滞納管理費等の債権は、債務者たる区分所有者の特定承継人に対しても行使することができ（区分所有8条）、この特定承継人には強制競売や担保不動産競売による買受人も含まれると解されている。したがって、滞納管理費等がある場合には、物件明細書（法62条1項）にその旨記載されるのが通例であり（〔Q80〕参照）、競売対象とされている区分所有建物を評価するに当たっては、滞納額に応じて相応の減価をするのが一般的である。

　もっとも、滞納管理費等の債権が申立債権（請求債権）又は配当要求債権であり、滞納管理費等の債権全額に配当が見込まれる場合には、これを控除する必要はないから、東京地裁民事執行センターでは、このような場合には滞納管理費等を控除せずに評価する取扱いである。また、滞納管理費等に応じた減価をすれば無剰余になるために申立債権者である管理組合法人等に対して無剰余通知をしたが、管理組合法人等としては可能な限り売却手続を進めたいという意向を有している場合がある。このような場合に、管理組合法人等から滞納管理費等に応じた控除をせずに評価されたい旨の上申書が提出され、買受人に対して滞納管理費等を請求しない旨の集会決議があったことを証する書類の提出があれば、滞納管理費等に応じた控除をせずに評価するのが東京地裁民事執行センターの取扱いである。

6 管理組合による買受け

　東京地裁民事執行センターにおいては、権利能力のない社団の買受けを認めていないことから（〔Q77〕参照）、管理組合が管理組合法人ではない場合には、買受けの申出をすることも、法63条2項1号の申出をすることもできない（法63条2項2号の差額負担の申出をすることはできる。）。

〈参考文献〉
新版注釈民法(7)635頁、稲本洋之助ほか『コンメンタールマンション区分所有法〔第3版〕』（日本評論社）63頁、競売不動産評価マニュアル110頁

【書式1】申立書（区分所有法7条に基づく先取特権）

担保不動産競売申立書
（区分所有法7条に基づく先取特権）

東京地方裁判所民事第21部　御中

　　　　　　　　　　　　　　　　　　令和○○年○月○日
　　　　　　　　申立債権者　○○○マンション管理組合
　　　　　　　　　　代表者理事長　○　○　○　○　㊞
　　　　　　　　　　電　　話　○○－○○○○－○○○○
　　　　　　　　　　ＦＡＸ　　○○－○○○○－○○○○

　　　当事者　　　　　　　　　　　　別紙目録記載のとおり
　　　担保権・被担保債権・請求債権　　別紙目録記載のとおり
　　　目的不動産　　　　　　　　　　別紙目録記載のとおり

　債権者は、債務者兼所有者に対し、別紙請求債権目録記載の債権を有するが、債務者兼所有者がその支払をしないので、別紙担保権目録記載の先取特権に基づき、別紙物件目録記載の不動産の担保不動産競売を求める。
　なお、当該不動産には債務者兼所有者の家財道具しかないので、動産執行の不奏功は明らかである(注1)。
　□　上記不動産につき、入札又は競り売りの方法により売却しても適法な

買受けの申出がなかったときは、他の方法により売却することについて異議ありません。(注2)

添付書類
　1　管理規約の写し　　　　　　　　　　1通
　2　総会議案書及び総会議事録の写し　　各1通
　3　理事会議事録の写し　　　　　　　　1通
　4　不動産登記事項証明書　　　　　　　1通
　5　公課証明書　　　　　　　　　　　　1通
　6　資格証明書　　　　　　　　　　　　1通
　7　住民票　　　　　　　　　　　　　　1通

(注1)　民法335条1項所定の主張である（前記2(3)参照）。
(注2)　特別売却の実施に同意する場合は、□にチェックを入れる。

担保権・被担保債権・請求債権目録

1　担　保　権
　建物の区分所有等に関する法律7条1項に基づく、債権者の債務者兼所有者に対する別紙物件目録記載の不動産の管理費、修繕積立金及び駐車場使用料並びにこれらの遅延損害金の支払請求権について、債務者兼所有者の同不動産の区分所有権（共用部分に関する権利及び敷地利用権を含む。）の上に有する先取特権

2　被担保債権及び請求債権
　(1)　元　　　金　　〇〇〇万〇〇〇〇円
　　　ただし、別紙滞納管理費等明細書（※省略）記載の令和〇〇年〇月分から令和〇〇年〇月分までの管理費、修繕積立金及び駐車場使用料の合計額

　(2)　遅延損害金
　　　ただし、別紙滞納管理費等明細書（※省略）記載の令和〇〇年〇月分から令和〇〇年〇月分までの管理費、修繕積立金及び駐車場使用料の未払に係る各請求月分の各支払期限の翌日から支払済みまで年〇％の割合による各遅延損害金の合計額

Q21

【書式２】陳述書（不動産以外の財産に対する担保権の実行では請求債権に足りない旨）

令和○○年(ケ)第○○○号担保不動産競売事件

陳　述　書

東京地方裁判所民事第21部　御中

令和○○年○月○日
申立債権者　○○○マンション管理組合
代表者理事長　○　○　○　○　㊞

　債権者は、別紙物件目録記載の不動産及び共用部分に備え付けられた債務者兼所有者の財産に対する担保権の実行では、請求債権額に足りないことを報告します。

1　調　査　日
　　　　　　（省　　　略）
2　調査の要旨
　　　　　　（省　　　略）
3　調査の結果
　　　　　　（省　　　略）

☐　よって、債務者兼所有者の専有部分及び共用部分には、債務者兼所有者の動産はない。
☐　よって、債務者兼所有者の専有部分及び共用部分に備え付けられた債務者兼所有者の動産によっては、請求債権額に満たない。

（注）　調査の結果として、末尾のいずれかのように結論を簡潔に説明する必要がある。また、競売申立てが代理人弁護士による場合には、弁護士作成の報告書でもよい。

【書式3】理事長の資格証明書

理事長の資格証明書

令和〇〇年〇月〇日

東京地方裁判所民事第21部　御中

東京都〇〇区〇〇〇丁目〇番〇号
〇〇〇〇マンション管理組合

理　事　△　△　△　△　印
理　事　×　×　×　×　印

　〇〇〇〇マンション管理組合の令和〇〇年〇月〇日開催の通常総会において、〇〇〇〇氏が当管理組合の理事長に選任され、現在も同氏が理事長であることを証明します。

【書式4】申立書（強制競売）

不動産強制競売申立書

東京地方裁判所民事第21部　御中

令和〇〇年〇月〇日

申立債権者　〇〇〇マンション管理組合
代表者理事長　〇　〇　〇　〇　印
電　話　〇〇-〇〇〇〇-〇〇〇〇
ＦＡＸ　〇〇-〇〇〇〇-〇〇〇〇

当事者　　　　　　　　別紙目録記載のとおり
請求債権　　　　　　　別紙目録記載のとおり
目的不動産　　　　　　別紙目録記載のとおり

　債権者は、債務者に対し、別紙請求債権目録記載の執行力のある判決正

Q21

本に表示された上記債権を有しているが、債務者がその支払をしないので、債務者所有の別紙物件目録記載の不動産の強制競売を求める。

☐ 上記不動産につき、入札又は競り売りの方法により売却しても適法な買受けの申出がなかったときは、他の方法により売却することについて異議ありません。(注)

添付書類

1　管理規約の写し　　　　　　　　　1通
2　総会議案書及び総会議事録の写し　各1通
3　理事会議事録の写し　　　　　　　1通
4　執行力のある判決正本　　　　　　1通
5　送達証明書　　　　　　　　　　　1通
6　不動産登記事項証明書　　　　　　1通
7　公課証明書　　　　　　　　　　　1通
8　資格証明書　　　　　　　　　　　1通
9　住民票　　　　　　　　　　　　　1通

（注）　特別売却の実施に同意する場合は、☐にチェックを入れる。

請求債権目録

　債権者債務者間の東京地方裁判所令和○○年(ワ)第○○○○号事件の執行力ある判決正本に表示された下記金員

1　元　　金　　○○○万○○○○円
　　ただし、上記判決主文第○項記載の金員

2　遅延損害金
　　上記元金に対する令和○○年○月○日から支払済みまで年○％の割合による金員

【書式5】申立書(区分所有法59条に基づく競売)

不動産競売申立書
(区分所有法59条に基づく競売)

東京地方裁判所民事第21部　御中

令和○○年○月○日
○○○マンション管理組合管理者
申立人　○　○　○　○　印
電　話　○○-○○○○-○○○○
FAX　○○-○○○○-○○○○

　　当事者　　　　　　　　　　　別紙目録記載のとおり
　　目的不動産　　　　　　　　　別紙目録記載のとおり

　申立人は、東京地方裁判所令和○○年(ワ)第○○○号区分所有権等競売請求事件の確定した判決に基づき、別紙物件目録記載の不動産の競売を求める。
　□　上記不動産につき、入札又は競り売りの方法により売却しても適法な買受けの申出がなかったときは、他の方法により売却することについて異議ありません。(注)

添付書類

1　管理規約の写し　　　　　　　　　　1通
2　総会議案書及び総会議事録の写し　　各1通
3　理事会議事録の写し　　　　　　　　1通
4　区分所有建物競売請求事件の判決謄本　1通
5　判決確定証明書　　　　　　　　　　1通
6　不動産登記事項証明書　　　　　　　1通
7　公課証明書　　　　　　　　　　　　1通
8　資格証明書　　　　　　　　　　　　1通
9　住民票　　　　　　　　　　　　　　1通

(注)　特別売却の実施に同意する場合は、□にチェックを入れる。

【書式6】配当要求書

配当要求書

東京地方裁判所民事第21部　御中

　　　　　　　　　　　　　　　　　　　　　　令和〇〇年〇月〇日
　　　　　　　配当要求債権者　〇〇〇マンション管理組合
　　　　　　　　　　　　　　代表者理事長　〇　〇　〇　〇　印
　　　　　　　　　　　　　　電　話　〇〇－〇〇〇〇－〇〇〇〇

債　権　者　〇〇〇株式会社
債　務　者　×　×　×
所　有　者　△　△　△　△

　上記当事者間の御庁令和〇〇年(ケ)第〇〇〇号担保不動産競売事件について、次のとおり配当要求をする。

1　配当要求をする債権の原因及び額
　(1)　所有者は、別紙物件目録記載の建物及びその敷地である同目録記載の土地の共有持分を所有しており、上記建物を含む〇〇〇マンション(以下「本件マンション」という。)の区分所有者である。
　(2)　本件マンションの管理規約〇〇条によると、区分所有者である所有者は、毎月〇〇日までに翌月分の管理費及び修繕積立金を支払わなければならず、期限までに支払をしないときは、年〇〇％の遅延損害金を付加して支払わなければならないことになっている。
　(3)　所有者が支払うべき管理費及び修繕積立金は、本件マンション管理組合第〇回総会(令和〇年〇月〇日開催)の議決により、令和〇年〇月分から管理費は月額〇〇〇〇円に、修繕積立金は月額〇〇〇〇円にそれぞれ改定された。
　(4)　所有者は、別紙滞納管理費等明細書(※省略)記載のとおり、令和〇年〇月〇日までに支払うべき管理費及び修繕積立金(令和〇年〇月分から令和〇年〇月分まで)の支払を怠り、それ以降の支払もしない。

2　配当要求の資格
　　前記1記載の管理費及び修繕積立金は、建物の区分所有等に関する法律7条1項の規定により、別紙物件目録記載の不動産上の先取特権によ

り担保されている。

3 配当要求債権者の地位
 (1) 配当要求債権者は、本件マンションの区分所有者により組織され、管理規約を定め、業務執行機関である理事会を置き、代表者たる理事長を定めるいわゆる権利能力のない社団であり、民事執行法20条、民事訴訟法29条によって自己の名において配当要求をする資格を有する。
 (2) 配当要求債権者の代表者○○○○は、本件マンション管理組合第○回総会（令和○年○月○日開催）の議決により、当管理組合を代表する理事長に選任され、その就任を承諾した。
 (3) 配当要求債権者は、本件マンション管理組合第○回理事会（令和○年○月○日開催）の議決により（本件マンション管理規約○条により、理事会の決議によって授権を行うことができる。）、本配当要求をするための授権を受けた。

4 よって、配当要求債権者は、前記2記載の先取特権に基づき、前記記載の管理費、修繕積立金及びこれらに対する遅延損害金の支払を求めるため、別紙滞納管理費等明細書（※省略）記載の金員について配当要求をする。

添付書類
1 ○○○マンション管理規約の写し
2 ○○○マンション管理組合第○回総会議案書及び総会議事録の写し
3 ○○○マンション管理組合第○回理事会議事録の写し

(注) 配当要求書には申立手数料500円分の収入印紙を貼付し（民訴費3条1項別表第一・17ロ、8条）、通知人数分の通知用普通郵便切手を添付する。

Q22 自動車に対する競売の申立て及びその後の手続

自動車に対する強制競売や、自動車を目的とする担保権実行としての自動車担保競売の申立ての対象となる自動車はどのようなものか。また、これらの競売手続はどのように進められるか。

1 対象となる自動車

　自動車に対する強制競売（自動車執行。規86条）・自動車を目的とする担保権実行としての競売（自動車担保競売。規86条、176条2項。以下、原則として、自動車執行に関する規則の規定を準用する場合の規176条2項の記載は省略する。）の対象は、道路運送車両法13条1項に規定する登録自動車（自動車抵当法2条ただし書に規定する大型特殊自動車を除く。）である。具体的には、道路運送車両法2条2項に規定する自動車のうち、軽自動車、小型特殊自動車、二輪の小型自動車及び上記大型特殊自動車（建設機械）以外のもので（道路運送車両4条、規86条）、自動車登録ファイルに登録を受けたものが、自動車執行及び自動車担保競売（本設例では、併せて「自動車競売」ともいう。）の対象となる。

　なお、上記大型特殊自動車（建設機械）で建設機械登記簿に登記されたものについては、建設機械に対する強制執行の対象となり、また、軽自動車、小型特殊自動車、二輪の小型自動車、未登録自動車及び大型特殊自動車で建設機械登記簿に登記されていないものについては、動産執行・動産競売の対象となる。また、所有権留保付きで購入された自動車については、その買主を債務者とする自動車執行・自動車担保競売はできない。ただし、形式的競売のうち、相手方（債務者）の責任財産であることを要しない競売手続の場合には、相手方（債務者）が所有者として登録されていない自動車を対象とする競売をすることも認められる。

2 管轄裁判所

自動車の自動車登録ファイルに登録された使用の本拠の位置を管轄する地方裁判所が、執行裁判所として管轄する(規87条1項)。この管轄は専属である(同条2項)。

3 強制執行及び担保権実行の方法

自動車執行及び自動車担保競売は、原則として、不動産に対する強制競売及び担保不動産競売に準じて行われる。

(1) 申立て

ア 申立書の記載事項(自動車執行は規88条、21条、自動車担保競売は規176条1項、170条1項各号)

(ア) 債権者及び債務者(自動車担保競売の場合は、債権者、債務者及び担保権の目的である権利の権利者)の氏名又は名称及び住所並びに代理人の氏名及び住所

(イ) 債務名義の表示(自動車執行の場合)

(ウ) 目的自動車の表示及び自動車執行(自動車担保競売)を求める旨

(エ) 請求債権の表示、その請求債権の一部についてのみ強制執行を求めるときは、その旨及びその範囲(自動車担保競売の場合は、担保権及び被担保債権の表示、被担保債権の一部について担保権の実行をするときは、その旨及びその範囲)

(オ) 自動車の自動車登録ファイルに登録された使用の本拠の位置(自動車登録ファイルの表示部の「使用の本拠の位置」欄に記載された場所を記載する。)

イ 添付書類(主なもの)

(ア) 執行力のある債務名義の正本(規88条。自動車担保競売の場合は、担保権の存在を証する文書(規176条2項、法181条1項))

(イ) 自動車執行の場合、強制執行開始の要件が満たされたことを証する文書(法29条ないし31条)

(ウ) 登録事項等証明書(自動車執行の場合は規88条、自動車担保競売の場

合は規176条1項)

ウ　費　　用

(ア)　申立費用

4000円である（民訴費3条1項別表第一・11イ)。なお、東京地裁民事執行センターでは、自動車執行の場合は、請求債権1個につき4000円、自動車担保競売の場合は、担保権1個につき4000円、形式的競売の場合は、事件1件につき4000円とする取扱いである。

(イ)　手続遂行に必要な費用として執行裁判所の定める金額（予納金。法14条1項)

東京地裁民事執行センターでは、現在、予納金は自動車1台について10万円であり、郵便料金も、その予納金から支払っているため、予納金とは別に郵便切手の納付は要しない取扱いである（ただし、申立債権者において保管金提出書等の書類の郵送を希望する場合には、重量に応じた郵便切手の提出が必要である。また、庁によっては、予納金とは別に一定の金種別の一定の金額を郵便切手で納付することを求める場合もある。)。

なお、自動車引渡執行の申立てに当たっては、別途、執行官に対する手数料及び費用等の予納が必要となる。

(2)　**自動車競売の開始決定**

自動車競売の開始決定においては、債権者のために自動車を差し押さえる旨を宣言し、かつ、債務者（所有者）に対し、自動車を執行官に引き渡すべき旨を命ずる（規89条1項)。

既に他の債権者の申立てにより自動車の競売開始決定がされ、執行官が自動車の引渡しを受けた旨の届出（規90条1項）をしている場合は、開始決定において自動車の引渡命令を発する必要はない（規89条1項ただし書)。引渡命令は、債務者（所有者）に対してのみ発することができるため、第三者が占有している場合には、その第三者に対して発することはできず、第三者が執行官に対し、任意に自動車を提出しない限り、競売手続を取り消すこととなる（規97条、法120条)。第三者が留置権に基づき自動車を占有している場合も同様である（条解民事執行規則(上)457頁)。

(3) 差押えの登録嘱託

開始決定がされたときは、裁判所書記官は、直ちに、運輸監理部長又は運輸支局長に対し、差押えの登録の嘱託をしなければならない（規97条、法48条1項）。差押えの登録に当たって登録免許税は不要である。

(4) 開始決定の送達

開始決定は、債権者及び債務者（所有者）に告知するが、債務者（所有者）に対する告知は、送達の方法による（規97条、法45条2項）。実務では、債務者（所有者）の執行妨害を防止するため、執行官から自動車の引渡執行が完了したことの届出（後記(6)ア(ウ)参照）がされた後に債務者（所有者）に送達している。差押えの効力は、開始決定が債務者（所有者）に送達された時に生ずるが、差押えの登録がその開始決定の送達前にされたときは、登録がされた時に生ずる（規97条、法46条1項）。また、債務者（所有者）への開始決定の送達又は差押えの登録前に執行官が自動車の引渡しを受けたときは、その引渡しを受けた時に生ずる（規89条2項）。

(5) 開始決定に対する不服申立て

不動産強制競売及び担保不動産競売における開始決定に対しては、執行抗告をすることができないが（〔Q27〕参照）、自動車執行及び自動車担保競売における開始決定に対しては、執行抗告をすることができる（規89条3項）。

(6) 自動車の引渡命令

ア　自動車を債務者（所有者）が占有する場合

開始決定で債務者（所有者）に対し発せられた引渡命令は、債務名義に準じて取り扱われ、かつ、自動車競売手続の一環としての特殊性から、執行文の付与を要せず、また、開始決定が債務者（所有者）に送達される前であっても執行をすることができる（規89条4項。条解民事執行規則(上)427頁）。したがって、債権者は、この命令に基づき、執行官に対し開始決定の正本を添付して自動車引渡執行の申立てをすることができる。この申立ては、自動車が所在する地を管轄する地方裁判所に所属する執行官に対して行う（執行官4条）。開始決定がされた日から1か月以内に執行官が自動車を取り上げることができないときは、執行裁判所は自動車競売の手続を

取り消す（規97条、法120条）。これは、債権者が執行官に対する申立てを失念していて取り上げるに至らなかった場合も同様であるので、債権者は注意する必要がある。

　上記申立てを受けた執行官は、債務者（所有者）から当該自動車を取り上げて自ら保管する方法により執行する（法169条1項、2項、168条6項前段。条解民事執行規則(上)427頁）。執行官は、相当と認めるときは、差押債権者、債務者（所有者）その他適当と認められる者に当該自動車を保管させることができる（規91条1項前段）。この場合、執行官は、公示書を貼るなどして執行官の占有に係る旨の表示をしなければならず（同項後段）、運行を許可する場合を除き、運行させないための適当な措置をとらなければならない（同項後段）。

　執行官は自動車の引渡しを受けたときは、その旨並びに自動車の保管場所及び保管方法を執行裁判所に届け出る（規90条1項）。

イ　差押え後に自動車の占有が第三者に移転された場合

　差押えの効力が生じた時点で債務者（所有者）が占有していた自動車の占有を、債務者（所有者）が第三者に移転し、その第三者が、執行官の引渡執行に対し提出を拒む場合で、自動車競売の差押債権者から申立てがあるときは、執行裁判所は、その第三者に対して自動車の引渡命令を発することができる（規97条、法127条1項）。ただし、この申立ては、差押債権者が、第三者が自動車を占有していることを知った日から1週間以内にしなければならない（規97条、法127条2項）。この引渡命令には執行文の付与を要せず、差押債権者は、この命令正本に基づいて執行官に対し引渡執行の申立てを行うことができる。この執行は、債務者（所有者）への開始決定送達前及び第三者への引渡命令送達前でも執行をすることができる。執行官は、動産の引渡しの強制執行に準じて、目的自動車を第三者から取り上げて自ら保管する。なお、この執行は、差押債権者に命令が告知された日から2週間を経過したときは執行することができない（規97条、法127条4項、55条8項）。

ウ　自動車競売申立て前の引渡命令

　自動車執行又は自動車担保競売の申立て前に自動車を取り上げなければ

自動車競売が著しく困難となるおそれがあるときは、自動車の所在地を管轄する地方裁判所は、申立てにより、債務者（所有者）に対し、自動車を執行官に引き渡すべき旨を命ずることができる（規97条、法115条（1項後段を除く。））。この引渡命令には執行文の付与を要しないこと、債権者はこの命令正本に基づいて執行官に対し引渡執行の申立てを行うこと、この執行は、債務者（所有者）への引渡命令送達前でも執行ができること、執行官は、動産の引渡しの強制執行に準じて、目的自動車を第三者から取り上げて自ら保管すること、債権者に命令が告知された日から2週間を経過したときは執行することができないことは、前記イの場合と同様である。

この申立ては、暫定的な措置のため、執行官が自動車の引渡しを受けた日から10日以内に、債権者が自動車競売の申立てをしたことを証する執行裁判所の証明書を提出しないときは、執行官は、引渡しを受けた自動車を債務者（所有者）に返還しなければならない（規97条、法115条4項）。

(7) **自動車の評価**

東京地裁民事執行センターでは、回送や事件の移送（後記(8)ア）がされる場合、回送先や移送先で評価手続をした方が評価人に便宜であると思われることから、執行官から自動車の引渡しを受けた旨の届出書（規90条1項）が提出され、かつ、自動車の回送や事件の移送の必要がないと認められる場合に、評価命令を発令する取扱いである。

評価は、執行裁判所により選任された評価人が評価する。

評価人は、目的自動車の評価額、評価の年月日、評価額の算出の過程、執行裁判所が定めた事項を記載した評価書を所定の日までに提出しなければならない（規97条、30条（同条1項4号、5号及び2項を除く。））。

(8) **売却準備**

ア　自動車の回送等

(ア)　回　　送

執行裁判所は、その地方裁判所に所属する執行官が差押えに係る自動車を占有している場合、自動車の保存等のために目的自動車を他の場所に移動させる必要があるときは、執行官に対し自動車を一定の場所に回送すべきことを命ずることができる（規92条）。

Q22

⑷　回送命令の嘱託

　自動車引渡命令は、自動車の所在地で執行することとなるため、自動車競売の執行裁判所以外の地方裁判所に所属する執行官が自動車を占有していることがある。そこで、自動車競売の執行裁判所に所属する執行官に自動車の占有を得させる方法として、後記(ｳ)の場合を除き、執行裁判所が、自動車を占有する執行官の所属する地方裁判所に対し、当該自動車を執行裁判所に所属する執行官に引き渡すべき旨を命ずるよう嘱託すべきものとしている（規93条1項）。

(ｳ)　事件の移送

　執行裁判所は、他の地方裁判所に所属する執行官が自動車を占有している場合において、執行裁判所の管轄区域内への自動車の回送のために不相応な費用を要すると認めるときは、その地方裁判所に事件を移送することができる（規94条1項）。自動車の現状や交通事情等から回送するについて重大な困難がある場合や、自動車の所在地が遠隔の地にあって運搬に多額の費用を要するような場合に行われるが、この移送は執行裁判所の職権により行われ、当事者には申立権はない。移送決定は差押債権者及び債務者（所有者）に告知されるが、この決定に対し不服申立てはできない（規94条2項）。

(ｴ)　自動車の取戻し

　執行官が占有を取得した後に、債務者（所有者）が自動車を持ち出したり、第三者に渡したりした場合には、執行官は、これらの者から自動車を取り戻すことができる。この場合、その自動車が当該執行官の職務執行管轄区域外にあるときでも、取戻しのために職務を行うことができる（規97条、109条）。

イ　売却基準価額の決定

　執行裁判所は、評価書が提出された後、評価人の評価に基づいて、自動車の売却基準価額を定める（規97条、法60条1項）。

ウ　剰余の判断

　執行裁判所は、配当要求の終期が到来した後に、不動産競売手続の場合と同様に剰余の判断を行う（規97条、法63条）。無剰余の場合には、法63条

１項の手続をとった上で、同条２項の手続取消し等の措置をとる。無剰余とならない場合には、売却等の手続を進めることになる。

エ　評価書の公開

裁判所書記官は、自動車を入札又は競り売りの方法により売却するときは、一般の閲覧に供するための評価書の写しの執行裁判所における備置き又は当該評価書の内容に係る情報についての規則31条１項の措置に準ずる措置を、売却の実施日の１週間前までに開始しなければならない（規97条、85条）。なお、自動車競売では、不動産競売とは異なり、現況調査や物件明細書の作成は行わないため、現況調査報告書や物件明細書の写しの備置きはない。

(9)　売却実施

ア　売却方法

裁判所書記官は、その管轄区域内において執行官が自動車の占有を取得した後でなければ、その売却を実施させることができない（規95条。ただし、規96条２項による売却を実施するときは、執行裁判所の管轄区域内に自動車が存在しなくても差し支えない。）。売却の方法は、裁判所書記官が相当と認めるときに行われる期日入札（規97条において規34条中期間入札に係る部分が準用から除外されている。）、競り売り、裁判所書記官が相当と認めるときに行われる、入札又は競り売り以外の方法（特別売却。規96条１項）のほか、執行裁判所が相当と認めるときに行われる、債権者の買受けの申出に対し売却許可決定をする方法（いわゆる自動車譲渡命令。規96条２項。後記イ）がある。特別売却による場合、その手続は不動産競売の場合に準じて行われるが、不動産競売の場合と異なり、一旦入札又は競り売りを行った上で行わなければならないという制限はない。

現在、東京地裁民事執行センターでは、上記売却方法のうち、期日入札を除いた方法を適宜選択して売却を実施している。

イ　自動車譲渡命令

自動車は、一般の動産と同様に、時日の経過による価額の下落が著しいため、簡便で迅速に売却する方法として、自動車譲渡命令（規96条２項）が認められている。

㈦　申立て時期

　買受けの申出の額は、買受可能価額以上の価額でなければならないため、売却基準価額の決定後に申し立てられることが一般的であるが、売却基準価額の決定前に「買受可能価額で買い受ける」旨の申出も可能と解される（深沢利一「民事執行の実務㈥」156頁）。したがって、競売の申立てをする時に、同申出をしても差し支えない。

㈧　申立ての内容

　債権者が買受けの申出の額を定め、自己に売却許可決定をすべき旨を明らかにしてする。買受けの申出の額は、買受可能価額以上の価額でなければならない。なお、売却許可決定を受けた債権者は、自己が売却代金から配当又は弁済を受けるべき額を差し引いて代金を納付する旨の申出ができる（規97条、法78条4項）。この差引納付の申出は売却許可決定が確定するまでにしなければならないので、失念等防止のため自動車譲渡命令の申立ての際に併せて申出をしておくことが望ましい。

㈨　保　　証

　保証の提供は要しない（規97条において法66条が準用から除外されている。）。

㈩　売却許可決定

　債権者に対する売却許可決定は、売却決定期日を開かないですることができる（規97条における法69条の準用除外）。この許可決定は、各債権者及び債務者（所有者）に告知しなければならないが（規2条1項2号、97条、法74条、規96条3項）、この許可決定の言渡しやその公告をする必要はない（規97条における96条2項の場合の法69条、規54条、55条の準用除外）。この決定により自己の権利を害される者は、執行抗告をすることができる（規97条、法74条1項）。

⑽　代金納付、所有権移転等の登録嘱託、配当

　執行裁判所は、売却許可決定が確定したときは、代金を納付させて、配当等を実施する。代金納付、配当等手続は、不動産競売の場合に順じて行われる。前記⑼イ㈧のとおり、代金を納付するに当たり、債権者の執行裁判所に対する買受けの申出について売却許可決定がされたときは（規96条

2項、3項)、同債権者から差引納付の申出をすることができる（規97条、法78条4項)。

　代金が納付されたときは、裁判所書記官は、運輸監理部長又は運輸支局長に対し所有権移転の登録及び差押えの登録の抹消の嘱託を行う（規97条、法82条)。なお、不動産登記と異なり、執行裁判所からの嘱託の書面のみでは実際の登録等の手続ができないため、東京地裁民事執行センターでは、自動車の買受人に対し上記登録等の嘱託情報等を提供し、所有権移転の登録等の手続を事実上委託する取扱いである。

(11) 買受人に対する自動車の引渡し

　代金を納付した買受人は、執行裁判所からその旨の証明書の交付を受けて、これを執行官に提出し、執行官から自動車の引渡しを受ける（規96条の2)。

(12) 自動車競売の申立ての取下げ等があった場合の措置

　申立ての取下げや競売手続取消しの効力が生じたときは、裁判所書記官は、その旨を執行官に通知する（規96条の4第1項)。通知を受けた執行官は、自動車を受け取る権利を有する者が債務者（所有者）以外であるときは、その者に対し、取下げ又は取消しの通知をしなければならない（同条2項)。

　上記通知を受けた執行官は、自動車を受け取る権利を有する者が自動車を保管している場合を除き、自動車を受け取る権利を有する者に、自動車の所在する場所で、目的自動車を引き渡さなければならない（規96条の4第3項)。

　これを引き渡すことができないときは、執行裁判所は、執行官の申立てにより、自動車執行の手続により自動車を売却する旨の決定及び強制競売の開始決定をする（規96条の4第4項。なお、自動車は執行官が既に保管しているため、引渡命令の必要はない。)。この決定がされたときは、裁判所書記官は、開始決定に係る差押えの登録を嘱託し（規97条1項、法48条)、また、債務者及び抵当権者に対してその旨を通知しなければならない（規96条の4第5項)。売却の手続は、通常の自動車執行の場合と同じであるが、執行官を保管義務から解放するというこの制度の趣旨から（条解民事執行

規則(上)452頁)、剰余主義の適用はないと解される。自動車が売却され、売却代金が納付されたときは、執行裁判所は、その代金から売却及び保管に要した費用を控除し、残余があるときは、売却代金の交付計算書を作成して、抵当権者に弁済金を交付し（抵当権は売却により消滅するためである。）、剰余金は債務者（所有者）に交付しなければならない（同条6項）。配当等を受けるべき債権者において、法91条に定める事由があるときは、裁判所書記官は、その配当等の額に相当する金銭を供託しなければならない（規96条の4第7項）。

【書式】申立書

```
                    自動車強制競売申立書

                                 令和○○年○○月○○日
東京地方裁判所民事第21部　御中
                        債権者代理人弁護士
                            ○　○　○　○　　印
                        電　話　○○-○○○○-○○○○
                        Ｆ Ａ Ｘ　○○-○○○○-○○○○

 当 事 者 ⎫
 請 求 債 権 ⎬　別紙目録のとおり
 目的自動車 ⎭

  債権者は、債務者に対し、別紙請求債権目録記載の執行力ある判決の正本に表示された上記債権を有するが、債務者がその支払をしないので、債務者所有の別紙自動車目録記載の自動車に対する強制競売手続の開始を求める。
                    添付書類
  1  執行力のある判決の正本    1通
  2  判決正本送達証明書       1通
  3  自動車登録事項等証明書    1通
  4  資格証明書            1通
  5  委任状              1通
```

当　事　者　目　録

〒□□□-□□□□　東京都○○区○○町○丁目○番○号
　　　　　　　　債　権　者　○○○○株式会社
　　　　　　　　代表者代表取締役　○　○　○　○

〒□□□-□□□□　東京都○○区○○町○丁目○番○号
　　　　　　　　債権者代理人
　　　　　　　　弁　護　士　○　○　○　○

〒□□□-□□□□　東京都○○区○○町○丁目○番○号
　　　　　　　　債　務　者　○　○　○　○

請　求　債　権　目　録

　○○地方裁判所令和○○年(ワ)第○○○号事件の執行力ある判決正本に表示の下記金員

記

(1)　元　　金　200万円
(2)　損　害　金　上記元金に対する令和○○年○○月○○日から支払済みまで年14％の割合による損害金

自　動　車　目　録

登　録　番　号　○○105さ9876
種　　　　　別　普通
用　　　　　途　○　○
自家用、事業用の別　自家用
車　　　　　名　○○○

Q22

型　　　　　　式	KR－ABC80H
車　台　番　号	NOS90A1234567
原 動 機 の 形 式	4HL2
使用の本拠の位置	東京都○○区○○町○丁目○番○号
所 有 者 の 氏 名	○○○○

第 **2** 節

開始手続

Q23 差押えの効力及び競売と時効の完成猶予・更新

(1) 差押えにはどのような効力があるか。
(2) 競売による時効の完成猶予・更新とはどのようなものか。物上保証人が所有する不動産に対する担保不動産競売の場合、被担保債権についての消滅時効の完成猶予・更新の効力はいつ生ずるか。

1 差押えの効力

(1) 効力発生時期

差押えの効力は、競売開始決定が債務者（担保不動産競売の場合は所有者）に送達された時と差押えの登記がされた時のいずれか先にされた時に生ずる（法46条1項）。実務上は、差押えの登記が完了してから、開始決定を送達する取扱いが通例なので、差押えの効力が生ずるのは差押えの登記時となる。

(2) 処分制限効の内容

債務者（所有者）は、差押えによって、目的不動産に関する所有権の移転、担保権や用益権の設定等の処分行為を制限される。そのような処分制限に反してされた債務者（所有者）の処分行為の効力については、取引の安全を図る見地から、執行手続に対する関係においてのみ無効と考える（相対的無効説）ことでほぼ異論がない（中野＝下村「民事執行法」32頁、注釈民事執行法(3)100頁〔三宅弘人〕）。

(3) 個別相対効と手続相対効

相対的無効説の中にも、差押債権者の行う執行手続（言い換えれば、当該競売手続に参加する債権者全体）との関係で効力を否定する手続相対効説と、差押債権者（及び処分行為の前に当該競売手続に参加していた債権者）との関係でのみ効力を否定する個別相対効説とがあるが、民事執行法は、手続相対効説を採用していると考えられる。その理由としては、①法87条1項4号が、差押えの登記前に登記された先取特権、質権又は抵当権で、売

却により消滅するものを有する債権者が配当を受けられる旨を定め、差押え後に登記された担保権者に対しては配当を認めていないこと、②同条2項が、差押えの登記前に登記された担保権であっても、それが他の債権者の仮差押えの登記に後れるものである場合には、担保権者は仮差押えが効力を失ったときにのみ配当を受けられるとし、仮差押えの処分禁止効に反した者は配当を受けられないとしていること、③同条3項が、二重開始決定があった場合において、先行事件の差押え後、後行事件の差押え前に登記された担保権者は、先行事件の差押えが効力を失った場合に限り配当を受けられる旨定めていること、④法84条2項が、債権者に配当をして剰余がある場合につき、債務者（所有者）に剰余金を交付すべき旨定めており、差押え後に目的不動産を取得した第三者は交付を受け得ないと解されていることが挙げられる。

2　競売と消滅時効の完成猶予・更新

(1)　平成29年民法改正法による改正前における差押えによる時効の中断

　平成29年民法改正法による改正前の民法147条2号によれば、差押えは消滅時効の中断事由とされていた（ただし、差押えが権利者の請求により又は法律の規定に従わないことにより取り消されたときは、中断の効力を生じない。同改正前の民154条)。前記1(1)のとおり、差押えの効力は、競売開始決定の債務者（所有者）に対する送達か差押登記のいずれか先にされた時に生ずる（法46条1項)。しかし、これらは、差押えによる処分禁止効が生ずる時期であり、消滅時効の中断の効力の発生時期については必ずしもこれと同一とは考えられていなかった。判例は、差押えが消滅時効の中断事由とされているのは、それにより権利者が権利の行使をしたといえることにあり、その効力が生ずる時期は、権利者が法定の手続に基づく権利の行使に当たる行為に出たと認められる時期、すなわち債権者が執行機関である執行裁判所又は執行官に対して執行の申立てをした時であるとしていた（不動産執行について大決昭13.6.27民録26輯949頁、動産執行について最判昭59.4.24民集38巻6号687頁。ただし、物上保証人に対する担保不動産競売の場合は後記(3)及び(4)参照)。

(2) 競売申立てによる時効の完成猶予・更新

　平成29年民法改正法による改正後の民法は、従来の消滅時効の中断について、その効果に着目し、消滅時効の「完成猶予」（猶予事由が発生しても時効期間の進行自体は止まらないが、本来の時効期間の満了時期を過ぎても、所定の時期を経過するまでは時効が完成しないという効果を意味する。）と「更新」（更新事由の発生によって進行していた時効期間の経過が無意味なものとなり、新たに零から進行を始めるという効果を意味する。）という、その効果の内容を端的に表現する二つの概念で再構成した。

　民事執行との関係では、㋐強制執行、㋑担保権の実行、㋒形式競売、㋓財産開示手続又は情報取得手続の各事由がある場合には、その事由の終了まで（申立ての取下げ又は法律の規定に従わないことによる取消しによってその事由が終了した場合にあっては、その終了の時から6か月を経過するまで）、消滅時効の完成が猶予される（民148条1項）。その上で、その事由の終了の時において時効は更新され、時効期間は新たにその進行を始める（申立ての取下げ又は法律の規定に従わないことによる取消しによってその事由が終了した場合を除く。同条2項）。なお、これにより、代替執行（法171条1項）や間接強制（法172条1項）などの差押えを伴わない強制執行や財産開示手続・情報取得手続についても、明文で消滅時効の完成猶予・更新の事由とされることになった。

　したがって、強制競売、担保不動産競売（ただし、物上保証人に対する担保不動産競売の場合は後記(3)及び(4)参照）及び形式競売には、消滅時効の完成猶予の効力があり、従前の時効中断の効力発生時期に関する前記(1)の各判例の趣旨は時効の完成猶予についても当てはまることから、消滅時効の完成猶予の効力は、競売の申立て時に生ずると考えられる。

(3) 物上保証人が所有する不動産に対する担保不動産競売と時効の完成猶予・更新

　物上保証人に対する担保不動産競売の申立てによる被担保債権についての時効中断効の発生時期に関しては、ⓐ債務者本人に対する競売申立てと同様に競売の申立て時であるとする説、ⓑ債務者に競売開始決定正本が到達した時であるとする説、ⓒ債務者に競売開始決定正本が送達された時

に、申立て時に遡って中断効が生ずるとする説などの対立があったが、判例は、一貫してⓑの到達時説に立っている（最判昭50.11.21民集29巻10号1537頁、最判平8.7.12民集50巻7号1901頁・金法1469号60頁）。

これは、時効中断の効果は原則としてその中断行為の当事者及びその承継人に対してのみ及ぶが（平成29年民法改正法による改正前の民148条）、差押えは時効の利益を受ける者に対して行われるとは限らないことから、同改正前の民法155条において、このような場合に消滅時効の中断の効力が中断行為の当事者及びその承継人以外で時効の利益を受ける者にも及ぶべきことを定めるとともに、時効の利益を受ける者が、時効の中断による不測の不利益を被ることのないよう、その者に対する通知を要することとしたという解釈によるものである。なお、判例（最判平18.11.14民集60巻9号3402頁）は、物上保証人に対する担保不動産競売開始決定が主債務者に送達された後、保証人が代位弁済をし、当該競売について差押債権者の承継を執行裁判所に申し出た場合には、承継の申出について同条所定の通知がされなくても、代位弁済によって保証人が主債務者に対して取得する求償権の消滅時効は、上記承継の申出の時から競売手続の終了に至るまで中断するとしている。これは、原債権と求償権の緊密な関係を踏まえ、債務者が当初の競売開始決定の送達を受けているときには、差押債権者の地位の承継の申出についての債務者に対する通知がなく時効中断効を認めても、債務者が不測の不利益を被ることにはならないとの評価によるものとされる。

平成29年民法改正法による改正後の民法においても、同改正前の民法148条及び155条と同様の規律が定められていることから（同改正後の民153条1項、154条）、これらの判例の趣旨はそのまま妥当すると考えられる。したがって、物上保証人に対する担保不動産競売の申立てによる被担保債権の消滅時効の完成猶予の効力は、担保不動産競売開始決定が執行裁判所から債務者に送達された時に生ずることになると解される。

Q23

(4) 物上保証人所有不動産に対する競売申立てがされ、債務者への担保不動産競売開始決定正本の送達が付郵便送達又は公示送達の方法によってされた場合の被担保債権の消滅時効の完成猶予・更新

ア 担保不動産競売開始決定の送達の方法

　担保不動産競売開始決定は、申立債権者に対しては相当な方法で告知すれば足りるが（法20条、民訴119条）、債務者及び所有者に対しては、担保不動産競売開始決定を送達しなければならない（法45条2項）。送達すべき書類は、担保不動産競売開始決定の謄本によるのが原則であるが（規15条の2、民訴規40条1項）、実務では担保不動産競売開始決定の正本を送達する扱いが多い。

　送達の実施方法は、民訴法の規定による（法20条）。送達を実施する場所は、送達を受ける者（受送達者）の住所、居所、営業所又は事務所（民訴103条1項）である。送達の実施方法は、送達すべき書類（送達書類）を受送達者に直接交付するのが原則であるが（民訴101条）、例外として、受送達者と一定の関係を有する受送達者以外の者（補充送達受領資格者）に送達書類を交付して行う補充送達（民訴106条1項、2項）、受送達者本人又は補充送達受領資格者が正当な理由なくして送達書類の受領を拒絶した場合に送達書類をその場に差し置いて行う差置送達（民訴106条3項）、送達場所において補充送達又は差置送達ができない場合に行う付郵便送達（民訴107条）及び送達場所が不明又は就業先は判明しているが送達を実施することができない場合に行う公示送達（民訴110条）がある。

イ 担保不動産競売開始決定正本の債務者への送達が付郵便送達又は公示送達の方法により行われた場合の被担保債権の消滅時効の完成猶予・更新

　付郵便送達は、発信主義が採用され、送達すべき書類を書留郵便に付して発送すると、郵便局に差し出した時に受送達者に対して到達したものと擬制され（民訴107条3項）、送達書類が戻ってきた場合でも、送達の効力が覆ることはない。問題は、これをもって、時効の利益を有する者である債務者に対する民法154条の「通知」としての効力が生ずるか否かである。判例（最判平7.9.5民集49巻8号2784頁）は、時効中断効が問題となった事

案において、付郵便送達の実施によって発送の時に送達されたものとみなされる効果が生ずるのは不動産競売の手続上のものにとどまるのであって、実体法としての民法155条（平成29年民法改正法による改正前のもの）の適用上は、担保不動産競売開始決定正本の到達により、債務者が当該競売手続の開始を了知し得る状態に置かれることを要するというべきであるとして、送達書類を書留郵便に付して発送したことによっては時効中断の効力は生じないとしている。

　他方、債務者に対する競売開始決定正本の送達が公示送達によりされた場合の民法155条（平成29年民法改正法による改正前のもの）の通知については、同じく時効中断効が問題となった事案において、判例（最決平14.10.25民集56巻8号1942頁）は、民訴法113条の類推適用により、同法111条所定の掲示を始めた日から2週間を経過した時に、債務者に対して通知がされたものとして、時効の中断効を認めている。

　これらの判例の趣旨は、消滅時効の完成猶予・更新にも妥当するものと解される。

ウ　実務上の債権者の対応

　以上のとおり、判例によると、担保不動産競売開始決定正本の債務者に対する送達が付郵便送達によりされただけでは、主債務について消滅時効の完成猶予の効力は生じない場合があることになる。したがって、申立債権者としては、時効期間の満了まで期間的な余裕がある場合は、担保不動産競売開始決定の送達の結果を待ち、付郵便送達がされたときは、直接、主債務者に民法154条に基づく通知をしておくのが相当である。通知には、単に物上保証人の所有する不動産について担保不動産競売が開始されたという事実だけでは足りず、同手続に係る請求債権の内容を表示する必要があろう。

　他方、時効期間の満了までに期間的余裕がない場合は、担保不動産競売開始決定に基づく差押登記がされた直後に民法154条に基づく通知の手続をする必要があろう。付郵便送達の方法により送達される場合において、債務者の不在を理由に書留郵便が返送される場合には、申立債権者が公証人を伴って債務者の在宅時に訪問し、当該公証人立会いの下で通知をした

上で当該公証人に事実実験公正証書(公証人35条)を作成してもらうことも考えられる(最判解平成7年度㊦891頁〔三村量一〕)。

〈参考文献〉
筒井健夫＝村松秀樹編著『一問一答民法(債権関係)改正』(商事法務)44頁以下

Q24 二重開始決定の意義

二重開始決定とは何か。先行事件の手続が進行している場合、後行事件はどのように取り扱われるか。

1 二重開始決定

二重開始決定とは、既に競売開始決定がされた不動産を目的不動産として、更に競売の申立てがされたとき、執行裁判所が、同不動産について、重ねてする競売開始決定（法47条1項）のうち、前後の競売事件における債権者の満足につき、差押えの効力が競合する場合をいう（法47条2項ないし5項。中野＝下村「民事執行法」549頁）。

不動産執行手続における債権者の競合をどのように取り扱うかについて、民事執行法は、二重開始制度を設け、既に開始決定のされた不動産に対して重ねて競売開始決定をし、これに基づいて差押えの登記をすることを許容する一方、以後の手続の進行については、先行事件を優先させ、先行事件の取消し、取下げ又は執行停止がされた場合にのみ後行事件を進行させることとしたものである。

先行事件の差押債権者以外の債権者は、二重開始決定を得ておくことにより、先行事件の取下げや取消しがされた場合でも、後行事件の競売開始決定に基づいて手続が当然続行されるし、先行事件が停止された場合でも、後行事件の続行決定を求めることができ（詳細は〔Q25〕参照）、後行事件が続行されれば、先行事件における手続の一部を後行事件において利用することができる。

2 二重開始決定の要件

二重開始決定は、①先行事件が存在すること、②債務者（所有者）が同一であること、③代金納付前の申立てであることの3要件を満たしている場合に行われる。

Q24

(1) 先行事件が存在すること

　先行と後行との区別は、法文上は競売開始決定の先後による（法47条1項）。ただし、実務では、競売開始決定による差押えの効力が差押えの登記により生ずることから、先に差押登記のされた事件を先行事件として取り扱っている。

　すなわち、差押えの効力は、競売開始決定が債務者（所有者）に送達された時と、競売開始決定の送達前に差押えの登記がされた時のいずれか先にされた時に生ずるとされている（法46条1項）。実務では、差押えの登記が完了したことを確認してから債務者（所有者）に対して競売開始決定（正本）を送達する取扱いが通例なので、差押えの効力が生ずるのは差押えの登記時となる（詳細は〔Q23〕参照）。

(2) 債務者（所有者）が同一であること

ア　後行事件が担保不動産競売の場合

　担保不動産競売の場合は、債務者と所有者とが常に一致するわけではないため、後行事件の債務者と先行事件の債務者とが異なっても、先行事件が強制競売の場合はその債務者と後行事件の所有者とが、先行事件が担保不動産競売の場合はその所有者と後行事件の所有者とが同一であれば、二重開始の関係になる。

イ　後行事件が強制競売の場合

　強制競売は、債務者の責任財産を差し押さえて換価し、その代金から債務名義に表示された金銭債権の満足を図る手続であるから、先行事件の執行停止に伴う後行事件の続行決定を行うには、先行事件の債務者（先行事件が担保不動産競売の場合は所有者）と後行事件の債務者とが同一であることが必要となる。例えば、先行事件の強制競売に基づく差押え後に目的不動産の所有権移転登記がされ、その後、新所有者を債務者とする強制競売が申し立てられた場合には、先行事件が存在する限りその後の所有権移転は差押えの処分制限効に抵触し、差押えの効力が競合しないことから、二重開始の関係にはならない（後記4）。ただし、先行事件の差押え後に所有権の移転登記がされたとしても、所有権移転登記の前に仮差押えの登記があり、その本執行としての強制競売が後行事件として申し立てられた場

合には、仮差押え当時の所有者、すなわち先行事件の債務者が後行事件の債務者となるから、二重開始の関係となる。

　(3)　代金納付前の申立てであること

　代金納付によって買受人に所有権が移転し（法79条）、その後は先行事件の債務者（所有者）に対する差押えの余地がなくなるから、代金納付前の申立てについてのみ二重開始の関係が成立する。

3　二重開始決定の手続及び進行

　(1)　開始決定及び開始決定通知

　二重開始決定の内容は、債権者のために不動産を差し押さえる旨宣言するというものであり、通常の担保不動産競売又は強制競売申立事件の開始決定と異なるところはない。そして、開始決定後、差押えの登記嘱託がされ、登記が完了した後に、開始決定正本が債務者（所有者）に送達される。また、先行事件の配当要求の終期までに後行事件を申し立てた差押債権者は、先行事件において配当を受ける地位にあり（法87条1項1号。なお、後行事件が担保不動産競売の場合は同条同項4号。詳細は後記イ参照）、先行事件の差押債権者の配当等を受ける額に影響を及ぼす可能性があるから、配当要求があった場合と同様に、先行事件の差押債権者に対して、債務者の他の財産からの回収等を検討する機会を与えるため、二重開始決定がされた旨を通知する（規25条1項）。

　(2)　先行事件の手続が進行している場合の後行事件の処遇

ア　事件の進行

　先行事件で手続が進行する限り、目的不動産に対する換価手続を並行して実施することは不経済かつ手続の混乱の原因となるから、後行事件の手続は、差押登記の嘱託、開始決定の送達、二重開始決定がされた旨の通知をした段階で停止する。現況調査を命ずるか否かについては、見解が分かれている。これを不要とする見解は、後行事件が続行されるとは限らないこと、現況調査にも費用を要することから、先行事件が停止、取下げ又は取消しになって、後行事件を進行させる必要が生じたときに限り現況調査を命ずれば足りるとする（民事執行事件に関する協議要録31頁〔71問〕）。し

かし、現況調査は、差押え時における目的不動産の現況及び占有状況を把握するという意味で証拠保全的意義を有するものであり、後行事件の差押えの直後に実施しなければその目的を達することが困難となるから、将来の続行に備えて現況調査を命ずるのが相当である。東京地裁民事執行センターでは、このような考え方に基づき、先行事件における現況調査の最終臨場と後行事件の開始決定の時点が近接している場合を除き、後行事件についても現況調査を命じている。

イ　配当受領資格の取得

　後行事件が強制競売及び一般先取特権の実行としての担保不動産競売の場合、差押債権者が先行事件において配当を受ける資格を取得するためには、先行事件の配当要求終期までに後行事件の申立てをしていることが必要である（法87条1項1号）。ただし、二重開始決定に係る強制競売が、先行事件の差押え前に仮差押えの登記を経由した債権者による本執行である場合には、法87条1項3号の規定によって配当を受ける資格を取得するから、後行事件の申立てが配当要求の終期後であっても配当を受ける資格が認められる。なお、後行事件の請求債権が仮差押えの被保全債権を超える部分を含んでいる場合（一般に仮差押えの被保全債権は、申立て時までの遅延損害金に限定する取扱いが多いことに留意する必要がある。）、その超過する部分については、配当要求の終期までに二重開始の申立てをしなければ配当受領資格がないことに留意する必要がある。

　また、後行事件が担保不動産競売の場合、差押えの登記前に登記された担保権者等は、法87条1項4号の規定によって配当を受ける資格を取得するから、後行事件の申立てが配当要求終期後であっても配当を受ける資格が認められる。

ウ　申立担保権者の請求債権の拡張のための二重開始決定

　担保不動産競売の申立債権者が、被担保債権の一部を請求債権として申し立てた場合、配当の段階において、規則60条により提出すべき債権計算書に当初の請求債権を拡張して提出することは許されない。

　そこで、申立債権者が一部請求の残余についても配当を受けたい場合には、二重開始決定を得なければならない。東京地裁民事執行センターで

は、先行事件の配当要求終期（法49条）までに二重開始決定の申立てがあった場合に限って、配当を受ける資格を認める扱いとしている（〔Q115〕参照）。

エ　執行費用

先行事件で配当等の手続が実施される場合には、後行事件に要した費用も執行費用として配当を受けることができるが（法42条）、総債権者の共同の利益に要した費用ではないから、優先的に配当を受けることはできない。この執行費用の配当順位は、後行事件の請求債権と同順位である。後行事件に要した執行費用は、職権では考慮されないので、後行事件の差押債権者は、債権計算書（規60条）に費用の費目と金額を記載して主張することを要する（〔Q117〕参照）。

4　二重開始類似の後行事件

先行事件の差押え後に目的不動産の所有権移転があり、新所有者に対する強制競売事件又は担保不動産競売事件が申し立てられた場合には、債務者（所有者）の同一性の要件を欠くので、後行事件は二重開始の関係にはない。したがって、理論的には後行事件の手続を進行させることが可能である。しかし、新所有者に対する所有権移転は先行事件の差押えに抵触しているから、仮に後行事件を進行させ売却手続を進めたとしても、買受人に対して確定的に所有権を移転させることができない。そこで、実務では、配当要求終期を定める手続をした段階で後行事件を事実上停止し、先行事件の帰趨を待つ取扱いがされる。

5　はみ出し二重開始の後行事件

例えば、先行事件の目的不動産が土地、後行事件の目的不動産が同一の土地及びその土地上の建物であるような、先行事件からはみ出した部分がある二重開始（いわゆる「はみだし二重開始」。これに対してはみ出し部分のない二重開始を「完全二重（開始）」と呼ぶこともある。）の後行事件の進行方法については、次のとおりとなる。

後行事件に係る開始決定の発令及び差押えの登記嘱託は通常どおり行

う。先行事件の差押債権者に対して、二重開始決定がされた旨を通知し（規25条1項）、はみ出し部分の目的不動産について配当要求終期を定める。

　後行事件の現況調査、評価及び先行事件への併合の要否については個別の事案により検討することになるが、東京地裁民事執行センターでは、原則としては、現況調査命令は目的不動産の全部に対し、評価命令は先行事件からはみ出している部分（上記事例では建物）に対して発令する。ただし、先行事件と重なる部分に対する現況調査命令は、先行事件の現況調査における最終臨場日と後行事件の開始決定日（又は差押登記日）が近接している場合には、発令しないことがある。また、評価命令についても、先行事件と併合の上発令することもある。なお、両事件の目的不動産を一括売却に付すためには、先行事件との併合決定は、遅くとも先行事件の売却実施処分の時点までに行う必要がある。

〈参考文献〉
注釈民事執行法(3)111頁〔三宅弘人〕、原敏雄「二重開始決定」民事執行の基礎と応用174頁

Q25 二重開始の関係にある後行事件の手続の進行

次の場合、二重開始の関係にある後行事件の手続を、どのように進行すべきか。
(1) 先行事件が取消し又は取下げによって終了した場合
(2) 先行事件について執行停止文書が提出された場合

1 二重開始制度の意義

二重開始制度は、既に開始決定がされた不動産に対して重ねて競売開始決定をし、これに基づいて差押えの登記をすることを許容する一方、以後の手続の進行については、先行事件を優先させ、先行事件の取消し、取下げ又は執行停止がされた場合にのみ後行事件の進行を図ることとしたものである（二重開始決定の意義、要件、先行事件で手続が進行する場合の後行事件の取扱い等については〔Q24〕参照）。

2 先行事件が取消し又は取下げによって終了した場合

先行事件が取消し又は取下げによって終了した場合には、後行事件の手続は当然に続行され、続行決定は不要である（法47条2項）。この手続の続行は、先行事件において換価の目的のために行われた手続を、後行事件の手続において有用有効な範囲でそのまま引き継がせることにより、手続を円滑に進行させるものである。ただし、続行といっても、先行事件と後行事件では差押えの効力を生ずる時点が異なるので、先行事件の手続をそのまま利用することができない場合がある。

(1) **中間用益権の取扱い**

先行事件の現況調査報告書と後行事件の現況調査報告書を照らし合わせると、先行事件の差押えと後行事件の差押えとの間の用益権（中間用益権）の存否が判明する。中間用益権は、先行事件の差押えには後れるが、後行事件の差押え前の用益権となることから、後行事件続行時には、これを引

受けとするか否か(売却条件)を改めて検討する必要がある。

　実務上問題となるのは、短期賃借権(平成15年改正法による改正前の民法によるもの)である。差押え前の短期賃借権は、形式上の要件を満たす場合であっても、その制度の趣旨に照らし正常なものとして保護に値する場合に限り引受けとする取扱いがされているから、後行事件の差押えに先立つ短期賃貸借についても、この点を現況調査報告書その他の資料により検討する必要がある。検討の結果、後行事件の売却条件が、先行事件のそれと同一と判断される場合には、先行事件の評価書に基づき売却基準価額を決定して売却を実施することができる。この場合、先行事件で売却基準価額が決定されていれば、これをそのまま引き継ぎ、後行事件で売却基準価額の決定をしない取扱いも考えられる。しかし、東京地裁民事執行センターでは、事件が異なる(決定書記載の事件番号も異なる。)ことから、後行事件で改めて売却基準価額を決定している。また、売却条件に変更がない場合には、先行事件で作成された物件明細書を後行事件においてもそのまま引き継ぐ取扱いも考えられるが、東京地裁民事執行センターでは、事件が異なる(物件明細書記載の事件番号も異なる。)ことのほか、物件明細書の備考欄の記載が変更になる場合が多いことから、後行事件で改めて物件明細書を作成している。

(2)　中間担保権の取扱い

　後行事件記録に添付された不動産登記事項証明書によって、先行事件の差押えと後行事件の差押えとの間の担保権(中間担保権)の存否が判明する。中間担保権は、先行事件では、差押えの処分制限効に抵触するので配当を受ける資格が認められないが、後行事件では、差押え前の担保権として配当を受ける資格が認められるため(法87条1項4号)、続行後の手続において、執行裁判所は、その担保権者に対して債権等の届出催告をし(法49条2項2号)、剰余を生ずる見込みの有無を再検討する。

(3)　中間仮差押えがある場合の取扱い

　先行事件の差押えと後行事件の差押えとの間の仮差押えの執行(中間仮差押え)の存否も、後行事件記録に添付された不動産登記事項証明書によって判明する。この仮差押債権者は、後行事件では、法87条1項3号に該

当するものとして配当等を受ける資格が認められるため、法49条2項1号により債権等の届出の催告の相手方となる。ただし、その仮差押債権者が既に先行事件で配当要求をしている場合には（この仮差押債権者が先行事件で配当等を受けるには、法51条1項により配当要求をする必要がある。）、後行事件でも当然に配当を受ける資格があるので、この仮差押債権者に対して債権等の届出の催告をする必要はない。

(4) 先行事件の配当要求終期後に申し立てられた後行事件の取扱い

後行事件の申立債権者が、配当要求の終期までに二重開始の申立てをした場合に限って配当を受ける資格を取得することができる者であるときは（〔Q24〕参照）、そのまま手続を続行すると、後行事件の申立債権者は配当を受けることができず、無剰余換価の禁止（法63条）の趣旨に反することになる。そこで、配当要求の終期後に申し立てられた後行事件を続行するに当たり、後行事件の申立債権者にも配当を受ける資格を与えるため、後行事件の手続において新たに配当要求の終期を定めることを要する（法47条3項前段）。新たに配当要求の終期が定められたときは、その公告をし、債権等の届出の催告を行うが、既に債権の届出をした者に対しては、催告する必要はない（同項後段）。

3　先行事件について執行停止文書が提出された場合

先行事件について執行停止文書が提出された場合には、先行事件が取消し又は取下げによって終了した場合に後行事件が当然続行されるのと異なり、先行事件の差押えの処分制限効が消滅したわけではないことから、一定の条件の下に、執行裁判所が続行決定をした上で、先行事件の手続を引き継いで後行事件を進行させることとされている（法47条6項）。

(1) 続行決定の要件

先行事件の執行停止による後行事件の続行決定をするには、次の要件を備えることを要する。

① 後行事件の差押債権者の申立てがあること
② 先行事件の配当要求終期前に二重開始の申立てがされていること
③ 先行事件が停止されたこと

④　先行事件が取消し又は取下げによって終了しても法62条1項2号に掲げる事項（売却条件）に変更がないこと

ア　後行事件の差押債権者の申立てがあること

　これは、先行事件の停止が短期間に解けるものなのか、長期間に及ぶものなのか、あるいは執行取消しとなるものなのかを、裁判所の裁量に基づく判断ではなく、先行事件の執行手続が停止されたことによりその影響を受ける後行事件の差押債権者の判断によることを相当としたものである。複数の二重開始決定がされている場合には、前記①ないし④の要件を満たせば、どの後行事件の差押債権者であっても続行申立てをすることができる。そして、前記①ないし④の要件は、続行申立てをした債権者の事件について判断することになる（民事執行事件に関する協議要録29頁〔68問〕）。

イ　先行事件の配当要求終期前の二重開始の申立てであること

　配当要求終期後に申し立てた後行事件の差押債権者（ただし、先行事件の差押えの登記前に登記された担保権の実行を申し立てた差押債権者を除く。）に続行申立てを認めると、配当を受ける資格のない債権者の申立てに基づいて事件を進行することになり剰余主義に反するので（前記2(4)参照。前記2(4)のように配当要求の終期を定め直すとすると、債権者の範囲に変更を生じ、先行の差押債権者等の地位を害しかねない。）、これを認めないこととしたものである。この場合、先行事件について定められた配当要求の終期が、後行事件の申立てより後の時点に変更されなければ（法52条）、続行申立てをすることはできない。

　一方、後行事件の差押債権者が先行事件でも配当を受ける資格を有する者（先行事件の差押えの登記の前に登記された担保権の実行を申し立てた差押債権者）である場合には、後行事件の申立てが配当要求の終期後であっても、続行申立てをすることができる（注釈民事執行法(3)118頁〔三宅弘人〕）。

ウ　先行事件が停止されたこと

　先行事件が強制競売の場合には、法39条1項7号又は8号の書面、担保不動産競売の場合には、法183条1項6号又は7号の書面により執行手続が停止された場合をいう。このほか、執行停止書面の提出による停止ではないが、先行事件が法律上進行することができない状態となった場合も

法47条 6 項に基づいて続行させることができるか否かという問題も生ずる（債務者に対し破産手続開始決定があった場合について〔Q26〕参照）。

エ　法62条 1 項 2 号に掲げる事項に変更がないこと

　これは、先行事件の差押えを基準としても、後行事件の差押えを基準としても、法62条 1 項 2 号に掲げる事項（売却条件）に変更がないことを要求するものである。先行事件は停止されたにすぎず、将来先行事件の差押えが有効となるか無効となるか不確定の状態で二重開始事件を進行させるのであるから、先行事件を基準とした売却条件と後行事件を基準とした売却条件とが同一の場合に限って続行を認めることとしたものである。

(2)　続行決定の手続

　続行申立てがあると、執行裁判所は、前記(1)の要件を審査し、要件を満たしていると認めるときは、続行決定をする（法47条 6 項）。続行決定は、その申立てをした差押債権者に告知され（規 2 条 2 項）、債務者に（担保不動産競売事件においては所有者にも）通知される（規25条 3 項）。

　続行申立ての却下の裁判に対しては、執行抗告をすることができる（法47条 7 項）。続行申立ての認容の裁判（続行決定）に対しては、執行抗告を認める規定がないので、執行異議（法11条）のみが許される。

　なお、続行決定後、先行事件の執行停止が解かれた場合でも、続行決定を受けた後行事件で手続を進行させ、先行事件の手続を進行させることはない。

〈参考文献〉

注釈民事執行法⑶115頁〔三宅弘人〕

Q26 破産手続開始決定と二重開始決定がされた後行事件の手続の進行

強制競売事件の開始決定、担保不動産競売事件の二重開始決定が順次された後、債務者について破産手続開始決定がされた。この場合、破産手続開始決定をもって執行停止がされたのと同様に考え、後行事件について続行決定をすることができるか。

1 問題の所在

強制競売事件の開始決定、担保不動産競売事件の二重開始決定が順次された後、債務者について破産手続開始決定がされた場合、破産管財人による先行の強制競売事件の続行申立て（破産42条2項ただし書）と後行の担保不動産競売事件の続行との優先関係をどのように考えるべきかが問題となる。

2 破産管財人の続行申立権に対する配慮

破産管財人の続行申立権限は（破産42条2項ただし書）、破産法184条に基づく換価と同様に、破産管財人に対し、総債権者の権利の実現のため、債務者の財産を換価する権限を与えたものである。もっとも、換価の目的物が別除権の目的となっている場合には、別除権者が別除権を行使しないときに認められる補助的なものと解されている（民事執行事件執務資料(4) 6頁〔6問〕）。別除権は、破産手続によらないで行使することができるため（破産65条1項）、破産管財人の換価権限よりも、別除権者が有する、別除権の目的物を最も高価で売却して債権回収を図る利益、すなわち、換価時期の選択の利益の方が優先するからである。

しかし、本設例のように、強制競売の開始決定後に、別除権者が担保不動産競売開始決定を得た場合には、上記の換価時期の選択の利益に配慮する必要はない。他方、担保不動産競売事件は、強制競売事件との関係ではあくまで後行事件であり、破産管財人には先行事件である強制競売事件の

続行を選択することも可能であるのに、破産手続開始決定という偶然の事情により、別除権者の利益が破産手続に優先するものとして一律に後行事件を優先させるのは不合理である。したがって、破産管財人において破産法42条2項ただし書に基づき強制競売事件の続行申立ての意思がある場合には、これを優先させるべきである。そこで、執行裁判所は、破産管財人に対して先行事件の続行申立てをするか否かを照会することになる。

3 破産管財人に続行申立ての意思がない場合の後行事件の進行方法

(1) 先行する強制競売事件の取扱い

破産管財人に続行申立ての意思がない場合には、後行の担保不動産競売事件の続行について検討すべきことになる。この場合の取扱いについては、①先行の強制競売手続を取り消して法47条2項に基づき続行する見解と、②破産手続開始決定による停止を、法39条所定の執行停止文書の提出による執行停止と同様に考え、法47条6項に準じて続行決定をする見解とが考えられる（なお、破産手続開始決定が強制競売手続に及ぼす効力については、〔Q39〕参照）。

②の見解が相当である。なぜなら、破産法42条2項による失効は相対的なものであり、その後破産手続が廃止されれば強制競売が復活するのであるから、破産管財人が同項ただし書による強制競売の続行を求めないことを理由に強制競売手続の取消決定をする取扱いは相当ではないからである。

(2) 法47条6項に準じて後行事件の続行決定を行う場合

前記(1)②の見解を前提とすると、後行の担保不動産競売手続を続行するに当たり、法47条6項ただし書所定の売却条件に変更がないことの要件を満たすことを要求するか否か、続行申立てを要するか否かが更に問題となる。東京地裁民事執行センターでは、次の理由により、これらをいずれも消極に解し、破産管財人から続行申立ての意思がない旨の回答を得た場合には、後行の担保不動産競売事件について、売却条件の変更の有無にかかわらず、職権により法47条6項に準じて続行決定をしている。

Q26

ア 売却条件に変更がないことの要否

　法47条6項ただし書が、売却条件に変更がないことを要件としているのは、先行事件の差押えと後行事件の差押えとの間に用益権が設定された場合など、引受けとなるものが異なってくる場合には、先行事件の帰趨が決まらないと後行事件の売却条件や売却基準価額が決まらず、手続の続行を許すのが相当でないためである（新基本法コンメンタール民事執行法138頁〔清水光〕）。一方、本設例のように破産管財人が続行申立てをする意思がない場合、実際上は、先行の強制競売事件が再び進行する可能性はほぼ皆無であるから、後行事件の差押えを基準として売却条件や売却基準価額を決定すれば足りる。したがって、本設例において、破産管財人に続行申立ての意思がない場合、法47条6項ただし書所定の売却条件に変更がある場合でも、後行事件の続行決定をする（後行事件の差押え時を基準として売却条件等を定める）ことができると解するのが相当である。

イ 続行申立ての要否

　法47条6項が、後行事件の続行に、後行事件の差押債権者の申立てを要するとしているのは、先行事件の停止が解けて復活する場合に備えて停止の状態を継続させるか、それとも自ら後行事件を進行させるかの選択権を後行事件の差押債権者に付与し、その利益の保護を図ったものである。しかし、本設例のように、破産管財人に続行申立てをする意思がない場合、実際上は、先行の強制競売事件が再び進行する可能性はほぼ皆無であり、後行事件が別除権の行使である担保不動産競売手続であることを考えると、差押債権者である別除権者による続行申立てがなくても職権で進行させることが相当である。

Q27 競売開始決定に対する不服申立て

競売開始決定に対しては、どのような事由により不服申立てをすることができるか。

1 不服申立方法 （本設例については、適宜〔Q2〕も参照されたい。）

強制競売開始決定の場合も、担保不動産競売の場合も、競売開始決定に対しては、執行抗告をすることはできず（法10条1項、45条3項）、執行裁判所に対し執行異議を申し立てることができることは共通している（法11条1項）。

強制競売開始決定に対する執行異議において主張することができる事由は、違法執行となる手続上の事由に関するものに限られる。強制執行においては債務名義作成手続と執行手続が分離され（法22条）、権利の消滅等の実体的事由や債務名義作成手続に関する瑕疵については、執行異議ではなく、請求異議（法35条）、執行文付与異議（法32条）、第三者異議（法38条）などの事由に応じた不服申立てによるべきであるからである。

なお、法30条、31条が定める執行開始要件については、実体上の事由であるとともに執行裁判所が判断すべき手続上の事由でもあるので、強制競売開始決定に対する執行異議の事由となる。

他方、実体的権利を認定する債務名義作成手続の存しない担保不動産競売の場合には、競売開始決定に対する執行異議において、担保権の不存在又は消滅といった実体上の事由も主張することができる（法182条。実務上、「実体異議」と呼ばれる。）。これは、簡易な請求異議訴訟的な役割を果たすものであり（基本法コンメンタール民事執行法515頁〔竹下守夫〕）、債務者及び所有者に対する事後的な手続保障の意味合いもある。すなわち、担保不動産競売においては、その実効性を担保するため、代金を納付した買受人は、目的不動産の所有権を確定的に取得し、担保権の不存在又は消滅といった事由により所有権取得の効果が覆ることはないとされている（法

184条)。しかし、競売の開始要件としての法定文書(法181条1項1号ないし3号)、特に登記事項証明書は、強制執行の開始要件としての法定文書(債務名義)ほどには高度の蓋然性をもって権利の存在を推認させるものではないから、法184条の適用の結果、実体にそぐわない所有権の得喪が生じ得ることとなる。したがって、そのような不利益を甘受させても差し支えないといい得るための手続保障として、単に、債務者及び所有者に対して担保権不存在確認訴訟等を提起し、これを本案として担保権実行禁止の仮処分を求める機会(当該仮処分決定は、法183条1項7号の停止文書に当たる。)を与えるにとどまらず、執行手続の中で、実体上の理由による異議を述べる機会を得させることが不可欠であると考えられるからである(最決平5.12.17民集47巻10号5508頁参照)。

　なお、法182条が、「不動産担保権の実行の開始決定に対する執行抗告又は執行異議の申立てにおいては」と定めるのは、担保不動産収益執行の開始決定に対しては執行抗告において、また担保不動産競売の開始決定に対しては執行異議の申立てにおいて、それぞれ担保権の不存在・消滅を理由とすることができるとの意味である。

2　執行異議の申立権者

　手続上の事由による競売開始決定に対する執行異議であれば、債権者、債務者及び所有者だけでなく、異議の利益がある限り、第三者もこれを申し立てることが可能であるが、担保不動産競売における実体上の事由による異議を申し立てることができるのは、債務者及び所有者に限られている(法182条)。これは、前記1のような債務者(所有者が所有権を喪失すれば求償を受けることがあり得る。)及び所有者に対する手続保障という法182条の位置付けを反映している。

3　執行異議の申立期間

　競売開始決定に対する執行異議は、異議の利益がある間はいつでも申立てをすることができ、売却許可決定後であっても、買受人が代金を納付して所有権を取得するまでは、申し立てることができる。ただし、売却許可

決定後の担保権の不存在又は消滅を理由とする執行異議の申立てについては、執行取消文書の提出時期の制限等（〔Q138〕参照）との関係で、その消滅原因が売却実施終了前に存した場合に限られるとする見解もある。

なお、担保権の不存在又は消滅を売却許可決定に対する執行抗告において主張することはできない（最決平13.4.13民集55巻3号671頁・金法1622号43頁。〔Q90〕参照）。

4　執行異議の事由

　強制競売開始決定と担保不動産競売開始決定のいずれについても、手続上の瑕疵は、執行異議事由に当たる。担保不動産競売開始決定に対する執行異議における特有の手続上の異議事由としては、法定文書の不提出（法定文書ではない文書の提出）による競売開始決定、申立書の記載の不備等がある（注解民事執行法(5)236頁〔高橋宏志〕、注釈民事執行法(8)76頁〔近藤崇晴〕）。

　担保不動産競売開始決定に対する執行異議における実体上の異議事由としては、担保権の不存在又は消滅のみならず、これに準ずるものとして、被担保債権の弁済、被担保債権の弁済期の未到来、弁済猶予、担保権の非承継等がある。ただし、形式的にこのような実体上の異議事由に該当するものであっても、民事執行手続内での不服申立手続であるという手続的な制約から、両当事者（債権者と債務者又は所有者）が主張立証を尽くす必要があるような事由については、執行異議において審理され得ないことがある（後記5⑴参照）。

　なお、弁済期が到来していないにもかかわらず競売開始決定がされた場合で、債権者が申立て時に提出した文書によって弁済期の未到来が明らかであるときは、競売開始決定をすること自体許されなかったにもかかわらず競売開始決定がされたとして、手続上の瑕疵を理由とする執行異議の申立ても可能と解されている（条解民事執行規則(下)751頁）。弁済期に関しては、債権、特に金銭消費貸借契約に基づく債権の特定のために弁済期の記載が必要であるとする考え方もあることから、東京地裁民事執行センターにおいては、原則として全ての被担保債権について、弁済期到来が公知の

場合以外は、申立書に弁済期の到来を記載することを求める取扱いである（不動産競売申立ての実務と記載例222頁以下参照）。

5　執行異議の審理

(1)　書面審理

　民事執行法は、強制競売及び担保不動産競売のいずれについても、その開始、停止及び取消事由の証明につき法定文書の提出を求め（法22条以下、39条、40条、181条、183条）、定型的かつ迅速な手続進行を図っている。このような民事執行手続の性質に鑑みれば、簡易な不服申立手続である執行異議の審理としては、執行抗告と同様、口頭弁論等の重厚な手続によらず、書面審理を中心とした簡易迅速な手続によることを想定していると解される。

　したがって、例えば、抵当権設定契約における通謀虚偽表示の成否、錯誤の有無、代理権の有無等のように、口頭弁論を開くなどして両当事者（債権者と債務者又は所有者）が主張立証を尽くす必要があるような異議事由については、性質上、執行異議手続における審理にはなじまず、結果として、このような事由を理由とする執行異議の申立ては不適法として却下されることが多い（なお、執行裁判所に提出された資料のみからしても理由がないことが明らかであれば、執行異議の申立ては棄却（又は実務上は却下（〔Q2〕参照））される。）。

　このようなことから、競売開始決定が取り消されるべきことが明らかな資料を有しない債務者又は所有者が、本格的に実体上の異議事由を主張して競売開始決定を争いたい場合には、執行異議によらず、担保権不存在確認の訴えや抵当権設定登記抹消登記請求訴訟等を別途提起する必要がある。その勝訴判決等は競売手続の停止及び取消しの法定文書（法183条1項1号ないし5号）となるが（不動産執行の理論と実務(上)110頁）、判決取得までには時間を要することから、それまでに競売手続を停止するためには、別途、抵当権実行禁止の仮処分又は競売手続停止の仮処分等を得て、執行裁判所に法定文書（法183条1項7号）として提出する必要がある。

(2) 証　　明

　執行異議事由の存在については、証明が必要であって疎明では足りないと解されている（注釈民事執行法(1)330頁以下〔田中康久〕参照）。民事執行手続は、一般的には、その公益的側面から職権探知主義によることになるが、実体上の異議事由の存否といった私益的な色彩が強いものに関する審理は、実務上、原則として、当事者が提出した資料により事実を認定する扱いである。執行異議事由に関する立証責任は、一般的な立証責任の分配に従い、担保権及び被担保債権の権利発生原因事実については債権者に、担保権又は被担保債権に関する権利障害事実又は権利消滅原因事実については債務者又は所有者にある（近藤崇晴「担保権実行に対する実体異議」民事執行の基礎と応用81頁以下）。ただし、前記(1)のとおり、異議事由について本格的な審理を必要とするような場合には、執行異議の審理になじまないとして却下されることになる。これは、異議事由が担保権及び被担保債権の権利発生原因事実に関するもので、かつ、執行裁判所に提出された資料のみではその真偽が不明であったとしても同様であり、立証責任の所在により執行異議が認容されるということにはならない。

(3) 不服申立て

　執行異議の申立てが却下又は棄却された場合は、これに対し執行抗告をすることはできない（法10条１項）。これを不服とする債務者又は所有者その他の異議申立人は、担保権不存在確認の訴え等を別途提起するほかない。他方、執行異議を理由があると認める場合は、執行裁判所は、決定により、競売開始決定を取り消し、競売申立てを却下することとなる。債権者は、これに対し、執行抗告をすることができる（法12条１項前段）。

6　執行異議に伴う執行停止

　執行異議の申立てがされると、執行裁判所は、職権で、執行異議についての裁判が効力を生ずるまでの間、競売手続の停止を命ずることができる（法11条２項、10条６項前段）。異議申立人には執行停止の申立権はなく、異議申立人が申立書等において執行裁判所に対し執行停止を求めていても、それは職権発動を促すものにすぎない。また、実務上、このような職権発

Q27

動による停止を要することが明らかな資料が提出されることは希有であるし、仮に、このような資料の提出があれば、通常は、執行停止決定を待つまでもなく（急を要する場合には、事実上進行を停止して）、執行異議を認容することになろう。

したがって、債務者又は所有者が競売手続を停止するには、担保権不存在確認の訴え等を本案として、抵当権実行禁止の仮処分等を取得する必要がある。

第 **3** 節

開始決定前後の当事者の変更

Q28 担保不動産競売手続における当事者の承継

担保不動産競売開始決定の前後において、当事者の承継があった場合、申立債権者はどのように対応すべきか。

1 はじめに

当事者の承継の態様は、相続、会社合併等による一般承継と、債権譲渡、抵当権譲渡等による特定承継に大別される。本設例では、このうち、担保不動産競売開始決定の前後に当事者の承継があった場合について、競売開始決定前と競売開始決定後、債権者・債務者等の別、承継原因に分けて説明する。なお、会社分割による債権債務の承継は、一般承継に分類されるものの、通常の一般承継とは別の取扱いを必要とするため、別途〔Q31〕で説明する。また、債務名義に基づく強制競売における当事者の承継については、〔Q29〕を参照されたい。

2 担保不動産競売における競売開始決定前の承継

(1) 競売開始決定前の一般承継

ア 申立債権者の一般承継

抵当権又は根抵当権に基づく担保不動産競売開始決定前に、申立債権者に相続その他の一般承継があった場合、承継債権者は、申立てに際し(申立後競売開始決定前の一般承継であれば、申立後速やかに)、その承継を証する文書を提出する必要がある(法181条3項前段)。ここにいう「承継を証する文書」は、法181条3項後段が証明文書を公文書に限定していることとの対比から、私文書でも差し支えないと解されている。もっとも、担保権の存在を証する文書(同条1項)として登記事項証明書を提出する場合、付記登記により承継の事実を立証することができるのであれば、ほかに特段の文書の提出は要しない。また、担保権の存在を証する文書として、確定判決等謄本若しくは公正証書謄本を提出する場合、又は一般承継

に関する付記登記のない登記事項証明書を提出する場合には、「承継を証する文書」として、例えば、相続については戸籍謄本、又は法定相続情報一覧図の写し（なお、東京地裁民事執行センターでは、同写しを提出する場合には、同写しに加え、申立て前1か月以内に発行された住民票又は戸籍の附票の提出を求める扱いである。）等を、会社合併については商業登記事項証明書をそれぞれ提出することとなる。ただし、相続において遺産分割協議があり法定相続分と異なる相続があった場合には、遺産分割協議書も提出する必要がある。

イ　債務者の一般承継

　債務者について担保不動産競売開始決定前に一般承継があった場合には、乙区欄にある抵当権の登記事項中の債務者の表示を、申立債権者が代位登記によって変更することはできないため（不登60条）、申立債権者としては、競売開始決定後の一般承継と同様、法181条3項前段の場合に準じ、「承継を証する文書」（戸籍謄本、商業登記事項証明書等）を執行裁判所に提出して、債務者を明らかにする必要がある。

　なお、東京地裁民事執行センターでは、債務者の死亡に関しては、相続放棄の申述の有無についての家庭裁判所の証明書の提出を求めていない。

ウ　所有者の一般承継（相続登記未了の不動産に対し担保不動産競売を申し立てる場合については〔Q30〕参照）

　所有者について担保不動産競売開始決定前に一般承継があった場合に関して、民事執行法上、特段の規定はない。差押登記は、新たな所有者に所有権移転登記が経由されていることを前提とするから、申立債権者は、執行裁判所から競売申立ての受理証明を取得した上、法務局に対し戸籍謄本等で相続関係等を証明して、代位登記の方法により、従前の所有者から新たな所有者への相続等を原因とする所有権移転登記手続をしなければならない。執行裁判所は、改めて一般承継が反映された登記事項証明書の提出を受けた後に、競売開始決定をする。東京地裁民事執行センターでは、所有者の死亡に関しては、被相続人の死亡の日から3か月間を調査対象期間とする相続放棄の申述の有無に関する家庭裁判所の証明書の提出を求めている。

なお、債務者・所有者の一般承継を看過して競売開始決定がされた場合、相続人が競売手続上当事者として扱われなければ法184条は適用されないことから（最判平5.12.17民集47巻10号5508頁）、実務上は、更正決定による表示の訂正を認めた上、承継人に対し競売開始決定正本と更正決定正本を送達する取扱いである（不動産執行の理論と実務(上)113頁）。ただし、登記実務は、差押え時の所有者の表示の更正登記を認めていない。

(2) 競売開始決定前の特定承継

ア　申立債権者の特定承継

法181条3項後段は、特定承継があった場合の申立てについて一般承継に関する同項前段と異なり、担保権の承継を証する裁判の謄本その他の公文書を提出することを求めており、開始決定前までは、申立て後の特定承継についても同様と解される。「その他の公文書」としては、和解調書謄本、公正証書謄本等が考えられる。もっとも、実務上は、担保不動産競売開始決定前に申立債権者に特定承継があった場合、一般承継と同様、担保権の移転を表示する付記登記を経由した上で、登記事項証明書を提出するのが通例である。なお、債権譲渡登記は、あくまで第三者対抗要件を付与する効果しかなく、債権譲渡がされたことを証明するものではないから、承継を証する公文書には該当しないと解される。

イ　所有者の特定承継

担保権を設定した所有者が目的不動産の所有権を移転した場合、所有権移転登記を経由していなければ、新所有者は所有権取得を抵当権者に対抗することができないので、登記記録上の旧所有者を「所有者」として申立てをすれば足り、また、所有権移転登記を経由していれば、登記記録上の新所有者を「所有者」として申立てをする。

3　担保不動産競売における競売開始決定後の承継

(1) 競売開始決定後の一般承継

ア　申立債権者の一般承継

担保不動産競売開始決定後に、申立債権者に相続、法人合併等の一般承継が生じた場合、承継債権者は自己のために競売手続の続行を求めること

ができる（規171条参照）。承継手続がされた後は、執行裁判所は承継債権者のために執行手続を続行することになる。

担保不動産競売は、強制競売と異なり、債務名義制度を採用しておらず、承継執行文の付与を予定していないから、承継債権者は、直接執行裁判所に承継の事実を証明して手続の続行を求める。実務上は、事件番号を特定した上、旧債権者及び承継債権者を表示し、承継の事由を記載した承継上申書のほか、法181条3項前段に準じて「承継を証する文書」（戸籍謄本、商業登記事項証明書等）を執行裁判所に提出することにより、承継手続を行っている。一般承継の証明文書は公文書に限らないが、これは、遺産分割協議書（民907条1項）、相続分のないことの証明書（民903条2項参照）等により承継の事実を証明する場合があるからであり（条解民事執行規則(下)758頁参照）、公文書による証明の方が簡便かつ明確な場合はそれによるべきである。

　(ｱ)　申立債権者の死亡

相続人が承継債権者となる。相続に伴い、抵当権等の移転の付記登記を経た場合は、その登記が載った不動産登記事項証明書を提出すればよい。付記登記を経ていないときは、相続の事実の証明書類として、相続関係説明図、被相続人（死亡債権者）の除籍謄本（改製原戸籍を含む出生から死亡までのもの全て）、相続人の戸籍謄本又は法定相続情報一覧図の写し（ただし、同写しを提出する場合、東京地裁民事執行センターでは、前記のとおり、同写しに加え、申立て前1か月以内に発行された住民票又は戸籍の附票の提出を求める扱いである。）等を提出する必要がある。また、共同相続人中特定の相続人が権利を取得した場合には、その証明書類として、遺言書（公正証書遺言及び遺言書保管所に保管されている遺言書の場合を除き、家庭裁判所の検認調書謄本の提出も必要である。）、遺産分割協議書又は相続分のないことの証明書（いずれも各相続人の印鑑登録証明書添付）、相続放棄申述受理証明書、家庭裁判所の遺産分割審判書及び確定証明書、又は遺産分割調停調書の謄本等の提出が必要となる。

　(ｲ)　会社合併

法人の合併により、存続会社は消滅会社の権利義務を包括的に承継す

る。合併の事実は、商業登記事項証明書の提出により証明する。

　(ウ)　申立債権者の破産・会社更生・民事再生

　申立債権者について破産手続開始決定若しくは更生手続開始決定があった場合又は民事再生手続において管理命令が発せられた場合、申立債権者の財産の処分権は破産管財人等に専属する（破産78条1項、80条、会更72条1項、74条1項、民再66条、67条1項参照）。この場合、権利義務の帰属主体はあくまで申立債権者であると考えられるものの、申立債権者の財産の処分権は包括的に破産管財人等に移転するので、一般承継の一態様と考えられる。

　この場合、破産管財人等が競売手続の続行を求めるには、承継手続をとらなければならない。承継手続は、承継上申書と共に、破産手続開始決定、更生手続開始決定又は管理命令の正本及び管財人証明書を提出して行う。なお、東京地裁民事執行センターでは、破産手続開始決定等の正本については、写しでも差し支えないこととしている。

　(エ)　承継手続後の手続

　執行裁判所は、申立債権者の承継手続のための書面が提出されると、それを審査し、不備がなければ、裁判所書記官から、債務者及び所有者に対し、承継を証する文書が提出された旨を通知する（規171条）。

　承継手続後は、承継債権者を申立債権者として執行手続が進められる。なお、執行裁判所が債務者からの届出等の情報から申立債権者の承継の事実を知ったが、承継債権者が承継手続をとらない場合、実務上は、申立債権者の関与（通知を受ける等の受動的関与も含む。）を要しない既に進行中の手続（現況調査、評価等）はそのまま進行させ、次の新たな手続（売却手続等）は承継債権者からの承継手続の完了を待って進行させるのが通例である。

イ　債務者・所有者の一般承継

　債務者・所有者について担保不動産競売開始決定後に一般承継があった場合、競売手続において中断・受継（民訴124条以下）は観念されておらず、競売手続はそのまま進行することになる（債務者・所有者が死亡した場合について法194条、41条）。しかし、当事者に対する送達・通知が不要と

なるものではなく、また、前記2(1)ウのとおり、法184条の適用で問題を生じさせないためにも、承継人に対して、債務者・所有者への送達・通知を行う。申立債権者としては、速やかに「承継を証する文書」（戸籍謄本、商業登記事項証明書等）を執行裁判所に提出して債務者・所有者の承継手続をしなければならない。

なお、東京地裁民事執行センターでは、債務者・所有者の開始決定後の死亡に関し、原則として、被相続人の死亡の日から3か月間を調査対象期間とする相続放棄の申述の有無に関する家庭裁判所の証明書の提出を求めていない。

相続人の存在又は所在が明らかでない場合には、相続財産法人が当事者になる（民951条）。この場合、法人の具体的な権利行使、義務履行の任に当たる相続財産管理人を選任する必要がある（民952条1項）。相続財産管理人を選任している時間的余裕がないような場合は、執行裁判所に対し、相続財産又は相続人のために特別代理人を選任することを求める申立てをする必要がある（法194条、41条2項。〔Q30〕参照）。申立債権者がこれらの手続を怠る場合には、執行裁判所は、申立債権者に対して補正命令を送達し、補正がされなかったときは、競売手続を取り消すことが可能であると解される（法20条、民訴140条類推適用）。

(2) **競売開始決定後の特定承継**
ア　申立債権者の特定承継

担保不動産競売開始決定後に、申立債権者に債権譲渡等の特定承継の事由が生じた場合、民事執行法上、権利承継人による訴訟参加（民訴47条以下）は観念されていないので、承継債権者は、法181条3項後段に準じて「承継を証する公文書」を提出し、自己のために競売手続の続行を求めることができる。被承継人（旧債権者）は当然に競売手続から脱退することになる。

承継債権者は、承継上申書（【書式】参照）及び承継を証する公文書を執行裁判所に提出する。承継を証する公文書は、実務上担保権移転の付記登記が経由された登記事項証明書が提出されることが多いが、公正証書の謄本その他の公文書の場合もある。

Q28

　承継上申書には、一般承継の場合同様、事件番号、旧債権者及び承継債権者を表示し、承継の事由を記載するほか、予納金に対する権利や既に生じた執行手続費用の償還に関する権利等、競売手続に付随する権利の承継について記載する。特定承継の場合、承継の範囲が債権譲渡契約などの承継行為により定まるので、これら執行手続に付随した権利の承継の有無が当然には明らかとならないからである。

　権利承継の合意を明らかにするため、承継上申書は旧債権者と承継債権者の連名によることが相当である。旧債権者の押印は、申立書使用印（代理人名義の場合も同じ。ただし、代理人による申立ての場合において、代表者名義で承継上申書を作成するときは、委任状に使用した印）又は印鑑登録をした印（この場合は印鑑登録証明書の添付が必要である。）の押捺を要するものとしている。

　承継上申書の提出により、執行裁判所は、その後も旧債権者の予納にかかる予納金を使用して手続を進め、旧債権者の出捐の下に生じた差押登記の登録免許税や現況調査手数料などの共益費用についても承継債権者に対して償還することになる。

　また、事件終了時における予納金残額については、国の会計上原則として保管金返還請求権の特定承継が認められていないため（保管金規則3条）、特定承継の場合、旧債権者に還付されることになるので注意を要する。

　(ア)　債権譲渡

　承継を証する公文書としては、承継債権者への担保権移転の登記がされている登記事項証明書が典型的であり確実である。それ以外では、譲渡を証する裁判の謄本、和解・調停調書の謄本、公正証書の謄本等がある。債権譲渡登記が承継を証する公文書に該当しないことは前記2(2)アのとおりである。

　抵当証券の場合は、その裏書の記載により適法な所持人と認められる（公文書提出の必要はない。）。東京地裁民事執行センターでは、抵当証券の期限後裏書を認める立場に立ち、裁判所が保管している抵当証券を申立債権者からの一時還付申請に基づき一旦還付して、被裏書人（承継債権者）

が裏書を受けた上で裁判所に再提出することにより、承継を認めている（淺生重機「抵当証券の期限後裏書と民事執行」金判899号2頁、不動産執行の理論と実務(上)71頁、115頁各参照）。

　(イ)　抵当権付債権差押え・同転付命令

　既に競売開始決定を経ている抵当権付債権を差し押さえた債権者は、差押命令による取立権（法155条1項）に基づいて自己のために競売の続行を求めることができる。その場合は、法150条による差押えの登記を経ることは必須ではなく、債権差押命令正本並びに債務者及び第三債務者に対する送達通知書が承継を証する公文書となる（差押えの登記を経たときであっても、当該登記事項証明書によっては取立権の発生の有無が分からないため、やはり上記の書類の提出が必要である。）。抵当権付債権の転付命令を取得した債権者は、転付命令が確定してから債権執行担当の裁判所書記官に対し、抵当権移転の登記の嘱託を申し立て、抵当権移転登記（法164条）を経た上で、自己のために競売の続行を求めることができる。その場合は抵当権移転登記後の登記事項証明書が承継を証する公文書となる。しかし、抵当権移転登記を経なくても、転付命令正本及び転付命令確定証明書を承継証明文書として提出してもよい（田中康久「新民事執行法の解説」406頁参照）。

　(ウ)　抵当権付債権についての代位弁済（一部代位弁済を含む。）

　既に競売開始決定を経ている抵当権付債権を代位弁済した者は、承継上申書と共に、承継を証する書面として代位による抵当権の移転の事実を証する公文書を提出し、自己のために競売の続行を求めることができる（法181条3項参照）。代位による抵当権移転の付記登記を経由した登記事項証明書の提出が一般的であるが、移転の合意が記載された公正証書やその他の公文書を提出することも可能である（ただし、令和2年3月31日までに生じた債権に関する一部代位弁済の場合において目的不動産に第三取得者がある場合の承継については、付記登記を経由した登記事項証明書の提出を要する。平成29年民法改正法による改正前の民法501条1号、同改正法附則25条1項）。

　債権の一部のみの代位弁済をした者も同様である。この場合、承継上申書には一部承継の旨を記載する。

一部代位弁済者は、承継手続後は原債権者とともに申立債権者の地位を有することになり、原債権者は申立債権者の地位を失わないので、執行裁判所としては、原債権者予納に係る予納金・郵便切手により手続を進行させ、原債権者が出捐した手続費用は、原債権者に償還することになる。したがって、このような一部承継の場合の承継上申書には予納金に対する権利や、既に生じた執行手続費用の償還に関する権利の承継について記載する必要はない。

　(エ)　共同抵当の異時配当における後順位者の代位

　共同抵当の物件1及び2のうち、物件1がA事件で、物件2がB事件でそれぞれ申し立てられ、先行するA事件で物件1が売却され、1番抵当権者乙が配当により物件1の代金から全額満足を受けた場合を想定する。物件1の2番抵当権者甲は、仮に共同抵当の全物件の代金が同一事件で同時に配当されたならば物件2の代金から乙が配当を受けたであろう金額を限度として、乙に代位して物件2の乙の抵当権を実行することができる（民392条2項）。この場合、乙は競売の目的を達したのであるから、通常は後のB事件を取り下げるであろうが、その取下げ前であれば、物件2についての乙の抵当権の登記に甲が代位の付記登記（民393条）を経て、代位による付記登記をした登記事項証明書を、承継を証する公文書として提出することにより、B事件の申立債権者の地位を承継することができる。このほか、このような場合の申立債権者の地位の承継については、配当表の謄本及び配当期日調書の謄本によることもできる（注解民事執行法(5)232頁〔髙橋宏志〕参照。なお、〔Q129〕も参照）。

　(オ)　サービサーへの委託、委託の解除、サービサーの変更（〔Q20〕参照）

　競売手続の途中で、サービサーへ債権回収の委託がされると、サービサーは委託者のために自己の名をもって競売申立人の地位を取得することになる（債権管理回収業に関する特別措置11条）。この場合、実体上の権利の承継はないため純然たる特定承継ではないが、執行手続上は委託者からサービサーへ申立人の地位が変動するので、承継の一態様として扱われ、特定承継に準じて承継手続をとる（ただし、証明文書は公文書に限定されな

い。)。東京地裁民事執行センターでは、担保不動産競売においては、承継上申書のほか、承継を証する文書として、サービサー・委託者双方の資格証明書、委託者作成の委託証明書又は委託契約書の提出を求めている（資格証明書や委託証明書などの添付書類が外国語で記載されている場合は、訳文の添付を要する（規15条の2、民訴規138条1項)。)。

競売手続の途中で、サービサーへの委託が解除されると、申立人の地位もサービサーから委託者へ変動するので、委託の場合とは逆の承継として扱われる。その場合の承継を証する文書は、委託者作成の委託解除証明書である。

サービサーの変更は、例えば、本来の債権者である甲銀行の受託サービサーA社が競売を申し立てたが、手続の途中で受託サービサーをB社に変更して競売手続を続行する場合である。この場合は、A社から甲銀行へ（委託解除）と、甲銀行からB社へ（委託）との2段階の承継手続が同時にされることになる。よって、予納金等の権利も三者間で取り決めなければならないので、三者の連名による承継上申書が必要となる。承継を証する文書は、三者の資格証明書、委託者作成の委託解除証明書及び委託証明書（又は委託契約書）である。

(カ) 承継手続後の手続

承継手続後の手続は、競売開始決定後の申立債権者の一般承継のところで述べたところと同じである（前記3(1)ア(エ)参照)。ただし、一般承継の場合と異なり、特定承継の場合においては、執行裁判所が債務者からの届出等の情報から申立債権者の承継の事実を知ったものの承継債権者が承継手続をとらないときには、承継債権者からの承継手続がされるまで、旧債権者を当事者として執行手続を進行させればよい。

イ 所有者の特定承継

差押え後に所有者が目的不動産の所有権を移転してその旨の登記を経由しても、所有権移転は、競売手続上、全ての債権者との関係で無視されるため（手続相対効。ただし、このような処分行為も当事者間では有効であり、登記申請も受け付けられる。)、新たな所有者が競売手続の当事者になることはない。

Q28

　例外として、信託を原因として委託者から受託者に対する所有権移転登記がされた不動産について、委託者を債務者、受託者を所有者とする競売開始決定及び差押登記がされた後、受託者の更迭又は変更を原因として、新たな受託者に対する所有権移転登記がされている場合は、信託法75条8項が「新受託者に対し続行することができる。」と規定していることから、東京地裁民事執行センターでは、新受託者を所有者として手続を進める取扱いである。この場合でも、登記実務上は、新受託者に対する所有権移転登記は無視されるが、前記のような取扱いは、あくまで受託者の変更が信託財産の管理人の交替にすぎないという実態に対応するための競売手続上の取扱いであるから、不動産自体の権利関係を公示することを目的とする登記実務の取扱いとの差異が生じても問題はない。

【書式】承継上申書（担保不動産競売の特定承継の場合）

令和○○年(ケ)第○○○号事件
債 務 者　○○○○
所 有 者　○○○○

　　　　　　　　　　　　　　　　　　　　　　　令和○○年○月○日

　　　　　　　　　　　　　承継上申書

東京地方裁判所民事第21部　御中
　〒□□□-□□□□
　　　　東京都○○区○○町○丁目○番○号
　　　　　　　　　　　　承 継 債 権 者　甲株式会社
　　　　　　　　　　　　代表者代表取締役　○○○○　印

　〒□□□-□□□□
　　　　東京都○○区○○町○丁目○番○号
　　　　　　　　　　　　旧　債　権　者　乙株式会社
　　　　　　　　　　　　代表者代表取締役　○○○○　印

　頭書の担保不動産競売事件について、申立てに係る（根）抵当権及び被担保債権が、債権譲渡契約により、乙株式会社から甲株式会社へ承継され、

(根) 抵当権移転の付記登記 (○○法務局○○出張所令和○○年○月○日受付○○○号) を経たことに伴い、甲株式会社が乙株式会社から申立債権者の地位を承継しましたので、関係書類を添えて、上申します。

なお、旧債権者が納付した予納金については引き続き手続費用に充てられること、手続費用については承継債権者に配当金が交付されること、旧債権者が納付した予納金の残額については旧債権者に還付されることを承諾します。承継後の当事者は別紙当事者目録記載のとおりです。

　　　　　　　　　添　付　書　類
1　資格証明書（甲株式会社）
2　資格証明書（乙株式会社）
3　印鑑登録証明書（乙株式会社）
4　不動産登記事項証明書○通

(別紙)

　　　　　　　　　　　当事者目録

〒□□□-□□□□
　　　東京都○○区○○町○丁目○番○号
　　　　　　　　　　　　　乙株式会社承継人
　　　　　　　　　　　　　債　権　者　　甲株式会社
　　　　　　　　　　　　　代表者代表取締役　○○○○

〒□□□-□□□□
　　　東京都○○区○○町○丁目○番○号
　　　　　　　　　　　　　債務者兼所有者　内野太郎

(注)　手数料（収入印紙）は不要である。

Q29 強制競売手続における当事者の承継

強制競売開始決定の前後において、当事者の承継があった場合、申立債権者はどのように対応すべきか。

1 強制競売における競売開始決定前の承継

(1) 総　論

強制競売開始決定前の当事者の承継の場合、申立債権者の承継、債務者の承継いずれについても、一般承継、特定承継を通じて、承継執行文制度（法27条2項）があるので、承継の事実を裁判所書記官又は公証人に証明して、債務名義に承継執行文の付与を受け、これを執行裁判所に提出して、強制競売の申立てをする。会社分割による承継（担保不動産競売手続における会社分割による承継については〔Q31〕参照）についても同様である。なお、申立て後競売開始決定前の承継であれば、申立て後速やかに承継の手続をする。

他方、強制競売開始決定前の当事者の承継を看過して競売開始決定がされ、競売開始決定後に初めて承継の事実が判明した場合、更正決定により当事者の表示を訂正して強制競売を続行することは許されない（不動産執行の理論と実務(上)112頁）。この場合、執行裁判所は、競売開始決定を取り消して強制競売の申立てを却下する（注解民事執行法(3)92頁〔三宅弘人〕）。

(2) 当事者に承継が生じた場合の強制競売の申立て

ア　概　説

債務名義による強制執行をすることができる者の範囲を定める法23条は、同条1項3号で、債務名義成立後の承継人に対し、強制執行ができる旨定めている。ここでの承継は、特定承継、一般承継を問わないため、債務名義成立後に債務者に相続が開始している場合でも、相続人に対して当該債務名義で強制執行を行うことができる。もっとも、承継人は債務名義に表示されていないので、執行機関もそのままでは強制執行を行うことは

できない。そこで、債務名義の執行力の範囲を明らかにするために、債務名義に、法27条2項により承継執行文の付与を受けて強制執行を行うことになる。

イ　承継執行文

　強制執行は、債務名義に当事者として表示されている者に対し、又はその者のために行うことができる（法23条1項1号）のが原則であるが、法27条2項は、当事者として表示されていない者に対し、又はその者のために行うことができることが執行文付与機関に明白であるとき、又は債権者がそのことを証する文書を提出したときに限り、執行文を付与すると定めている。債務名義の執行力を債務名義に記載される当事者以外にも拡大するので、執行力の拡張ともいわれるが、拡張の事由がおおむね承継であることが多いことから承継執行文と呼ばれる。

　承継の原因には、特定承継と一般承継とがある。特定承継には、譲渡、弁済による代位等により、債務名義に表示された給付請求権の移転を受けた者に対し、債務名義に表示された債権者の承継人として執行力が及ぶ場合（債権者の承継）と、免責的債務引受等により、債務名義に表示された義務の移転を受けた者に対し、債務名義に表示された債務者の承継人として執行力が及ぶ場合（債務者の承継）とがある。一般承継とは、相続又は合併等により債権者又は債務者としての地位を包括的に承継することである。一般的には、これらの承継が債務名義の成立後に生じたことが承継執行文付与の要件であるが、債務名義が判決の場合は、口頭弁論終結後に承継が生じたことが必要である。口頭弁論終結前であれば、訴訟手続において承継手続をとることにより、承継人を当事者とすべきであるから、口頭弁論終結前の承継を原因として、承継執行文付与の手続によることはできない。

　承継執行文の付与を受けるためには、通常は、債権者が、執行文付与機関である裁判所書記官又は公証人（執行証書の場合）に対し、承継の事実を主張立証しなければならない。実務上、特定承継のうち、例えば、債権譲渡の場合であれば、債務名義に表示された給付請求権の譲渡の事実を譲渡契約書等の資料によって立証する。一般承継のうち、例えば、債務者の

死亡の場合であれば、債務者の死亡の事実とその相続関係を戸籍謄本等により立証するのが通例である。承継執行文が付与された場合、強制競売の申立てに当たり、執行文及び法27条の規定により債権者が提出した承継を証する文書の謄本が、あらかじめ、又は同時に債務者に送達されていることが必要である（法29条後段）。強制執行を受ける債務者に、防御の機会、特に執行文付与に対する異議の訴えを提起する機会を保障するためである。

ウ 代位登記

　強制競売を開始するためには、原則として、承継執行文に表示された承継人と不動産登記上の所有者が一致していなければならない。目的不動産の登記が被承継人のままになっている場合には、債権者としては、強制競売の申立て前に、代位により承継人への移転登記を経由する必要がある（〔Q18〕、〔Q30〕参照）。なお、東京地裁民事執行センターでは、強制競売における競売開始決定前の被承継人の死亡に関しては、担保不動産競売の場合（〔Q30〕参照）と異なり、承継執行文の付された債務名義の正本と承継人名義に代位登記された登記事項証明書の提出があれば開始決定をしており、被相続人の死亡の日から3か月間を調査対象期間とする相続放棄の申述の有無に関する家庭裁判所の証明書の提出は求めていない。

2　強制競売における競売開始決定後の承継

(1)　申立債権者の承継

ア　承継手続

　競売開始決定がされた後に、申立債権者に相続、法人合併等の一般承継や債権譲渡等の特定承継の事由が生じた場合、承継人は自己のために強制競売の続行を求めることができる（規22条）。この承継手続がされた後は、執行裁判所は承継人のために執行手続を続行することになる。

　承継による続行を求めるには、承継人は、承継上申書のほか、承継執行文が付された債務名義の正本を執行裁判所に提出する必要がある（特定承継の場合の承継上申書につき【書式】参照。承継上申書の詳細については、〔Q28〕を参照）。

債務名義に基づく強制競売の場合、申立債権者の承継については、一般承継、特定承継を問わず、承継執行文の付された債務名義の正本の提出を要し、その他の証明書類による承継事実の証明を許さない。これは、承継事実の審査は、執行裁判所ではなく、執行文付与機関（裁判所書記官又は公証人）の職責であることによる。この場合、承継を証する文書は承継執行文付与申請（法27条2項）の際の添付資料となる。承継執行文付与申請書に元の債務名義正本を添付する場合、東京地裁民事執行センターでは、承継執行文付与のためであるという理由を付した債務名義正本の一時還付申請書と受書の提出があれば、債務名義正本の一時還付に応ずる取扱いである（もっとも、一時還付に応ずる法的根拠はないし、承継執行文付与の申請に当たって元の債務名義正本の添付は必須ではないので、庁により取扱いが分かれるところである。）。

執行文及び承継を証する文書の謄本の債務者への送達証明書は、新たに強制執行を開始する場合ではないため、不要である（注釈民事執行法(2)636頁〔富越和厚〕参照）。

承継人が法人の場合は、資格証明書の提出を要する。特定承継の旧債権者が法人の場合で、承継時と申立て時とで代表者が異なるときは、旧債権者についての新しい資格証明書の提出を要する。

イ　承継手続後の手続

執行裁判所は、承継手続のための書面が提出されると、それを審査し、不備がなければ、債務者に対し、承継執行文付債務名義の正本が提出された旨を裁判所書記官名で通知する（規22条2項）。

承継手続がされた後は、承継人を申立債権者として執行手続が進められる。

執行裁判所が、債務者からの届出等の情報から申立債権者の承継の事実を知ったが、承継債権者から承継手続がされない場合の執行手続の進行はどうなるかという問題がある。特定承継の場合は、承継債権者からの承継手続がされるまで、旧債権者を当事者として執行手続を進行させればよい。一般承継の場合は、諸見解があるものの、実務上は、新たな債権者となるべき者があえて承継手続をしないような特別な場合はともかく、一般

的には、承継債権者の関与（通知を受ける等の受動的関与も含む。）を要しない既に進行中の手続（現況調査、評価等）はそのまま進行させ、承継債権者の関与を要する新たな手続（売却手続等）は承継債権者からの承継手続の完了を待って進行させるのが通例である。

　(2)　債務者の一般承継

　債務者の一般承継人に対して強制競売の申立てをするには、債務名義に承継執行文の付与を受けてから執行の申立てをするのが原則であるが（法27条2項）、競売開始決定後に債務者の一般承継があったときには、この承継執行文の付与を受けることなく、手続を続行することができる（法41条1項）。法41条1項は、債務者死亡の場合のみを規定しているが、法人の合併等の一般承継の場合にも類推適用される。

　債務者の死亡後に手続が続行される場合において、死亡した債務者の承継人に対する書面の送達や通知を要するときには、相続人を名宛人として送達又は通知をしなければならないため、承継執行文こそ不要であるが、相続関係を証する戸籍謄本などの提出が必要となる。なお、東京地裁民事執行センターでは、原則として、被相続人の死亡の日から3か月間を調査対象期間とする相続放棄の申述の有無に関する家庭裁判所の証明書の提出は求めていない。

　相続人の存在又は所在が不明であるときは、相続財産法人が当事者になる（民951条）。この場合において手続を進めるためには、相続財産法人の具体的な権利行使、義務履行の任に当たる管理人を選任する必要がある（民952条1項）。相続財産管理人を選任している時間的余裕がないような場合は、債権者の申立てにより相続財産又は所在不明の相続人のために特別代理人を選任し、その特別代理人に送達等をすれば足りる（法41条2項。〔Q30〕参照）。

　(3)　債務者の特定承継

　競売開始決定後に債務者について免責的債務引受等により特定承継が生ずる事例は、通常考えられない。

　なお、競売開始決定に基づく差押えの登記後に、目的不動産について所有権の譲渡がされた場合、その処分行為は当事者間では有効であり、その

登記も許されるが、執行手続上は全ての債権者との関係で無視される（手続相対効）。したがって、新たに所有権を取得した者が執行手続の当事者となることはなく、その者に対して債権を有する者が配当要求して執行手続に参加することもできず、また配当時に剰余が生じた場合でも、剰余金は差押え時の所有権者に交付されることになる。

3　債務者が、開始決定前に相続放棄の申述をしていたことが開始決定後に判明した場合

　当事者の承継の問題ではないが、債務者を相続人とする相続債務を請求債権とし、相続財産である不動産を目的とする強制競売事件において、債務者が開始決定前に相続放棄の申述をしていたことが開始決定後に判明することがある。このような場合、東京地裁民事執行センターでは、その相続放棄の有効性が請求異議訴訟等において肯定されるか、又は同請求異議訴訟等に伴う執行停止等の措置がとられない限り、手続を進行させる取扱いである。

【書式】承継上申書（強制競売の特定承継の場合）

```
令和○○年(ヌ)第○○号事件
債 務 者　○○○○
                                                  令和○○年○月○日

                        承継上申書

東京地方裁判所民事第21部　御中
　〒□□□－□□□□
　　　東京都○○区○○町○丁目○番○号
                        承 継 債 権 者　甲株式会社
                        代表者代表取締役　○ ○ ○ ○　印
　〒□□□－□□□□
　　　東京都○○区○○町○丁目○番○号
                        旧　債　権　者　乙株式会社
                        代表者代表取締役　○ ○ ○ ○　印
```

Q29

　頭書の強制競売事件について、申立てに係る請求債権が、乙株式会社から甲株式会社へ承継され、承継執行文が付与されたことに伴い、甲株式会社が乙株式会社から申立債権者の地位を承継しましたので、関係書類を添えて、上申します。なお、旧債権者が納付した予納金については引き続き手続費用に充てられること、手続費用については承継債権者に配当金が交付されること、旧債権者が納付した予納金の残額については旧債権者に還付されることを承諾します。承継後の当事者は別紙当事者目録（略）記載のとおりです。

添　付　書　類
1　資格証明書（甲株式会社）
2　資格証明書（乙株式会社）
3　印鑑登録証明書（乙株式会社）
4　承継執行文付債務名義の正本

（注）　手数料（収入印紙）は不要である。

Q30 債務者(所有者)の死亡後、不動産に相続登記がされていない場合の競売申立て

債務者(所有者)が死亡したにもかかわらず、不動産に相続登記がされていない場合、競売の申立てはどのようにすればよいか。

1 担保不動産競売の場合

(1) 相続人が存在するとき

ア 総 論

　担保権は、設定された不動産の所有者が死亡しても、その換価権に影響はなく、実行することが可能である。ただし、競売申立てにおいて目的不動産の所有者とされた者は、以後、競売手続上の当事者として様々な通知、送達の名宛人になるとともに、競売手続上の各種の裁判、処分等に対し執行抗告をすること又は執行異議を申し立てることができる。したがって、死亡した所有者をそのまま当事者として競売申立てをすることは真の権利者の地位を侵害するものとして許されない(最判平5.12.17民集47巻10号5508頁は、法184条を適用するためには、競売不動産の所有者がたまたま不動産競売手続が開始されたことを知り、その停止申立て等の措置を講ずることができたというだけでは足りず、不動産競売手続上当事者として扱われたことを要する旨判示している。)。多くの場合、不動産の所有権は相続人に承継されるから、その相続人を所有者として担保不動産競売を申し立てることになる。

　しかし、相続人が自ら目的不動産について相続登記を行っていることはむしろ少ない(なお、令和3年法律第24号による改正後の不登76条の2第1項により、相続登記の申請が義務化された。同改正の施行日は令和6年4月1日である。村松秀樹ほか「「民法等の一部を改正する法律」および「相続等により取得した土地所有権の国庫への帰属に関する法律」の概要」金法2170号25頁参照)。執行裁判所が差押登記の嘱託(法48条)をする際には、嘱託書上の登記義務者と、登記原因情報である担保不動産競売開始決定正本上の所有者

及び不動産登記記録上の所有者の表示が一致していなければならないため（不登16条2項、25条7号）、そのままでは、差押登記の嘱託は受理されないことになる。そこで、債権者としては、競売申立ての前提として、代位による相続登記をしておく必要が生ずる。

イ　代位による相続登記

　目的不動産の登記記録上の所有者が被相続人のままである場合、債権者が相続登記をする方法としては、民法423条による債権者代位権の行使として、債務者に代位し、その登記申請権を行使して相続登記手続を行うことが考えられる。このような代位者による申請に基づき行われる登記（不登59条7号）を代位登記という。代位登記の申請については、保全しようとする債権を被担保債権とする担保権が設定されている場合、登記実務上は、債権保全の必要性という要件との関係で、直ちに民法423条の代位による相続登記手続を認めるのではなく、代位原因証明情報として競売申立書受理証明書の添付があれば、相続登記の申請を受理する取扱いである（昭和62.3.10法務省民三第1024号民事局長回答）。そこで、実務上、執行裁判所では、相続登記が未了の段階でも、相続人を所有者とする競売申立てを受理し、申立債権者の申請により競売申立書受理証明書を発行して、代位による相続登記がされている登記事項証明書が提出されたときに競売開始決定をする取扱いである（昭和62.4.14最高裁民事局第三課長通知）。

　具体的な申立ての流れは、次のとおりになる。

① 　申立債権者は、執行裁判所に対し、相続人を所有者とする担保不動産競売申立書を提出する。添付資料としては、被相続人名義の登記事項証明書のほか、相続関係図、相続関係を証明する戸籍謄本、各相続人の住民票、戸籍の附票、相続放棄の申述の有無についての家庭裁判所の証明書（原則として被相続人の死亡した日から3か月間を調査対象期間とするもの。第一順位の相続人が相続放棄している場合には調査対象を広げる必要がある。）等が必要となる。なお、これらの相続人を確定するために要する資料は、登記申請のために申立債権者に一時還付するため、写し1部の提出を要する。また、競売申立書提出の際、競売申立書受理証明を申請し（【書式1－1】、【書式1－2】）、同申請書とともに代位による相続

登記手続をして登記事項証明書を提出する旨の上申書（【書式2】）を提出する。
② 申立債権者は、裁判所書記官による競売申立書受理証明書（【書式1－2】）を代位原因証明情報として相続登記の代位登記申請を行い、相続登記が経由された登記事項証明書を、申立後に一時還付を受けた戸籍謄本等の原本も含めて、全て執行裁判所に提出する。また、東京地裁民事執行センターにおいては、配当時の執行費用計算のため、代位登記申請書の写しの提出を求めている。

なお、代位登記前に既に目的不動産の持分を有していた者が、代位登記によりさらに相続分に係る持分を有するに至った場合、その間に住所移転があれば、代位登記前の当該共有者の住所について、代位による変更をしておく必要がある。当該共有者の元の住所と、相続による代位登記後の同共有者の住所とが異なっていると、登記官が同姓同名の別人と認識し、差押登記がされない可能性があるためである。
③ 執行裁判所は、②による代位登記を登記事項証明書で確認した後、競売開始決定を行い、差押登記の嘱託をする。

(2) 相続人が不存在又は不分明のとき
ア 相続財産管理人の選任

相続人が不存在又は不分明の場合は、当事者である所有者は相続財産法人になるため（民951条）、目的不動産の登記記録上の所有名義を相続財産法人にする必要がある。相続財産法人を当事者とするためには、相続財産法人の具体的な権利行使、義務履行の任に当たる管理人を選任する必要がある（民952条1項）。選任された相続財産管理人によって、目的不動産の所有権登記名義人の表示変更の付記登記手続が行われることになる（「亡○○○○相続財産」という表示に変更される。）。もっとも、相続財産管理人が、なお、そのような表示変更登記を行わない場合には、申立債権者が、前記(1)イの場合に準じて、相続財産管理人に代位して、所有権登記名義人の表示変更登記手続を行わざるを得ない。

イ 特別代理人の選任

相続財産管理人を選任している時間的余裕がないような場合は、法20

条、民訴法35条1項、37条により特別代理人の選任が認められる（大決昭6.12.9民集10巻12号1197頁）。東京地裁民事執行センターにおいては、相続財産管理人の選任を待っていたのでは、時効による消滅等により損害が生ずる可能性がある場合や、物件がガソリンスタンドで速やかな処分が要求される等、特別代理人の選任を必要とする例外的な場合に限り、特別代理人を選任する取扱いである。

また、特別代理人には手続外の行為をする権限はないと解されていることから（秋山幹男ほか『コンメンタール民事訴訟法Ⅰ〔第3版〕』（日本評論社）484頁参照）、特別代理人に所有権登記名義人の表示変更登記手続の申請の権限があるか否かについて疑義が残る。そこで、東京地裁民事執行センターでは、この場合の表示変更登記手続については、申立債権者が、前記の代位登記の方法により行い、この登記手続が終了した後に、競売開始決定をする取扱いである。

2　強制競売の場合

債務名義について承継執行文の付与を受けても、目的不動産が被相続人の名義のままで、しかも相続人自らが相続登記を経由しないときは、承継執行文に表示された債務者と不動産登記記録上の所有者が異なってしまい、そのままでは差押登記ができないため、開始決定もできないことになる。このような場合、債権者は、承継執行文付きの債務名義の正本を代位原因証明情報として、民法423条により、相続人が有している登記申請権を相続人に代位して行使し（不登59条7号）、不動産の所有者を相続人名義にした上で、強制競売の申立てをすることを要する。

死亡した債務者の相続人が不存在又は不分明のときは、前記1(2)と同様である。

〈参考文献〉

不動産競売申立ての実務と記載例174頁、東京地裁民事執行センター「さんまエクスプレス第72回」金法1963号61頁

【書式1-1】競売申立受理証明申請書(申請用)

証 明 申 請

東京地方裁判所民事第21部　御中

　　　　　　　　　　　　　　　　　　　　　令和　　年　　月　　日
　　　　　　　　　　　　　申立債権者　　　　　　　　　　　印
　当事者の表示　　別紙当事者目録記載のとおり
　別紙物件目録記載の不動産について、上記の当事者を執行当事者とする競売申立書が、令和　　年　　月　　日御庁において令和　　年（　　）第　　号事件として受理されたことを証明してください。

受　　書
　上記証明書1通を受領しました。

　　　　　　　　　　　　　　　　　　　　　令和　　年　　月　　日
　　　　　　　　　　　　　申立債権者　　　　　　　　　　　印

（注）　収入印紙150円分の貼付が必要である。

【書式1-2】競売申立受理証明申請書(証明用)

証 明 申 請

東京地方裁判所民事第21部　御中

　　　　　　　　　　　　　　　　　　　　　令和　　年　　月　　日
　　　　　　　　　　　　　申立債権者　　　　　　　　　　　印
　当事者の表示　　別紙当事者目録記載のとおり
　別紙物件目録記載の不動産について、上記の当事者を執行当事者とする競売申立書が、令和　　年　　月　　日御庁において令和　　年（　　）第　　号事件として受理されたことを証明してください。

　上記証明する。

```
        令和　　年　　月　　日
            東京地方裁判所民事第21部
                裁判所書記官
```

【書式2】代位による相続登記をする旨の上申書

```
                    上　申　書

東京地方裁判所民事第21部　御中
                                    令和　　年　　月　　日
                    申立債権者　　　　　　　　　　　印
    当事者の表示　　別紙当事者目録のとおり
    別紙物件目録記載の不動産に対する、上記の当事者を執行当事者とする
競売申立てが受理された旨の証明書が交付されたときは、速やかに別紙当
事者目録記載の所有者の名義に代位による相続登記を行い、登記完了後は
その全部事項証明書を提出します。
    なお、これらの登記を行うため、競売申立時に提出した下記戸籍謄本等
を、一時申立債権者に貸し出してください。借り受けた戸籍謄本等は、登
記完了後速やかに御庁に返却します。
                        記
1　戸籍謄本等                                  通
2　戸籍附票等                                  通
3　相続放棄等の受理証明書                      通

            上記書類を受領しました。
                令和　　年　　月　　日
                    申立債権者　　　　　　　　　　　印
```

Q31 担保不動産競売手続における会社分割

担保不動産競売開始決定の前後において、当事者に会社分割があった場合、申立債権者はどのように対応すべきか。

1 会社分割による承継の特色

会社分割には、新設分割（会社762条以下）と吸収分割（会社757条以下）とがあるが、いずれも、分割会社が、分割計画又は分割契約の定めるところにより、設立会社又は承継会社に営業の全部又は一部を包括的に承継させるものである（会社764条1項、759条1項等）。このように、会社分割による承継は、法的には一般承継の性質を有するものであるが、特定の権利義務の承継については分割計画又は分割契約の内容により承継の有無が定まり、また、分割会社が第三者に対し会社分割により承継された権利を二重譲渡した場合には対抗問題として処理すべきものとされているように、特定承継に類似した側面も有するので、担保不動産競売手続においては、通常の一般承継とは異なった取扱いが必要となる（強制競売手続においては、原則どおり、設立会社又は承継会社は、分割会社名義の債務名義に承継執行文の付与を受けて承継手続をとることになり、通常の一般承継の取扱いと異なるところはない（〔Q29〕参照）。）。

なお、会社分割に伴い、分割会社及び承継会社の商号変更及び代表者変更があることも多く、その場合には、それに応じた手続も併せてとる必要がある。

2 担保不動産競売開始決定前の会社分割による承継

(1) 申立債権者における競売開始決定前の会社分割
ア　抵当権実行の場合

設立会社又は承継会社が分割会社から承継した抵当権を実行しようとする場合、最も原則的なのは、抵当権移転について付記登記を経由した上で

Q31

申立てをする方法である。なお、会社分割による承継が一般承継の性質を有することからすると、後記3(1)と同様の方法も考えられなくはない（申立て後、競売開始決定前の会社分割であれば、競売開始決定前に速やかに承継の手続をすることになる。）。しかし、可能な限り、申立債権者において付記登記を経由した後に申し立てることが相当である。

イ　根抵当権実行の場合

　根抵当権実行の場合も、申立て前に元本確定事由（民398条の20第1項各号）の存在により既に元本が確定していれば、抵当権実行の場合と同じ取扱いになる。

　元本が確定していない根抵当権の実行を申し立てるときには、根抵当権は、分割の時に存する債権のほか、分割後に分割会社と設立会社又は承継会社が取得する債権も担保し（民398条の10第1項）、根抵当権が分割会社と設立会社又は承継会社の準共有状態にあるため、別途の考慮が必要である。

　東京地裁民事執行センターでは、根抵当権の準共有者のうち一人の単独の実行申立てを認める取扱いであるから（一部代位弁済者の競売申立てにつき〔Q12〕参照）、設立会社又は承継会社は、付記登記を経由している場合はもちろん、経由していなくとも、商業登記事項証明書の記載により会社分割の事実を立証すれば、分割計画書又は分割契約書を提出することなく、単独で実行申立てをすることが可能ということになる。

　もっとも、その後の手続の進行を考えると、執行裁判所は、分割会社にも何らかの被担保債権があるとの想定の下、根抵当権の極度額全額の配当を留保せざるを得ない可能性がある。したがって、設立会社又は承継会社は、このような事態を避けるため、分割会社に被担保債権があるか否かについて、申立ての際に執行裁判所に対して情報を提供しておくことが望ましい。具体的には、被担保債権がない場合には、あらかじめ分割会社から、被担保債権がない旨の債権届出（いわゆるゼロ届）に代わるものとして、「被担保債権がなく当該根抵当権行使の予定がないので、債権届出の催告等は不要である。」旨の上申書【書式1】を徴しておき、根抵当権実行申立ての際に併せて提出する。分割会社にも被担保債権が発生している

場合には、競売申立書に分割会社にも被担保債権がある旨付記しておく（その後の手続は、通常の根抵当権の準共有の場合と同様に進行することになる。）。

(2) 債務者における競売開始決定前の会社分割

乙区欄にある抵当権の登記事項中、債務者の表示の変更登記を、債権者が代位により登記することはできない（不登60条）。したがって、申立債権者は、承継を証する文書（分割計画書又は分割契約書等）の記載により、債務者の承継の事実、重畳的債務引受の有無等、債務者が誰であるかを立証することになる。

会社法上、分割会社、承継会社、設立会社は、吸収分割契約又は新設分割計画等の内容（会社782条、794条、803条）や承継の対象となる重要な権利義務に関する事項等を記録した書面等（会社791条、801条、811条）を吸収分割の効力発生又は新設会社の成立から6か月間、本店に備え置き、債権者からの閲覧請求、謄本又は抄本の交付請求等に応じなければならない。しかし、債権者が債務者から各別の催告（会社789条2項、799条2項、810条2項）を受けなかった場合や、債務者が非協力的である場合には、上記各文書を取得することができない。このような場合には、法務局で閲覧した会社分割登記の登記申請書類として添付された分割計画書や分割契約書等の写真、分割計画書の別紙明細書であることにつき公証人の認証印が付された会社分割設立会社の定款の写しなどの複数書証の組合せにより、前記債務者の承継の事実等を証明することが考えられる。

なお、民法398条の10第2項は、元本の確定前にその債務者を分割会社とする分割があったときは、根抵当権は、①分割の時に存する債務のほか、②分割会社が分割後に負担する債務と、③設立会社又は承継会社が分割後に負担する債務をも担保する旨定めており、担保権が根抵当権（元本確定前）である場合でも、その債務が分割会社、承継会社、設立会社のいずれに承継されるかが不明であることに変わりはないので、前記抵当権の場合の取扱いと同様、申立債権者は、承継を証する文書（分割計画書又は分割契約書等）の記載により、債務者の承継の事実、重畳的債務引受の有無等、債務者が誰であるかを立証する必要がある。

Q31

(3) 所有者における競売開始決定前の会社分割

　所有者の承継については、あらかじめ代位登記を経ておかなければ新所有者名義では差押登記ができないから、申立債権者は、執行裁判所から競売申立ての受理証明を取得した上、法務局に対し会社分割契約書等で会社分割による承継関係等を証明して、代位登記の方法により、分割会社から承継会社又は設立会社への会社分割を原因とする所有権移転登記手続をする必要がある。執行裁判所は、承継が反映された登記事項証明書の提出を受けた後に、競売開始決定をすることになる。

3　担保不動産競売開始決定後の会社分割による承継

(1)　申立債権者における競売開始決定後の会社分割

ア　抵当権実行の場合

　最も原則的なのは、やはり付記登記を経由する方法であるが、この方法は、買受人が代金を納付した後にはすることができない。そこで、この場合には、商業登記事項証明書の記載と分割計画書又は分割契約書の記載により、承継の事実を立証する方法が考えられる。もっとも、分割計画又は分割契約の法定記載事項（会社法763条1項5号、758条2号等）の定め方は、特定の権利義務が分割後いずれの会社に帰属するのかが明らかになる程度の記載は必要とされるものの、必ずしも、承継の対象となる個々の権利義務を個別に特定して帰属先を明らかにする必要はないとされている（江頭憲治郎『株式会社法〔第8版〕』（有斐閣）937頁）。例えば、その記載が、「分割会社第一営業部が所管する営業を設立会社（承継会社）が承継する。」旨であるとすると、執行裁判所としては、果たして申立てに係る抵当権及び被担保債権が設立会社又は承継会社に承継されているのか否かが判然としない。このように分割計画又は分割契約から承継される営業が対外的に明確でない場合には、「申立てに係る抵当権及び被担保債権が分割会社に承継されている。」旨の分割会社と設立会社又は承継会社作成の証明書（確認書）【書式2】も提出する必要がある。分割計画書又は分割契約書が大部である場合には、その抄本を作成し、事実実験公正証書によりその抄本性を立証することも考えられる。

なお、これらの承継の事実を証する文書の提出を受けた裁判所書記官は、債務者及び所有者にその旨通知する（規171条）。

イ 根抵当権実行の場合

根抵当権実行の場合、競売開始決定（民398条の20第1項1号）により元本が確定するので、抵当権実行の場合と同じ取扱いになる。

(2) 債務者・所有者における競売開始決定後の会社分割

債務者・所有者において担保不動産競売開始決定後に一般承継があった場合、競売手続においては中断・受継（民訴124条以下）は観念されておらず、競売手続はそのまま進行する（〔Q28〕参照）。競売開始決定後に所有者が一般承継したとしても、競売手続はそのまま進行することになるが、所有者に対する送達・通知を承継人に対してする必要があるため、速やかに「承継を証する文書」を提出して所有者の承継手続をするべきである。提出する文書は、債務者における会社分割（前記2(2)）と同様のものとなろう。

〈参考文献〉

東京地裁民事執行センター「さんまエクスプレス第5回、6回、15回」金法1640号32頁、1642号50頁、1665号49頁

【書式1】 被担保債権が存しない旨の分割会社の上申書

令和○○年(ケ)第1234号事件

　　　　　　　　　　　　　　　　　　　　　　令和○○年○月○日

　　　　　　　　　　　　上　申　書

東京地方裁判所民事第21部　御中

　　　　　　　　　　　　　　　　　　○○○株式会社
　　　　　　　　　　　　　　　　　　代表者代表取締役　○○○○　印

　頭書事件について、弊社は、令和○○年○月○日付け会社分割計画書（会社分割契約書）（○条○項、○条○項、別表○参照）に基づき、令和○

○年○月○日から、申立てに係る根抵当権を申立債権者△△株式会社と準共有していますが、弊社は、当該根抵当権について、被担保債権が存しないため、これを行使する予定はなく、したがって、弊社に対する債権届出の催告その他一切の通知、催告等は必要ありませんので、その旨上申します。

【書式2】分割会社と設立会社又は承継会社作成の証明書（確認書）

令和○○年(ケ)第1234号事件

　　　　　　　　　　　　　　　　　　　　　　　令和○○年○月○日

　　　　　　　　　　　　　証　明　書

東京地方裁判所民事第21部　御中

　　　　　　　　　　　　　　　　○○○株式会社
　　　　　　　　　　　　　　　　代表者代表取締役　○○○○　印

　　　　　　　　　　　　　　　　△△株式会社
　　　　　　　　　　　　　　　　代表者代表取締役　○○○○　印

　頭書事件について、申立てに係る抵当権及び被担保債権は、令和○○年○月○日付け会社分割計画書（会社分割契約書）（○条○項、○条○項、別表○参照）に基づき、令和○○年○月○日、○○○株式会社から△△株式会社に承継されたことを証明します。

第4節

手続の進行の可否

Q32 滞納処分による差押えと競合する競売事件の進行

競売開始決定前に滞納処分による差押えの登記がある場合、競売手続の進行はどうなるか。競売開始決定後に滞納処分による差押えの登記がある場合はどうか。

1　二つの強制換価手続とその調整

　民事執行法に定める不動産競売の手続は、債権者が金銭債権の満足を得るために債務者（所有者）の不動産を差し押さえて強制的に換価し、その代金から債権の回収を図る手続である。これとは別に、納税者が納税しない場合に徴収機関が滞納者の不動産を差し押さえて強制的に換価し、その代金から税金の徴収をする手続として、国徴法に定める不動産に対する滞納処分の手続がある。その結果、同一の不動産について、競売手続と滞納処分手続が競合する事態があり得ることになる。そこで、滞調法は、不動産競売の手続に関する規定の特例を定め、滞納処分と競売との手続の調整を図っている。

　なお、滞調法の規定する「滞納処分」とは、国徴法による滞納処分及びその例による滞納処分をいい（滞調2条1項）、国徴法による国税の滞納処分のほか、地税法による地方税の滞納処分についても、滞調法が適用される。

　滞調法は、滞納処分による差押えのある不動産に対しても競売による差押えができ（滞調12条1項、20条）、また、競売による差押えがある不動産に対しても滞納処分による差押えをすることができるとしている（滞調29条1項、36条）。

　そして、競売手続と滞納処分手続が競合する場合、原則として差押先着手主義が働き、先に開始され差押えがされた手続で進行するが、続行決定又は続行承認決定があったときは、後に差押えがされた手続で進行することができるとされている（滞調13条、20条、30条、36条）。具体的な手続は、

以下のとおりである。

2 滞納処分手続が先行する場合

(1) 開始決定通知と手続の停止

　滞納処分による差押登記のある不動産について競売の開始決定がされたときは、裁判所書記官は、その旨を滞納処分による差押えをした徴収職員等に通知する（滞調12条2項、20条）。この通知は、競売事件が二重に開始決定された場合に先行事件の差押債権者にする通知（規25条1項）と同様の趣旨に基づくものである。この通知によって、徴収職員等は、後行する競売手続の存在を知ることができ、執行裁判所に対し、滞納処分が解除された場合の通知や滞納処分による当該不動産換価の残余金交付通知等をすることが可能となる。裁判所書記官は、所定の事項を記載した書面で（滞調規15条、23条）、相当と認める方法で通知を行えば足りるが（滞調規3条1項）、通知をしたときは、その旨及び方法を記録上明らかにしなければならない（同条2項）。

　申立債権者は、競売手続続行の決定を申請することができる（滞調17条、8条、20条）。東京地裁民事執行センターにおいては、可能な限り、競売申立てと同時に、その競売開始決定がされることを条件とする続行決定の申請をすることを促しており、実際そのような形で申請がされる場合が多い。同時に申請がされた場合、裁判所書記官は、徴収職員等に対する競売開始決定の通知と求意見書（滞調17条、9条2項、20条）の送付を同時に1通の書面で行うことができる（滞調規19条2項、12条、23条）。東京地裁民事執行センターでは、「開始決定通知書兼求意見書」を普通郵便で滞納処分庁に送付している（〔Q33〕参照）。

　滞納処分による差押えがされた不動産についても、競売による差押えをし（法45条1項）、開始決定正本を債務者に送達する（法45条2項）ことができるが、配当要求終期の処分（法49条）その他の競売による当該不動産の売却のための手続については、続行決定がある場合を除き、滞納処分による差押えが解除された後でなければすることができない（滞調13条1項、20条）。ただし、現況調査（法57条）については、差押え時における目的不

動産の占有状況を明らかにしておく保全的意味合いがあるので、これを実施するのが一般的である。

(2) 残余金の交付

滞納処分手続において目的不動産が売却されると、徴収職員等は買受人に代金を納付させ（国徴115条）、税務署長は、売却代金の配当を実施する（国徴128条）。その際、配当を受けることができるのは、①差押えに係る租税（国徴129条1項1号）、②交付要求を受けた租税（同項2号）、③差押不動産に係る質権、抵当権、先取特権、留置権又は担保のための仮登記により担保される債権（同項3号）、④特定の損害賠償請求権等に係る債権（同項4号）に限られ、その余の担保のない一般の私債権者に対して配当はされない。

滞納処分手続における配当の結果残余が生じたときは、徴収職員等は、その残余金を当該不動産について差押えをした執行裁判所に交付する（滞調17条、6条1項、20条）。残余金が執行裁判所に交付された場合は、その時をもって配当要求の終期が到来したものとみなされ（滞調17条、6条2項、20条）、執行裁判所は直ちに配当等の手続を行う。

滞納処分における目的不動産の売却代金の配当において、残余が生じなかったときは、徴収職員等は、執行裁判所に残余金がない旨の通知をする（滞調17条、6条3項、20条）。

なお、滞納処分による差押え後に仮差押えの登記をした場合には、仮差押命令を発令した保全裁判所の裁判所書記官は、徴収職員等に対して、仮差押えの執行をした旨の通知をすることを要する（滞調18条1項、12条2項）。滞納処分手続における配当の結果残余が生じたときは、仮差押えをした不動産に対する強制執行について管轄権を有する裁判所に残余金が交付される（滞調18条2項）。この交付を受けた執行裁判所は、基本となる事件がないので、執行雑事件（記録符号(ヲ)）として立件し（平成4.8.21最高裁総三第26号事務総長通達別表第1・62(50)）、配当等の手続を行うことになる。執行裁判所において配当等の手続を行う理由は、交付を受けた残余金が、仮差押えの執行がされている不動産を他の債権のための強制競売により売却した場合における売却代金とみなされるからである（滞調18条3項）。

(3) 競売手続の進行

滞納処分による差押えがされた不動産について、競売による差押えがされても、競売による売却のための手続については、滞納処分による差押えが解除された後でなければすることができないが（滞調13条1項本文、20条）、続行決定があったときは、その競売手続による当該不動産の売却のための手続をすることができる。執行裁判所は、求意見に対する徴収職員等の意見を踏まえて、相当と認めるときは続行決定をする（滞調13条1項ただし書、17条、8条、9条、20条）。実務上は、徴収職員等から特段の意見が述べられることは少なく、続行決定により、競売手続を進行させることが通例である。

なお、先行の滞納処分が解除されたときは、滞納処分庁から執行裁判所に対し、その旨の通知があり（滞調14条、20条）、以後は、何らの裁判も要せず当然に目的不動産に関する競売手続を進行させることができる。

(4) 競売手続終了通知

先行の滞納処分による差押えをしている徴収職員等に対して競売開始決定の通知をした後、競売手続が取下げ、取消し等により終了した場合には、両手続の調整を図る必要がなくなるから、裁判所書記官は、競売手続が取下げ、取消し等により終了した旨を徴収職員等に通知しなければならない（滞調15条、20条。通知事項につき滞調規17条、23条）。

なお、滞納処分が先行していて、後行の競売手続の続行決定がされた後に、その競売手続が取下げ、取消し等により終了した場合にも、徴収職員等にその旨の通知をしなければならない（この場合、続行決定により、滞納処分による差押えは競売による差押え後にされたものとみなされるので（滞調17条、10条1項、20条）、通知の根拠規定は、滞調31条、36条（通知事項につき滞調規33条、39条）となる。）。

3 競売の手続が先行する場合

(1) 滞納処分による差押通知と滞納処分の進行制限

競売による差押え後に滞納処分による差押えがされたときは、徴収職員等は、執行裁判所にその旨の通知をしなければならない（滞調29条2項、

36条)。そして、競売の手続が取消し、取下げ等により終了しない限り、滞納処分による売却を実施することができない（滞調30条本文、36条)。ただし、滞納処分続行承認の決定があったときは、この限りでない（滞調30条ただし書、36条)。徴収職員等から、上記の滞調法29条2項の通知があったときは、裁判所書記官は、速やかに、その旨を差押債権者に通知しなければならない（滞調規32条、39条)。

(2) 滞納処分手続の進行

先行の競売の手続が取下げ、取消し等により終了したときは、裁判所書記官は、その旨を徴収職員等に通知しなければならない（滞調31条、36条。通知事項につき滞調規33条、39条)。

先行の競売の手続が中止又は停止されたときは、徴収職員等は、執行裁判所に滞納処分続行承認決定を請求することができる（滞調33条1項、25条、36条)。実務では、滞納処分続行承認請求の事例はほとんどないが、徴収職員等から前記の滞納処分続行承認決定の請求があったときは、裁判所書記官は、速やかに、その旨を差押債権者に通知しなければならない（滞調規35条、27条、39条)。執行裁判所は、滞納処分続行を承認することの相当性を審理し、請求を相当と認めるときは、滞納処分続行を承認する旨決定しなければならない（滞調33条、26条1項、36条)。

滞納処分続行承認決定があったときは、裁判所書記官は、速やかに、その旨を徴収職員等に通知しなければならない（滞調規36条、39条。通知事項につき33条3号、39条)。滞納処分続行承認決定があったときは、滞調法の適用については、競売による差押えは、滞納処分による差押え後にされたものとみなされる（滞調27条1項、33条、36条)。滞納処分手続で目的不動産が売却されて配当をした結果、残余が生じたとき又は残余が生じなかったときの取扱いは、前記2(2)と同一である。

Q33 滞調法による続行決定の手続

滞調法による競売手続続行の決定とは何か。その手続はどのように行うか。

1 総　説

　滞納処分による差押えがされた不動産について、民事執行法上の競売による差押えがされた場合、競売による当該不動産についての配当要求終期を定める処分（法49条）、その他の売却のための手続は、滞納処分による差押えが解除された後でなければすることができないとされており（滞調13条1項本文、20条）、差押えが競合したときの当該不動産の換価手続は、最先順位の差押えに基づいて行うのが基本である（〔Q32〕参照）。

　滞納処分による換価手続が進行すれば、担保権者はその手続の中で代金の配当を受けることができ（国徴129条3号）、代金に残余があればその残余金が執行裁判所に交付され（滞調17条、6条、20条）、執行裁判所が差押え又は配当要求をした無担保債権者に対し配当等の手続をすることになる。しかし、滞納処分による換価手続が進行しない場合は、私債権者としては債権の回収を図ることができない。そこで、滞納処分による換価手続が進行しない場合、早期に債権回収を図りたい差押債権者は、競売手続続行の決定の申請を行い、続行決定があったときは、その競売手続において当該不動産の売却が進められ、配当等を受けることができる（滞調13条1項ただし書、17条、8条、9条、20条）。

2 続行決定の申請

(1) 申請権者

　続行決定の申請（【書式1】参照）ができるのは、差押債権者である（滞調17条、8条柱書、20条）。

　二重開始決定（法47条）を得た後行差押債権者も、滞調法8条で続行決

第4節　手続の進行の可否　257

定の申請ができる法125条3項の動産後行差押債権者と同様の地位に立つと考えられるから、続行決定の申請をすることができる（民事執行事件に関する協議要録236頁〔526問〕）。この続行決定の申請については、法47条6項の先行競売手続停止に伴う続行決定の要件を満たさない後行差押債権者、すなわち、配当要求終期後に後行事件を申し立てた差押債権者や、先行競売手続が取り消されたとすれば当該不動産に係る権利の取得及び仮処分の執行で売却によりその効力を失わないもの（法62条1項2号）について変更が生ずる場合の後行差押債権者であってもすることができる（不動産執行の理論と実務(上)116頁）。

後行差押債権者が続行決定の申請をした場合、続行決定は後行事件の手続として行われ、続行決定も後行事件記録に綴られるが（先行事件の記録には、続行決定の写しを綴る（不動産執行の理論と実務(上)116頁、118頁）。）、続行決定後の手続は先行事件によって進行し、手続費用も先行差押債権者の予納金から支出される（民事執行事件に関する協議要録236頁〔526問〕）。

(2) **申請の時期**

競売手続開始の申立てと同時に、その開始決定がされることを条件とする続行決定の申請がされたときは、裁判所書記官は、徴収職員等に対する競売手続の開始決定の通知と求意見書の送付を同時に1通の書面で行うことができる（滞調規19条2項、23条。〔Q32〕参照）。東京地裁民事執行センターでは、可能な限り競売申立てと同時に続行決定の申請をすることを促している。

(3) **申請の要件**

続行決定の申請は、次のいずれかの事由がある場合にすることができる（滞調17条、8条各号、20条）。

① 法令の規定又はこれに基づく処分により滞納処分の手続が進行しないとき（滞調8条1号）
② 国徴法159条1項、税通法38条3項又は地税法16条の4第1項（同条12項において準用する場合を含む。）の規定による差押えがされているとき（滞調8条2号）
③ ①及び②の場合を除き、相当の期間内に公売その他滞納処分による売

却がされないとき（滞調8条3号）

　続行決定の申請においては、前記の続行事由を主張立証しなければならない。徴収職員等は、差押債権者が続行決定の申請をするため所要の事項についての質問をしたときはこれに応ずることになっているが、徴収職員等は上記①及び②の事由について証明義務を負っておらず、差押債権者が証明文書を提出して、上記①及び②の事由を立証することは実際上困難であることから、実務上は上記③の事由により続行決定の申請がされている。これらの要件については、徴収職員等に対し、審理の中で裁判所書記官から続行について求意見をしているため、申請をした差押債権者は、証明資料を添付する必要はない。申請の申立手数料も不要である。

　(4) **事件の受理**

　続行決定の申請書を受理したときは、執行雑事件として立件する（事件符号(ヲ)。平成4.8.21最高裁総三第26号事務総長通達別表第1・62(49)）。

3　執行裁判所での手続

　(1) **執行裁判所での審理**

　続行決定の申請があると、執行裁判所は、続行することについて徴収職員等に意見を求めなければならない（滞調17条、9条2項、20条）。競売申立てと同時に、その競売開始決定がされることを条件とする続行決定の申請がされたときは、前記2(2)のとおり、裁判所書記官は、徴収職員等に対する競売手続の開始決定の通知と求意見書の送付を同時に1通の書面で行うことができる。東京地裁民事執行センターでは、開始決定通知書兼求意見書（【書式2】参照）を普通郵便で滞納処分庁に送付し（滞調規3条1項、15条、23条）、意見の提出期限を1週間程度としている。送付をした際には、その写し及び通信報告書を記録に綴っている（滞調規3条2項）。

　(2) **申請に対する決定**

　執行裁判所は、滞納処分庁の意見などから相当と認めるときは、競売手続を続行する旨決定する（滞調17条、9条1項、20条。【書式3】参照）。実務上は、滞納処分庁が公売等の予定がある旨回答することはほとんどなく、続行決定により、競売手続が進行することが通例である（〔Q32〕参

照)。続行決定は、滞納処分庁(滞調17条、9条3項、20条)及び申請をした差押債権者(規2条2項)に告知され、また、申請をした差押債権者以外の差押債権者及び所有者(強制競売の場合は債務者)に通知される(滞調規20条、16条、23条)。東京地裁民事執行センターでは、これらの告知及び通知は、続行決定正本を普通郵便で送付する方法で行っている(所有者に対しては開始決定正本と一緒に特別送達で送付している。)。

続行決定は、滞納処分庁に告知することによって効力が生ずる(滞調17条、9条3項、20条)。この続行決定に対しては、不服申立てをすることができない(滞調17条、9条4項、20条)。

続行決定の申請が却下又は棄却されたときは、当該差押債権者は、執行異議(法11条)を申し立てることができる。

4 続行決定の効果

続行決定により、先行する滞納処分による差押えは、競売手続の差押え後にされたものとみなされ(滞調17条、10条1項、20条)、滞納処分庁は、続行決定の告知後は、当該不動産についての公売等の処分ができなくなり、執行裁判所は、競売手続を進めることになる。

なお、滞納処分による差押えに係る滞納税については、徴収職員等が執行裁判所に対して配当要求の終期までに交付要求をしなければ配当等を受けることができない(滞調17条、10条3項、20条)。そして、滞納処分による差押債権者が配当要求の終期までに交付要求をした場合は、交付要求に係る租税間の優劣について、国徴法12条又は地税法14条の6の差押先着手主義が適用され(滞調17条、10条4項、20条)、優先して配当を受けることができるが、そのためには、交付要求書に、国徴法82条1項又は地税法による交付要求ではなく、滞納処分による差押えに係る交付要求であることを根拠条文とともに記載する必要がある。

【書式1】続行決定申請書

```
                    続行決定申請書
                                    令和○○年○月○日
東京地方裁判所民事第21部　御中
        債権者　○　○　○　株式会社
        債権者代理人　○　○　○　○　印

    当事者の表示　開始決定記載のとおり

  債権者は、上記当事者間における〔担保不動産・強制〕競売を貴庁に申
し立て、令和○○年〔(ケ)・(ヌ)〕第○○○号〔担保不動産競売・強制競売〕
事件として受理されましたが、下記理由により、続行決定をしていただき
たく申請します。
                    理　　　由
  本件競売開始決定記載の不動産中に、令和○○年○月○日受付をもって、
○○税務署が滞納処分による差押えをしている物件がありますが、未だ公
売その他の滞納処分による売却がされていません。よって、競売開始決定
がされたときは、これを続行する旨の決定を求めます。
```

【書式2】開始決定通知書兼求意見書

```
        〔担保不動産・強制〕競売開始決定通知書兼求意見書
                                    令和○○年○月○日
利害関係人　殿
            東京地方裁判所民事第21部
                裁判所書記官　○　○　○　○　印

    債権者 ⎫
    債務者 ⎬ 別添開始決定記載のとおり
    所有者 ⎭

  上記当事者間の〔担保不動産・強制〕競売事件について、
1  別添のとおり開始決定がされましたので、滞納処分と強制執行等との
  手続の調整に関する法律〔20条、12条2項・12条2項〕の規定により通
```

第4節　手続の進行の可否

Q33

知します。
2 　別添の開始決定記載の不動産のうち、御庁による滞納処分がされている物件につき、続行決定をすることについて、令和〇〇年〇月〇日までに書面により意見を申述してください。
　　競売による換価処分を進めないことが適当であると認める場合で、回答書の送付が上記期限までに間に合わないときは、意見の申述は電話で行うこともできますので、担当書記官までその旨御連絡ください（滞納処分と強制執行等との手続の調整に関する法律の逐条通達9条関係の2参照）。上記期限までに書面又は電話での意見の申述がない場合は、原則として続行決定をします。
　　なお、公売に付すときは、売却決定の日の見込みを上記書面に記載してください。

【書式3】続行決定

令和〇〇年(ヲ)第〇〇〇号
令和〇〇年〔(ケ)・(ヌ)〕第〇〇〇号

　　　　　　　続　行　決　定

　　　当事者　別紙当事者目録のとおり

　上記当事者間の当裁判所令和〇〇年〔(ケ)・(ヌ)〕第〇〇〇号〔担保不動産・強制〕競売事件について、債権者から別紙物件目録記載の不動産に対する〔担保不動産・強制〕競売続行の申請があったので、これを相当と認め、滞納処分と強制執行等との手続の調整に関する法律〔20条、17条、9条・17条、9条〕の規定により、次のとおり決定する。
　　　　　　　　　主　　　文
　別紙物件目録記載の不動産に対する〔担保不動産・強制〕競売を続行する。

　　令和〇〇年〇月〇日
　　　　　東京地方裁判所民事第21部
　　　　　　　裁判官　〇　　　〇　　　〇　　　〇　印

（注）別紙当事者目録、物件目録省略

Q34 滞調法による続行決定の可否

滞納処分による差押えの後に目的不動産の所有権が移転され、その後、新所有者に対する競売による差押えがされた場合、滞調法に基づく競売手続続行の決定をすることができるか。後行の競売手続が次のとおりであるときによって、違いはあるか。
(1) 後行の競売手続が強制競売手続であるとき
(2) 後行の競売手続が滞納処分による差押えの後に設定登記された抵当権に基づく担保不動産競売手続であるとき
(3) 後行の競売手続が滞納処分による差押えの前に設定登記された抵当権に基づく担保不動産競売手続であるとき

1 問題の所在

滞納処分による差押えの後に目的不動産の所有権が移転され、その後に新所有者に対する競売手続が開始されて目的不動産が差し押さえられた場合、滞納処分による差押えと競売による差押えは同一の不動産に対する差押えではあるが、その所有権の帰属主体が異なり、手続上の当事者が違ってくるため、滞調法による続行決定をすることができるか否かが問題になる。

2 後行の競売手続が強制競売であるとき（設例(1)）

滞納処分の手続においては、徴収職員等は、滞納処分による差押え時の所有権帰属主体である旧所有者に係る交付要求をすることができる。

これに対し、滞納処分による差押えの後に強制競売による差押えがされ、仮に、続行決定をして競売手続を進行させるとすると、競売による差押え時の所有権帰属主体である新所有者に係る交付要求は認めることができるとしても、滞納処分による差押え時の所有権帰属主体ではあるが競売による差押え時の所有権帰属主体ではない旧所有者に係る交付要求は、当

然にすることができるとはいえない。また、仮に新所有者に係る交付要求と旧所有者に係る交付要求を両方とも認めた場合、これらの交付要求債権者に対する配当の優先順位をどのように取り扱うかといった問題もある。さらに、目的不動産が売却されて代金が納付され、所有権移転登記嘱託の際に、滞納処分による差押登記を抹消することができるか否かという問題もある。

そのため、実務上は、滞納処分による差押時と競売による差押え時の対象不動産の所有権の帰属主体が異なる場合には、原則に従い、先行する滞納処分による換価手続を進行させるのが相当であると解しており、旧所有者に対する滞納処分による差押えがされた後に新所有者に対する強制競売による差押えがされた場合には、滞調法による続行決定は認めていない。このことは、滞納処分に優先する抵当権設定登記がある場合であっても、同様である。

3 後行の競売手続が滞納処分による差押えの後に設定登記された抵当権に基づく担保不動産競売であるとき（設例(2)）

後行の競売手続が担保不動産競売である場合であっても、それが滞納処分による差押えの後に設定登記された抵当権に基づくものである場合には、同手続を滞納処分による差押えに優先させる理由はない。したがって、設例(1)の強制競売の場合と同様に、滞調法による続行決定は認めていない。

4 後行の競売手続が滞納処分による差押えの前に設定登記された抵当権に基づく担保不動産競売であるとき（設例(3)）

抵当権は目的物の交換価値を把握するものであり、その所有者の変更にかかわらず追及効がある。それにもかかわらず、抵当権設定登記後に滞納処分による差押え及び所有権の移転があることによって、滞調法による競売手続続行の決定ができないとすれば、本来実行することができる抵当権の換価権が阻害されることになってしまう。そこで、設例(3)のような場合、競売の手続と滞納処分の手続とで当事者が異なっても、実務上、滞調

法による続行決定ができると解している。

　滞調法による続行決定がされた場合、競売による差押え時の所有権帰属主体ではない旧所有者に係る交付要求を認めることができるか否かについては、続行決定を認める以上、旧所有者に係る交付要求及び新所有者に係る交付要求の両方を認め、目的不動産売却後の配当において、抵当権設定時及び滞納処分による差押え時の所有者である旧所有者に対する債権者にまず配当をし、残余を新所有者に対する債権者に配当する取扱いである。

〈参考文献〉
不動産執行の理論と実務(上)120頁、最高裁判所事務総局編『滞納処分と強制執行等との手続の調整に関する執務資料』（法曹会）194頁

Q35 滞調法による続行決定の要否

次の場合、滞調法による競売手続続行の決定を要するか。
(1) 二重開始の関係にある先行事件と後行事件との間に滞納処分による差押えがあり、先行事件が取消し又は取下げで終了した場合若しくは執行停止になった場合において、後行事件を進行させるとき
(2) 二重開始の関係にある先行事件と後行事件がいずれも滞納処分に後れており、先行事件について滞調法による続行決定を経て進行させたところ、先行事件が取消し又は取下げで終了した場合若しくは執行停止になった場合において、後行事件を進行させるとき
(3) 滞納処分による差押え後に参加差押えがあった場合において、滞納処分による差押えの解除後に申し立てられた競売手続を進行させるとき
(4) 滞納処分による差押え後に参加差押えがあった場合において、参加差押えの後、滞納処分による差押えの解除前に申し立てられた競売手続を進行させるとき

1 二重開始の関係にある先行事件と後行事件との間に滞納処分による差押えがあり、先行事件が取消し又は取下げで終了した場合若しくは執行停止になった場合において、後行事件を進行させるとき（設例(1)）

先行事件は最先順位の差押えに基づく事件であるから、この事件を進行させるのが原則であるが、この事件が取消し又は取下げにより終了した場合、後行事件の差押えは滞納処分による差押えに後れているので、後行事件について法47条2項により手続を続行する前提として滞調法に基づく続行決定の手続（滞調17条、8条、9条、20条）を経る必要があるか否かが問題となる。

この点については、昭和56.2.7国税庁徴徴4-2・徴管2-3国税庁長官通達

(以下「滞調逐条通達」という。）第30条関係、第29条関係4によれば、強制競売の開始決定後に滞納処分による差押えをした不動産について、更に強制競売の開始決定がされた場合において、先の開始決定に係る強制競売の申立てが取り下げられたとき又は先の開始決定に係る強制競売の手続が取り消されたときは、法47条2項に定めるところにより後の強制競売の開始決定に基づいて手続が続行されるから、滞納処分による換価のための手続は進めることができないものとして取り扱うもの（法47条6項の適用がある場合も同様）とされている。

滞調法30条は、「強制競売の開始決定後に滞納処分による差押えをした不動産については、公売その他滞納処分による売却のための手続は、強制競売の申立てが取り下げられた後又は強制競売の手続を取り消す決定が効力を生じた後でなければ、することができない。」と規定するのみであり、そこから当然に上記の考え方は導き出されるものではないが、滞調逐条通達は、一旦民事執行法に基づく手続が進行した以上は、先行事件が取下げ等された場合であっても、後行事件がある限り法47条の規定を適用して後行事件の手続を進行させることを認め、私債権者の債権回収の手続を優先させようとする趣旨であると解される。

また、実際にも、既に進行している先行事件において、滞納処分庁が交付要求をしていれば、後行事件でもその効力が維持されるのであって、後行事件の手続を進行させることについて滞納処分庁に格別の不利益はなく、むしろ債権回収手続の迅速性に資することを考えれば、滞調逐条通達の解釈は妥当なものと思われる。

以上のとおり、滞調逐条通達の趣旨に従えば、設例(1)において、先行事件が取消し又は取下げにより終了した場合、先行事件と後行事件との間に滞納処分による差押えがあっても、滞調法による続行決定の手続を経ることなく、法47条2項の規定により、当然に滞納処分の差押えに後れる後行事件を進行させることができると解され、実務上も、そのように処理されている。また、先行事件が停止された場合には、後行事件の差押債権者から法47条6項の規定に基づく続行の申立てがあると、執行裁判所は、滞納処分による差押えがあっても、滞調法による続行決定の手続を経ることな

く、法47条6項の要件が整っている限り、法47条6項による続行決定をすることができることになる。

2　二重開始の関係にある先行事件と後行事件がいずれも滞納処分に後れており、先行事件について滞調法による続行決定を経て進行させたところ、先行事件が取消し又は取下げで終了した場合若しくは執行停止になった場合において、後行事件を進行させるとき（設例(2)）

　先行事件は、滞納処分に後れるものであるから、先行事件を進行させるには、滞調法に基づく続行決定をすることを要するが（滞調13条1項、20条）、滞調法に基づく続行決定を経て進行していた先行事件が取消し又は取下げで終了した場合若しくは執行停止になった場合、後行事件を続行するについて、改めて滞調法に基づく続行決定を経る必要があるか否かが問題となる。

　この場合、先行事件における滞調法に基づく続行決定により、滞調法の適用については、滞納処分による差押えは先行事件の差押え後にされたものとみなされる結果（滞調17条、10条1項、20条）、設例(1)と同様に考えることが可能である。

　したがって、前記1と同様に、滞調法による続行決定の手続を経ることなく、後行事件を進行させることができる。先行事件が停止された場合についても、前記1と同様、後行事件の差押債権者からの続行の申立てに基づき、滞調法による続行決定の手続を経ることなく、法47条6項による続行決定をすることができる。

　以上の点は、先行事件において滞調法に基づく続行決定がされた後に後行事件の申立てがされた場合であっても同様である（不動産執行の理論と実務(上)118頁）。

3 滞納処分による差押え後に参加差押えがあった場合において、滞納処分による差押えの解除後に申し立てられた競売手続を進行させるとき（設例(3)）

　滞納処分による差押えが解除されると、参加差押えは、参加差押書が滞納者に送達された時又は参加差押えの登記の時のいずれか早い方に遡って、差押えの効力を生ずることになる（国徴87条1項2号）。

　設例(3)においては、競売の申立ては、参加差押えについて差押えの効力が生じた後にされたのであるから、差押えの競合が生じたことになり、差押えの効力を生じた参加差押えに後れる競売手続を進行させるには、原則どおり、滞調法による続行決定を経る必要がある（滞調13条1項、20条）。

4 滞納処分による差押え後に参加差押えがあった場合において、参加差押えの後、滞納処分による差押えの解除前に申し立てられた競売事件を進行させるとき（設例(4)）

　設例(4)では、前記3とは異なり、滞納処分による差押えの解除前に競売による差押えがされている。

　滞調法上、滞納処分による差押え解除時に、競売による差押えとその前にされた参加差押えがあるときは、その参加差押えに係る滞納処分による差押えの効力の発生は、競売による差押え時以前に遡らないとされている（滞調13条2項、5条3項、20条）。

　したがって、時間的には競売による差押えが参加差押えに後れているにもかかわらず、滞調法の適用においては競売による差押えが参加差押えより先であるとされ、続行決定を経ることなく、競売手続を進行させることができることになる。

Q 36 最先順位の仮差押登記が担保不動産競売手続に及ぼす影響

最先順位に仮差押えの登記があり、その後に設定された抵当権に基づき担保不動産競売手続が開始された場合、当該競売手続を進行させることができるか。仮差押えの登記の前に他の抵当権の登記があり、仮差押えが最先順位ではない場合はどうか。

1 仮差押えの効力

　不動産に対する仮差押えは、将来の執行力のある債務名義の取得及びそれに基づく本執行（強制競売）への移行を保全するため、債務者の不動産を仮に差し押さえ、目的不動産が責任財産から散逸することを防止するものであり、差押えと同様に、目的不動産につき債務者の処分行為を禁止する効力（処分禁止効）を有する。

　また、民事執行法上、仮差押債権者に対抗することができない不動産に係る権利の取得や仮処分の執行は、売却によって効力を失うとされ（法59条2項、3項）、仮差押えの登記後に登記がされた抵当権等を有する債権者は、仮差押債権者が本案訴訟において敗訴し、又は仮差押えがその効力を失ったときに限り、配当等を受けることができるとされており（法87条2項）、仮差押えについても、差押えと同様に、手続相対効の考え方が採用されている。

　もっとも、仮差押えは、将来、本案訴訟において勝訴し、執行力のある債務名義を取得することができるか否かが不確定で、本執行に移行することができるとは限らないという性質を有するため、既に執行力のある債務名義を取得し、それに基づいて行われる差押えとは本質的に異なり、いわば暫定的な処分禁止効を有するにすぎない（仮差押えの暫定性）。

　このように、仮差押えには、差押えと同様の処分禁止効が認められているものの、その効力が暫定的なものとされているため、目的不動産につき抵当権を有する他の債権者が競売手続を申し立てた場合に、当該競売手続

を進行させることができるか否かという困難な問題が生ずることになる。

2　最先順位に仮差押えの登記があり、その後に設定された抵当権に基づき担保不動産競売手続が開始された場合

　仮差押えが取り消されるなどして本執行に移行しないことが確定すれば、その後に設定された抵当権及びこれに基づく競売手続は確定的に有効となるから、そのまま手続を進行させることができる。

　他方、仮差押えが本執行に移行すれば、その後に設定された抵当権は手続上無視されるから、後行の本執行事件で手続を続行し（法47条2項類推適用）、本執行事件で換価が終了した段階で、抵当権に基づく先行の担保不動産競売事件は職権で取り消される（法183条類推適用。不動産執行の理論と実務(上)126頁、伊藤善博ほか「配当研究」229頁）。

　これに対し、最先順位で登記された仮差押えの帰趨が不確定な段階では、仮差押えが本執行に移行して上記のとおり抵当権に基づく担保不動産競売手続が取り消される可能性がある以上、無益執行禁止の原則（法63条）に照らし、担保不動産競売手続をそのまま進行させることは相当ではない。ただ、この場合であっても、担保不動産競売開始決定及びこれに基づく差押登記の嘱託を行うことは妨げられないし、後に仮差押えが本執行に移行しないことが確定して、手続を進行させる場合に備え、現況調査を実施して、差押え時点における不動産の形状、占有関係その他の現況（法57条）を把握する必要もある。

　そこで、東京地裁民事執行センターでは、担保不動産競売開始決定の発令時に、登記事項証明書により最先順位の仮差押登記の有無を確認し、これがある場合には、仮差押えの帰趨が不確定であるとみなして、競売開始決定、同決定正本の送達、差押登記の嘱託、現況調査命令及びこれに基づく現況調査までは行い、仮差押えの帰趨が確定するまでの間、以後の手続を事実上停止することとしている（不動産執行の理論と実務(上)125頁、160頁）。

　なお、この取扱いとは異なる見解として、最先順位の仮差押登記後に設定された抵当権といえども、所有者との関係では有効であり、このような

抵当権は、仮差押えが本執行に移行した後の強制競売手続における売却によりその効力を初めて否定されるにすぎないこと、仮に、抵当権に基づく担保不動産競売手続において換価手続が行われたとしても、その中で仮差押債権者に対して優先的に配当による満足を得させれば足りることから、抵当権に基づく担保不動産競売手続をそのまま進めて換価手続までは行い、配当手続の中で仮差押債権者に対して優先的に配当すればよいとするものがある（伊藤善博ほか「配当研究」230頁参照。ただし、仮差押え時の所有者と抵当権設定時の所有者が同一人である場合に限る。）。

しかし、仮差押登記後に登記がされた抵当権者は、仮差押債権者が本案訴訟において敗訴し、又は仮差押えがその効力を失ったときに限り、配当等を受けることができるとされていること（法87条2項）との関係で、仮差押えが本執行移行の要件を具備すると、配当等を受けられないことが確定し、無益執行禁止の原則に真正面から反する結果となると考えられることから、東京地裁民事執行センターでは、この見解を採用していない。

3 仮差押えの登記の前に他の抵当権の登記があり、仮差押えが最先順位ではない場合

この場合でも、仮差押えが本執行に移行すれば、その後に設定された抵当権は、実行抵当権も含め、手続上無視されることに変わりはない。

しかし、仮差押えが最先順位である前記2と異なり、仮差押えの登記の前に設定された抵当権を有する債権者は、法87条2項の適用を受けないから、仮差押えの帰趨に関係なく配当を受領することができる（法87条1項4号、59条1項）。そのため、そのまま仮差押登記後に設定された抵当権に基づく競売手続を進行させたとしても、無益執行禁止の原則に反する事態にはならない。

また、仮差押債権者としても、仮差押登記後に設定された抵当権に基づく競売手続において配当受領権を有する（法87条1項3号）ため、本案で勝訴すればこの配当手続の中で債権の満足を得ることができる（法91条1項2号、92条1項）。

こうした理由により、東京地裁民事執行センターでは、仮差押えの登記

の前に他の抵当権の登記がある場合には、競売手続を停止させることなく、そのまま進行させて換価手続まで行い、配当手続において、仮差押え及びその後登記された担保権等については、いわゆる二重配当表（〔Q111〕参照）を作成することとしている（不動産執行の理論と実務(上)160頁、上田正俊「仮差押えの帰趨と配当手続」不動産配当の諸問題181頁）。

Q37 最先順位の登記が競売手続に及ぼす影響

最先順位に次の登記がある場合に競売手続を進行させることができるか。
(1) 処分禁止の仮処分の登記
(2) 買戻登記
(3) 所有権移転仮登記

1 処分禁止の仮処分の登記（設例(1)）

(1) 所有権移転登記請求権を保全するための処分禁止の仮処分の登記

所有権移転登記請求権を保全するための処分禁止の仮処分の登記（民保53条1項）が最先順位のときは、競売による売却によっても抹消されない（法59条3項、82条1項2号）。したがって、買受人は、この登記に劣後する所有権移転登記を経由することとなる結果（法82条1項1号）、仮処分債権者が後に本案訴訟で勝訴するなどすれば、売却による所有権取得を仮処分債権者に対抗することができず（民保58条1項）、所有権移転登記も、仮処分債権者の単独申請により抹消されることになる（同条2項）。

したがって、最先順位に所有権移転登記請求権を保全するための処分禁止の仮処分の登記がある場合、仮処分の帰趨が確定する前に競売手続を進行させると、買受人は、不動産の所有権を失う蓋然性が高く、極めて不安定な地位に置かれることになる。

そこで、東京地裁民事執行センターでは、最先順位に所有権移転登記請求権を保全するための処分禁止の仮処分の登記がある不動産について競売申立てがあった場合には、競売開始決定、同決定正本の送達、差押登記の嘱託及び現況調査まで行った段階で、仮処分の帰趨が確定するまでの間、事実上手続を停止している（不動産執行の理論と実務(上)122頁）。

この場合、後に仮処分債権者が本案訴訟で敗訴するなどすれば、競売手続を進行させることができるが、実務上は、処分禁止の仮処分の登記が抹

消された時点で、競売手続を再び進行させることとしている（三上照彦「処分禁止の仮処分登記と競売手続」債権管理21号30頁）。

なお、処分禁止の仮処分に先行する抵当権設定登記等がある場合には、仮処分の執行は売却によりその効力を失う（法59条3項）から、手続を進行させる取扱いである。

(2) 担保権設定等登記請求権を保全するための処分禁止の仮処分の登記

最先順位に担保権（先取特権、使用・収益をしない旨の定めのある質権又は抵当権）の保存、設定又は変更についての登記請求権を保全するための処分禁止の仮処分の登記がある場合は、その仮処分が民保法の施行（平成3年1月1日）前のものであるか、後のものであるかで取扱いが異なる（なお、処分禁止の仮処分に先行する抵当権設定登記等がある場合の取扱いは前記(1)の末尾記載のとおりである。）。

まず、民保法施行前の仮処分である場合には、仮処分債権者が本案訴訟で勝訴すると、登記実務上、処分禁止の仮処分の登記に抵触する登記は全て抹消されるため（昭和41.11.29法務省民三発第1071号民事局第三課長電報回答）、結局、買受人は所有権取得を対抗することができない。したがって、前記(1)の所有権移転登記請求権を被保全権利とする処分禁止の仮処分の場合と同様の取扱いをすることになる。

他方、民保法施行後の仮処分である場合には、処分禁止の登記とともに、民保法で新設された保全仮登記がされる（民保53条2項）。仮処分債権者が本案訴訟で勝訴すると、この保全仮登記に基づく本登記がされるのみで（民保58条3項）、買受人に対する所有権移転登記は抹消されない（同条4項）。また、保全された抵当権等の担保権は、競売手続において売却により消滅し（法59条1項）、その登記も抹消される（法82条1項2号）。したがって、この場合、競売手続は、停止させることなく、そのまま進行させることができる。なお、この場合、仮処分債権者は配当受領資格を有するが（法87条1項4号）、仮処分の帰趨が不確定であれば配当額が供託され（法91条1項5号）、本登記をすることができる状態にあることを証明して初めて現実に配当を受領することができる（法92条1項）。

Q37

(3) 用益権設定登記請求権を保全するための処分禁止の仮処分の登記

　最先順位に用益権設定登記請求権を保全するための処分禁止の仮処分の登記がある場合についても、民保法施行前後で区別して考える必要がある（なお、処分禁止の仮処分に先行する抵当権設定登記等がある場合の取扱いは前記(1)の末尾記載のとおりである。）。

　まず、民保法施行前の仮処分である場合には、前記(2)と同様の問題があるため、前記(1)の所有権移転登記請求権を被保全権利とする処分禁止の仮処分の場合と同様の取扱いをすることになる。

　他方、民保法施行後の仮処分である場合には、やはり、処分禁止の登記とともに保全仮登記がされ（民保53条2項）、仮処分権利者が本案訴訟で勝訴しても、保全仮登記に基づく用益権設定の本登記がされるのみで（民保58条3項）、買受人に対する所有権移転登記は抹消されない（同条4項）。したがって、このような仮処分がある場合、売却条件を決定するに当たって評価上考慮するとともに、物件明細書に仮処分が買受人の負担となる旨を記載した上で売却すれば足りるから、競売手続は、停止させることなく、そのまま進行させる。なお、競売の目的がみなし不動産である地上権等で、当該権利に関する登記請求権保全のための最先順位の処分禁止仮処分が競合する場合には、保全仮登記の本登記手続がされると、買受人は、そのみなし不動産の取得を仮処分債権者に対抗することができないから、前記(1)の所有権移転登記請求権を被保全権利とする処分禁止の仮処分の場合と同様の取扱いをすることになる。

(4) 建物収去土地明渡請求権を保全するための処分禁止の仮処分の登記

　土地所有者の建物所有者に対する建物収去土地明渡請求権保全のために建物に対してされた処分禁止の仮処分（民保55条1項）は、建物そのものの処分禁止を目的としたものではなく、建物収去土地明渡請求の相手方となる建物所有者を確定することを目的とするものにすぎないから、土地所有者が建物所有者に対して建物収去土地明渡請求をしているという係争の一部と評価することができる。また、この建物の買受人は、仮処分債権者が本案訴訟で勝訴するなどすれば、土地所有者に対して建物の収去義務を負うが、建物の所有権そのものを失うわけではない。そうすると、このよ

うな仮処分は、売却条件を決定する際に係争減価を施した上で、買受人に引き受けさせれば足りることになる。

　そこで、東京地裁民事執行センターでは、建物収去土地明渡請求権保全のための処分禁止の仮処分の登記がある場合、それが最先順位であるか否かにかかわらず、競売手続をそのまま進行させ、売却条件を決定する際に係争減価を施し、物件明細書に買受人が仮処分の内容の負担を引き受ける旨を記載した上で売却し、代金納付による抹消登記の嘱託も行わないこととしている。

2　買戻登記（設例(2)）

　最先順位の買戻特約の登記は、売却によっても効力を失わない（法59条2項）。したがって、このような不動産の買受人は、この買戻登記に劣後する所有権移転登記を経由することができるにすぎず（法82条1項1号）、買戻権者が買戻権を行使すれば、不動産の所有権は買戻権者に復帰し、買戻権者に対して所有権移転登記をする義務を負う（最判昭36.5.30民集15巻5号1459頁）。また、買戻権の行使による所有権の復帰により、買戻登記後に設定された担保権等は当然に消滅するため、担保不動産競売の場合、執行異議事由（法182条）ともなる。そうすると、最先順位の買戻登記がある場合に、競売手続を進行させて売却を実施するのは相当でないというべきである。

　もっとも、最先順位の買戻登記があっても、買戻期間中に買戻権を行使することなく買戻期間が満了すれば、買戻権は絶対的に消滅するから（民583条1項）、競売手続を進行させることができることになるが、通常、登記記録上の記載のみから買戻期間の満了による買戻権の消滅や買戻権の行使の有無を判断することはできない。

　そこで、東京地裁民事執行センターでは、最先順位に買戻登記がある不動産の競売申立てについて、①買戻権者以外の競売申立ての場合には、競売開始決定及び現況調査命令を発令すると同時に、買戻権者に対して照会書を送付し、買戻期間中に買戻権を行使した事実があるか否か、買戻権について訴訟が係属しているか否かを照会し、その結果、買戻権者から、買

戻権を買戻期間中に行使しなかった、又は、将来行使しない旨の回答があったときには、競売手続をそのまま進行させることとし、それ以外のときには、競売開始決定、同決定正本の送達、差押登記の嘱託及び現況調査まで行った段階で、事実上手続を停止する、②買戻権者が自己の有する抵当権に基づいて競売申立てをする場合には、買戻権の行使ではなく、抵当権実行による債権回収を既に選択していることから、買戻権者である申立債権者に、買戻権を買戻期間中に行使していない、又は、将来行使しないこと、買戻権について訴訟係属がないこと、買受人の代金納付後に買戻登記の抹消登記手続に必要な書類を交付することを記載した上申書を競売申立てと同時に提出させ、そのまま競売手続を進行する、という取扱いをしている。また、買戻登記が極めて古い場合（例えば、登記の日付が戦前である場合など）には、買戻権が明らかに消滅しているものとして、買戻権者に対する照会を行わずに手続を進行することもある。

　なお、買戻権は、用益権に準じて処遇され、買戻登記に先行する抵当権設定登記等がある場合には、売却により失効するから（法59条2項。中野＝下村「民事執行法」437頁参照）、先行する抵当権設定登記等がある場合の取扱いは、前記1(1)の末尾記載のとおりである。

3　所有権移転仮登記（設例(3)）

(1)　担保目的であるか非担保目的であるかによる違い

　最先順位の所有権移転仮登記が担保目的のものである場合、原則として、仮登記担保権者の権利は、競売による売却によって消滅し（仮担16条1項）、所有権移転仮登記も抹消されることになるから（法82条1項2号）、競売手続進行の妨げとはならない。ただし、仮登記担保権者が担保権の私的実行手続を進め、その清算金を支払った後（清算金がない場合は、手続実行通知到達の日から2か月の清算期間の経過後）に競売申立てがされた場合には、仮登記担保権者は、その所有権取得を差押債権者に対抗することができるとされており（仮担15条2項）、仮登記担保権者の権利は、競売による売却によって消滅しない（仮担16条1項）。

　他方、最先順位の所有権移転仮登記が非担保目的のもの（条件付売買・

売買予約）である場合、仮登記権利者の権利は、競売による売却によっても効力を失わない（法59条2項）。したがって、このような不動産の買受人は、この所有権移転仮登記に劣後する所有権移転登記を経由することとなる結果（法82条1項1号）、仮登記権利者が後に本登記を経由すれば、その所有権取得を仮登記権利者に対抗することができない（不登106条）。そうすると、一般的には、競売手続をそのまま進行させることは相当といえないようにも思われる。

(2) 東京地裁民事執行センターの取扱い

所有権移転仮登記が担保目的のものであるか否かについては、例えば、仮登記の登記原因として停止条件付代物弁済契約や代物弁済予約による所有権移転又は所有権移転請求権保全のためとの記載がされている場合や、抵当権設定登記と併用されている場合など、登記記録上の記載により担保目的のものと認めてよいものもあるが、登記記録からは、担保目的のものか否か明らかでない場合も少なからずある。また、仮に、最先順位の所有権移転仮登記が存在するとしても、買受人の保護は物件明細書の記載や売却基準価額の減価で図ることができ、評価についても特別の困難を来すことはない。

そこで、東京地裁民事執行センターにおいては、次のとおりの取扱いをしている。

まず、最先順位に所有権移転仮登記がある不動産について競売申立てがあった場合には、競売開始決定、同決定正本の送達、差押登記の嘱託、現況調査及び債権届出の催告まで手続を進める。

そして、債権届出の結果、最先順位の所有権移転仮登記が担保目的のものであることが判明した場合には、仮登記担保権者がその所有権取得を差押債権者に対抗することができる場合（この場合には、事実上手続を停止すべきである。）を除いて、そのまま手続を進行させる（不動産執行の理論と実務(上)123頁）。なお、競売手続を進行させる場合、仮登記担保権者は、債権届出の催告に対し、配当要求の終期までに債権の届出をした場合に限り、仮登記の順位に応じて売却代金から配当等を受けることができる（仮担17条2項）。

一方、債権届出の結果、非担保目的であることが判明した場合、又は担保目的か非担保目的かが不明の場合には、申立債権者に対し、最先順位の所有権移転仮登記の抹消登記手続をするように促すとともに、所有者に対し、最先順位の所有権移転仮登記の抹消登記手続の意向等について審尋を行う。その結果、最先順位の所有権移転仮登記が申立債権者又は所有者によって抹消された場合には、他の事件と何ら変わりなく手続を進行させる。他方、最先順位の所有権移転仮登記が抹消されない場合には、申立債権者から最先順位の所有権移転仮登記が存在する状態で競売手続を進行させることに異存がない旨の上申書が提出されたときに限り、最先順位の所有権移転仮登記が存在する状態で評価命令を発し、手続を進行させることとしている。

Q38 破産、民事再生、会社更生手続と担保不動産競売の進行

担保不動産競売の開始決定後売却実施前に、目的不動産の所有者が破産手続開始決定を受けた場合、競売手続の進行にどのような影響があるか。民事再生手続や会社更生手続の開始決定を受けた場合はどうか。

本設例は、担保不動産競売と破産、民事再生、会社更生手続に関するものである。強制競売手続と破産及び民事再生手続との関係については〔Q39〕、〔Q40〕を参照されたい（強制競売手続と会社更生手続との関係については、便宜上本設例で説明する。）。

1 破産手続の場合

(1) 担保不動産競売の破産手続での位置付け

破産法上、抵当権、特別の先取特権及び質権は別除権（破産2条9項）として、破産手続によらないで行使することができる（破産65条1項）。したがって、担保不動産競売の場合は、抵当権の目的不動産の所有者が破産手続開始決定を受けても、これに影響を受けることなく競売手続をそのまま進行させることができる。

(2) 破産法上の担保権消滅制度

ア 意義等

破産法上の担保権消滅制度（破産186条）は、破産管財人が担保権（特別の先取特権、質権、抵当権又は商事留置権）の目的財産を任意売却の方法により換価処分するに当たり、裁判所の許可を得て、当該財産につき存在する全ての担保権を消滅させ、任意売却により取得することができる金銭の一部を担保権者の弁済に充てずに破産財団に組み入れ、破産債権者への配当の原資とすることを可能とするものである。

イ 担保権消滅許可の申立て

破産管財人は、破産手続開始決定時に破産財団に属する財産につき担保

権が存する場合において、当該財産を任意に売却して当該担保権を消滅させることが破産債権者の一般の利益に適合するときであって、かつ、当該担保権を有する者の利益を不当に害することとなると認められるのでないときは、破産裁判所に対し、当該財産を任意に売却し、所定の額の金銭が破産裁判所に納付されることにより当該財産につき存する全ての担保権を消滅させることについての許可の申立てをすることができる（破産186条1項）。

ウ　担保権消滅の許可の申立てについての裁判

　担保権消滅の許可の申立てに対し、①その申立てに係る財産を任意に売却して当該財産に存する全ての担保権を消滅させることが破産債権者の一般の利益に適合し（破産186条1項）、かつ、②担保権者の利益を不当に害することとなると認められず（同項）、さらに、③全ての被申立担保権者に対する申立書等の送達から1か月以内に、被申立担保権者自らが担保権の実行の申立てをしたことを証する書面を破産裁判所に対して提出（破産187条1項）しないときは、担保権消滅の許可の決定がされる（破産189条1項）。担保権消滅許可申立てについての裁判の裁判書は、破産管財人と被申立担保権者に送達される。

エ　金銭の納付による担保権の消滅

　担保権消滅許可決定が確定したときは、当該許可に係る売却の相手方は、破産法190条1項の区分に従い、所定の金銭を破産裁判所に納付しなければならない（同項2号の場合には、破産管財人も同条3項所定の金銭を破産裁判所に納付しなければならない。）。同条1項の区分に従った金銭が破産裁判所に納付されると、被申立担保権者の有する担保権は消滅する（同条4項）。この場合、裁判所書記官は、消滅した担保権に係る登記又は登録の抹消を嘱託しなければならない（同条5項、破産規61条3項）。

オ　競売手続取消しのための具体的手続

　既に担保不動産競売の開始決定がされている場合、裁判所書記官の嘱託により担保権が抹消された登記事項証明書は、法183条1項4号所定の取消文書に該当するので、所有者又は破産管財人は、これを執行裁判所に提出して競売手続の取消しを上申することになる。もっとも、買受人の代金

納付以降、担保権の目的財産の所有権は実体的に買受人に移転するから(法79条)、法39条1項1号の文書が提出された場合と同様、執行裁判所が取消決定をすることができるのは、競売開始決定後代金納付前までであり、その後は取消決定ができないことに注意すべきである（〔Q138〕参照。不動産執行の理論と実務(下)672頁以下）。

(3) 破産手続開始決定後の担保不動産競売の進行

　破産手続開始決定により、目的不動産は破産財団に属することになり（破産34条1項）、破産財団に属する財産の管理処分権は破産管財人に専属するので（破産78条1項）、破産者（所有者又は債務者兼所有者）は破産手続開始決定と同時に競売手続上の当事者適格を失い、破産管財人が当事者適格を有することとなる（破産80条）。よって、破産手続開始決定後は、破産管財人を当事者として競売手続を進行させることになる（なお、同時廃止決定を受けた場合には、所有者又は債務者兼所有者の地位に変更は生じない。）。

　破産管財人が、目的不動産を破産財団から放棄した場合、目的不動産は破産者の自由財産となるので、破産管財人に代わり破産者が所有者としての当事者適格を有することとなる（なお、破産者が債務者兼所有者である場合は、債務者として当事者適格を有するのは引き続き破産管財人である。）。破産者が自然人であれば、その者を所有者として、以後の手続を進める（最決平12.4.28集民198号193頁、金法1587号57頁参照）。破産者が会社の場合、破産手続開始時の代表取締役は当然に破産手続開始により解散した会社の清算人になるものではなく、破産財団から放棄された目的不動産に関する管理処分権を有すると解することはできないから（最決平16.10.1集民215号199頁、金法1731号56頁参照）、破産手続開始決定後に清算人が選任されない限り、当該目的不動産の管理処分権を有する者が不存在の状態になる。東京地裁民事執行センターでは、この場合、申立債権者による特別代理人の選任の申立てを認める取扱いである（法20条、民訴35条1項）。なお、破産者が債務者兼所有者である場合、その後の異時廃止決定の確定（破産217条8項）又は破産手続終結決定の公告（破産220条2項）により、破産管財人は債務者としての当事者適格を失い、自然人であればその者が債務者

としての当事者適格を有することになり、法人であれば、上記特別代理人が当然に債務者の特別代理人の資格も有することになる。

(4) 二重開始事件の続行をめぐる問題

強制競売事件の開始決定、担保不動産競売事件の二重開始決定が順次された後、債務者について破産手続開始決定がされた場合に、破産管財人の破産法42条2項ただし書に基づく先行の強制競売事件の続行申立てと二重開始事件の続行との優先関係をどのように考えるべきかについては、これを定めた調整規定がないので問題となるが（民事執行事件執務資料(4)6頁〔6〕参照）、これについては、〔Q26〕を参照されたい。

2 民事再生手続の場合

(1) 担保不動産競売の民事再生手続での位置付け

担保権（特別の先取特権、質権、抵当権又は商事留置権）は、別除権の行使として、再生手続によらないで行使することができる（民再53条2項）。したがって、所有者について民事再生手続が開始されても、担保不動産競売には何ら影響を及ぼさないのが原則である。しかし、再生債務者の事業又は経済生活の再生を図るという民事再生法の目的（民再1条）に照らし、一定の要件の下に担保不動産競売が実体的又は手続的に制約される場合がある。実体的制約としては、担保権消滅制度（民再148条）が、手続的制約としては、担保不動産競売の中止命令（民再31条）がある。

(2) 民再法上の担保権消滅制度

ア 意義等

民再法上の担保権消滅制度（民再148条）とは、再生債務者等が、再生手続の開始後、再生債務者の事業の継続に欠くことができない財産につき、その価額に相当する金銭を再生裁判所に納付することにより、当該財産の上に存する担保権を消滅させることができる制度である。

イ 担保権消滅許可の申立て

再生手続開始の時において再生債務者の財産につき民再法53条1項に規定する担保権が存する場合において、当該財産が再生債務者の事業の継続に欠くことのできないものであるときは、再生債務者等は、再生裁判所に

対し、当該財産の価額に相当する金銭を再生裁判所に納付して当該財産につき存する全ての担保権を消滅させることについての許可の申立てをすることができる（民再148条1項）。

ウ　担保権消滅許可の申立てについての裁判

適法な申立てがあれば、再生裁判所は、民再法148条1項所定の要件が満たされているかを審理し、許可又は棄却の決定をする。担保権消滅許可決定があった場合には、その裁判書が担保権消滅許可申立書副本（民再規72条1項）とともに、当該申立書に記載された担保権者に送達される（民再148条3項）。

エ　金銭の納付による担保権の消滅

再生債務者等は、担保権の目的である財産の価額（担保権者から請求期間内に価額決定の請求がなかったとき、価額決定の請求の全てが取り下げられ、又は却下されたときは再生債務者等の申出額、価額決定の請求が確定したときは当該決定により定められた価額）に相当する金銭を、再生裁判所の定める期限までに再生裁判所に納付しなければならない（民再152条1項）。この金銭が納付された時に、担保権者の有する担保権は消滅する（同条2項）。この場合、裁判所書記官は、消滅した担保権に係る登記又は登録の抹消を嘱託しなければならない（同条3項）。納付された金銭については、再生裁判所によって配当等の手続が行われる（民再153条）。

オ　競売手続取消しのための具体的手続

裁判所書記官の嘱託により担保権が抹消された登記事項証明書は、法183条1項4号所定の取消文書に該当するので、再生債務者等は、これを執行裁判所に提出して競売手続の取消しを上申する。もっとも、買受人は、代金納付時に、担保権の目的財産の所有権を実体的に取得するから（法79条）、法39条1項1号の文書が提出された場合と同様、執行裁判所が取消決定をすることができるのは、競売開始決定後代金納付前までであり、その後は取消決定ができないことに注意すべきである（〔Q138〕参照。不動産執行の理論と実務(下)672頁以下）。

なお、担保権が抹消された登記事項証明書が、買受人の代金納付以降に執行裁判所に提出された場合、執行裁判所と再生裁判所のいずれで担保権

者への配当等を実施するのかという問題がある。買受人の代金納付時までに担保権が消滅している場合は、執行裁判所としては、担保権者に配当等を実施することはできないことから、担保権者に配当等がされるはずだった金銭については、再生裁判所において、所有者（再生債務者）に対し配当等を実施することになろう。

(3) 担保不動産競売の中止命令

ア 意義等

前記2(1)のとおり、再生手続開始の時において、再生債務者の財産に対して担保権を有する者は、別除権者として、再生手続によらないでその権利を行使することができる（民再53条1項、2項）。しかし、担保権の実行により、再生債務者の事業継続に必要な資産が換価されてしまうと事業の再生が困難になる場合もある。そこで、再生債務者が担保権者との間で担保不動産競売に代わる弁済方法、担保物件の処分時期、方法等について協議する機会を与え、再生債務者の事業の再建を実効的なものとするため、再生裁判所は、利害関係人の申立てにより又は職権で、一定の要件の下に担保権の実行手続の中止を命ずることができる（なお、民再法上の保全処分としての中止命令（民再26条1項）は、担保権の実行手続である担保不動産競売については認められていない。）。

イ 要件

担保不動産競売の中止命令は、再生債務者の財産の上に存する担保権の実行手続について、再生債権者の一般の利益に適合し、かつ、競売申立人に不当な損害を及ぼすおそれがないものと認められるときに発令される（民再31条1項）。

ウ 中止命令の効力等

中止命令が発令されるとその対象となった手続はそれ以上進行しない状態になるが、既にされた手続の効力には影響はない。

民再法上の保全処分としての強制競売の中止命令の場合は、中止した手続の取消しを命ずることも認められているが（民再26条3項）、担保不動産競売の中止命令については、再生債務者と担保権者とが交渉し合意により解決を図るための時間的猶予を与えるという制度の趣旨から、中止した手

続の取消しを命ずる規定はない。また、担保不動産競売の中止命令は、相当の期間を具体的に定めて発令されるので（民再31条1項）、定められた期間経過後は当然にその効力を失う。

なお、担保不動産競売の中止命令に対して、競売の申立債権者は即時抗告ができるが、これは執行停止の効力を有しない（民再31条4項、5項）。

エ　競売手続停止のための具体的手続

中止命令は、再生手続の円滑な進行のために担保不動産競売を一時停止するものであり、法183条1項6号の停止文書に該当する。執行裁判所は、当然には中止命令の存在を知り得る立場にないから、再生債務者等は、執行裁判所に対し、停止文書として中止命令の謄本を提出して競売手続停止を上申する必要がある。中止命令の謄本が提出された場合は、執行裁判所は競売手続を停止しなければならないが（法183条1項柱書）、法39条1項7号の文書が提出された場合と同様、担保不動産競売の進行の程度によっては停止することができないときがあるので、再生債務者等は、手続の進行状況に常に注意を払い、中止命令を得た場合には直ちにその旨上申する必要がある（不動産執行の理論と実務(下)672頁以下。〔Q139〕参照）。

(4)　住宅資金の貸付債権に関する特則

以上のほか、住宅資金貸付債権（住宅ローン）を被担保債権とする抵当権については、特則があり、要件が緩和された抵当権実行としての競売手続の中止命令（民再197条）及び住宅資金特別条項を定めた再生計画の制度（民再198条以下）がある。前者の競売手続に対する効果等は前記2(3)と同じである。後者の効力は、住宅等に設定されている抵当権のほか、保証人等にも及び（民再203条1項）、その確定した認可決定正本は執行取消文書（法183条1項3号、2項。〔Q138〕参照）となる。

3　会社更生手続の場合

更生手続は、その開始決定の時から効力を生じ（会更41条2項）、更生手続の開始決定があった場合は、会社の財産の管理処分権は管財人に専属する（会更72条1項）。会社に対し更生手続開始前の原因に基づいて生じた財産上の請求権は更生債権となり（会更2条8項）、抵当権で担保された範囲

のものは更生担保権となる（同条10項）。

　所有者について更生手続の開始決定がされた場合、更生債権、更生担保権については、更生手続によらなければ弁済を受けられない（会更47条1項）。更生担保権に基づく担保不動産競売の申立てはすることができなくなり、既にされている担保不動産競売の手続は中止する（会更50条1項）。もっとも、執行裁判所は、更生手続開始決定があったことを当然には知り得る立場にないから、既に開始されている担保不動産競売の手続は、債務者等による上申により停止される。なお、強制競売手続において、債務者について会社更生手続が開始された場合も同様である。

　また、会社更生法には、保全処分の制度として、更生手続開始決定前の競売の中止命令（会更24条1項）、取消命令（会更24条5項）及び包括的禁止命令（会更25条）の各制度があり、また、担保権消滅許可（会更104条以下）の制度もある。これらの裁判の謄本や担保権が抹消された登記事項証明書は、法183条1項所定の停止文書ないし取消文書に該当するので、債務者等は、停止文書ないし取消文書を執行裁判所に提出して、競売手続の停止ないし取消しを上申する必要がある。

　更生手続が進行し、更生計画認可の決定（会更199条2項）がされると、会社は更生債権及び更生担保権につき免責され（会更204条1項）、中止中の担保不動産競売は効力を失う（会更208条）。更生計画は認可決定の時から効力を生じ（会更201条）、同決定の確定は効力要件ではない。したがって、競売手続が停止された状態で更生計画の認可決定があったときは、債務者等は、その旨を執行裁判所に上申する必要がある。なお、強制競売手続も同様である。

　他方、更生手続開始決定が取り消された場合及び更生計画認可前に更生手続が終了し（計画認可前の手続廃止・計画不認可）、これが確定した場合は、競売の手続は当然に続行される。

　なお、債務者について更生手続が開始されても、その物上保証人所有の不動産に対する担保不動産競売については影響を及ぼさない（会更203条2項）。

Q39 破産手続と強制競売手続の進行

強制競売手続の開始決定後売却実施前に、債務者が破産手続開始決定を受けた場合、競売手続の進行にどのような影響があるか。

本設例は、強制競売手続と破産手続に関するものである。強制競売手続と民事再生手続については〔Q40〕を、担保不動産競売手続と破産手続、民事再生手続及び会社更生手続については〔Q38〕をそれぞれ参照されたい。

1 破産法における強制競売手続の位置付け

破産手続は、支払不能又は債務超過にある債務者の財産等の清算に関する手続であり、債権者その他の利害関係人の利害及び債務者と債権者との間の権利関係を適切に調整し、もって債務者の財産等の適正かつ公平な清算を図るとともに、債務者について経済生活の再生の機会の確保を図ることを目的とする手続である（破産1条）。

そして、破産法においては、このような目的を達するため、破産手続が開始した後は、特別の定めがある場合を除いて破産手続によらなければ破産債権を行使することができないとされており（破産100条1項）、また、破産手続開始決定があったときは、破産債権（破産2条5項）及び財団債権（同条7項）に基づく破産財団に属する財産に対する強制執行を申し立てることはできず、破産債権及び財団債権に基づいて破産財団に属する財産に対して既にされている強制執行手続は効力を失うものとして（破産42条1項、2項本文）、個別執行手続が禁止されている。

また、破産手続開始の申立てがあった後、破産手続開始決定があるまでの間に、債務者の財産の散逸を防止し、債権者の権利行使を制限する必要がある場合もあるため、破産法は、保全処分の制度として、個別の強制執行事件についての中止命令制度（破産24条1項）及び取消命令制度（同条3項）を設けているほか、中止命令では賄いきれない場合の対処として包

括的禁止命令制度（破産25条）を設けている。

2 破産手続開始前の中止命令、取消命令及び包括的禁止命令と強制競売手続

　破産手続開始の申立てがあった後、破産手続開始決定があるまでの間、個別の強制執行手続について中止命令（破産24条1項）があると当該強制執行手続は停止し、さらに取消命令（同条3項。保全管理命令が発せられている場合に限る。）があると当該強制執行手続は取り消されることになる。また、包括的禁止命令（破産25条）があると、債務者の財産に対する強制執行の申立てをすることができず、既にされている強制執行手続は停止することとなる。

　このように、破産法上の保全処分があると、強制執行手続が停止又は取消しになるが、執行裁判所がこれを当然に知る仕組みにはなっていない。したがって、現実に強制執行等の手続に所定の効果を発生させるには、これらの裁判の正本が執行裁判所に提出される必要がある。

　(1)　中止命令

ア　中止命令の要件

　強制執行についての中止命令は、中止の必要があると破産裁判所が認め、かつ、強制執行を申し立てた債権者等に不当な損害を及ぼすおそれがない場合に発令される（破産24条1項）。

イ　中止命令の効力

　中止命令が発令されるとその対象となった手続はそれ以上進行することができない状態になるが、既にされた手続の効力には影響はない。

　中止命令の効力は、破産手続開始の申立てに対する決定があるまでの間、存続する（破産24条1項本文）。破産手続開始決定がされると、その効果として強制競売手続は当然に失効し（破産42条2項本文）、破産手続開始申立てが却下又は棄却されると、中止されていた強制競売手続は再度進行を開始することになる。

ウ　強制競売手続停止までの手続

　中止命令は、強制執行の一時の停止を命ずる旨を記載した裁判といえる

から、法39条1項7号の停止文書に該当する（中野＝下村「民事執行法」332頁）。債務者等は、執行裁判所に対し、中止命令の正本を提出して強制競売手続停止の上申をする必要がある（【書式1】参照）。なお、中止命令正本の提出により強制競売手続が停止された後、破産手続開始申立てが却下又は棄却された場合にも、同様の理由から、債権者から強制競売手続続行の上申をする必要がある。

中止命令の正本が提出された場合、執行裁判所は強制競売手続を停止しなければならない（法39条1項）。なお、売却実施後については、強制競売手続の進行の程度によっては停止することができないときがあるので、債務者等は、強制競売手続の進行状況に常に注意を払い、中止命令を得た場合には直ちにその旨上申する必要がある（不動産執行の理論と実務(下)672頁以下。〔Q139〕参照）。

(2) 取消命令

ア 取消命令の要件

保全管理人の申立てにより、破産裁判所は、中止した強制競売手続についてさらに取消命令を発令することができる（破産24条3項）。その要件は、債務者の財産の管理及び処分をするために特に必要があると認められること、保全管理命令が発せられていること（したがって、取消命令は債務者が法人である場合に限って認められることになる。破産91条1項参照）、担保を立てることである。

イ 取消命令の効力

次のウのとおり、取消命令は取消文書に該当し、同命令の正本が提出されると、執行裁判所は強制競売手続を取り消さなければならない。取消決定がされると、強制競売手続は遡及的に失効し、差押えの効力も遡及的に失われる。

ウ 強制競売手続取消しまでの手続

執行手続の取消しを命ずる裁判も、強制執行を許さない旨を命ずる裁判に当たるため、取消命令は、法39条1項1号の取消文書に該当すると解される（注釈民事執行法(2)570頁〔田中康久〕参照）。債務者等は、執行裁判所に対し、取消命令の正本を提出して強制競売手続取消しの上申をする必要

がある(【書式2】参照)。取消命令の正本が提出された場合、執行裁判所は、既にした執行処分を取り消さなければならない(法40条1項)。この取消決定に対しては執行抗告をすることができない(同条2項)。なお、売却実施後については、強制競売手続の進行の程度によっては取消しができないときがある(不動産執行の理論と実務(下)671頁以下。〔Q138〕参照)。

(3) 包括的禁止命令

ア 包括的禁止命令の要件

　破産手続開始決定の申立てがあった場合で、中止命令(破産24条1項)によっては破産手続の目的を十分に達成することができないおそれがあると認めるべき特別の事情があるときに発令される(破産25条1項本文)。ただし、事前に又は同時に、破産法28条1項の保全処分をした場合、又は保全管理命令をした場合に限られる。

イ 包括的禁止命令の効力

　包括的禁止命令は、破産手続開始の申立てに対する決定があるまでの間、全ての債権者に対し、債務者の財産に対する強制執行等の禁止を命ずるものである(破産25条1項本文)。同命令が発令されると、新たな強制執行等及び国税滞納処分等ができなくなり、既にされている強制執行等の手続及び外国租税滞納処分は中止する(同条1項、3項)。また、債務者の財産の管理及び処分をするために特に必要があるときは、この中止した強制執行等について取消命令が発令されることがある(同条5項)。

ウ 強制競売手続との関係

(ア) 既に強制競売開始決定がされている場合

　既に強制競売開始決定がされている強制競売手続に関して包括的禁止命令が発令された場合の措置及び効果は、中止命令の場合と同様である。

(イ) 強制競売開始決定がされていない場合

　強制競売開始決定前に包括的禁止命令が発令されている場合は、強制競売手続を開始することは許されない。したがって、執行裁判所は、債務者等から包括的禁止命令正本を添えた上申を受け、申立てを却下する。なお、具体的な強制競売の申立てがない段階では、執行停止文書又は執行取

消文書の提出は認められないので、このような事例が生じるのは、強制競売申立て後、強制競売開始決定前に包括的禁止命令正本が提出された場合に限られる。

　もっとも、執行裁判所は、包括的禁止命令の存在を当然に知り得るわけではないので、これを知らずに強制競売開始決定がされてしまう場合も考えられる。この場合、債務者等は、執行裁判所に対し、包括的禁止命令正本を添えて上申することになる。上申を受けた執行裁判所の対応としては、法39条1項7号の停止文書の提出があったものとして強制競売手続を停止する取扱いと、当初から申立てを却下すべきであったとして職権で執行処分を取り消す取扱いとが考えられる。いずれにせよ、債務者等は、包括的禁止命令の正本を速やかに執行裁判所に提出し、強制競売手続の停止又は取消しを上申する必要がある。

3　破産手続開始決定があり、破産管財人が選任された場合

(1)　破産手続開始決定を受けている債務者に対して強制競売の申立てがあった場合

　破産法は、破産手続開始決定の効力として、破産債権及び財団債権に基づく強制執行を禁止しているから（破産42条1項）、執行裁判所は、強制競売の申立てを却下しなければならない。また、破産手続開始決定が存在するにもかかわらず、これを看過して強制競売開始決定をした場合には、当初から申立てを却下すべきであったことに鑑み、職権で執行処分を取り消すことになる。

　強制競売開始決定による差押登記の嘱託をしたところ、個人の債務者の場合、差押登記に先行して、目的不動産について破産手続開始決定の登記がされていることがあり得る（破産258条1項）。この場合、執行裁判所は、登記官から送付された差押登記のされた登記事項証明書によって破産手続開始決定の事実を知ることになるから、法53条により強制競売手続の取消決定をすることになる（中野＝下村「民事執行法」415頁）。

(2) 差押え後に破産手続開始決定があった場合

ア　破産債権に基づく破産財団に属する財産に対する強制執行

　破産法42条2項本文は、破産手続開始決定があった場合、破産財団に属する財産に対して既にされている強制執行は破産財団に対してはその効力を失うと定めている。破産手続開始決定があった場合、破産財団に属する財産に対して既にされている強制執行については、これを停止すべきであるという考え方（停止説）と、これを取り消すべきであるという考え方（取消説）とがある。東京地裁民事執行センターでは、債権執行の場面においては取消説をとっているが（その理由につき、民事執行の実務—債権(上)〔Q39〕参照）、不動産執行の場面においては、債権執行とは異なり、第三債務者の立場に配慮する必要がないこと、新たな申立てに伴う負担が少なくないことから、停止説をとっている。

　もっとも、執行裁判所が、破産手続開始決定があったことを当然に知るわけではなく、また、破産管財人は破産財団のために競売手続を続行することも可能であるから（破産42条2項ただし書）、東京地裁民事執行センターでは、破産手続開始決定があり、破産管財人が選任された場合には、破産管財人から、破産手続開始決定の正本（写しでも可）及び破産管財人資格証明書を添付した強制執行停止の上申書が提出されるのを待って（【書式3】参照）、強制競売手続を停止する取扱いである。なお、破産手続開始決定の効力は直ちに生じることから（破産30条2項）、東京地裁民事執行センターでは同決定の確定を待たずに強制競売手続を停止している。

イ　財団債権に基づく破産財団に属する財産に対する強制執行

　破産法151条は、破産管財人の財団債権弁済義務を定めているが、同法42条1項は、財団債権に基づく破産財団に属する財産に対する強制執行をも禁止して、法定の順位に従った破産管財人の弁済に委ねるとともに、同条2項により、既に開始されている強制執行は効力を失うとしている。

　したがって、東京地裁民事執行センターでは、前記**ア**と同様、破産管財人の上申により、財団債権に基づく破産財団に属する財産に対する強制競売手続を停止する扱いをしている。

ウ　破産管財人が続行を求めた場合

　破産法42条2項ただし書に基づき、破産管財人が強制競売手続の続行を求めた場合、東京地裁民事執行センターでは、破産法78条1項により、破産管財人に破産財団に属する財産の管理処分権が専属することに伴い、手続追行権が移転したと解し、承継執行文の提出は求めていない。また、続行について債権者等に対して特段の通知はしていない。配当等の手続においては、破産手続開始前に滞納処分としての差押え（参加差押えを含む。）がされた公租公課に係るもののみ滞納処分庁に直接交付し、その余は破産管財人に交付する取扱いである。

4　差押え後に、免責許可の申立てがあり、かつ、同時廃止決定、異時廃止決定又は破産手続終結決定があった場合

(1)　破産手続と免責手続との関係

　破産法は、破産手続と免責手続とをそれぞれ独立のものとする建前は維持し（破産248条1項）、その一方で、個人である債務者が破産手続開始の申立てをした場合には、反対の意思を表示していない限り、同時に免責許可の申立てをしたものとみなし（同条4項本文）、免責審理期間中の破産債権者による強制執行等を禁止することによって（破産249条1項）、実質的に両手続を一体のものとしている。

(2)　同時廃止決定があった場合

　破産法249条1項は、免責許可の申立てがあり、同時廃止決定があった場合には、免責債権と非免責債権とを区別することなく、既にされている破産債権に基づく強制執行は中止するとしていることから、そのような場合には、強制執行の手続が停止されることになる。もっとも、執行裁判所は、免責許可の申立てのあったことや、同時廃止の決定があったことを当然に知るわけではないため、個別執行の中止を求める債務者は、執行裁判所に執行手続停止の上申をする必要がある。

　この上申に当たり、債務者は、執行裁判所に対し、①破産手続開始決定及び破産手続廃止決定がされていること、②免責許可の申立てをしていることを明らかにする必要がある。①については、これらの決定の正本を提

出する。②については、破産手続開始の申立ての際に反対の意思を表示しなければ免責許可の申立てをしたものとみなされるから（破産248条4項ただし書参照）、債務者は、破産手続開始の申立てをした際に同反対の意思を表示していないことを明らかにする必要がある。東京地裁民事執行センターでは、同時廃止事案においては、債務者が反対の意思表示をすることはほとんど考えられず、破産手続開始の申立てから同時廃止決定までの間に、免責許可の申立てが取り下げられることもほとんど想定されないことから、上申書に反対の意思表示をしていない旨の申述を記載すれば足りるとしている（【書式4】参照）。

(3) 異時廃止決定・破産手続終結決定があった場合

異時廃止決定確定（破産217条8項）又は破産手続終結決定の公告（破産220条2項）により、破産手続開始決定の効果としての停止が解けることになる。

もっとも、免責許可の申立ての効果として、免責審理期間中の破産債権者による強制執行等が禁止されていることから（破産249条1項）、既に停止されている強制競売手続に変動はない。

5 免責許可決定が確定した場合

破産法249条2項は、免責許可決定が確定したときには、同条1項により中止した破産債権に基づく強制執行の手続は、その効力を失うとしている。もっとも、執行裁判所は、免責許可決定が確定したことを当然に知るわけではない。そこで、東京地裁民事執行センターでは、債務者からの執行手続取消しの上申を受けて取り消すこととしている。この上申に当たっては、免責許可決定の正本、同決定の確定証明書を提出する必要がある（【書式5】参照）。なお、この取消決定は取消文書の提出によるもの（法40条1項）ではないから、これに対して執行抗告をすることができる（法12条1項）。

なお、強制競売手続の進行の程度に応じた取消しの時的限界等については、取消命令の場合と同じである（前記2(2)ウ参照）。

6　免責許可決定の確定後の強制執行申立て

　破産法253条1項は、免責許可の決定が確定したときは、破産者は、破産手続による配当を除き、同項に掲げる非免責債権以外の破産債権について、その責任を免れる旨規定している。

　免責許可決定を執行停止・取消文書として扱うべきであるとする見解もあるが、破産手続及び免責手続の終了後、債務名義を有する破産債権者は、当該債務名義に基づいて新たに強制執行を申し立てることは可能であり、免責許可決定が確定していることは請求異議事由に当たるとするのが多数説である（伊藤眞ほか『条解破産法〔第3版〕』（弘文堂）1741頁）。

〈参考文献〉
東京地裁民事執行センター「さんまエクスプレス第28回」金法1728号54頁、民事執行実務の論点219頁

【書式1】強制執行停止上申書（中止命令用）

強制執行停止上申書

東京地方裁判所民事第21部　御中

　　　　　　　当　事　者　　別紙当事者目録（略）記載のとおり

　上記当事者間の東京地方裁判所令和　　年(ヌ)第　　　号不動産強制競売事件の債務者に対し、令和　　年　　月　　日、破産法上の強制執行中止命令があったので、上記強制競売手続を停止されたく上申する。

　　　　　　　　　令和　　年　　月　　日
　　　　　　　　　債務者　　　　　　　　　　印

　　　　　　　　　添付書類
　　中止命令正本　　　　　　1通

【書式2】 強制執行取消上申書（取消命令用）

強制執行取消上申書

東京地方裁判所民事第21部　御中

　　　　　　　　　当　事　者　　別紙当事者目録（略）記載のとおり

　上記当事者間の東京地方裁判所令和　　年(ヌ)第　　　号不動産強制競売事件の債務者に対し、令和　　年　月　日、破産法上の強制執行取消命令があったので、上記強制競売手続を取り消されたく上申する。

　　　　　　　　　　令和　　年　　　月　　　日
　　　　　　　　　債務者　　　　　　　　　　　　　　　　印

　　　　　　　　　　　　添付書類
　　強制執行取消命令正本　　　　　1通

【書式3】 強制執行停止上申書（破産手続開始決定用）

強制執行停止上申書

東京地方裁判所民事第21部　御中

　　　　　　　　　当　事　者　　別紙当事者目録（略）記載のとおり

　上記当事者間の東京地方裁判所令和　　年(ヌ)第　　　号不動産強制競売申立事件について、債務者が申し立てた破産手続開始申立事件（東京地方裁判所令和　　年(フ)第　　　号）において、令和　　年　月　日　時、破産手続開始決定があったので、上記強制競売手続を停止されたく上申する。

　　　　　　　　　　　　令和　　年　　月　　日

破産者○○○○破産管財人　　　　　　印

添付書類

破産手続開始決定正本　　　　　　　1通
破産管財人資格証明及び印鑑証明書　1通

【書式4】強制執行停止上申書（同時廃止決定用）

強制執行停止上申書

東京地方裁判所民事第21部　御中

　　　　　　　当　事　者　　別紙当事者目録（略）記載のとおり

　上記当事者間の東京地方裁判所令和　　年(ヌ)第　　　　号不動産強制競売申立事件について、債務者が申し立てた破産手続開始申立事件（東京地方裁判所令和　　年(フ)第　　　号）において、免責許可の申立てがあり、かつ、破産法216条1項の破産手続廃止の決定があったので、上記強制競売手続を停止されたく上申する。
　なお、債務者は、破産手続開始の申立ての際に、免責許可の申立てをしない旨の意思を表示していない。

　　　　　　　令和　　年　　月　　日
　　　　　　　債　務　者　　　　　　　　　　　　　　　　印

添付書類

破産手続開始及び破産手続廃止決定正本　　1通

Q39

【書式5】強制執行取消上申書（免責許可決定用）

強制執行取消上申書

東京地方裁判所民事第21部　御中

　　　　　　　　当　事　者　　別紙当事者目録（略）記載のとおり

　上記当事者間の東京地方裁判所令和　　年(ヌ)第　　　号不動産強制競売申立事件について、債務者が申し立てた東京地方裁判所令和　　年(フ)第　　　号破産手続開始申立事件において、免責許可決定が確定したので、上記強制競売手続を取り消されたく上申する。

　　　　　　　　　　令和　　年　　月　　日
　　　　　　　　　　債　務　者　　　　　　　　　　　　　　　印

添付書類
　免責許可決定正本　　　　1通
　免責許可決定確定証明書　1通

Q40 民事再生手続と強制競売手続の進行

強制競売手続の開始決定後売却実施前に、債務者が民事再生手続開始決定を受けた場合、競売手続の進行にどのような影響があるか。

本設例は、強制競売手続と民事再生手続に関するものである。強制競売手続と破産手続については〔Q39〕を、担保不動産競売手続と破産手続、民事再生手続及び会社更生手続については〔Q38〕をそれぞれ参照されたい。

1 民事再生法における強制執行手続の位置付け

民事再生手続は、経済的に窮境にある債務者について、その債権者の多数の同意を得、かつ、裁判所の認可を受けた再生計画を定めること等により、当該債務者とその債権者との間の民事上の権利関係を適切に調整し、もって当該債務者の事業又は経済生活の再生を図ることを目的とする手続である（民再1条）。そして、民再法においては、債権者間の平等な満足を確保するため、再生手続開始後は、民再法に特別の定めがある場合を除いて再生計画の定めるところによらなければ債権者が個別に権利行使をすることはできない旨が定められている（民再85条1項）。民事執行手続との関係では、再生手続開始決定があったときは、再生債務者の財産に対する再生債権に基づく強制執行手続を申し立てることはできず、また、既にされている再生債権に基づく強制執行手続は中止する（民再39条1項）ものとして個別執行手続が禁止され、さらに、再生計画認可決定の確定により、中止した強制執行手続は失効するものとされている（民再184条本文）。

また、再生手続開始の申立て後、再生手続開始決定があるまでの間に、再生債務者の財産の散逸を防止し、円滑な事業遂行を図る必要がある場合について、民再法は、保全処分の制度として、個別の強制執行事件についての中止命令制度（民再26条1項）及び取消命令制度（同条3項）を設けているほか、中止命令では再生手続の目的を十分に達成することができない

場合の対処として包括的禁止命令制度（民再27条）を設けている。

　さらに、共益債権又は一般優先債権（民再122条1項）に基づく強制執行については、原則として再生手続の開始によって影響を受けないが（民再121条2項、122条2項）、別途、中止命令及び取消命令の制度が規定されている（民再121条3項ないし6項、122条1項、4項）。

　開始後債権に基づく強制執行の申立ては、再生手続が開始された時から再生計画で定められた弁済期間が満了する時（再生計画認可の決定が確定する前に再生手続が終了した場合にあっては再生手続が終了した時、その期間の満了前に、再生計画に基づく弁済が完了した場合又は再生計画が取り消された場合にあっては弁済が完了した時又は再生計画が取り消された時）までの間は、することができない（民再123条3項）。

2　再生手続開始決定前の中止命令、取消命令及び包括的禁止命令と強制競売手続

(1)　中止命令

ア　中止命令の要件

　強制執行についての中止命令は、中止の必要があると再生裁判所が認め、かつ、強制執行を申し立てた再生債権者等に不当な損害を及ぼすおそれがない場合に発令される（民再26条1項）。

イ　中止命令の効力

　中止命令が発令されると、その対象となった手続はそれ以上進行しない状態になるが、既にされた手続の効力には影響はない。すなわち、強制競売手続について中止命令があったときは、それのみでは強制競売手続が取消しになるわけではなく、差押えの効力はそのまま維持され、後記**ウ**のとおり手続が停止されるにとどまる。

　また、中止命令の効力は、再生手続開始の申立てに対する決定があるまでの間、存続する（民再26条1項本文）。再生手続開始の申立てに対し、これを認容して再生手続開始決定がされると、強制競売手続は当然に中止し（民再39条1項）、却下又は棄却されると、中止されていた強制競売手続は再度進行を開始する。

ウ　強制競売手続停止までの手続

中止命令は、強制執行の一時の停止を命ずる旨を記載した裁判といえるから、法39条1項7号の停止文書に該当する（中野＝下村「民事執行法」332頁）。執行裁判所は、中止命令の存在を当然に知り得るわけではないから、中止命令があったからといって直ちに強制競売手続が停止されることにはならない。再生債務者等（再生債務者又は管財人をいう（民再2条2号）。以下同じ。）は、執行裁判所に対し、中止命令の正本を提出して強制競売手続停止の上申をする必要がある（【書式1】参照。なお、中止命令正本の提出により強制競売手続が停止した後、再生手続開始申立が却下又は棄却された場合にも、同様の理由から、債権者から強制競売手続続行を上申する必要がある。）。中止命令の正本が提出された場合、執行裁判所は強制競売手続を停止しなければならない（法39条1項）。なお、売却実施後については、強制競売手続の進行の程度によっては停止することができないときがあるので、再生債務者等は、強制競売手続の進行状況に常に注意を払い、中止命令を得た場合には直ちにその旨上申する必要がある（不動産執行の理論と実務(下)672頁以下、〔Q139〕参照）。

(2)　中止命令後の取消命令

ア　取消命令の要件

中止命令の対象となった強制執行手続に対する取消命令は、「再生債務者の事業の継続のために特に必要があると認めるとき」に、発令される（民再26条3項）。

イ　取消命令の効力

次のウのとおり、取消命令は取消文書に該当し、同命令の正本が提出されると、執行裁判所は強制競売手続を取り消さなければならない。取消決定がされると、強制競売手続は遡及的に失効し、差押えの効力も遡及的に失われる。

ウ　強制競売手続取消しまでの手続

執行手続の取消しを命ずる裁判も、「強制執行を許さない旨」を命ずる裁判に当たるため、取消命令は、法39条1項1号の取消文書に該当する（注釈民事執行法(2)570頁〔田中康久〕参照）。執行裁判所は、取消命令の存在

を当然に知り得るわけではないから、取消命令があったからといって直ちに強制競売手続が取り消されることにはならない。再生債務者等は、執行裁判所に対し、取消命令の正本を提出して強制競売手続取消しの上申をする必要がある（【書式2】参照）。取消命令の正本が提出された場合、執行裁判所は、既にした執行処分を取り消さなければならない（法40条1項）。この取消決定に対しては執行抗告をすることができない（法40条2項）。なお、売却実施後については、競売手続の進行の程度によっては取消しができないときがある（不動産執行の理論と実務(下)672頁以下。〔**Q138**〕参照）。

(3) 包括的禁止命令と強制競売手続

ア 包括的禁止命令の要件

包括的禁止命令は、再生手続開始決定の申立てがあった場合で、中止命令（民再26条1項）によっては再生手続の目的を十分に達成することができないおそれがあると認めるべき特別の事情があるときに発令される（民再27条1項本文）。ただし、事前に又は同時に、保全処分（民再30条1項）、監督命令（民再54条1項）又は保全管理命令（民再79条1項）が発令されている場合に限られる（民再27条1項ただし書）。

イ 包括的禁止命令の効力

包括的禁止命令は、再生手続開始の申立てに対する決定があるまでの間、全ての再生債権者に対し、再生債務者の財産に対する再生債権に基づく強制執行等の禁止を命ずるものである（民再27条1項）。同命令が発令されると、再生債権に基づく新たな強制執行等ができなくなり、既にされている再生債権に基づく強制執行等の手続は中止する（同条1項、2項）。また、再生債務者の事業の継続のために特に必要があるときは、この中止した強制執行等について取消命令が発令されることがある（同条4項）。

ウ 強制競売手続との関係

(ア) 既に強制競売開始決定がされている場合

既に強制競売開始決定がされている強制競売手続に関して包括的禁止命令が発令された場合の措置及び効果は、中止命令の場合と同様である。

(イ) 強制競売開始決定がされていない場合

強制競売開始決定前に包括的禁止命令が発令されている場合は、強制競

売手続を開始することは許されない。したがって、執行裁判所は、再生債務者等から包括的禁止命令正本を添えた上申を受け（上申が必要なことは中止命令及び取消命令と同じである。）、申立てを却下する（具体的な強制競売の申立てがない段階では、執行裁判所自体が存在せず、執行停止文書又は執行取消文書を提出する余地がないので（民事執行の実務－債権(上)〔Q4〕参照）、このような事例が生じるのは、強制競売申立て後、強制競売開始決定前に包括的禁止命令正本が提出された場合に限られる。）。

なお、包括的禁止命令について上申がなかったため、強制競売開始決定がされてしまう場合も考えられる。このような場合、再生債務者等は、執行裁判所に対し、包括的禁止命令正本を添えて上申することになる。上申を受けた執行裁判所の対応としては、法39条1項7号の停止文書の提出があったものとして強制競売手続を停止する取扱いと、当初から申立てを却下すべきであったとして職権で執行処分を取り消す取扱いとが考えられる。いずれにせよ、再生債務者等は、包括的禁止命令の正本を速やかに執行裁判所に提出し、強制執行手続の停止又は取消しを上申する必要がある。

3　再生手続開始決定と強制競売手続

再生手続開始の決定があったときは、再生債務者の財産に対する再生債権に基づく強制執行等はすることはできず、既にされている再生債権に基づく強制執行等の手続は中止する（民再39条1項）。もっとも、執行裁判所は、再生手続開始決定の存在を当然に知り得るわけではないから、強制競売開始決定の停止を求める再生債務者等は、執行裁判所に対し、再生手続開始決定の正本を添えて上申をする必要がある（【書式1】参照。なお、その後、民再39条2項による強制執行等の手続の続行が命じられた場合等も、同様の理由から強制競売手続続行の上申が必要である。）。この上申を受けた執行裁判所は、強制競売手続を停止する。強制競売手続の進行の程度に応じた停止の時的限界等については、中止命令の場合と同じである。

また、再生のため必要があると認めるときは、再生手続開始決定により中止した強制執行等の手続について取消命令が発令されることがあり（民

再39条2項)、この場合、開始決定前の取消命令と同様に、再生債務者等は、執行裁判所に対し、取消文書として取消命令の正本を提出して、強制競売手続取消しの上申をする必要がある。この上申を受けた執行裁判所は、既にした執行処分を取り消す(なお、この取消決定に対しては執行抗告をすることができない(法40条2項)。)。他方で、再生に支障を来さないときは、中止した強制執行等の続行が命じられることもある(民再39条2項)。

なお、再生手続開始決定についても、包括的禁止命令と同様に、その存在が執行裁判所に明らかでなかったために強制競売開始決定がされてしまったときの対応としては停止又は取消しの両様の取扱いが考えられる(前記2ウ(イ)参照)。

4 再生計画認可決定確定と強制競売手続

再生計画認可決定が確定したときは、民再法39条1項(再生手続開始決定による手続の中止)により中止した手続は、その効力を失う(民再184条本文)。ただし、同法39条2項により続行された手続は再生計画認可決定によっても影響を受けない(民再184条ただし書)。強制競売手続は同法39条1項により中止する手続に該当するから、同条2項により続行されていない限り、再生計画認可決定の確定により効力を失う。ここでいう「効力を失う」の意義は、単に手続の続行が禁止されるだけではなく、遡及的に手続がなかったものとなることを意味すると解されている(才口千晴ほか監修『新注釈民事再生法〔第2版〕(下)』(金融財政事情研究会)155頁〔馬杉榮一〕)。執行裁判所は、再生計画認可決定の確定を当然に知り得るわけではないから、再生債務者は再生計画認可決定及びその確定証明書を執行裁判所に提出し、強制競売開始決定の取消しを上申する必要があり(【書式2】参照)、これを受けた執行裁判所は取消決定をすることになる。なお、この取消決定は、取消文書の提出によるもの(法40条1項)ではないから、これに対して執行抗告をすることができる。

なお、強制競売手続の進行程度に応じた取消しの時的限界等については、取消命令の場合と同じである。

5　小規模個人再生手続等の場合

　強制競売手続の債務者が小規模個人再生手続又は給与所得者等再生手続（民再13章）における再生債務者である場合も、以上の議論は妥当する（民再238条及び245条各参照。これらの手続でも、中止命令、取消命令、包括的禁止命令、再生手続開始決定及び再生計画認可決定確定の効果に関する各条文は適用除外とされていない。）。

【書式１】強制執行停止上申書（中止命令用）

強制執行停止上申書

東京地方裁判所民事第21部　御中

　　　　　　　当事者の表示　別紙当事者目録記載のとおり

　上記当事者間の東京地方裁判所令和　　年(ヌ)第　　　号不動産強制競売事件の債務者に対し、令和　　年　　月　　日、民事再生法上の（強制執行中止命令・再生手続開始決定）があったので、上記強制競売手続を停止されたく上申する。

　　　　　　　　　　　　　　　令和　　年　　月　　日

　　　　　　　　　　　　　　　債務者　　　　　　　　印

　　　　　　　　添付書類
　　中止命令正本　　　　１通
　　再生手続開始決定正本　１通

【書式２】強制執行取消上申書（取消命令用）

強制執行取消上申書

東京地方裁判所民事第21部　御中

Q40

　　　　　　　　　当事者の表示　別紙当事者目録記載のとおり

　上記当事者間の東京地方裁判所令和　　年(ヌ)第　　　号不動産強制競売事件の債務者に対し、令和　年　月　日、民事再生法上の（強制執行取消命令があった・再生計画認可決定が確定した）ので、上記強制競売手続を取り消されたく上申する。

　　　　　　　　　　　　　　　　　　令和　　年　　月　　日

　　　　　　　　　　　　　　　　　債務者　　　　　　　　印

　　　　　　　　　　　添付書類
　　強制執行取消命令正本　　　　　　　　1通
　　再生計画認可決定正本及び同決定確定証明書　1通

Q41 土地収用法、都市再開発及びマンション建替えと競売手続

> 競売による差押登記前に、土地収用法による裁決手続開始の登記、都市再開発法やマンションの建替え等の円滑化に関する法律等による権利変換の登記がされていた場合、競売手続にどのような影響を与えるか。また、差押登記後にこれらの登記がされた場合はどうか。

1 土地収用等手続と競売手続

(1) 土地収用及び土地使用

土地収用及び土地使用とは、特定の公共の利益となる事業のために、法律の定める手続に従い、強制的に国、公共団体等に土地所有権等を取得させ、又は土地に係る権利を消滅させ若しくは制限することである。土地収用等についての一般法としては、土地収用法（以下、括弧書内においては「土収」と略記する。）がある。土地収用等ができる事業は、同法3条各号に定める事業である。

このような土地収用等手続と民事執行法上の不動産競売手続は、同一不動産について競合することがあり得るため、土地の収用等と強制執行等との調整に関する規則（以下「土収強制調整規則」という。土収96条7項による委任。なお、昭和42.12.28最高裁民三第1123号民事局長通達参照）等により、土地収用等手続と競売手続の調整が図られている。

(2) 土地収用等手続の裁決手続が先行する場合

ア 裁決手続開始の登記による処分制限効

土地収用等手続の裁決手続開始の登記があった後において、競売の差押えがあり、買受人となった者は、土地収用等手続の起業者（土収8条1項）に対抗することができない（土収45条の3第1項本文）。

このような土地について、収用又は使用の裁決がされても、補償金等の支払に関する土地収用法96条の適用はなく、差押債権者は、収用により競売による差押えが効力を失い、土地収用手続による所有権移転の効果が生

じ（土収101条1項）、又は使用により差押えに係る権利の交換価値が低下するのを甘受しなければならない。そして、競売手続における買受人は、補償を受けることなく、収用により所有権を失い、又は使用により起業者（収用者）が取得した使用権の負担を受けなければならないことになる（土収101条2項。井口牧郎「土地の収用等と強制執行等との調整に関する規則の解説㈠」曹時20巻3号10頁）。

イ　競売の開始決定通知

　土地収用等手続の裁決手続開始の登記がされた不動産について、競売の開始決定（二重開始決定を除く。）に基づく差押登記がされた場合、裁判所書記官は、裁決手続開始を決定した収用委員会に対し、競売の開始決定がされた旨を通知しなければならない（土収強制調整規2条1項）。

ウ　手続の進行

　土地使用手続の裁決手続開始の登記（土収45条の2）があったものについては、裁決によって使用による負担の内容が確定する前に競売を行うことは困難であるから、執行裁判所は、裁決手続が終了するまで競売の手続を停止し（土収強制調整規2条2項）、裁決の確定によって使用による負担の内容が確定した後、その使用権があることを前提として売却条件を定めて競売の手続を進行させることになる。この場合、その使用権が買受人に対抗することができるものであれば、その内容を物件明細書に「不動産に係る権利の取得及び仮処分の執行で売却により効力を失わないもの」（法62条1項2号）として記載する。そして、これらの使用権は土地使用手続の裁決手続で定められたものであるから、それを示すために、物件明細書に、「上記賃借権は、土地使用手続の裁決手続で定められたものである。」と任意的に記載することが考えられる。

　なお、先行する土地収用等手続の裁決手続が裁決申請の取下げ等により終了した場合、又は起業者が裁決で定められた期限までに補償金等を支払わなかったために裁決が失効した場合（土収100条）には、その旨が収用委員会から通知されることから（昭和42.12.19建設省計総発第313号計画局長通達「改正土地収用法の運用について」記8⑴参照）、この通知があれば競売の手続を進行させることになる。

土地収用により起業者が所有権を取得した場合は、差押え、仮差押えはその効力を失い（土収101条1項）、起業者の所有権取得の登記をする際に、職権で競売による差押えや仮差押え等の登記は抹消される（井口・前掲12頁（注三））。したがって、その段階で法53条により手続を取り消すことになる。

(3) 競売手続が先行する場合

ア　裁決手続開始の登記の効果

　不動産について土地収用等手続の裁決手続開始の登記の前に競売による差押えがある場合、競売手続で目的不動産の所有権を取得した買受人の権利は、土地収用等手続の起業者に対抗することができる（土収45条の3第1項ただし書）。

イ　裁決手続開始の通知

　競売開始決定に基づく差押登記がされた不動産に対して裁決手続開始の登記がされたときは、収用委員会からその旨の通知がある（土地収用法施行令（以下「土収施行令」と略記する。）1条の14第1号）。裁判所書記官は、その旨を差押債権者、債務者及び所有者に通知しなければならない（土収強制調整規3条1項）。

ウ　手続の進行

　競売手続が先行する場合、執行裁判所は、競売手続の進行を留保することができるが（土収強制調整規3条2項）、手続を進行させることもできる。

⑺　競売の手続を進行させた場合

　土地収用手続の裁決手続開始の登記がされたものについて、競売手続を進行させ、目的不動産を売却に付する場合、買受希望者の注意を喚起する意味で、物件明細書に、「本件土地については、土地収用手続の裁決手続開始の登記がされている。」と任意的に記載することが考えられる（土地使用手続の裁決手続開始の登記がされたものについては、後記(イ)d参照）。

　競売手続を進行させた場合において、買受人が代金を納付したときは、裁判所書記官は、買受人の住所及び氏名を収用委員会に通知しなければならない（土収強制調整規4条1項）。買受人は、裁決手続での補償金等の支

払を受ける地位を有することになる。

　なお、裁決手続が収用又は使用の裁決に至らないで終了した旨等の収用委員会の通知があったときは（土収施行令1条の14第3号）、裁判所書記官は、速やかに、その旨を差押債権者、債務者及び所有者に通知しなければならない（土収強制調整規3条3項）。

(イ)　裁決手続が進行した場合

a　補償金等の払渡し

　裁決手続で収用又は使用の裁決があった場合、権利取得又は明渡しの期限までに、裁決手続開始の登記前にされた差押えに係る先取特権、質権、抵当権その他当該差押えによる換価手続において消滅すべき権利に対する補償金等が、起業者から当該差押えによる配当手続を実施すべき執行裁判所に払い渡される（土収96条1項）。「補償金」とは、土地を収用又は使用することによって土地所有者及び関係者が受ける損失を起業者が補償するものであり（土収68条）、「補償金等」とは、補償金、加算金及び過怠金を意味する（土収95条1項参照）。

　このことは、仮差押えの執行後に裁決手続開始決定がされ、次いで競売の開始決定（仮差押えの被保全債権に基づくものか否かを問わない。）があった後に裁決がされたときも同様である（土収96条5項、土収強制調整規9条1項）。裁決手続開始の登記前に仮差押えがされた場合、競売手続開始前に権利取得裁決又は明渡裁決がされ、補償金等が払い渡されるとき（土収96条5項）には、この補償金等を払い渡すべき裁判所は、当該仮差押えに係る不動産の強制執行について管轄権を有する裁判所（法44条）となる（土収施行令1条の20）。

　起業者が補償金等を払い渡すときは、補償金等払渡通知書及び裁決書の正本を提出しなければならない（土収施行令1条の15）。

b　執行裁判所での受入手続

　執行裁判所に補償金等が払い渡されたときは、裁判所書記官は、交付を受けた金額及び交付を受けた年月日を記録上明らかにし（土収強制調整規5条1項）、速やかに、補償金等が払い渡された旨を差押債権者、債務者、所有者及び買受人に通知しなければならない（同条2項）。払渡しを受け

た金銭は、競売手続における代金とみなされ、払渡しを受けた時が競売に係る配当要求終期の到来前であるときは、その時に配当要求の終期が到来したものとみなされるから（土収96条2項）、執行裁判所は配当等の手続を実施することになる。

補償金等の交付が差押えに基づくときは競売事件が既に立件されているが、仮差押えに基づくときは執行裁判所に競売事件が係属していないので、起業者からの通知書に基づいて、民事執行雑事件（記録符号－(ヲ)）として立件する（平成4.8.21最高裁総三第26号事務総長通達別表第1・62⑸2）。仮差押えに基づいて補償金等が支払われたときは、補償金等は、強制執行により換価された場合における換価代金とみなされ、配当財団を形成し、直ちに配当等の手続に移行することができる（土収強制調整規9条2項。土収強制調整規5条ないし8条を準用）。この場合、仮差押債権者以外に配当等を受ける者がいない場合には、補償金等はそのまま保管されることになるとの考え方もあるが、弁済金交付手続を行い、法91条1項2号により供託することもできると解される（伊藤善博ほか「配当研究」294頁）。

c　留置権者等に対する配当等

留置権や最先順位の使用収益をしない旨の定めのない質権等の、競売手続上引受けとなる担保権者（法59条4項。これらの担保権も、土地収用の効果として消滅する（土収101条1項本文）。）に対する補償金等は、担保権者に生じた損失を個別に算定すること（土収69条本文）は困難であるとして、一括して補償される（同条ただし書）のが通常である。

したがって、執行裁判所に補償金等が払い渡された場合において、裁決書により、その補償金等に、留置権や最先順位の使用収益をしない旨の定めのない質権等の競売手続上引受けとなる担保権者に対する補償が含まれていると認められるときは、執行裁判所は、これらの者に対しても配当等の手続を実施しなければならない（土収強制調整規6条1項本文）。ただし、裁決が使用に係る場合における留置権者については除かれる（同項ただし書）。

配当等を受けるべき債権者やその順位等は、留置権者に対する特則（留置権によって担保される債権は、他の債権に優先する。土収強制調整規6条2

項）以外は、一般の競売と変わりがない。配当期日等が定められ、執行裁判所の裁判所書記官が留置権者（裁決が使用に係る場合を除く。）に対して計算書提出の催告（規60条）をしたときは、計算書を提出しない留置権者に対する配当等の実施については、留置権によって担保される債権がないものとみなされる（土収強制調整規7条1項）。留置権者が期間内に計算書を提出したときは、裁判所書記官は、速やかに、その内容を債務者及び所有者に通知しなければならない（同条2項）。

d　裁決が使用に係る場合

　使用の裁決の場合、裁決で認められた方法による土地の使用を妨げない限り、担保権の効力に影響がないが、使用権の設定により土地の交換価値が減少するという点において担保権者は損失を被ることになり、このことは、当該担保権が買受人に引き受けられるべきものであっても、担保権者が損失を被るという点において担保権が消滅する場合と変わりはない。したがって、その損失に対する補償金等について配当等の手続を行う場合には、買受人に引き受けられるべき担保権者をも配当等に加えることとするのが適当であると考えられる（伊藤ほか・前掲296頁）。裁決手続と競売手続とが並行している場合において、裁決手続が使用に係るものであるときは、買受人が使用による補償金等を受けることができるとしても、裁決によって使用による負担の内容が確定する前に競売の手続を進行させることは困難であるから、執行裁判所は裁決手続が終了するまで競売の手続を留保し（土収強制調整規3条2項）、使用裁決による補償金等の払渡し（土収96条1項）があったときはその補償金等についての配当等の手続を行い、別に、裁決によって定まった使用権付きの土地を競売による売却に付することになると考えられる（伊藤ほか・前掲296頁）。

e　補償金等の額に対して起業者に不服がある場合

　起業者は、収用委員会の裁決した補償金等の額に対して不服がある場合は、土地収用法96条1項による払渡しの際、自己の見積金額を、同項の配当手続を実施すべき執行裁判所に通知しなければならず（土収96条4項）、その通知がされた場合、執行裁判所は、払い渡された補償金等のうち起業者の見積金額を超える額については、所定の出訴期間（裁決書正本の送達

を受けた日から6月）の満了後7日を経過するまでの間は、配当等の手続を実施しない（土収133条2項、土収強制調整規8条1項前段）。7日を経過するまでの間に、起業者が上記の訴えを提起したことを証明する書面が提出されたときは、当該訴訟が完結し、その訴訟の結果を証する書面が提出されるまでの間も、配当等の手続を実施しない（同項後段）。出訴期間の起算点となる起業者に対する裁決書の正本の送達日は、執行裁判所には分からないので、執行裁判所は、土地収用法96条4項の通知を受けた時に、起業者に確認しておくことになる。

　土地収用法96条4項の通知をした起業者は、補償金等の額について、同法133条2項所定の出訴期間内に訴えを提起したとき、同項に定める期間内に同訴えを提起しなかったとき、又は起業者が提起した同項の訴訟が終了したときは、直ちに、受訴裁判所の証明書を添付して、執行裁判所にその旨を通知しなければならない（土収施行令1条の18第3項、土収施行規23条の3）。訴訟が終了した場合、起業者が補償すべきとされた金額の範囲内で配当等の手続をする。出訴期間内に訴えが取り下げられ、又は形式的理由により訴えが却下され、出訴期間内に再度訴えを提起することが可能な場合は、訴訟終了の通知書が提出されても、出訴期間満了後7日を経過するまでは、配当等の手続を実施することができない。

　上記訴えにおいて、起業者が勝訴し、又は起業者に有利な和解等が成立したときは、起業者が勝訴した部分は、配当又は弁済金交付の手続に充てることができないので、執行裁判所は、その旨の結果を証する書面を添付した起業者の通知書が提出された後、その部分を起業者に返還し（土収強制調整規8条2項）、他の部分について、配当等の手続をすることになる。

　f　判決に基づいて払い渡された補償金等の取扱い

　土地所有者ら補償を受けるべき者が裁決で定められた補償金等の額に不服があるため土地収用法133条による訴えを提起し、その結果、追加補償金等の支払を命ずる判決が確定したときは、その補償金等の支払についても、裁決で定められた補償金等の例（土収96条1項）によることとなる（同条6項前段）。この場合、起業者が執行裁判所に対し補償金等を払い渡すと、前記の判決に基づく給付をしたものとみなされ、その限度で訴訟の

原告に対する給付義務は消滅する（同項後段）。

　この追加補償金等も、配当等に関しては競売による売却代金とみなされるので、裁決で定められた補償金等（土収96条1項）に関する土地の収用等と強制執行等との調整に関する規則5条（補償金等が払い渡された場合の処置）、6条（留置権者等に対する配当等）及び9条（仮差押えに係る権利に対する補償金等の取扱い。ただし、後記のとおり、同条2項中7条及び8条の規定を準用する部分を除く。）の規定が準用される（土収強制調整規10条）。

　この場合、この追加補償金等は、配当等に関しては、前に払い渡された補償金等の一部として取り扱うべきものであり、その払渡しを受けた各債権者に対して改めて計算書の提出を求める必要はないので、土収強制調整規則7条（留置権者が計算書を提出しない場合の効果等）の規定は準用されていない。また、補償金等の追加支払を命ずる判決が確定した後、起業者がこれに対する不服の訴えを提起するということはあり得ないので、同規則8条（起業者が不服を有する場合における補償金等の取扱い）の規定も準用されていない（井口牧郎「土地の収用等と強制執行等との調整に関する規則の解説（二・完）」曹時20巻4号14頁）。

g　土地以外の不動産の収用又は使用の場合

　地上権、永小作権等の土地に関する権利、立木、建物等の土地の定着物等の収用又は使用に関しても、土地収用法の規定が準用されることから（土収138条）、不動産執行の方法に服するものについては、土地と同様の規制をすることができる。したがって、土収強制調整規則2条ないし11条の規定が準用される（土収強制調整規12条。井口・前掲17頁）。

(4)　残地収用等の場合

　土地の収用又は使用に伴う残地収用（土収76条1項）、地上物件の移転に代わる収用（土収78条、79条）又は土地の使用に代わる収用（土収81条1項）の請求に対する裁決があった場合で、それらの請求に係る土地や地上建物が競売手続の対象となっているときは、土地収用法96条1項の文言にかかわらず、競売手続の開始とこれらの請求がされた時期との先後を問わず、請求を認容する裁決がされれば、それに基づく補償金等が払い渡されることになると解されている（これらの収用については、収用の裁決開始の

登記がされないので、その登記と競売による差押えとの前後を問題にする余地がないためである。なお、使用に代わる収用の場合については、使用裁決手続開始の登記と競売による差押えとの前後によるべきであるとする見解もある（井口牧郎「土地の収用等と強制執行等との調整に関する規則の解説㈠」曹時20巻3号17頁、3頁）。）。この場合の両手続の調整は、一般の収用又は使用において競売手続が先行する場合と同様である（井口・前掲。前記(3)ウ(イ)参照）。

そこで、競売による差押えがされている土地等について前記のような請求があった場合は、収用委員会はその旨を当該差押えに係る配当等の手続を実施すべき執行裁判所に通知しなければならないものと定め（土収施行令1条の14第2号）、これを前提として、土収強制調整規則3条4項及び4条4項で、その通知を受けた場合に執行裁判所がとるべき措置を定めた同規則3条1項から3項及び4条1項、2項までを準用する旨定めている。

(5) 競売の手続終了通知

競売手続と土地収用等手続のいずれが先行する場合でも、両手続が競合する状態において、競売の手続が取下げ、取消し等により売却を許可することなく終了した場合は、裁判所書記官は、その旨を収用委員会に通知しなければならない（土収強制調整規2条3項、4条2項、3項）。

(6) 土地収用法以外の法律による収用手続

ア　土地収用法以外の法律による収用手続

都市計画事業（都市計画69条）、土地区画整理事業（土地区画整理79条1項）、住宅地区改良事業（住宅地区改良13条、16条1項）等の、土地収用法の規定及び土収強制調整規則の適用がある事業における収用等に関し、執行裁判所に補償金等が送付されてきた場合、補償金等は執行裁判所の売却代金とみなされ配当財団を形成し、土地収用手続と競売手続が競合した場合の配当等の手続（前記(2)ないし(5)）に移行することになる。

イ　公共用地の取得に関する特別措置法による仮補償金

公共用地の取得に関する特別措置法（以下、括弧書内においては「公共用地取得特別措置」と略記する。）は、土地収用法の特例等について規定するものである（公共用地取得特別措置1条）。公共の利害に重大な関係があり、

第4節　手続の進行の可否

緊急に施行を要する事業に必要な土地の取得に関し（同条）、裁決が遅延することによって事業の施行に支障を及ぼすおそれがある場合は、起業者の申立てにより、損失の補償に関する事項でまだ審理を尽くしていないものがあるときにおいても、概算見積もりによる仮補償金を定めて権利取得裁決又は明渡裁決をすることができる（緊急裁決。公共用地取得特別措置20条、21条）。仮補償金を定めた場合、審理を尽くした上で改めて遅滞なく裁決し（補償裁決。公共用地取得特別措置30条）、補償裁決で定められた補償金額と仮補償金額とが相違するときは、起業者又は土地の所有者等はその差額である清算金及びこれに対する一定の利息を支払わなければならない（公共用地取得特別措置33条）。

この緊急裁決による仮補償金並びに補償裁決による清算金及び利息についても、土地収用法96条の適用があり（公共用地取得特別措置27条、33条3項）、執行裁判所に払い渡された仮補償金又は清算金等は、通常の裁決による補償金等と同様に取り扱えばよいことになる（土収強制調整規11条1項、5条ないし9条）。

また、起業者が仮補償金の額に不服がある場合には（公共用地取得特別措置27条、土収96条4項）、法律関係の錯綜を避けるため、土収強制調整規則8条に定める期間（裁決書正本の送達を受けた日から6月の満了後7日を経過するまでの間。前記(3)ウ(イ)e）は、配当等の手続を留保することになる（土収強制調整規11条1項、8条）。

仮補償金について配当等を実施しないうちに仮補償金の額より低い補償裁決がされ、その裁決正本が起業者から執行裁判所に提出されたときは、その差額を起業者に返還しなければならない（土収強制調整規11条2項）。

2　市街地再開発事業と競売手続

(1)　市街地再開発事業

市街地再開発事業とは、市街地開発事業（都市計画事業の一つで、健全な市街地の一体的な開発又は整備を図るための都市計画であり、都市計画区域（都市計画5条1項）について、都市計画（都市計画4条1項）で定めるもの（都市計画12条1項））の一つで、市街地の土地の合理的かつ健全な高度利

用と都市機能の更新とを図るために行われる建築物及び建築敷地の整備並びに公共施設の整備に関する事業及びこれに附帯する事業（低層住宅を除却して高層建築物を建て、高層化によって生じた空地を道路や公園等に利用するもの等）であり、第1種市街地再開発事業と第2種市街地再開発事業がある。第1種市街地再開発事業は権利変換方式によるもので、土地の収用権は認められないが、第2種市街地再開発事業は公共性が高い大規模な再開発を行うことを目的とし、権利変換方式ではなく、用地買収方式によって事業を実施するもので、土地収用権が認められている（都市再開発法（以下、括弧書内においては「都再開」と略記する。）2条1号）。

なお、都市計画で定められた市街地開発事業の施行区域外の土地についても第1種市街地再開発事業を施行することができるが（都再開2条の2第1項）、これは都市計画として施行されるものではないので、都市計画法の規定の適用はない。

(2) 第1種市街地再開発事業の権利変換手続との競合

ア 権利変換手続

第1種市街地再開発事業においては、権利変換期日に、権利変換計画の定めるところに従って、土地及び建築物に関する権利の取得及び変換が行われる（都再開87条、88条）。従前の土地及び建築物に関する権利が第1種市街地再開発事業によって建築される施設建築物又は施設建築物敷地に対する権利へ移行することを、権利変換という。

イ 権利変換手続開始の登記による処分制限効

権利変換手続開始の登記があった後においては、その不動産の所有権又は登記された借地権を有する者は、その権利を処分するには、施行者の承認を得なければならない（都再開70条2項）。施行者は、事業の遂行に重大な支障が生ずることその他正当な理由がなければ、承認を拒むことができない（同条3項）。承認を得ないでした処分は、施行者に対抗することができない（同条4項）。

このような権利変換手続と競売手続は、同一不動産について競合することがあり得るため、都市再開発法による権利の変換と強制執行等との調整に関する規則（以下「都再開強制調整規則」と略記する。）等により、権利変

換手続と競売手続の調整が図られている。

　ウ　競売開始決定及び権利変換手続開始の通知

　権利変換手続開始の登記がされた不動産について、競売開始決定（二重開始決定を除く。）に基づく差押登記がされたときは、裁判所書記官は、当該事業の施行者に対し、競売の開始決定通知をしなければならない（都再開強制調整規2条1項）。

　競売開始決定に基づく差押登記がされた不動産に対して権利変換手続開始の登記がされたときは、当該事業の施行者から執行裁判所に対してその旨の通知がされ（都市再開発法施行令（以下「都再開施行令」と略記する。）34条）、通知を受けた執行裁判所の裁判所書記官は、その旨を差押債権者、債務者及び所有者に通知しなければならない（都再開強制調整規3条1項）。これらの通知により、両手続の調整をすることが可能になる。

　エ　手続の進行

　権利変換手続及び競売手続が競合した場合は、いずれの手続が先行している場合でも、競売手続の進行を留保することができるが（都再開強制調整規2条2項、3条2項）、競売手続を進行させることもできる。

　前記イで述べたように、権利変換手続が先行している場合には、その不動産の所有権を取得した者は当該事業の施行者に承認を得なければならず（都再開70条2項）、施行者は事業の遂行に重大な支障が生ずることその他正当な理由がなければ承認を拒むことができない（同条3項）。承認を得ないでした処分は施行者に対抗することができず（同条4項）、また、いずれの手続が先行している場合も、施行者による権利変換を買受人は受忍しなければならない（都再開130条）。

　したがって、このような状況で、競売手続を進行して、目的不動産を売却する場合には、買受希望者の注意を喚起するために、物件明細書に、「本件土地は第1種市街地再開発事業施行区域内の土地である。本件土地については、権利変換手続開始の登記がされている。」と任意的に記載することが考えられる。

　両手続が競合する場合において、競売手続を進行させ、買受人が代金を納付したときは、権利変換手続の相手方が変更されたことを施行者に知ら

せるために、裁判所書記官は、買受人の住所及び氏名を施行者に通知しなければならない（都再開強制調整規4条1項）。

両手続が並行して進行している場合、競売による売却許可決定がされた後代金納付前に、権利変換による補償金等が執行裁判所に支払われることがある（都再開94条1項。ここにいう「補償金等」とは、第1種市街地再開発事業施行地区内の宅地若しくは建築物又はこれらに関する権利を有する者で、権利変換期日において当該権利を失い、かつ、当該権利に対応して、施設建築敷地若しくはその共有持分等を与えられない者に対し、その補償として、権利変換期日までに支払われるものなどを意味する。都再開91条1項）。この場合、競売による売却許可決定は効力を失い（都再開94条3項）、権利変換手続が競売による換価に優先することになる。

オ　補償金等の配当

権利変換手続が進行し、権利変換の処分（都再開86条）がされ、支払われるべき補償金等がある場合（都再開91条1項、2項）は、競売手続の段階が代金納付前であれば、上記補償金等は執行裁判所に払い渡される（都再開94条1項、4項）。

施行者は、差押えに係る権利に対する補償金等を執行裁判所に払い渡すときは、補償金等払渡通知書及び権利喪失通知書又は裁決書の正本を提出しなければならない（都再開施行令35条）。

この払渡しがあったときは、裁判所書記官は、交付を受けた金額及びその年月日を記録上明らかにし（都再開強制調整規5条1項、8条1項）、その旨を差押債権者、債務者及び所有者に通知しなければならない（都再開強制調整規5条2項、8条1項）。

払渡しを受けた補償金等は、配当等に関しては競売による代金とみなされ、かつ、払渡しを受けた時が配当要求の終期到来前であったときは、払渡しを受けた時に配当要求の終期が到来したものとみなされ（都再開94条2項）、直ちに配当等の手続を実施することになる。

補償金等の交付が差押えに基づくときは競売事件が既に立件されているが、仮差押えに基づくときは執行裁判所に競売事件が係属していないので、施行者からの通知書に基づいて、民事執行雑事件（事件符号(ヲ)）とし

て立件する（平成4.8.21最高裁総三第26号事務総長通達別表第1・62(53)）。仮差押えに基づいて補償金等が支払われたときは、補償金等は、強制執行により換価された場合における換価代金とみなされ、配当財団を形成し、直ちに配当等の手続に移行することができる（都再開強制調整規9条。同規5条ないし8条を準用）。この場合、仮差押債権者以外に配当等を受ける者がいない場合には、補償金等はそのまま保管されることになるとの考え方もあるが、弁済金交付手続を行い、法91条1項2号により供託することもできると解される（伊藤ほか・前掲299頁、294頁）。

その他の事項については、都再開強制調整規則において、土収強制調整規則と同様の内容が規定されていることから（土収強制調整規6条ないし8条、10条、都再開強制調整規6条ないし8条、10条）、土地収用法に基づく補償金等の場合と同様に解すれば足りる（前記1(3)ウ(イ)cないしf参照）。

カ　競売の手続終了通知

前記ウの通知をした後、執行裁判所への補償金等の払渡し前に、競売の手続が取下げ、取消し等により売却許可決定に至ることなく終了した場合には、裁判所書記官は、その旨を当該事業の施行者に通知しなければならない（都再開強制調整規4条2項）。

3　マンションの建替事業と競売手続

(1)　マンション建替事業における権利変換手続と競売手続の競合

マンション建替事業とは、マンションの建替え等の円滑化に関する法律（以下「マンション建替法」という。）で定めるところに従って行われるマンションの建替えに関する事業及びこれに附帯する事業であり（マンション建替2条1項4号）、その施行として行われる権利変換（施行マンションの区分所有権又は敷地利用権若しくはこれらの上に存する権利が施行再建マンションの区分所有権又は敷地利用権若しくはこれらの上に存する権利に移行すること。マンション建替70条、71条2項、73条）は、都市再開発法に基づいて行われる市街地再開発事業の場合における権利変換の手続と同様の構造をもつ。そして、権利変換手続と競売手続が同一不動産について競合することがあり得る点も、市街地再開発事業の場合における権利変換手続と同

様であり、マンションの建替え等の円滑化に関する法律による権利の変換又は分配金の取得等と強制執行等との調整に関する規則（以下「マンション建替強制調整規」という。）等により、両手続の調整が図られている。

(2) 手　　続

権利変換手続開始の登記がされた施行マンションの区分所有権若しくは敷地利用権又は隣接施行敷地についての所有権その他の権利につき競売開始決定に基づく登記がされた場合においては、裁判所書記官は、速やかに、競売開始決定がされた旨を当該マンション建替事業の施行者に通知しなければならない（マンション建替強制調整規1条1項）。競売開始決定に基づく登記がされた区分所有権又は土地についての所有権その他の権利につき権利変換手続開始の登記がされた旨の通知（マンションの建替え等の円滑化に関する法律施行令17条）があったときは、裁判所書記官は、速やかに、その旨を差押債権者、債務者及び所有者に通知しなければならない（マンション建替強制調整規2条1項）。

権利変換手続及び競売手続が競合した場合は、いずれの手続が先行している場合でも、権利変換手続が終了するまで、競売手続の進行を停止することができる（マンション建替強制調整規1条2項、2条2項）。

権利変換手続が先行している場合、権利変換手続開始登記に係る施行マンションの区分所有権若しくは敷地利用権を有する者又は当該登記に係る隣接施行敷地の所有権若しくは借地権を有する者は、これらの権利を処分するときは、施行者の承認を得なければならず（マンション建替55条2項）、施行者は、事業の遂行に重大な支障が生ずることその他正当な理由がなければ、その承認を拒むことができない（同条3項）。この承認を得ないでした処分は、施行者に対抗することができず（同条4項）、また、いずれの手続が先行している場合でも、施行者による権利変換を買受人が受忍しなければならない（マンション建替91条）。したがって、競売手続を進行させて売却する場合には、物件明細書に、目的物件に権利変換手続開始登記がされている旨の記載を任意的にすることが考えられる。

競売手続を進行させた場合において買受人が代金を納付したときは、裁判所書記官は、速やかに、その旨及び買受人の氏名又は名称及び住所を施

行者に通知しなければならない（マンション建替強制調整規3条1項）。売却許可決定後代金納付前に、施行者により、権利変換による補償金等（マンション建替75条）の払渡し（マンション建替78条1項）があったときは、売却許可決定はその効力を失う（同条3項）。そして、払い渡された金銭は、配当等に関しては、競売による代金とみなされ、その払渡しを受けた時が配当要求の終期の到来前であるときは、その時に配当要求の終期が到来したものとみなされる（同条2項）。また、前記補償金の裁判所への払渡し及びその払渡しがあった場合における競売又は仮差押えの執行に関しては、マンション建替法に定めるもののほか、都市再開発法94条1項、6項又は7項の規定による補償金等の裁判所への払渡しがあった場合における競売又は仮差押えの執行の例によるものとされている（マンション建替強制調整規4条）。

第3章

売却準備手続

第 **1** 節

債権関係調査

Q42 配当要求の終期

配当要求の終期とは何か。配当要求の終期を定めた後、執行裁判所は、どのような手続を行うか。

1 配当要求終期の意義

配当要求の終期とは、配当要求の資格のある者が配当要求をすることができる期限である。配当要求の終期までに配当要求をしていない債権者は、配当受領資格が認められない（法87条1項2号）。また、配当要求の終期は、売却条件（剰余・無剰余の判断、超過売却の判断、権利関係の確定、法定地上権の成立判断等）を決定するために必要な債権届出をすべき期限でもある。

民事執行法が、配当要求の終期を、物件明細書作成までの期間で裁判所書記官が定める時期までとした目的は、同終期を売却の実施に入る前までとすることにより、配当受領資格者の範囲及びその配当予定額を早期に執行裁判所が把握し、売却手続の安定と迅速化を図ることにある。

2 配当要求終期の定め

配当要求の終期は、開始決定に係る差押えの効力が生じた場合に、裁判所書記官が定める（法49条1項）。差押えの効力は、競売開始決定が債務者及び所有者に送達された時、又は差押えの登記がされた時のいずれか早い方に生ずる（法46条1項）。実務においては、差押えの登記嘱託を競売開始決定の送達よりも先に行っているので、登記官から送付された登記事項証明書等により、差押えの登記を確認した時点で配当要求の終期を定めることが可能であり、そのような取扱いもある。もっとも、東京地裁民事執行センターでは、差押えの登記の確認と併せ、債務者及び所有者に対して競売開始決定の送達を一度試みた後に配当要求終期を定めている。また、滞納処分による差押えが先行している場合には、続行決定がされ、その旨が

徴収職員等に告知されて効力が生じた後に配当要求の終期を定めている。

　配当要求の終期は、物件明細書の作成までの手続に要する期間及び配当要求又は債権届出に必要な期間を基準として、裁判所書記官が定めることになるが、通常、法務局から差押登記完了証等の送付を受けた時から1、2か月後が適当であろう。現在、東京地裁民事執行センターでは、配当要求終期処分をする日から3週間先の日を終期として定めている。

　裁判所書記官は、特に必要があると認めるときは、配当要求の終期を延期することができる（法49条3項）。また、配当要求の終期は、終期到来後3か月以内に売却許可決定がされないとき、3か月以内にされた売却許可決定が取り消されたとき、又は3か月以内にされた売却許可決定が効力を失ったときは、3か月が経過するたびにその経過した日に変更されたものとみなされる（自動更新。法52条）。具体的には、例えば、当初の配当要求の終期が4月1日と定められた場合、7月1日までに売却許可決定がされれば、当初の配当要求の終期は変更されないが、7月2日以降に売却許可決定がされると、新たな配当要求の終期は7月1日に変更されたものとみなされる。このような終期の自動更新の制度があるので、実務的には、あらかじめ延期することは少ない。

3　配当要求終期の公告

　裁判所書記官は、配当要求の終期を定めたときは、開始決定がされた旨及び配当要求の終期を公告しなければならない（法49条2項）。この公告の方法は規則4条によって定められており、公告事項を記載した書面を裁判所の掲示場その他裁判所内の公衆の見やすい場所に掲示する。具体的には、「別紙物件目録記載の不動産に対する頭書競売事件について、競売の開始決定がされ、配当要求の終期を令和〇〇年〇月〇日と定めたので、公告する。」と記載された公告書を掲示する。また、法49条3項により、配当要求の終期を延期したときは、「別紙物件目録記載の不動産について、先に定められた配当要求の終期を令和〇〇年〇月〇日に延期したので、公告する。」と記載された公告書を掲示する（法49条4項）。

　公告は、配当要求の終期まで継続して掲示することが望ましいとされて

いる（民事執行事件に関する協議要録38頁〔86問〕）。

4　債権届出の催告

　配当要求の終期が定められたときは、裁判所書記官は、法49条2項各号に掲げる者に対し、債権（利息その他の附帯の債権を含む。）の存否並びにその原因及び額を配当要求の終期までに執行裁判所に届け出るべき旨を催告しなければならない（法49条2項）。

　債権届出の催告は、差押債権者にとっての剰余の有無、超過売却に該当するか否か、用益権等の処遇の判断等の売却条件や売却基準価額の決定をするための資料を収集するためにされるものである。

　(1)　債権届出の催告の相手

ア　仮差押債権者（法49条2項1号、87条1項3号）

　差押えの登記前に登記された仮差押えの債権者である。

イ　担保権者（法49条2項2号、87条1項4号）

　差押えの登記前に登記（仮登記も含む。）された先取特権、質権、又は（根）抵当権の担保権者（知れている抵当証券の所持人を含む。）である。ただし、仮差押えの本執行移行事件における仮差押えの登記に後れる担保権者の場合は、配当受領資格がないことが確定しているので、催告しない（〔Q111〕参照）。

ウ　所有権移転仮登記権利者（仮担17条）

　所有権移転の仮登記をした者である。当該所有権移転仮登記が担保目的である場合には、配当要求の終期までにその旨の届出をしなければ配当等を受けることができない。また、担保目的ではない場合も、その仮登記が最先の担保権に先んじていると、事実上手続を停止せざるを得ない（〔Q37〕参照）ことがあるので、担保目的か否かを届け出させる必要がある。

エ　賃借権・地上権設定仮登記権利者（仮担20条、17条）

　最先の担保権の設定前に登記された賃借権・地上権の仮登記権利者である。

オ 租税その他の公課を所管する官庁又は公署（法49条2項3号）

　実務では、所有者（強制競売事件では債務者）に対して租税債権等を有している蓋然性が高い公租公課庁に催告する。東京地裁民事執行センターでは、所有者（債務者）の住所地を管轄する税務署、市区町村役場及び目的不動産の所在地を管轄する都税事務所、滞調法13条1項ただし書、20条に基づく続行決定があった場合の先行する滞納処分庁（参加差押庁を除く。）、東京地方裁判所の所在地を管轄する日本年金機構の地域部に対して催告している。

(2) 債権届出の催告の方法

　債権届出の催告は、相当と認める方法により、裁判所書記官が行う（規3条1項、民訴規4条1項）。実務では、原則として、普通郵便の方法により行い、私債権者には債権届出書の用紙も同封している。

　なお、東京地裁民事執行センターでは、所有権移転の仮登記権利者に対しては、特別送達の方法により債権届出の催告を行っている。その仮登記が担保目的か否かにより売却条件の判断に影響を与え、さらに、その仮登記が担保目的である場合には、配当要求の終期までに担保目的である旨の届出をしたときに限り配当等の受領資格を得ることができるため（仮担17条2項）、その届出は単なる債権届出の効果を超える効果を有するからである。

5　債権届出

(1) 債権届出の催告を受けた者の届出義務

　債権届出の催告を受けた者は、租税その他の公課を所管する官庁又は公署を除き、配当要求の終期までに債権届出をしなければならない（法50条1項）。租税その他の公課を所管する官庁又は公署は、租税債権等が存在する場合に、交付要求をする（〔Q45〕参照）。

　届出後に元本の額に変更を生じた場合は、その旨の届出をしなければならない（法50条2項）。

(2) 債権届出書の記載内容

ア　仮差押債権者（法49条2項1号、87条1項3号）

　仮差押えの被保全債権を表示する。具体的には、仮差押事件の事件番号、仮差押えの登記日及び受付番号、被保全債権について利息その他の附帯債権を含む債権の存否、その原因及び額を債権届出書に記載する。また、この被保全債権を証明するために、仮差押命令正本の写しを債権届出書に添付しなければならない。さらに、本案判決等を得ているときは、その旨を記載し、判決正本等の写しを提出することが望ましい。

イ　担保権者（法49条2項2号、87条1項4号）

　担保権の被担保債権を表示する。具体的には、担保権の設定登記日及び登記の受付番号、被担保債権について利息その他の附帯債権を含む債権の存否、その原因及び額を債権届出書に記載する。被担保債権が複数ある場合は、1個の債権ごとに記載する。

ウ　所有権移転仮登記権利者（仮担17条）

　担保仮登記か否かを明示して、担保仮登記の場合には所有権移転仮登記の設定登記日及び登記の受付番号、被担保債権について利息その他の附帯債権を含む債権の存否、その原因及び額を債権届出書に記載する。

エ　賃借権・地上権設定仮登記権利者（仮担20条、17条）

　担保仮登記か否かを明示して、担保仮登記の場合には賃借権・地上権設定仮登記の設定登記日及び登記の受付番号、被担保債権について利息その他の附帯債権を含む債権の存否、その原因及び額を債権届出書に記載する。

オ　債権が消滅した又は不存在である場合

　前記アないしエのいずれの債権届出義務者においても、弁済等により債権が消滅し、又は不存在である場合についても、その旨を届け出なければならない。東京地裁民事執行センターでは、消滅又は不存在の届出がされた場合に、債権届出書に実印による押印があり、印鑑登録証明書（法人の場合は資格証明書も含む。）が提出されていれば、配当期日において呼出しをしない取扱いである。

(3) 債権届出義務者の責任

　債権届出の催告を受けた者は、以下のような場合には、それにより生じた損害を賠償する責任がある（法50条3項〔所有権移転仮登記権利者及び賃借権・地上権設定仮登記権利者につき仮担17条4項〕）。すなわち、
① 配当要求の終期までに債権届出をしなかった場合又は不実の債権届出をした場合
② 元本額に変更があったにもかかわらず、相当期間内にその旨の届出をしなかった場合又は不実の届出をした場合
であって、いずれもそれが故意又は過失に基づく場合である。

　これは、届出の履行を確保し、債権届出の催告の目的たる売却条件等の確定のための資料収集を実効あるものとし、ひいては、競売手続の安定、迅速化を図るためのものである。

　債権届出義務者が届出義務に違背すると、上記のように売却条件又は競売手続の進行等に影響を与え、ひいてはその影響により生じた損害について賠償する責任を負うことになる。ただし、配当予定の見込みがなく、売却条件に何ら影響がない債権者の場合等には、損害が生じないこともあり得よう。

(4) 届出がない場合の取扱い

　執行裁判所が売却条件等を検討するに当たり、債権届出義務者の債権届出がない場合には、東京地裁民事執行センターでは、売却条件の検討の場面において、以下のように取り扱っている（配当の場面における取扱いについては〔Q113〕参照）。

ア　仮差押債権者

　仮差押えの事件記録を取り寄せるなどして、被保全債権を調査し、判明した被保全債権の元本額が存在するものとして取り扱う。記録の廃棄等により請求債権額の調査が不可能なときは、債権額を零とする。

イ　担保権者（仮登記を含む。）

　登記記録上に記載された被担保債権額（元本のみ）又は極度額が存在するものとして取り扱う（不動産工事先取特権について〔Q44〕参照）。
　ただし、個別の事案に応じて、会社である担保権者について清算結了の

登記から長期間経過している場合や、破産手続により解散し、費用不足（異時廃止）で同手続が終了してから長期間経過している場合等には、債権額を零とすることも考えられる。

ウ　所有権移転仮登記権利者

担保仮登記ではないものとして取り扱う。この場合の進行については、〔Q37〕を参照されたい。

エ　賃借権・地上権設定仮登記権利者

担保仮登記ではないものとして取り扱う。すなわち、本来の用益権としてその処遇を判断する。

(5)　届出債権の拡張

届出をした債権届出義務者が、その後、配当等の手続の段階において提出する債権計算書により届出額（債権額）を拡張することは、原則として認められない。この点については、〔Q115〕を参照されたい。

Q43 債権者の競売手続への参加

債権者が競売手続に参加して配当等を受けるには、どのような方法によるべきか。

1 配当等を受けるべき債権者

特定の債権者の申立てにより競売手続が開始された後でも、他の債権者は、その競売手続に参加して配当等を受けることができる。競売手続に参加して配当等を受けることができる債権者は、法87条1項各号等によって定められている（〔Q109〕参照）。

2 配当等を受けるべき債権者の競売手続への参加方法

配当等を受領する資格のある者が配当等の手続に参加する方法は以下のとおりである。

(1) 差押債権者（配当要求の終期までに競売の申立てをした差押債権者に限る。法87条1項1号）

不動産登記事項証明書等の執行事件記録によりその存在が執行裁判所に明らかであるから、特段の手続をすることなく配当等の手続に参加することができる。

(2) 配当要求債権者（法87条1項2号）

配当要求の資格を有する債権者は、配当要求の終期までに執行裁判所に対して配当要求をしたときに限り、配当等の手続に参加することができる。

ア 配当要求をすることができる債権者

配当要求をすることができる債権者は、以下の者に限られる（法51条1項）。

① 執行力のある債務名義の正本を有する債権者
② 差押えの登記後に登記された仮差押債権者

③　一般の先取特権を有することを証明した債権者
イ　配当要求の方法
　配当要求は、債権（利息その他の附帯債権を含む。）の原因及び額を記載した書面でしなければならない（規26条。【書式】参照）。債権の原因は、債権の特定ができる程度の記載で足りる。
　配当要求の資格も記載するのが相当である。
　手数料は500円であり、手数料分の収入印紙を申立書に貼付する。配当要求書は、正本のほか差押債権者及び債務者（所有者）の数に応じた分の副本を要する。ただし、差押債権者が配当要求債権者と同一人であれば、その分は不要である。また、目的不動産が共有となっていて、共有者の一部のみに対する債務名義に基づき配当要求をするような場合は、副本は当該共有者の分のみで足り、他の共有者の分は必要ない。
ウ　配当要求書の添付書類
　配当要求の資格により添付書類が異なる。
　(ア)　執行力のある債務名義の正本を有する債権者
　執行力のある債務名義の正本の提出を要する。債務名義の送達証明書は不要である。配当要求書に目的不動産を表示する必要はない。
　(イ)　差押えの登記後に登記された仮差押債権者
　仮差押命令正本及び仮差押えの登記がされた不動産登記事項証明書の提出を要する。
　(ウ)　一般の先取特権を有する債権者
　法181条1項各号に掲げる文書の提出を要する。同項4号に規定する一般の先取特権の存在を証する文書については、公文書に限らず、私文書でもよい。例えば、マンションの管理費等を区分所有法7条1項の先取特権に基づき配当要求をする場合には、管理費等について定めた管理組合の規約や集会の議事録等の提出を要する（〔Q21〕参照）。
エ　配当要求の通知
　配当要求があったときは、裁判所書記官は差押債権者及び債務者（所有者）にその旨を通知しなければならない（規27条）。東京地裁民事執行センターでは、配当要求債権者に郵便切手の提出を求め、普通郵便により通知

オ　配当要求の却下と執行抗告

　配当要求が不適法である場合には、執行裁判所は配当要求を決定で却下する。配当要求が不適法である場合とは、配当要求をする資格のない者による配当要求のとき、資格を証する文書が添付されないとき、配当要求書の不備が補正されないとき、手数料が納付されないとき、配当要求の終期後の配当要求であるとき（配当要求の終期は自動的に更新される（法52条）ので、代金納付により配当要求の終期が確定したときに判断する。）などである。配当要求却下の決定に対しては、執行抗告をすることができる（法51条2項）。

(3)　差押えの登記前に登記された仮差押債権者（法87条1項3号）

　不動産登記事項証明書等の執行事件記録によりその存在が執行裁判所に明らかであるから、特段の手続をすることなく配当等の手続に参加することができる。

(4)　差押えの登記前に登記された担保権者（法87条1項4号）

　差押えの登記前に登記がされた先取特権、質権又は抵当権で売却により消滅するものを有する債権者は、不動産登記事項証明書等の執行事件記録によりその存在が執行裁判所に明らかであるから、特段の手続をすることなく配当等の手続に参加することができる。なお、抵当権付き債権の差押登記を経由した債権者の取扱いについては〔Q126〕参照。

(5)　差押えの登記前に登記された仮登記担保権者（仮担17条1項、2項）

　差押えの登記前にされた担保仮登記に係る権利で売却により消滅するものを有する債権者は、配当要求の終期までに、担保仮登記である旨並びに債権（利息その他の附帯の債権を含む。）の存否、発生原因及び額を執行裁判所に届け出た（債権届出をした）場合に限り、配当等の手続に参加することができる（仮担17条1項、2項）。

(6)　交付要求庁（国徴82条1項等）（〔Q45〕参照）

　目的不動産の所有者（強制競売事件では債務者）に対して租税債権等を有している公租公課庁は、配当要求の終期までに執行裁判所に対し交付要求書を提出したときに限り、配当等の手続に参加することができる（国徴82

第1節　債権関係調査

Q43

条1項、地税68条4項等。国徴22条5項の交付要求につき、最判平2.6.28民集44巻4号785頁・金法1281号21頁)。

　交付要求書には、滞納者、執行事件番号、根拠法条、法定納期限等、債権額（延滞税等の附帯債権も含む。）等を記載する。滞納処分による差押えがある場合、交付要求書に記載された根拠法条により配当等の順位が異なり得ること等に注意を要する（〔Q125〕参照）。

　東京地裁民事執行センターでは、配当要求の終期に後れる交付要求については手続上無視し、配当表等に記載しない取扱いである。

【書式】配当要求書

配　当　要　求　書

東京地方裁判所民事第21部　御中
　　　　　令和○年○月○日
　　　　　　　東京都○○区○○○丁目○番○号
　　配当要求債権者　　○　○　○　○　　印

　　　　　物件所有者　　○　○　○

　上記所有者に対する御庁令和○年(ケ)第○○○○号担保不動産競売事件について、次のとおり配当要求をする。
1　配当要求をする債権の原因及び額
　　○○地方裁判所令和○年(ワ)第○○○○号事件の判決主文第1項及び第2項記載の下記金員
　　　　元　本　　2000万円
　　　　損害金　　上記元本に対する令和○年○月○日以降支払済みまで
　　　　　　　　　年14.5パーセントの割合による損害金
2　配当要求の資格
　　配当要求債権者は、所有者に対し、執行力ある判決正本を有している。

添付書類
　1　執行文付判決正本　　　1通

Q44 不動産工事の先取特権の取扱い

不動産工事の先取特権は、競売手続においてどのように取り扱われるか。

1 不動産工事の先取特権

不動産工事の先取特権（民325条2号、327条）は、工事の設計、施工又は監理をする者が、債務者の不動産に関してした工事の費用請求権を被担保債権として、その工事によって生じた不動産の価格の増加が現存する場合に限り、その増価額についてのみ存在する先取特権である。この先取特権は、工事を始める前に、その費用の予算額を登記することによってその効力を保存することができ（民338条1項）、登記をした場合、常に抵当権に優先する（民339条）。

2 不動産工事の先取特権の競売手続における取扱い

(1) 債権届出の催告

差押えの前に登記された不動産工事の先取特権を有する者は配当を受けるべき債権者に該当するため（法87条1項4号）、当該先取特権の登記が存在する場合、先取特権者が債権届出の催告の相手方となる（法49条2項2号）。

(2) 現存増価額の評価
ア 評価の性質

民法338条2項は、現存増価額について、「配当加入の時に、裁判所が選任した鑑定人に評価させなければならない。」と規定する。この規定に関連して、最判平14.1.22（集民205号107頁・金法1641号33頁）は、不動産工事の先取特権の対象となるべき不動産の現存増価額が競売手続における評価人の評価又は最低売却価額（平成16年改正法による改正前の法60条1項）の決定に反映されていない場合でも、先取特権によって優先弁済を受ける

第1節 債権関係調査 339

べき権利は影響を受けないとしている。この最判によれば、民法338条2項の規定は競売手続における現存増加額の証明方法を定めたにすぎず、鑑定人の評価（以下、本設例において「鑑定」という。）によって実体法上の現存増加額が決定するものではないと解される（新注釈民法(6)451頁〔今尾真〕）。

　そうすると、民法338条2項の定める現存増価額の鑑定については、競売手続を進めるに当たり必要な限度で、すなわち、不動産工事の先取特権を有する者が債権届出をした場合に限り、当該先取特権者に費用を予納させた上で、執行裁判所が鑑定人を選任し、不動産工事による増価額の現存する程度の鑑定をさせれば足りる。

イ　法58条の評価人との関係

　ところで、前記最判平14.1.22の理由中には、不動産工事による現存増価額の鑑定が、法58条に基づき選任された評価人による評価の手続においてされる旨述べる部分がある。仮に、この判断部分に従い、評価人が不動産工事による現存増価額の鑑定をすべきであるとすると、評価人は、不動産工事の先取特権の登記がある場合には、所有者及び先取特権者に事情聴取をし、資料の提出等を促し、工事箇所、工事内容等を特定した上で、現存増価額の鑑定をすることになると考えられる。しかし、法58条に基づく評価の手続において現存増価額の鑑定を行うこととすると、実務上、次のような困難な問題が生じるため、相当ではないと考えられる。

① 　先取特権者等の関係人の対応、主張される工事内容等によっては、鑑定に相当の期間を要する。
② 　実務上、不動産工事の先取特権の登記には濫用的なものが少なくなく、鑑定に要する費用よりも現存増価額が少ないこともある。
③ 　特に競売手続の取下げ又は取消しによる終了を想定すると、現存増価額の鑑定費用を差押債権者の予納金から支払うことは相当ではない。
④ 　他方で、不動産工事の先取特権者に鑑定費用を予納させるものとすると、法58条に基づく評価自体の着手が遅延するおそれがある。

ウ　東京地裁民事執行センターにおける取扱い

　そこで、東京地裁民事執行センターにおいては、次のとおり取り扱って

いる。

　(ア)　債権届出がない場合

　債権届出の催告に対し、債権届出がない場合には、現存増価額の認定はしない。したがって、鑑定を命ずることもしない。

　(イ)　債権届出があった場合

　先取特権者に対し、現存増加額を鑑定するための費用の予納を命ずる。鑑定費用が予納されない場合には、鑑定をすることができないから、当該先取特権については、前記(ア)と同様の取扱いをする。鑑定費用が予納された場合には、執行裁判所において鑑定を命ずる。通常は、評価人と同一の者に対し、民法338条2項による鑑定を命ずることになる。

　(ウ)　その他

　前記(イ)のとおり、評価人は、目的不動産の登記記録に不動産工事の先取特権の登記がされていても、別途現存増価額の鑑定を命じられない限り、現存増価額の鑑定をする必要はない。ただし、評価の過程で、明らかに、工事が不存在であるか、又は現存増価額がないと判明した場合には、評価書にその旨付記する。これは、濫用的な債権届出による手続遅延を予防する観点からの取扱いである。

(3)　剰余判断

　競売手続の剰余判断は、不動産工事の先取特権については、現存増価額の鑑定に基づき認定された額を基準としてする。したがって、債権届出がない場合、鑑定費用が予納されなかった場合、又は鑑定において現存増価額はないとされた場合には、現存増価額を認定することができないので、先取特権はないものとみなして、剰余判断をする。

　なお、理論的には、債権届出がなかった場合に、優先抵当権等の場合と同様に、登記記録上に記載された工事費用の予算額を基準に剰余判断をする方法も考えられるが、濫用的なものが少なくないこと等の不動産工事先取特権の実情からすると、このような運用は、申立債権者に過度の負担をかけることになりかねず、採用することはできない。

(4)　配　　当

　競売手続において現存増価額の鑑定に要した費用は執行費用となる。先

取特権者は、鑑定に要した費用分も含め、自身の有する先取特権が把握している担保価値、すなわち現存増価額の分からのみ、配当を受ける。

　不動産工事の先取特権者は、現存増価額の認定いかんにかかわらず、配当表に記載される債権者であるので、配当期日に呼び出すことを要する。債権届出がない場合、鑑定費用が予納されない場合、又は鑑定人が現存増価額はないと鑑定した場合には、現存増価額を認定することができないので、配当表の配当額は零と記載する。このように配当額が零とされた場合、又は、鑑定人の鑑定額が低額であったため、先取特権者の届け出た債権額よりも低額の配当額しか記載されなかった場合であっても、前記最判平14.1.22のとおり、鑑定人の鑑定、配当表の記載等により、先取特権者の実体的な権利が影響を受けるものではないので、配当に不服のある先取特権者は、配当異議の申出をし、配当異議訴訟において、現存増価額の存在を主張立証することになる。この場合の立証方法は、競売手続内の鑑定に限られるものではない。

Q45 交付要求の方法、効力

交付要求はどのように行うのか。交付要求書に記載されていない確定延滞税に交付要求の効力が及ぶか。

1 交付要求

　交付要求は、租税等債権者（租税又は公課の債権者）が、強制競売、担保不動産競売等の強制換価手続（国徴2条12号）を行う執行機関に対し、滞納者の滞納税等について配当等を求める手続である。租税等債権者が滞納者（担保不動産競売においては所有者、強制競売においては債務者）の財産である不動産の競売手続において配当等を受けるためには、執行裁判所に対し、交付要求書を提出して交付要求をしなければならない（国徴82条1項、地税68条4項等。なお、交付要求の根拠法条は、上記のほか、滞調10条3項（滞調17条及び20条が準用）等がある。）。

　公租公課庁に対する債権届出の催告は、所有者（強制競売事件では債務者）に対して租税債権等を有している蓋然性の高いものに対してされているが（〔Q42〕参照）、滞納者である所有者（債務者）に対し租税債権等を有している公租公課庁は、債権届出の催告（法49条2項）を受けたか否かにかかわらず、交付要求をすることができる。所有者ではない債務者に対して租税債権等を有していても、原則として、この者の滞納税等について交付要求をすることはできない（その例外として、国徴22条5項による交付要求がある。詳細は〔Q46〕参照。また、信託を原因とする所有権移転登記がある場合において、信託21条1項3号又は23条2項に該当する場合は、委託者を滞納者として交付要求することも認められる。）。

2 交付要求の方法・効果等

(1) 方　　法

　交付要求は、交付要求書を執行裁判所に提出して行う。その記載事項及

び書式は国徴令等に規定されている（国徴令36条、国徴規則3条、昭和61.4.18国税庁徴徴2-8国税庁長官通達、昭和61.4.18国税庁徴徴4-1国税庁長官通達を各参照。これらの通達については、民事執行事件執務資料(4)147頁に掲載されている。）。

　交付要求書への根拠法条の記載は、国徴法22条5項によるもの（国徴令6条2項）以外は、国徴令36条所定の記載事項ではないが、常に記載することが相当である。中でも、滞納処分が先行し、滞調法に基づく続行決定があった場合における滞調法10条3項の規定による交付要求は、差押先着手主義（国徴12条、地税14条の6。〔**Q125**〕参照）により他の交付要求に優先して配当等を受けることができるので、執行裁判所に対してこれを明らかにするために滞調法10条3項の規定による交付要求であることを明記する必要がある（昭和56.2.7国税庁徴徴4-2・徴管2-3国税庁長官通達第10条関係3、舩津高歩編著『令和3年版国税徴収法基本通達逐条解説』（大蔵財務協会）870頁）。また、信託法21条1項3号又は23条2項に該当する交付要求についても、前所有者（委託者）に対する租税債権等について交付要求を認めるという特殊なものであるから、その旨を明記する必要がある。

　東京地裁民事執行センターでは、提出された交付要求書に根拠法条の記載漏れや誤記等の不備がある場合で、滞調法10条3項による交付要求であることがうかがわれるとき（例えば、納期限が先行滞納処分による差押日より前のものが含まれているが、根拠法条の記載がなく、又は根拠法条として国徴82条が記載されている場合）は配当期日等までに、国徴法22条5項、地税法14条の16、信託法21条1項3号又は23条2項によることがうかがわれるときは配当要求終期までに、補正又は再提出するよう促している。

(2)　滞納者等への通知

　租税等債権者は、交付要求をしたときは、その旨を滞納者（所有者等）に通知し、併せて、抵当権者等の利害関係人にも、交付要求をした旨その他必要な事項を通知することを要する（国徴82条2項、3項、55条等）。この通知によって、通知を受けた者は、目的不動産に係る租税債権等の内容を把握し、当該競売事件についてとるべき措置を講ずることが可能となる。

(3) 終　期

交付要求は、他の私債権者による配当要求と同様に、執行裁判所が定めた配当要求の終期までに行われる必要がある（注釈民事執行法(3)171頁〔三宅弘人〕、国徴22条5項の交付要求につき、最判平2.6.28民集44巻4号785頁）。したがって、その終期に後れた交付要求は、その記載事項や書式が適式であっても、配当等を受けることはできない。

(4) 効　果

交付要求は、執行裁判所に対して、滞納に係る租税債権等について売却代金を交付すべきことを要求するものであるから、配当要求の効力を有するとされている。

複数の交付要求が競合した場合には、法定納期限の先後に関わりなく、先にされた交付要求が、後にされた交付要求に優先する（交付要求先着手主義。国徴13条等。〔Q125〕参照）。

租税等の納付等により交付要求に係る租税債権等が消滅したときには、交付要求を解除しなければならない（国徴84条1項等）。交付要求の解除は、その旨をその交付要求に係る執行裁判所に通知することによって行う（同条2項）。また、交付要求を解除した場合、滞納者（所有者等）及び利害関係人にもその旨を通知する（同条3項）。

3　交付要求書に記載されていない本税に対する確定延滞税

交付要求書の延滞税欄に「法律上の金額　要す」と記載されている場合に、交付要求の効力の及ぶ範囲が、交付要求書に記載されている本税額を元本として計算された延滞税の額のみに限定されるのか、それとも、租税等を滞納したものの交付要求以前に一部納付等により消滅したために交付要求書の本税欄に記載されていない本税に対して発生していた延滞税にも及ぶのかという問題がある。いわゆる隠れたる本税の問題である。

この点について、最判平9.11.13（民集51巻10号4107頁）は、配当要求債権者が配当要求の終期までに配当要求の書面において示した債権の額は、「当該債権者が売却代金から配当を受け得る限度を示し、配当要求の終期後はこれを拡張することができないと解される」として、配当要求債権者

Q45

の請求の拡張を認めない実務の取扱い（〔Q115〕参照）を是認した上で、「交付要求は、国税の滞納者の財産に係る強制換価手続における換価代金からの配当を求める申立てであって、配当要求と性質を同じにするものであるから、税務署長は、配当を求める国税債権、延滞税などで確定金額の記載が困難なものについては、配当期日において配当すべき金額の計算が可能となるような事実関係を記載する必要がある」旨判示し、交付要求書の本税の欄に交付要求時に存在する本税の金額を記載し、延滞税の欄には具体的金額を記載せず法律による金額の交付を求める旨のみ記載した場合において、交付要求時以前に消滅した本税部分の金額に対応して計算される延滞税には交付要求の効力が及ばないとした。交付要求を、執行裁判所が行う強制換価手続における売却代金からの配当等を求めるという意味では、配当要求と性質を同じくするものであるとし、延滞税についても配当期日において配当すべき金額の計算が可能となるような事実関係を記載すべきであって、その記載がない以上、その終期後の債権額の拡張はできないとするものである。

したがって、このような一部納付等により消滅した本税に対する延滞税についても交付要求の対象とするには、当初の本税額及びその後の一部納付の経過を付記する、又は、交付要求の時点で滞納本税残額が完済されたと仮定して、交付要求日現在における確定延滞税を付記する等、その延滞税の存在及び額が、交付要求書の記載自体から、執行裁判所や各利害関係人に認識可能となる工夫が必要となろう。

実務上は、完済されていない本税についての延滞税分は、延滞税欄に「法律による金額　要す」と記載するとともに、交付要求書作成日現在において本税が完済となったと仮定して計算した延滞税額を、便宜上付記することとされている（平成6.9.22国税庁徴徴2-21（例規）国税庁長官通達）。

〈参考文献〉

国税徴収法精解666頁

Q46 国徴法22条5項による交付要求

国徴法22条5項による交付要求とは、どのようなものか。

1　担保権付財産の譲渡と交付要求

　交付要求は、強制競売、担保不動産競売等の強制換価手続（国徴2条12号）を行う執行機関に対し、滞納者の公租公課（国徴法の規定により徴収するものを含む。）について配当等を求める手続であるが、その強制換価手続は、滞納者の責任財産について行われていることが前提となっている（国徴82条1項参照）。したがって、滞納者が財産を譲渡すれば、譲渡前の差押えがない限り、その後の当該財産に対する強制換価手続は、譲受人の責任財産について行われている強制換価手続であるから、譲渡人である滞納者の公租公課について交付要求をすることは認められないのが原則である。もっとも、財産譲渡後の強制換価手続においても、特別に譲渡人である滞納者の公租公課の徴収が認められる場合がある。それは、納税者がその財産に設定した質権又は抵当権に優先する公租公課を負いながら、他に十分な財産がないにもかかわらずその担保権付財産を譲渡し、納税者の財産につき滞納処分を執行してもなおその公租公課に不足すると認められるときに限り、その譲渡財産について行われる強制換価手続において、その質権者又は抵当権者が受ける配当金等の中から譲渡人の公租公課の徴収を認めるというものであり（国徴22条1項）、この場合に交付要求をすることができる旨を規定したのが国徴法22条5項である。このように、国徴法22条5項の交付要求は、滞納者と責任財産の所有者とが異なってもなお認められる特別な交付要求であることから、通常の交付要求（国徴82条1項）とは別個に規定されている。

　なお、地税法にも、この国徴22条と同様の規定（地税14条の16）が置かれている。

2 交付要求の構造

　国徴法22条5項による交付要求の構造を、次の事例に基づいて説明する（手続費用は考えない。）。

令和2.3.15	甲の国税の法定納期限等（A税務署、税額800万円）
令和2.4.11	甲所有不動産に抵当権設定登記（抵当権者B、債権額600万円）
令和2.5.15	甲が乙へ上記担保権付不動産を譲渡
令和2.6.27	乙所有となった上記不動産につき競売開始（後日1000万円で売却）

　この事例では、甲の国税の法定納期限等は、Bの抵当権の設定登記日に先立つから同抵当権に優先し（国徴16条参照）、A税務署は、乙への不動産の譲渡がなければ800万円全額の配当を受けられたはずであるが、同譲渡があったことにより配当を受けられなくなる。一方、抵当権者Bは、もともと200万円（売却代金1000万円から優先国税800万円を控除した額）の配当しか期待することができなかったのに、乙への譲渡があったことにより、600万円全額の配当を受けられるようになる。その結果、Bは、乙への譲渡があったことにより、400万円（600万円から200万円を控除した額）を余分に利得することになる。

　国徴法22条は、この抵当権者の利得に着目し、その中から譲渡人の国税を徴収することを認めたものである。したがって上記の事例の場合、乙を所有者とする競売手続を行う執行裁判所に対し、A税務署から国徴法22条5項に基づく甲の国税800万円についての交付要求がされると、Bへ配当されるはずだった600万円のうち、利得分の400万円はその国税分としてA税務署に配当され、残り200万円が抵当権分としてBに配当されることになる。そもそもBが把握し得た担保価値は200万円であったのであるから、このような徴収が行われても、Bに損害を与えることにはならず、また、A税務署は、Bへの配当金の中から配当を受けるのであって、譲受人乙の責任財産から直接配当を受けるものではないから、乙及び乙の債権者に損害を与えることにもならない。

3 交付要求の前提となる徴収の要件

国徴法22条5項による交付要求の前提となる徴収の要件（国徴22条1項）を整理すると次のようになる。

(1) 公租公課の法定納期限等後に登記された質権又は抵当権の設定された財産が譲渡されたこと

対象となるのは、公租公課の法定納期限等の後に登記された公租公課に劣後する質権又は抵当権（国徴15条1項、16条参照）の設定された財産である。仮登記担保についても準用される（国徴23条3項）。他方、登記された一般の先取特権その他抵当権等と同様の要件で公租公課との優劣を定める先取特権（国徴20条）には適用がない（国税徴収法精解236頁）。

質権又は抵当権は設定されたが、その登記が譲渡後にされた場合には、譲受人の公租公課がその質権又は抵当権と直接優劣を争うこととなるので、国徴法22条の適用から除外される（国税徴収法精解235頁）。公租公課の法定納期限等の後に質権又は抵当権の設定登記がされた後、当該質権又は抵当権の被担保債権が第三者に譲渡された場合（これにより質権又は抵当権は随伴性により移転する。）にも、当該質権又は抵当権がその財産上に存していることに変わりはなく、単に債権者（質権者又は抵当権者）が変更されたにすぎないことから、国徴法22条の適用がある（昭和41.8.22国税庁徴徴4-13他国税庁長官通達（以下「国徴基本通達」という。）第22条関係6）。

質権又は抵当権が強制換価手続の終了前に被担保債権の弁済等で消滅し、配当を受けなくなったときには、国徴法22条の適用はない（国徴基本通達第22条関係7）。

財産の「譲渡」とは、売買、贈与、交換、現物出資、代物弁済等による譲渡をいい、法人の分割（分社型分割（法人税2条12号の10）に限る。）による財産の移転は含まれるが、相続又は法人の合併若しくは分割（分社型分割を除く。）による承継は含まれない（国徴基本通達第22条関係3）。納税者が財産を譲渡した後、その譲受人が更にその財産を譲渡した場合にも国徴法22条の適用がある（同前）。

(2) 財産の譲渡時において他に公租公課に充てるべき十分な財産がなく、かつ、納税者の財産につき滞納処分を執行しても、なおその公租公課に不足すると認められること

　国徴法22条1項は、譲渡時と滞納処分の執行時の両時点において公租公課に劣後する抵当権又は質権によって担保される債権のうちから徴収しない限り、公租公課の徴収が不能である場合に限って適用される（国税徴収法精解236頁）。その判定基準等については、国徴基本通達第22条関係1及び4に規定されている。ただし、国徴法22条5項による交付要求がされたときでも、執行機関はこの要件の審査義務を負わず、争いがあれば、配当異議訴訟で解決すべき性質のものと考えられる。

　なお、滞納者自身の財産と担保権付譲渡財産とが併せて一括売却された場合において、その強制換価手続を行う執行機関に対し、同一の公租公課について、国徴法82条1項の交付要求と同法22条5項の交付要求とがともにされたときの配当では、この要件の趣旨（補充性）に照らし、まず同法82条1項の交付要求に基づいて滞納者自身の財産にその公租公課を割り付け、なお不足がある場合に限り、残額を同法22条5項の交付要求に基づいて譲渡財産に割り付けることとなろう。

4　交付要求により配当等のできる金額

　国徴法22条5項による交付要求により交付要求庁へ配当等ができる額は、同条2項に規定された金額、すなわち、譲渡により質権者又は抵当権者に生じた利得分を限度とする額である。具体的には、㋐財産が譲渡された場合における質権者又は抵当権者の配当額（国徴22条2項1号）から㋑譲渡がなかったとした場合の配当額（同項2号）を控除した額を上限として、交付要求庁へ配当等がされることになる（同項柱書）。前記2における事例もこの計算によっているが、ほかに例を挙げると、次のようになる（売却代金額はいずれも1000万円とし、手続費用は考えない。）。

(1) 国税200万円、劣後抵当権の債権額800万円の場合

　この場合の利得は、㋐800万円－㋑（1000万円－200万円）＝0であり、抵当権者には利得がないから、交付要求庁への配当もない。

(2) 国税200万円、劣後1番抵当権の債権額700万円、同2番抵当権の債権額400万円の場合

　この場合、㋐譲渡後の配当額は、1番抵当権が700万円、2番抵当権が300万円であるが、譲渡がなかった場合と比較した1番抵当権の利得は、㋐700万円 − ㋑（（1000万円 − 200万円）のうちの700万円）= 0 であり、利得はないから、1番抵当権の配当金から交付要求庁への配当はなく、700万円全額が1番抵当権者に配当される。

　2番抵当権の利得は、㋐300万円 − ㋑（1000万円 − 200万円 − 700万円）= 200万円であり、200万円が利得であるから、2番抵当権の配当金300万円から交付要求庁へ200万円が配当され、残り100万円が2番抵当権者に配当される。

(3) 国税に優先する1番抵当権の債権額700万円、国税200万円、劣後2番抵当権の債権額400万円の場合

　この場合、1番抵当権は、国税に優先するものであるから国徴法22条の適用外であり、譲渡の有無にかかわらず700万円の配当を受ける。

　国徴法22条の適用を受けるのは国税に劣後する2番抵当権であり、譲渡後の2番抵当権の配当額は300万円（1000万円 − 700万円）であるが、譲渡がなかった場合と比較した利得は、㋐300万円 − ㋑（1000万円 − 700万円 − 200万円）= 200万円であり、200万円が利得となるから、2番抵当権の配当金300万円から交付要求庁へ200万円が配当され、残り100万円が2番抵当権者に配当される。

5　交付要求の手続

　国徴法22条5項の交付要求の債務者は滞納者ではなく、同条1項の質権者又は抵当権者（配当金の中から公租公課を徴収される者）であるから、この交付要求書には、その質権者又は抵当権者の氏名及び住所又は居所、同条5項により交付要求をする旨等を記載しなければならない（国徴令6条2項、36条1項。提出された交付要求書に根拠法条の記載がない等の不備がある場合の東京地裁民事執行センターにおける取扱いは〔Q45〕参照）。また、税務署は、執行裁判所に対する交付要求をする時までにその旨を質権者又

は抵当権者に通知しなければならず（国徴22条4項、国徴基本通達第22条関係19）、交付要求をしたときは質権者又は抵当権者、滞納者及びその質権又は抵当権上の利害関係人（例えばその抵当権付債権上に質権を有する者）に対し、その旨を通知しなければならない（国徴基本通達第22条関係23）。

6　交付要求をすることができる時期

　国徴法22条5項の交付要求は、裁判所書記官の定めた配当要求の終期（法49条1項）までにしなければならない（最判平2.6.28民集44巻4号785頁・金法1281号21頁、国徴基本通達第22条関係22）。

Q47 債権届出と時効の完成猶予

競売手続において抵当権者がする債権届出によって、届出に係る債権の消滅時効の完成が猶予されるか。抵当権者が、届出に係る債権の一部に対する配当を受けた場合はどうか。

1 問題の所在

平成29年民法改正法による改正前は、差押えが請求債権についての時効中断事由とされていたが（同改正前の民147条2号）、同改正により、時効中断の概念が整理され、強制執行又は担保権の実行は、その手続が終了するまでの間、請求債権（被担保債権）に係る時効の完成が猶予され（完成猶予）、手続が終了した時から新たに時効が進行する（更新）という効力が認められることとなった（民148条。ただし、申立ての取下げ又は法律の規定に従わないことによる取消しによってその手続が終了した場合には、更新の効力は認められず、終了時から6か月間が経過するまでの時効の完成猶予が認められるにとどまる。時効の完成猶予及び更新に関する詳細は〔Q23〕参照）。また、催告があったときは、その時から6か月を経過するまでの間は、時効の完成が猶予される（民150条）。

本設例は、不動産に対する競売手続において、債権届出の催告を受けた抵当権者が、執行裁判所に債権の届出をした場合、あるいは届出に係る債権の一部に対する配当を受けた場合に、上記時効の完成猶予事由に該当するか否かの問題である。これらが認められなければ、抵当権者は、別途時効の完成猶予や更新の措置を講じる必要があることになる。

2 債権届出の催告と債権届出の制度

民事執行法は、不動産上に存する先取特権、使用及び収益をしない旨の定めのある質権並びに抵当権は売却により消滅し（法59条1項）、差押え及び仮差押えの執行も売却により効力を失う（同条3項）として、売却条件

について消除主義を採用する一方で、これらの権利者に対し、換価代金からの配当等を受ける資格を認めることとした（法87条1項1号、3号、4号）。その上で、これら配当等を受ける資格のある債権者及び租税その他の公課を所管する官庁又は公署に対し、裁判所書記官は、債権届出の催告をしなければならないとした（法49条2項）。これは、目的不動産から配当等を受ける債権者の存否、債権の額、差押債権者との優先関係等を調査し、一括売却するについての債務者（所有者）の同意の要否（法61条）、剰余の生じる見込みの有無（法63条）を判断し、また、用益権が引受けになるか否か等の売却条件及びこれを前提とする売却基準価額（法60条1項）を決定するに際しての資料とするためである。

各債権者は、債権届出の催告に対して、債権届出書を執行裁判所に提出して債権の届出を行うことになる（法50条1項）。

3　債権届出の消滅時効の完成猶予事由該当性（設例前段）

債権届出に消滅時効の完成猶予の効力があるか否かを考えるに当たり、まず、この届出が、裁判上の請求（民147条1項1号）に該当するか否かを検討する。

裁判上の請求の典型は、給付訴訟の提起であるが、これに限らず、当該権利の存否を審理する訴訟も含むとするのが判例・学説である。また、訴えに応訴して、権利主張をすることも含まれる（最判昭44.11.27民集23巻11号2251頁・金法569号24頁）。

これに対し、債権届出は、前記2のとおり、執行裁判所に対して不動産の権利関係又は売却の可否に関する資料を提供することを目的とするものであって、届出の懈怠及び虚偽届出に損害賠償義務が定められているのも（法50条3項）、届出の真実性を担保するためにすぎない。登記を経た抵当権者は、債権届出をしない場合にも、不動産に対する競売手続において配当等を受けるべき債権者として処遇され（法87条1項4号）、当該不動産の売却代金から配当等を受けることができる。また、債権届出については、配当要求と異なり（規27条参照）、債務者に対してその旨の通知をすることが予定されていない。そうすると、債権届出は、単に執行機関に対して自

己の債権の内容を届け出るものであって、債権届出をもって、競売手続において債権を主張してその確定を求め、又は債務の履行を求める「請求」であると解することはできない。判例も、時効中断の効力の有無につき、競売手続において催告を受けた抵当権者がする債権の届出は、裁判上の請求、破産手続参加又はこれらに準ずる時効中断事由に該当しないとしている（最判平元.10.13民集43巻9号985頁・金法1241号29頁）。

また、このように、債権届出は債務者に向けられたものではないから、「催告」（民150条1項）としての効力も有しないと解される（最判解平成元年度333頁〔富越和厚〕）。

さらに、債権届出の上記のような性質からすると、これが強制執行（民148条1項1号）や担保権の実行（同項2号）に該当すると解するのも困難であろう。なお、配当要求については、債務者に対して配当要求がある旨の通知がされ、債務名義等に基づいて権利を積極的に実現するものである点で、民法148条1項1号の強制執行又は同項2号の担保権の実行の申立てに含まれ、時効の完成猶予事由に当たると解される（最判平11.4.27民集53巻4号840頁・金法1552号40頁参照）。

4　届出債権の一部に対する配当を受けた場合と消滅時効の完成猶予の効力（設例後段）

本設例後段は、他の債権者の申立てに係る競売手続において、抵当権者が債権の届出をし、被担保債権の一部に対する配当を受けた場合に、これが被担保債権の残部に対する消滅時効の完成猶予事由となり得るかという問題である。

まず、前記3のとおり、競売手続において債権届出の催告を受けた抵当権者がする債権の届出は、消滅時効の完成猶予事由に該当しない。

そして、執行裁判所による配当表の作成及びこれに基づく配当の実施の手続では、届出に係る債権の存否及びその確定のための手続は予定されておらず、抵当権者が届出債権の一部について配当を受けたとしても、そのことにより届出債権の全部の存在が確定されるものではなく、対外的な効力を有するものでもない。また、配当期日には債務者を呼び出さなければ

ならないが、これは執行裁判所が債務者に配当異議の申出をする機会を与えるものにすぎないから、これをもって抵当権者が債務者に向けて権利を主張して債務の履行を求めたものとはいえない。

　したがって、届出債権の一部に対する配当を受けたとしても、同配当を受けたことは、同債権の残部について、強制執行や担保権の実行その他の消滅時効の完成猶予事由に該当せず、また、これに準ずる消滅時効の完成猶予の効力を有するものでもないと解される（最判平8.3.28民集50巻4号1172頁・金法1453号38頁参照）。

第2節 権利関係調査

Q 48 現況調査

現況調査の意義・目的等は何か。現況調査に当たり、次のような各事情がある場合、執行官はどう対応すべきか。
(1) 執行停止文書が提出された場合
(2) 占有者が不在の場合
(3) 占有者が調査を妨害する場合
(4) 目的不動産内における死亡の事実が判明した場合
(5) 目的不動産が暴力団事務所又は暴力団の構成員の住居として使用されている事実がある場合
(6) 目的不動産がシェアハウスの場合

1 現況調査の意義と目的

現況調査とは、執行官が、競売手続において、目的不動産の形状、占有関係その他の現況について調査することをいう（法57条1項）。現況調査は、目的不動産の現況に関して、権利関係、事実関係等を正確に判断するのに役立つ基礎事実を執行官に調査させ、事後の競売手続の正当性と実効性を保証するために行われるものである。現況調査の目的としては、①執行裁判所における売却条件の判断や裁判所書記官による物件明細書作成の基礎資料とすること（法62条1項）、②評価人による評価（法58条1項）及び執行裁判所による売却基準価額決定の参考資料とすること（法60条1項）、③執行裁判所における売却後の引渡命令（法83条1項）の発令の可否の判断資料とすること、④結果を記載した現況調査報告書の写しを、物件明細書及び評価書の各写しとともに執行裁判所に備え置くことにより、一般の買受希望者に対して情報を提供すること（法62条2項、規31条3項）が挙げられる。なお、東京地裁民事執行センターでは、現況調査報告書、物件明細書及び評価書（いわゆる「3点セット」）の各写しを一般の閲覧に供する方法として、裁判所の物件明細書等閲覧室に3点セットの写しを備え

置く方法と、インターネットにより3点セット情報を配信する方法をとっている（〔Q85〕参照）。

　現況調査の上記目的のうち、①ないし③は、目的不動産を売却する上で必須の事項であることは明らかである。④についても、競売手続においては、売主に当たる所有者（強制競売の場合は債務者）から目的不動産の正確な情報を得るのが困難な場合がある上、内覧（法64条の2）が実施されない限り、買受希望者は目的不動産に立ち入って見学することができず、かつ、買受申出をするか否かを決するための判断期間が短いといった特有の事情があるため、広く一般から競売不動産の買受希望者を募集して売却手続の適正化を図る上で、極めて重要な意味を有している。

　以上のように、現況調査には重要な目的があることから、現況調査を担当する執行官には一定の権限が与えられており、執行官は、その権限を有効に活用して、その目的に沿った現況調査をする必要がある。

2　現況調査の手続

　現況調査は執行裁判所の発する現況調査命令に基づいて行われる。現況調査命令を発する時期については民事執行法に定めがない。しかし、差押えの処分制限効との関係上、差押え時における目的不動産の現況を正しく把握するとともに、差押えに近接して賃借権を設定して占有を仮装するなどの執行妨害を防ぐため、差押え後速やかに現況調査に着手する必要がある。一方、差押えの効力が生じる前に現況調査に着手するのは相当ではない。東京地裁民事執行センターでは、原則として、登記官から執行裁判所に登記完了証及び差押登記が記入された登記事項証明書が送付された日に、評価命令と同時に現況調査命令を発令する扱いである。ただし、二重開始となる後行事件の場合、先行事件の開始決定が時的に近接しており、先行事件の現況調査により、後行事件の差押え時の目的不動産の現況を把握することができると認められるときには、現況調査命令は発令していない（〔Q24〕参照）。

　現況調査命令には、現況調査をすべき目的不動産の表示とともに、現況調査報告書の提出期限が記載される。東京地裁民事執行センターではこれ

を原則として現況調査命令の発令日から6週間後としている。なお、所有者（強制競売の場合は債務者）が自ら占有しているマンション（東京地裁民事執行センターでは「自用マンション」と呼んでいる。）を対象とする事件については、権利関係が複雑でないため、迅速処理の観点から、現況調査報告書の提出目途を現況調査命令の発令日から4週間後としている。

3　執行停止文書が提出された場合（設例(1)）

執行停止文書が提出されると、執行裁判所は、競売手続を停止しなければならない。しかし、現況調査に関しては、前記2のとおり、差押えの処分制限効との関係上、できる限り差押え後速やかにこれに着手して、差押え時における目的不動産の現況を正しく把握し、売却条件、売却基準価額、引渡命令等に影響を与える事項の判断資料を収集し提供する必要がある。そして、執行停止文書の提出があったとしても、手続が改めて進行する余地がある以上、差押え時の目的不動産の占有関係、権利関係等を保全しておく必要性があることに変わりはない。

したがって、競売手続開始決定後、現況調査の実施前に執行停止文書が提出されたとしても、現況調査は通常どおり実施すべきであり、東京地裁民事執行センターではこれを実施している。

4　占有者が不在の場合（設例(2)）

執行官は、現況調査のために目的不動産に立ち入ることができる（法57条2項）。目的不動産の占有関係等を正確に把握するためには、建物については立入調査を行うのが原則である。

占有者が不在の場合の立入調査においては、執行官は、戸が閉鎖されているときは、閉鎖した戸を開くための必要な処分をすることができる（法57条3項）。状況に応じて、合鍵を使用したり、解錠技術者を補助者として利用したり（執行官規12条）、あるいは、他に適当な方法がなければ、扉、ガラス等を損壊して強制的に開扉したりして、目的建物に立ち入ることになる。この場合、証人として相当と認められる者を立ち会わせることが必要である（法7条）。

もっとも、占有者が不在の場合といっても、単に占有者が留守の場合、いわゆる夜逃げにより行方不明の場合、執行妨害の一環として不在を装っている場合等種々の場合があり、それぞれの事案により、対応が異なる。実務的には、占有者が不在であっても、外観、近隣居住者の陳述その他から執行妨害が疑われないのであれば、第一回の臨場では、外観写真（表札等を含む。）の撮影等にとどめて、強制的な立入調査は次回の臨場の際に実施することも多い。そして、最終的に占有者と出会えなかった場合には、占有者の陳述を聴取するのに代えて、占有権原等に関する照会回答書を差し置くことになる。東京地裁民事執行センターでは、現況調査を円滑に行うために、占有者が不在ではあるが執行妨害が疑われない等一定の場合には、第一回の臨場の際、現況調査の趣旨説明とともに、次回立入調査期日を予告し、賃貸借契約書等の占有権原を証する文書の写しを準備するよう協力を求める旨記載した書面を差し置くのを原則としている。また、占有関係を明らかにするため、執行官には、電気、ガス、水道水の提供等公益事業を扱う法人に対して、供給契約の名義人、契約締結時期、使用状況等について報告を求める権限（いわゆるライフライン調査権。法57条5項）、税務関係資料の請求権（法18条2項、57条4項）が認められており、必要に応じてこれを行使することになる。

5　占有者が調査を妨害する場合（設例(3)）

　まず、不在を装う執行妨害の場合、又は鍵をかけて扉が開かない場合等には、執行官は、前記4の解錠権を行使することとなる。

　次に、執行官は、職務の執行に際し抵抗を受けるときは、その抵抗を排除するために、威力を用い、又は警察上の援助を求めることができる（法6条1項）。この場合、証人として相当と認められる者を立ち会わせなければならない（法7条）。抵抗排除等のため、複数の執行官が連携をとる必要がある場合には、所属の地方裁判所の許可を得て、他の執行官の援助を受けることもできる（執行官19条1項）。警察上の援助のほか、猛犬への対応として保健所、危険物への対応として消防署、自衛隊等、船舶執行における対応として海上保安庁等の官庁又は公署の援助を受けることもある

（法18条１項）。

　以上のような物理的抵抗による調査妨害がある場合には、評価人による現地調査も困難なことが多いので、評価人との協働（規30条の２。なお、法６条２項参照）が特に重要となる。

　このほか、占有関係等の認定を困難にするため、日本語を解さない外国人に占有させたり、占有者を転々とさせたり、存在しない法人名を郵便受けに掲記したりするといった物理的抵抗以外の方法による調査妨害もある。そのような場合には、執行官は、占有者の占有態様、関係人、近隣居住者その他の陳述等によるほか、前記４のライフライン調査権等を活用して、真実の占有関係、権利関係等を把握することになる。

　なお、執行官は、債務者（担保不動産競売の場合は所有者）又は不動産を占有する第三者に対して、質問をし、又は、文書の提示を求めることができる（法57条２項）。当事者が、正当な理由なく、陳述をせず、若しくは文書の提示を拒み、又は虚偽の陳述をし、若しくは虚偽の記載をした文書を提示したときは６月以下の懲役又は50万円以下の罰金に処せられる（法213条１項２号）。

6　目的不動産内における死亡の事実が判明した場合(設例⑷)

　目的不動産内における死亡の事実は、買受希望者にとって関心が高く、死亡の態様等についての詳細な記載を求める要望がある一方、遺族等のプライバシーの保護にも配慮が必要となる。そのため、執行官が作成する現況調査報告書（〔Q49〕）には、一般に入札を躊躇させる情報に限り記載をするのが相当である。どのような事情を記載すべきかについては、評価額への影響の程度等を踏まえた買受希望者への情報提供の必要性と、遺族等のプライバシー保護の必要性の両方の観点から、それらの基礎となる事情やその裏付けとなる資料の信用性等を踏まえて検討することになる。具体的には、目的不動産内における自殺や他殺の場合には必ず死亡の事実を記載し、孤独死や事故死の場合には、血痕や異臭等の物的損傷が存在するときなど買受希望者に対して特に情報を提供する必要があるような例外的な場合に限り記載するのが相当である。死亡の事実を記載する場合の方法に

ついては、プライバシー保護の問題や事実確認の困難さの問題があることから、具体的な原因や態様は記載せず、自殺や他殺の場合には「不自然死」と、孤独死や事故死による物的損傷の場合には死亡の事実及び物的損傷の状態を、それぞれ記載すれば足りる。

7　目的不動産が暴力団事務所又は暴力団の構成員の住居として使用されている事実がある場合（設例(5)）

　暴力団とは、その団体の構成員（その団体の構成団体の構成員を含む。）が集団的に又は常習的に暴力的不法行為等を行うことを助長するおそれがある団体をいう（暴力団員による不当な行為の防止等に関する法律2条2号参照）。執行官による現況調査の過程で暴力団の関与がうかがわれる場合には、執行官は、暴力団の関与の有無を調査することになる。目的不動産が暴力団事務所又は暴力団の構成員の住居であるか否かの調査をするに当たっては、目的不動産内に所在する人物からの聴き取り、建物の外観や内部の状況の確認、人の出入りの状況等の確認、警察署への照会といった調査を行うことが考えられる。調査の結果、当該事実を認定することができる場合、又は、当該事実を認定することはできないが、暴力団との関わりを示す客観的な徴表があるなど暴力団事務所又は暴力団の構成員の住居として使用されている可能性が高いと判断することができる場合には、現況調査報告書に認定した事情や客観的・外形的な事実を記載すること等により、買受人に対して情報提供をすることが考えられる。

8　目的不動産がシェアハウスの場合（設例(6)）

　一つの住居を家族関係にない複数の者が共同使用する居住形態として、いわゆるシェアハウスがあり、このような場合にどのように占有の認定を行うかという問題がある。シェアハウスには様々な形態のものがあり得るため一律に論じることはできない。
　一般論としては、占有部分は共用施設部分と居室部分に分けることができ、居室部分については、それぞれの居室が、障壁その他によって他の部分と区画されていることが多いと考えられるから、独立排他的支配が可能

な構造、規模を有するか否かという観点等から居住者による独立した占有があるか否かを検討し、各居室の占有の有無を認定することになる。他方、居住者と居室との対応関係が明確でない場合には、居室ごとの占有を認定することはできず、建物全体に対する占有主体の検討が必要となる。

　このことから、シェアハウスの現況調査においては、対象建物の構造、特に、居室と共用施設の区分及び各居室の独立性、シェアハウスの事業者・入居者の契約形態（代表者１名が契約当事者となって賃貸借契約を締結しているのか、入居者各自が契約を締結しているのかなど）に留意して調査を行うことが重要になる。

〈参考文献〉
新基本法コンメンタール民事執行法161頁〔澤田久文〕、民事執行実務の論点300頁、畑一郎「現況調査」山﨑＝山田「民事執行法」84頁、畑一郎「現況調査の留意点について」民事執行実務31号23頁

Q49 現況調査の留意点と現況調査報告書の記載

現況調査に当たり、執行官は、どのような点に留意すべきか。また、執行官は、現況調査報告書に、どのような事項を記載すべきか。

1 現況調査の目的の理解

執行官は、現況調査の目的が何であるか、すなわち、現況調査報告書が、①売却条件の判断と物件明細書の作成、②評価及び売却基準価額決定、③引渡命令の発令、④買受希望者に対する情報提供の各資料となること〔〔Q48〕参照〕を理解しておく必要がある。これにより、メリハリのある効率的な調査を実施することが可能になる。

加えて、上記目的との関係で、執行官としては、物件明細書の記載事項は何か、その記載内容を定めるに当たりどのような資料を要するのか、どのような事情が評価や売却基準価額に影響するか、具体的には、減価要因となるのは何か、減価の程度はどのくらいか、さらに、どのような場合に引渡命令が発令されるか等について、理解しておく必要がある。例えば、目的不動産（建物）に滞納処分による差押えがされているが、賃借権の始期（対抗要件を備えた日）を正確に認定することができず不明であるという場合において、滞納処分による差押えとの先後自体は明らかな事例と、その先後さえ明らかでない事例とでは、前者よりも後者の方がより入念な調査を必要とすることになる（賃借権の始期と滞納処分による差押えとの関係が売却条件を確定する上で重要なことについては、〔Q64〕、〔Q105〕参照）。別の例として、最先抵当権設定時に同一所有者に属した土地建物が現在所有者を異にする場合の現在の敷地利用権は、規則29条1項5号ニが定める調査事項であり、また、上記④の買受希望者に対する情報提供の意味では必要となるが、いずれにせよ法定地上権は成立するので、上記①ないし③の目的との関係では、約定敷地利用権の有無・内容は特に調査の必要がないことになる。そのため、一定の調査をしたにもかかわらず敷地利用権が

不明であった場合には、現況調査報告書の提出期限も視野に入れつつ、その時点までの調査結果を現況調査報告書に記載して報告することも考え得る。

2　事前準備

　執行官は、登記事項証明書、建物図面、地積測量図、住宅地図、債権者提出資料（規23条の2参照）等の事前に入手した資料を検討し、目的不動産の所在場所等を確認することはもちろん、これらの資料を踏まえ、調査の展開（例えば、どのような占有者が現れ、どのような陳述をするか、執行官として、それに対し、どのような質問をすべきか等）を一通り想定しておくことが必要である。これにより、現況調査の現場において臨機応変の対応が可能になり、また、調査漏れがなくなる。

　登記事項証明書を例にとると、次の点に注意する。

㋐　まず、最先順位の抵当権設定日と差押え日（「ダブルデイト」と称されることがある。）を把握して調査に臨むことが重要である。差押えの日については、現況調査命令が発令された事件の差押えの日だけでなく、先行事件があればその差押えの日、国税等の滞納処分があればその差押えの日、仮差押えがあればその仮差押えの日を把握しておく必要がある。なぜなら、これらの日と、賃借権の始期（正確には賃借権の対抗要件を備えた日）又は更新の日との先後により、賃借権又はその更新が買受人に対抗することができるか否かが決まるからである。

㋑　また、登記事項証明書では、賃借権の（仮）登記を経由した者、差押えに近接して設定された抵当権者（特に、金融機関以外の抵当権者）、所有権移転の仮登記を経由した者等を把握しておく必要がある。これらの者又はその関係者が、賃借人を名乗って占有したり、賃借人兼転貸人となっていたりすることがあり、さらには、これらの者から賃借権を譲り受けたと主張する占有者がいることもあるからである。このような占有者はいわゆる非正常な占有者に当たることが多いので、そのことを念頭に置いた調査をすることになる。

㋒　このほか、登記事項証明書上の所有者の住所が目的不動産所在地か否

かにより、占有偽装工作を看破することができることもあるので、登記事項証明書から情報を収集し、整理して現場に臨むことが重要である。

㋤　さらに、買受人の引受けとならない建物賃貸借については、平成15年改正法により創設された建物明渡猶予制度との関係で、同法の施行日（平成16年4月1日）の時点で現に存する賃貸借であれば同制度の対象とならないが、そうでない賃貸借は同制度の対象となるので、調査の際にはこのことを念頭に置く必要がある。なお、東京地裁民事執行センターでは、「平成15年改正法の施行日（平成16年4月1日）の時点で現に存する賃貸借」とは、「平成16年3月31日までに契約が成立した賃貸借」と解している（〔Q62〕参照）。

3　迅速な着手

現況調査の目的からすると、差押え時の現況を明らかにすることが最も重要であるから、可及的速やかに調査に着手する必要がある。特に、登記事項証明書等に現れた情報から、非正常な占有者が現れる可能性が高い事案、現状の占有関係が変更される可能性が高い事案等については、優先的な着手が必要である。

4　調査事項

規則29条1項は、現況調査報告書に記載を要する事項を定めており、現況調査における調査事項を具体化している。具体的には、目的不動産が建物の場合には、ⓐ建物の種類、構造及び床面積の概略、ⓑ占有者及び占有の状況、ⓒ占有者が債務者以外の者であるときは、その者の占有の開始時期、権原の有無及び権原の内容の細目、ⓓ敷地の所有者、ⓔ敷地の所有者が債務者以外の者であるときは、債務者の敷地に対する占有の権原の有無及び権原の内容の細目である。目的不動産が土地の場合には、ⅰ土地の形状及び現況地目、ⅱ占有者及び占有状況、ⅲ占有者が債務者以外の者であるときには、その者の占有の開始時期、権原の有無及び権原の内容の細目、ⅳ土地に建物が存するときは、その建物の種類、構造、床面積の概略及び所有者である。そのほか、債務者の占有を解いて執行官に保管させる

仮処分が執行されているときは、その旨及び執行官が保管を開始した年月日が、土地建物に共通して調査事項とされている。

　目的不動産が建物の場合は、占有権原である賃貸借契約の更新の内容にも注意が必要である。すなわち、法定更新か（借地借家26条1項）、合意更新か、自動更新か（当初の契約の際に、例えば「期間満了時に当事者双方から反対の意思表示がない限り、同一条件で2年間更新するものとする。」旨の合意がある場合をいい、広義の合意更新に含まれる。）の区別である。特に、短期賃借権保護制度の要件を満たす可能性がある場合には、法定更新の有無、更新期と差押えの日との先後関係に注意が必要である（〔Q62〕参照）。

5　調査の内容、程度等

　現況調査に当たる執行官の注意義務に関しては、最判平9.7.15（民集51巻6号2645頁・金法1501号58頁）が、「執行官が現況調査を行うに当たり、通常行うべき調査方法を採らず、あるいは、調査結果の十分な評価、検討を怠るなど、その調査及び判断の過程が合理性を欠き、その結果、現況調査報告書の記載内容と目的不動産の実際の状況との間に看過し難い相違が生じた場合には、」目的不動産の現況をできる限り正確に調査すべき注意義務に違反したものというべきであるとの一般的な判断基準を示している。これは、後記の現況調査の迅速性と経済性の要請を踏まえたものと考えられ、執行官として常に念頭に置く必要がある。そして、現況調査が適正に実施されたことを明らかにするためには、現況調査報告書に調査結果のみを記載するのではなく、調査過程、判断過程等を記載する必要があり、これにより、執行裁判所がその合理性を検証することができるようになる。

　他方、現況調査は、競売手続において行うものであるから、一定の迅速性と経済性が要請される。前記1のとおり、執行官は、現況調査の目的を踏まえ、メリハリを付けた調査をすべきであるが、現況調査は、執行裁判所の補助機関として実施するものであるから、調査の在り方等について判断に迷うような場合には、執行裁判所に相談し、場合によってはその指示を受けるのが相当である。そして、仮に目的不動産の占有関係、権利関係

等について合理的な期間内に調査を尽くしてもこれが明らかにならない場合には、どのような調査を実施したかを記載し、執行裁判所と相談した上、不明であると報告することも事案によっては考えられる。

なお、建物の占有関係等については、立入調査を行うのが原則である。また、所有者以外の者が占有している場合には、その占有権原について賃貸人側と賃借人側の両面調査を行うのが原則であり、少なくとも書面照会等の調査は試みておく必要があろう（回答書の返送がなければ回答がないものとして扱うこともやむを得ない。）。また、占有状況や占有関係については、関係者の陳述を得るほか、裏付けとなる客観的な資料の収集に努めることも必要である。

このほか、現況調査においては、評価人との連携も重要である（規30条の2）。

6 現況調査報告書の記載の在り方

現況調査報告書に記載すべき事項は、前記4のとおりである。留意すべきは、例えば占有権原について現況調査報告書に記載すべきなのは、占有権原の有無及び内容についての関係人の陳述及び提示された文書の要旨並びに執行官の意見であって、その結論部分のみを記載するのでは足りないということである。すなわち、裁判所書記官が、調査事項について、改めて直接その事実認定ができるような客観的な資料とそれに基づく執行官の判断の二つの事項の記載が要求されている。また、調査過程、判断過程等を記載すべきこと、不明な事項がある場合に調査方法等を記載すべきこと等は、前記5のとおりである。

現況調査報告書には、調査の目的物である土地又は建物の見取図及び写真を添付しなければならず（規29条2項）、添付された見取図や写真は報告書と一体のものとして扱われる。現況調査報告書の写しは、不動産の売却の実施に先立ち、評価書の写し及び物件明細書の写しとともに執行裁判所に備え置いて一般の閲覧に供されるのに加えて（規31条3項）、現在では、インターネットを通じて現況調査報告書の内容に関する情報が公開されるようになっており（〔Q83〕参照）、備え置きのみであった時よりもさらに、

プライバシーへの配慮が必要不可欠となる。したがって、執行官が撮影した写真のうち、買受人に対する情報提供のために必要な写真を絞り込んで現況調査報告書に貼付するとともに、当該写真に関係人、下着・書籍タイトル・映像ソフトのタイトルその他プライバシー関連物品等が写らないよう配慮する必要がある。

　記載事項以外の留意点として、記載の在り方がある。現況調査報告書の様式については特に法令の定めはないが、全国的に標準化して買受希望者にとって理解しやすくするため、最高裁判所民事局が策定した標準書式が用いられている（新民事執行実務1号165頁）。この書式を用いるのはもちろんのこと、それ以外にも、現況調査の目的である情報提供の観点、特に、不動産業者以外の買受希望者が増えてきていることを踏まえ、表形式の利用も含め、要点に即して分かりやすく簡潔に記載する必要がある。

〈参考文献〉
新基本法コンメンタール民事執行法161頁〔澤田久文〕、森田浩美「国家賠償請求訴訟にみる執行官の注意義務」執行官雑誌31号1頁、畑一郎「現況調査の留意点について」民事執行実務31号23頁、前澤功「執行官の現況調査における国家賠償法上の注意義務」民事執行実務32号14頁、畑一郎「現況調査」山﨑＝山田「民事執行法」84頁

Q50 評価

評価とは何か。次の場合に執行裁判所や評価人はどのような対応をとるべきか。
(1) 評価命令発令後に執行停止文書が提出された場合
(2) 占有者が不在の場合や調査を妨害する場合
(3) 目的不動産に土壌汚染のあることがうかがわれる場合

1 評価の意義

不動産競売における売却は、適正な価額により実施されなければならない。適正でない安価な価額による売却は、債権者及び債務者・所有者の利益を害するばかりでなく、悪質なブローカーが競売を利用して暴利を得るという社会的に不正義な行為に荷担する結果となる。また、競売不動産の売却には競売特有の価格形成要因があること（〔Q51〕参照）も踏まえると、入札による買受希望者間の純粋な競争による価格形成に委ねていたのでは、必ずしも適正な価額による売却が実現するとは限らない。そこで、民事執行法は、執行裁判所が、適正な評価に基づいて売却基準価額を決定するという制度を採用し（法60条1項。〔Q75〕参照）、評価の適正さを、執行裁判所が選任した評価人に評価を行わせることにより担保することとした（法58条1項）。

2 評価の手続

(1) 評価人の選任

評価は、執行裁判所が評価人を選任し、評価命令を発することにより行われる。評価人の選任は、個々の事件ごとに行われる。評価人としての資格について、民事執行法に特段の定めはないが、前記1の評価制度の重要性に照らせば、不動産鑑定に関する専門的な知識と経験を有する者で、かつ、競売不動産にままみられる複雑な法律関係を十分に理解する能力を有

する者が選任されることが望ましい。このような見地から、東京地裁民事執行センターでは、経験を積んだ不動産鑑定士でこのような法的素養があると認められる者の中から評価人を選任している。

(2) 評価命令の時期

　評価命令を発する時期については民事執行法に定めがない。東京地裁民事執行センターでは、原則として、登記官から執行裁判所に登記完了証及び差押登記が記入された登記事項証明書が送付された日に、現況調査命令と同時に評価命令を発令する扱いにしている。ただし、目的不動産が一致する完全な二重開始となる後行事件の場合には、既に先行事件で評価命令が発令されていることから、原則として評価命令は発令していない（そのほか、評価命令の発令を留保する場合として〔Q36〕、〔Q37〕参照）。評価命令には、評価をすべき目的不動産の表示とともに、評価書の提出期限が記載される。東京地裁民事執行センターでは、原則として同期限を評価命令の発令日から7週間後としているが、所有者（強制競売の場合は債務者）が自ら占有しているマンション（東京地裁民事執行センターでは「自用マンション」と呼んでいる。）については、権利関係が複雑でないため、迅速処理の観点から、評価書の提出目途を評価命令の発令日から4週間後としている。

(3) 評価人の権限

　評価人が評価を行うに当たっては、独自の調査権限として、目的不動産へ立ち入ること、債務者等へ質問すること、文書の提示を要求することが認められている（法58条4項、57条2項）。また、市町村等に対し、目的不動産の課税証明書や、不動産に対して課される固定資産税に関して保有する図面その他の資料の写しの交付を請求することができ（法58条4項、18条2項、57条4項）、電気、ガス又は水道水の供給その他これらに類する継続的給付を行う公益事業を営む法人に対し、必要な事項の報告を求めることができる（法58条4項、57条5項。いわゆるライフライン調査）。これらの権限は、競売不動産の評価においては、一般の鑑定評価と異なり、目的不動産の占有者等からの協力を期待することができず、任意調査のみでは必要な調査を行えないことから、評価人に特に付与されたものである。

なお、評価人及び執行官は、評価又は現況調査をするに際し、それぞれの事務が円滑に処理されるようにするため、相互に必要な協力をしなければならない（規30条の2）。事務の遅延を回避するためには、執行官との日程調整を密にし、原則として執行官と同行し、協働して調査を行うことが望ましい。特に、解錠調査を必要とする場合、評価人には、執行官と異なり強制解錠権限（法57条3項）が認められていないことに留意する必要がある。東京地裁民事執行センターでは、原則として、執行官による2回目の現地への臨場調査に評価人が同行し、目的不動産内部の調査を含めた現地調査を行い、また、上記のライフライン調査等はまずは執行官において行うこととしている。

3 再評価・補充評価と売却基準価額の変更

(1) 再評価・補充評価

評価が終了して評価書が提出された後、事情の変更等によって評価人に再度評価を命ずることがある。その方式としては、再評価と補充評価がある。

再評価とは、目的不動産の所在地等において再度現地調査を行った上、評価を全部やり直すことをいう。補充評価とは、評価後に評価の前提条件が事実と異なることが判明したり、評価の前提条件に変更があったりした場合に、再度現地調査を行うことなく机上の作業で評価を見直すことをいう。

再評価・補充評価を実施する場合には、執行裁判所が再評価命令・補充評価命令を発することとなる。再評価命令・補充評価命令においては、再評価・補充評価において考慮すべき事項を執行裁判所が定めるのが通常である。

(2) 売却基準価額の変更

執行裁判所は、評価書が提出された後、評価に基づいて売却基準価額を定めるが、必要があると認めるときには売却基準価額を変更することができる（法60条2項）。この場合、売却基準価額の決定は評価人の評価に基づくべきものとされているため（法60条1項）、執行裁判所は売却基準価額の

変更を行うに際して、原則として、再評価命令又は補充評価命令を発して、評価の見直しを行う必要がある。

　このような評価の見直しが必要となる典型例は、期間入札に付したが入札がされず、その後に特別売却を実施しても売れなかった場合である。東京地裁民事執行センターでは、2回目の期間入札に際しての売却基準価額の変更については、①前回の評価から2年以上経過している事案や、占有状況等に変化があり再度の現地調査が必要な事案については、再評価を行い、②占有状況等に変化があっても現地調査が不要な場合は、補充評価を行い、③それ以外の事案では、評価人からの意見を聴くにとどめ（規30条の3第1項）、これらの評価又は意見に基づいて売却基準価額を変更している。これに対して、3回目の期間入札における売却基準価額の変更については、原則として評価人に対して再評価を命ずる運用である。

　なお、これらの場合の補充評価命令及び再評価命令には、評価における前提条件として、通常、「前回の期間入札及び特別売却で買受人が現れなかった事実」を考慮すべきである旨の指示を付している。

　また、一旦売却条件を定めたものの、執行停止等の理由により売却に付されないまま評価時から長期間が経過し、再び期間入札に付そうとする際に売却基準価額の変更の必要性が生じる場合もある。東京地裁民事執行センターでは、社会経済情勢等にもよるが、評価を行った時から2年以上経過した事件については、原則として再評価を命ずることとしている。

4　評価命令発令後に執行停止文書が提出された場合(設例(1))

　執行裁判所から評価人に対し評価命令が発令された後、評価人が執行裁判所に評価書を提出する前に、執行裁判所に対して執行停止文書の提出があった場合に、評価作業を続行させるか否かについては、競売手続の進行に応じた対応をする必要がある。

　東京地裁民事執行センターにおいては、執行停止文書が提出された場合、執行裁判所から評価人にその旨及びその内容を連絡した上で、競売手続の進行及び評価の作業等を考慮して、基本的には、次のような取扱いをしている。これらは、執行停止文書が、法39条1項7号、8号、183条1

項6号、7号のいずれの文書であっても同じである。
 (1) 執行停止文書の停止期間が、同文書の提出後3か月未満の場合
 評価人は、評価のための作業の進行程度にかかわらず、評価を行い、評価書を完成させて提出する。
 (2) 執行停止文書の停止期間が、同文書の提出後3か月以上の場合、又は停止期間に定めがない場合
ア　現地等における調査未了のとき
 執行裁判所は、評価命令を取り消す（ただし、二重開始決定があり、既にその効力が生じているときは、執行裁判所は、評価命令を取り消さず、評価を続行させることができる。）。評価人は、取消時点までの調査結果を書面で報告する。また、調査未着手の場合は、評価命令正本及び添付資料等を執行裁判所に返還する。
 なお、評価命令が取り消された後、執行停止が解除された場合には、改めて評価命令を発令する。
イ　現地等での調査が完了しているとき
 執行裁判所は、評価命令を取り消さない。評価人は評価書を完成させて提出する。

5　占有者が不在の場合や調査を妨害する場合（設例⑵）

　前記2のとおり、東京地裁民事執行センターでは、原則として執行官による2回目の臨場調査に評価人が同行して現地調査を行うこととしているため、設例⑵の場合でも、通常、評価人に特有の問題は生じない。例外的に評価人が執行官に同行しない場合や、執行官が現況調査をしない再評価の場合等については、以下のとおりである。
　また、前記2のとおり、評価人は、評価をするに際して、目的不動産に立ち入ることができるが、評価人が住居に立ち入って職務を執行するに当たって、住居主、その代理人又は同居の親族若しくは使用人その他の従業者で相当のわきまえのあるものに出会わないときは、市町村の職員、警察官その他証人として相当と認められる者を立ち会わせなければならない（法7条）。したがって、法7条に定める住居主等が不在の場合には立会人

が必要である。

　法7条に定める住居主等が不在の場合は、占有者が誰であるか確認することができない場合もあり得る。この場合はライフライン調査が有用である。他方、占有者が調査を妨害する場合、評価人は、職務執行に際し抵抗を受けるときは、執行裁判所の許可を受けて、執行官の援助を求めることができる（法58条3項、6条2項）。執行裁判所は、抵抗を排除しなければ評価に必要な事実関係の調査ができないか否かを吟味して、その許否を判断することとなる。援助を求められた執行官は、職務執行に際し抵抗を受けるときは、その抵抗を排除するために、威力を用い、又は警察上の援助を求めることができる（法6条1項）。評価に当たっての調査妨害行為には様々な態様のものが考えられるところ、暴行、脅迫、バリケード設置等は明らかに抵抗に該当するものといえよう。さらに、抵抗には、消極的な抵抗も含むと解されるので、扉の施錠による閉鎖についても、それが抵抗に当たると解される限りは、その解錠のための必要な処分をすることができる。

6　目的不動産に土壌汚染があることがうかがわれる場合（設例(3)）

(1)　調査の実施

　土壌が土壌汚染対策法2条1項で定める特定有害物質によって汚染されている状況（土壌汚染対策1条参照。以下「土壌汚染」という。）が存在すると、当該汚染の除去、当該汚染の拡散の防止その他の措置に要する費用の発生や土地利用上の制約が生ずるほか、買受希望者において心理的な嫌悪感を抱くおそれも高いことから、土壌汚染又は土壌汚染の可能性は、評価額に影響する。したがって、評価人としては、目的不動産に特定有害物質を扱う工場や作業所が含まれている場合等、土壌汚染があることがうかがわれる場合には、その敷地である土地の土壌汚染の調査をすることを検討することになる。土壌汚染の調査には、一般的には、資料等調査（フェーズ1）、概況調査（フェーズ2）、詳細調査（フェーズ3）の各段階があり、専門の調査機関に委託して行うのが通常である。フェーズ1の調査で判明

するのは土壌汚染の可能性があるか否かであり、土壌汚染の有無を判定するためにはフェーズ2以上の調査を実施する必要があるが、フェーズ2以上の調査は土地を掘削する必要があり、費用も高額に上る場合がある。そこで、東京地裁民事執行センターでは、評価人が土壌汚染の調査を要すると判断し、所有者の協力が見込まれ、差押債権者が調査を希望する場合に、フェーズ2の調査を実施する取扱いである。

所有者の協力が得られない場合や差押債権者がフェーズ2の調査を希望しない場合には、フェーズ1の調査にとどまるところ、フェーズ1の調査については、費用が比較的低額で済むことから、東京地裁民事執行センターでは、差押債権者の意向を確認することなく、これを実施することが通常である。

(2) **土壌汚染又は土壌汚染の可能性のある土地の評価**

土壌汚染の調査の結果、土壌汚染があることが判明した場合には、対策費用及び買受希望者が抱く心理的嫌悪感を考慮して、減価率を定め、土地・建物を一体のものとして市場性修正により減額評価することになる。フェーズ1の調査の結果、土壌汚染の可能性があると判定された場合にも、土壌汚染のリスクを考慮して市場性修正を行う。

対策費用を検討するに当たっては、土壌汚染の状況やこれに対して必要となる措置は、事案に応じてさまざまであり、土壌汚染があるからといって、一律に当該汚染の除去が必要となるものではないことに注意が必要である。具体的には、次のようなことが考えられる。

ア　要措置区域の場合

調査の結果、当該土地の土壌の特定有害物質による汚染状態が環境省令で定める基準に適合せず、土壌の特定有害物質による汚染により、人の健康に係る被害が生じ、又は生ずるおそれがあるものとして政令で定める基準に該当するものとして、土壌汚染対策法6条1項の指定がされた土地（要措置区域）であることが判明することがある。都道府県知事は、要措置区域の所有者等に対して、汚染除去等計画の作成及び提出の指示をするが、その際には、講ずべき汚染の除去等の措置及びその理由等を示すこととされている（土壌汚染対策7条1項）。講ずべき汚染の除去等の措置につ

いては、盛土が原則とされており、土壌汚染の除去が示されるのは、当該土地が乳幼児の砂遊び等に日常的に利用されている砂場又は園庭の敷地の用に供されている土地等である場合に限られている（土壌汚染対策法施行規36条1項、別表6の7項ないし9項）。したがって、目的不動産について要措置区域の指定がされている場合については、都道府県知事が示した講ずべき汚染の除去等の措置を参考にして、対策費用を検討することになろう。

イ　形質変更時要届出区域の場合

当該土地の土壌の特定有害物質による汚染状態が環境省令で定める基準には適合しないものの、土壌の特定有害物質による汚染により、人の健康に係る被害が生じ、又は生ずるおそれがあるものとして政令で定める基準には該当しないものとして、土壌汚染対策法11条1項の指定がされた土地（形質変更時要届出区域）については、健康被害が生ずるおそれがないことから、直ちに汚染の除去等の措置を講ずる必要があるわけではない（土地の形質の変更をしようとする場合には、原則として、事前に都道府県知事に届け出なければならない。土壌汚染対策12条1項）。したがって、目的不動産について形質変更時要届出区域の指定がされている場合については、土地の有効利用の観点から事実上必要となる措置（例えば、一般的な居住用の戸建ての建物を建築することが有効利用と想定される場合には、土壌を2、3メートル掘り下げて入れ替える等の措置）を考慮して、対策費用を検討することになると思われる。

ウ　土壌汚染の完全な除去の必要性

要措置区域又は形質変更時要届出区域の指定がされた土地の最高価買受申出人等が、その指定の解除のためには土壌汚染の完全な除去が必要であり、これに要する費用が極めて高額となるにもかかわらず、評価上考慮されていないなどと主張して、法75条1項の類推適用により売却許可決定の取消しを求める例がある。確かに、要措置区域又は形質変更時要届出区域の指定の解除については、土壌汚染の除去が必要であるが（土壌汚染対策6条4項、11条2項）、前記のとおり、同指定の解除がなくとも、当該土地の有効利用が可能であると考えられることからすれば、土壌汚染の完全な

除去は必須といえるものではなく、その主張の当否については慎重に検討する必要がある。

〈参考文献〉

注釈民事執行法(3)247頁〔大橋寛明〕、注解民事執行法(2)219頁〔竹下守夫〕、不動産執行の理論と実務(上)179頁、『競売不動産評価マニュアル〔第3版〕』別冊判タ第30号50頁、全国競売評価ネットワーク監修『競売不動産の理論と実務〔第2版〕』（金融財政事情研究会）267頁

Q51 評価の基準及び評価書

評価人が評価を行うに当たって従うべき基準はどのようなものか。また、評価人は、評価書に、どのような事項を記載することが求められているか。

1 評価基準等

(1) 法58条2項、規則29条の2の定め

　法58条2項は、「評価人は、近傍同種の不動産の取引価格、不動産から生ずべき収益、不動産の原価その他の不動産の価格形成上の事情を適切に勘案して、遅滞なく、評価をしなければならない。この場合において、評価人は、強制競売の手続において不動産の売却を実施するための評価であることを考慮しなければならない。」と定めている。同項は、平成16年改正法により、従前規則において定められていた事項（平成17年最高裁判所規則第1号による改正前の規29条の2）を法律において定めたものであり、その趣旨は、同改正法において最低売却価額制度から売却基準価額制度へと改められたのを機に（法60条。〔Q75〕参照）、評価人が行う評価の基本的な基準を法律において定めることにより、売却基準価額の決定の基礎となる評価人の評価を更に適正化し、ひいては競売不動産の適正な売却を図ることを目的としたものである（小野瀬厚＝原司編著『一問一答平成16年改正民事訴訟法・非訟事件手続法・民事執行法』（商事法務）120頁）。

　また、規則29条の2は、「評価人は、評価をするに際し、不動産の所在する場所の環境、その種類、規模、構造等に応じ、取引事例比較法、収益還元法、原価法その他の評価の方法を適切に用いなければならない。」と定めている。ここに挙げられている三つの評価方法は、国土交通省が統一基準として定める不動産鑑定評価基準（平成14年7月に全部改正されたもの。最終改正（一部）平成26年5月）における三つの手法と基本的に同義である。もっとも、時間と費用が限定されるという競売手続自体の制約から

すれば、競売不動産の評価に当たっては、不動産鑑定評価基準そのものを適用して前記の三手法を常に併用しなければならないわけではなく、迅速に適正な評価を行うという観点から、不動産の種類等に応じて適切な手法を選択することができると解されている。法58条2項が、各種評価法を「適切に」用いるべきこととしているのはこのためである。

競売不動産の評価は、競売市場における売却基準価額を定めるためのものとして、一般の鑑定におけるいわゆる正常価格（一般市場において形成される価格）とは異なり、競売特有の価格形成要因を考慮する必要がある。このような価格形成要因としては、①買受希望者は内覧制度（法64の2。〔Q81〕参照）によるほかは事前に不動産（特に建物）に立ち入り内部を確認することができないこと、②売主である所有者の協力が得られない場合が多いこと、③引渡しを受けるために法定の手続をとらなければならない場合があること、④早期に売却するための売出しの期間（物件明細書、現況調査報告書及び評価書による情報提供期間と入札期間）が限られること、⑤買受申出をするに際しては保証金を提供し、売却許可決定確定後は短期間に残代金全額を納付する必要があること（ただし、法82条2項。〔Q97〕参照）などが指摘され、これらの事情はいずれも競売物件特有の減価要素であると考えられている。さらに、競売不動産の市場は、不動産業者が転売物件を仕入れるためのものとして利用することが多く、その価格は消費者が不動産を購入する価格よりも低くなることが想定される。法58条2項が「競売の方法による不動産の売却を実施するための評価であることを十分に考慮」すべきであるとするのは、以上のような事情を勘案したものである。

なお、最低売却価額制度が売却基準価額制度へと改められたことによって、評価人が従前と異なる水準での評価をすることは想定されておらず、評価の考慮事情等について実質的な変更はないと解されている。

(2) **実際の評価**

実際の競売不動産の評価は、不動産鑑定評価基準に準拠しつつも、各地の不動産市場等の実情も踏まえて、各執行裁判所と評価人候補者との協議を通じて作成された競売不動産の評価に関する一般的な評価基準に従って

行われるのが通常である。東京地裁民事執行センターの評価人が適用する評価基準は、「競売不動産評価マニュアル」（判タ1075号）として公刊され、その後の改訂を経て、現在は、「競売不動産評価マニュアル〔第3版〕」（別冊判タ30号）として公刊されている。

同マニュアルにおいては、競売評価に当たっての考え方や評価方法が体系的に整理されてまとめられている。例えば、前記(1)の競売特有の価格形成要因については、「競売市場修正」として、減価修正の一つとして考慮することとされている。なお、東京地裁民事執行センターでは、競売市場修正の減価率につき、地価の動向や競売不動産市場の状況に鑑み、従前30％としていたものを、平成29年3月から島しょ部を除き20％へと変更した（東京地裁民事執行センター「さんまエクスプレス第94回」金法2063号50頁）。

(3) 評価の条件

依頼者から鑑定の条件を設定される一般の鑑定と異なり、競売不動産の評価においては、現状有姿を評価人が把握して、現況のままの価額を求めなければならない（現況評価主義）。不動産の地目、地積、種類、構造、床面積等につき、現況と公簿（登記記録）上の表示とが異なる場合は、現況に従った評価を行う。

また、不動産に関する権利関係についても、評価時点の状態を把握し、買受人が引き受けるべき負担があればその負担が付着していることを前提として価額を求めなければならない。東京地裁民事執行センターでは、敷地利用権、占有減価等の法的判断を含めた結論的な価額を評価書において明示することを原則としている。

(4) 評価の対象

評価の対象は、評価命令の対象となっている不動産であるが、当該不動産の従物も評価の対象となる。従物には、不動産に物理的に付着する物に限らず、建物についての敷地利用権等の従たる権利も含まれる。

2　評価書の記載事項等

(1)　評価書の機能

　評価書は、執行裁判所が売却基準価額の決定を行う際の基礎とされるにとどまらず、一般の閲覧に供するために、執行裁判所の裁判所書記官が作成する物件明細書、執行官が作成する現況調査報告書とともに、執行裁判所に備え置かれるほか、インターネットを通じて評価書の内容に関する情報が公開されている（規31条。〔Q85〕参照）。このように、評価書には広く一般から競売不動産の買受希望者を募集する前提となる情報を提供する機能が期待されていることからすると、当該不動産の概要及び評価の過程が買受希望者にとって理解しやすいように記載されていなければならない。

(2)　評価書の記載事項（規30条1項）

ア　事件の表示（1号）

イ　不動産の表示（2号）

ウ　不動産の評価額及び評価の年月日（3号）

　「評価額」は、評価書の結論となる部分である。一括売却される数個の不動産については、一括売却の場合の評価額（合計額）とともに、不動産ごとの評価額を記載すべきであるが、不動産ごとの評価額の合計が一括売却における評価額と一致するように表示する（いわゆる内訳価格）。

　「評価の年月日」は、評価額を決定した日であり、現地調査等評価の基礎となる事実を調査した日のことではない。

エ　不動産の所在する場所の環境の概要（4号）

　不動産の評価にとって「不動産の所在する場所の環境」は重要な要素であり、買受希望者の参考に供するという観点からも、必要にして十分な情報を記載することが求められる。具体的には、位置・交通、地域の特性（住宅地、工場地帯等）、将来動向等を記載する。

オ　評価の目的物が土地であるときは、地積、都市計画法・建築基準法その他の法令に基づく制限の有無及び内容、規準とした公示価格その他の評価の参考とした事項（5号）

　地積は、土地の評価においてその最も基本的な前提となるから、評価人はその正確な把握に努めなければならない。公簿と現況とが異なるにもかかわらず公簿を基準とされた評価に基づく最低売却価額の決定等が違法とされた裁判例がある（東京高決昭57.12.1判時1065号143頁、東京高決昭60.10.21判時1171号76頁、仙台高決昭63.7.26判タ678号209頁、東京高決平17.7.6判タ1198号294頁ほか）。もっとも、境界が不分明であったり測量に物理的な障害があったりする事案では、地積を正確に知ることが困難な場合もある。このような場合、競売不動産の評価における手続的な制約（費用及び時間）からすれば、常に専門の測量士による測量が要求されるわけではないとはいえ、評価人の能力の範囲内において計測を行い一応の結論を得た上で、地積の正確性の程度について買受希望者が的確に理解することができるような記載をすべきであろう。

　都市計画法・建築基準法に基づく制限としては、市街化区域・市街化調整区域の指定に基づく制限（都市計画7条、29条以下）、風致地区の指定に基づく制限（都市計画8条、58条）、災害危険区域の指定に基づく制限（建築基準39条）、建築物の延べ面積の敷地面積に対する割合（容積率）の制限（建築基準52条）、建築物の建築面積の敷地面積に対する割合（建ぺい率）の制限（建築基準53条）、敷地と道路との接面関係の制限（建築基準43条）等がある。

　「その他の評価の参考とした事項」としては、規準とした公示地価のほか、参考とした取引事例、都道府県の指定基準値価格、固定資産税評価額、相続税路線価等があり、これらは、評価額が客観的資料に基づいて算出されたものであることを担保するものである。これらの資料を記載することによって、買受希望者も評価額が客観的資料に基づいて算出されたものであることを知ることができる。

カ　評価の目的物が建物であるときは、その種類、構造及び床面積並びに残存耐用年数その他の評価の参考とした事項（6号）

キ　評価額の算出の過程（7号）

　規則30条1項1号ないし6号の事項を基礎として、前記1で述べた評価基準に従って、評価額を算出した過程を記載する。

ク　その他執行裁判所が定めた事項（8号）

　例えば、前回の期間入札において売却することができなかった場合で、再評価命令を発令するとき、その再評価命令には、売却することができなかったという事実を考慮するよう定められるのが通常である。

(3)　評価書の添付図面（規30条2項）

　評価書には、不動産の形状を示す図面及び不動産の所在する場所の周辺の概況を示す図面を添付しなければならない。実務上、「不動産の形状を示す図面」として添付されるのは、土地の場合は不動産登記法14条1項の地図、同条4項の地図に準ずる図面（いわゆる公図）又は地積の測量図、建物の場合は建物の各階の平面図であり、「不動産の所在する場所の周辺の概況を示す図面」として添付されるのは、市販の住宅地図の写し等に目的物の位置を記入したものである。これらの図面は、規則30条1項4号、5号イ及び6号の事項を補完するものであるとともに、評価の対象となる不動産の位置を買受希望者に対して視覚的に分かりやすく示すための資料となる。

(4)　評価書の記載の補正

　評価人の専権事項に属しないが評価の結論に影響を与える事項（占有権原等）について、執行裁判所が、現況調査報告書ないし審尋の結果から、評価書の記載とは異なる判断をしたときには、執行裁判所は、評価人に対して、評価書の記載の補正を求めることがある（再評価及び補充評価については、〔Q50〕、〔Q75〕参照）。

3　評価基準及び評価書書式の標準化

　従来、各地の裁判所で用いられていた評価基準及び評価書書式は、各地の不動産市場の違い等を反映して必ずしも全国的に統一されたものではな

かった。しかし、競売市場の全国化に伴い、評価基準及び評価書書式の標準化の必要性が意識されるようになり、平成13年から、東京・大阪・名古屋の3庁の評価人が中心となり、競売不動産評価基準の標準化のための作業が進められ、評価の基本的な手法が統一された。これを基本的な方向として、全国的な標準化が議論され、平成14年に、競売市場の実勢を反映した、全国的に均質で、水準が高く、利用者にも分かりやすい評価を行うことを目的として、高等裁判所の所在地にある地方裁判所8庁の評価事務研究会により「競売評価の主要論点」（金法1654号35頁）及び「不動産競売事件における評価書の書式について」（金法1668号49頁）が取りまとめられ、公表された。

　そして、平成15年3月、全国レベルで競売評価についての情報交換や共同研究を行うための組織として全国競売評価ネットワーク（通称KBネット）が設立され、同ネットワークにおいては、更なる評価の標準化を目指した検討を行っていたが、その成果を一般に公表することを目的として、全国で均質な競売評価を実現するための基準を作成することとなり、平成22年4月、「競売不動産評価基準」（金法1904号42頁）が取りまとめられ、公表された（「競売不動産評価の標準化へ向けた取組状況」金法1904号14頁、「競売不動産評価基準の作成経緯」金法1904号16頁）。東京地裁民事執行センターの評価人が適用する評価基準である前記「競売不動産評価マニュアル〔第3版〕」も、これらの評価基準等を踏まえたものである。

〈参考文献〉
『競売不動産評価マニュアル〔第3版〕』別冊判タ第30号、条解民事執行規則(上)164頁、不動産執行の理論と実務(上)179頁、東京地裁民事執行センター「さんまエクスプレス第71回」金法1958号46頁

第 **3** 節

競売手続進行のための保全

Q52 地代等代払許可制度

借地権付建物の所有者が地代や借賃の支払をしない場合に、差押債権者において、借地契約が解除されることを防止する方法はあるか。差押債権者が建物の所有者に代わって地代や借賃を支払った場合に、これに要した費用等を執行手続内で求償することはできるか。

1 地代等代払許可の制度趣旨

建物に対する差押えの効力は、その建物に付随する敷地利用権（登記された地上権を除く。）にも及ぶので、差押えの対象が借地権付建物である場合、その評価額や売却基準価額は、建物自体の価額と借地権価額とを合算した価額となる。ところが、借地人である建物所有者が地上権についての地代又は賃借権についての借賃（以下「地代等」という。）を滞納した場合に、土地所有者において、地代等不払等の債務不履行を理由に借地契約を解除等して終了させることは、差押えの処分制限効に抵触せず、有効である。このような場合、建物の評価額のうち借地権価額の占める割合が大きいため、借地契約の解除等によって差押不動産の価値が激減して、差押債権者が売却代金から債権を回収することが困難になるおそれがある。そのため、差押債権者は、地代等を建物所有者に代わって土地所有者に支払うことにより借地契約が解除されるのを防止する必要がある。

差押債権者は、地代等の弁済をするについて正当な利益を有するので、建物所有者及び土地所有者の意思に反しても、第三者弁済をすることができる（民474条）。しかし、差押債権者が第三者弁済に要した費用を当然に執行費用とすることには疑義があり、また、配当要求の終期までの間に当該費用について債務名義を取得した上で配当要求することも事実上困難である。

そこで、民事執行法は、差押債権者が裁判所の許可を受けて地代等を代払することができるものとし（法56条1項）、許可を受けて代払した場合に

は、その代払した地代等と許可の申立てに要した費用を共益費用として、配当等の手続において優先的に償還を受けられるものとした（法56条2項、55条10項）。地代等の代払による借地契約解除の防止は、他の債権者や所有者の利益になり、また売却条件の安定及び買受人の敷地利用権の確保につながるからである。これが地代等代払許可の制度である。

2 代払の許可の要件

(1) 建物に対する競売の開始決定がされ、その差押えの効力が生じていること

法56条の目的は、不動産競売手続において建物の敷地利用権の存続を図ることにあるから、建物に対して強制競売又は担保不動産競売の開始決定がされ、差押えの効力が生じていることが必要である。

(2) 建物所有者が地代等を支払っていないこと

地代等の滞納があることが要件となる。不払の理由は問わない。建物所有者が地代等の値上げの適法性を争って値上げ後の地代等の支払を拒否している場合も含まれる（注釈民事執行法(3)217頁〔大橋寛明〕）。

差押債権者において、代払の許可の前に土地所有者に対して未払分を第三者弁済として支払った場合、滞納が解消された部分について事後的に代払を許可することはできない。他方、差押債権者が代払の許可の前から第三者弁済を継続した状態で、将来分（今後弁済期が到来する分）の代払の許可を求めているときには、差押債権者の第三者弁済が継続しない限り滞納状態が生じることは明らかであるので、滞納が生じているのと同視して、将来分につき代払を許可することができる。

二重開始の場合、既に一方の差押債権者が代払の許可を得ていても、現実に土地所有者に対して代払をしていなければ、滞納ありとして、他方の差押債権者に対して代払を許可することができる。

地代等には当然に過去の未納分に対する遅延損害金も含まれるが、契約更新料がこれに含まれるか否かについては議論がある。当初の賃貸借契約において更新料を支払うことが定められている場合には、特段の事情のない限り、更新料を地代等代払の許可の対象とすることができるであろう。

他方、当初の賃貸借契約において更新料を支払うことが定められておらず、更新時に更新料の支払を約した場合には、更新料の支払がなくても法定更新がされたか否かという事情、更新料の支払の約定が成立するに至った経緯、更新料の金額が借地権価格と対比して相当であるかという事情その他諸般の事情を総合考慮して、更新料の支払が賃貸借契約の当事者の信頼関係を維持する基盤をなしているものと認められるときは、更新料を地代等代払許可の対象とすることが相当な場合もあろう。

(3) 代払の必要性があること

土地所有者が法定解除権を放棄しているとき、建物所有者が地代等の値上げの適法性を争って値上げ後の地代等の支払を拒んでいるが、相当額の地代等は支払っているため契約を解除されるおそれがないときや、その他第三者弁済が禁止されているとき（民474条4項）などは、代払の必要性がない。

借地契約が有効に解除されたことが明らかなときも代払の必要性がないといえるが、契約解除の意思表示がされたにすぎない段階では、借地権等の存否は、訴訟手続において確定されるまでは執行裁判所として認定することができないことから、借地権等はまだ消滅していないものと推認して許否の判断をすることになる。また、契約期間が満了している場合についても、法定更新されている可能性があるので、代払の必要性が認められる。

3 代払の許可の裁判

(1) 申立権者

差押債権者に限られる。後行事件（配当要求終期後の二重開始決定に係る事件を除く。法56条1項）の差押債権者も申立てをすることができる。

(2) 申立期間

競売申立て後から買受人が代金納付するまでの間である。

(3) 申立書の記載事項

借地権等の目的となる土地を表示した上、申立ての趣旨及び理由を記載し、手数料の印紙500円を貼付する（民訴費3条別表第一・17ロ）。

申立ての趣旨において、代払の対象となる期間と地代等の額を明らかにし、申立ての理由として、借地契約の存在及び地代等滞納の事実のほか、代払の必要性を主張する。

(4) 添付資料

代払を要する地代の金額等や代払の必要性に係る主張を証明する書類（借地契約書の写し、地代滞納の旨の土地所有者の証明書等）を添付する。執行官の現況調査報告書からこれらの事実が明らかな場合には、資料の提出は不要である。土地所有者の協力が得られないことなどからこれらの資料を提出することができないときは、申立人の調査報告書等によって証明することになるが、その場合は調査の内容と結果をできる限り具体的に記載する必要がある。

(5) 審理及び裁判

地代等の滞納の有無及び程度を審理し、許可の裁判では、必要と認められた代払の額を明示する。現に滞納になっている分のほか、将来の分（代金納付日まで）も許可することができる。なお、当該土地の共有持分の一部のみを差し押えている場合、同共有持分に相当する部分の地代等のみを支払っても、土地所有者による賃貸借契約等の解除を阻止することができず無意味であるので、地代等の全額について代払を許可することができる。

(6) 不服申立て

代払の許可に関する裁判は、申立人のみに告知する（規2条2項）。許可に関する裁判に対して執行抗告をすることはできないから（法10条1項参照）、不服がある場合には執行異議（法11条1項）で争うことになる。

4 代払許可の裁判の効力

代払許可の裁判は土地所有者に代払金の受領義務を課すものではないが、代払が債務の本旨に沿った履行であるにもかかわらず、土地所有者が代払金の受領を拒絶した場合には、申立人は地代等を弁済供託することが可能になる（民494条1項）。

代払許可の裁判があったことは物件明細書に記載され、買受希望者の意

思決定の参考に供されるが、代払許可の裁判は、借地契約の実体関係の変動をもたらすものではなく、この記載が当該借地権等の存続を意味するものではないことには留意が必要である。

　代払の許可を得た差押債権者に承継があった場合には、承継人が再度許可を得る必要はなく、競売事件の承継手続を経た後に、承継人が引き続き代払をすることができる。差押債権者の地位の一部承継があり、一部承継人が以後代払をする場合には、一部承継人が再度許可を得ることが必要である。

　また、差押債権者が代払の許可を得た後に地代等が増額された場合には、増額分について新たに代払の許可が必要となる。もっとも、この場合には新たな申立てをする必要はなく、地代代払許可変更申立てをすれば足り、手数料は不要である。

5　代払地代等の償還（〔Q119〕参照）

　代払の許可に基づいて代払した地代等と許可の申立てに要した費用は、配当等の手続で共益費用として優先的に償還を受けることができる（法56条2項、55条10項）。許可を得ないで支払ったものや、許可された額を超えて支払ったものは共益費用とはならない。

　共益費用として認められるためには、許可を受けた差押債権者において、債権計算書に実際に支払った代払金の額を記載するとともに、現に土地所有者が代払金を受領したことを執行裁判所に証明しなければならない。通常は、土地所有者の印鑑登録証明書付きの受領書や、銀行振込等による振込書によって証明する。

　土地所有者が代払金の受領を拒絶したことを原因として、差押債権者が供託した場合には、供託者の供託金取戻請求権が消滅したことを認定することができる資料を併せて提出して、代払金の受領を証明する必要がある。東京地裁民事執行センターでは、供託金が被供託者（土地所有者）に還付されていない場合、供託書正本に加え、差押債権者作成の供託金取戻請求権放棄書（印鑑登録証明書付き）又は供託を有効とする確定判決の謄本を提出することを要するものとしている。他方、供託金が還付されてい

る場合には、供託書正本に加え、供託官作成の供託金が被供託者（土地所有者）に還付された旨の証明書又は被供託者作成の供託金を受領した旨の証明書（印鑑登録証明書付き）を提出するものとしている。

Q53 担保不動産競売開始決定前の保全処分

担保不動産競売開始決定前の保全処分の要件、手続等はどのようなものか。

1　担保不動産競売開始決定前の保全処分の趣旨

　担保不動産競売開始決定前の保全処分が設けられる以前は、実務上、差押えに近接した時期の執行妨害行為が少なくないことを踏まえ、競売申立てと同時に売却のための保全処分（法55条）の申立てをすることを認め、競売開始決定と同時又はその後速やかに保全処分命令を発令するとの運用がされていた。しかし、滌除権者である第三取得者がいる場合には、抵当権の実行通知をして滌除期間（通知書の到達後1か月間）の経過を待たなければ競売申立てができなかったため（平成15年改正法による改正前の民381条、382条、387条）、抵当権実行通知を契機とする執行妨害行為に対しては、有効な措置をとることが困難な状況にあった。

　担保不動産競売開始決定前の保全処分（法187条）は、このような状況を踏まえ、平成8年法律第108号による改正によって設けられた制度である。

　平成15年改正法により抵当権実行通知制度は廃止されたが、抵当権者が債務者等と債務弁済等について交渉することもままあり、その結果、担保不動産競売申立てをする直前に競売妨害等の画策がされるおそれはあるので、現在でも制度の必要性は失われていないと考えられる。

2　保全処分の申立て

(1)　管轄裁判所

　管轄裁判所は、執行裁判所である（法187条1項）。具体的には、基本事件となる競売事件はまだ係属していないが、目的不動産の競売申立てを管轄する地方裁判所である（法44条）。

(2) 当事者
ア 申立人
　目的不動産について「担保不動産競売の申立てをしようとする者」である。債務名義を有する一般債権者（強制競売の申立てをしようとする者）の申立ては認められない。
イ 相手方
　担保不動産競売開始決定前の保全処分としての作為・不作為命令（法187条1項、55条1項1号）の相手方は、債務者、所有者又は占有者であり、売却のための保全処分（〔Q54〕参照）と同一である。

　担保不動産競売開始決定前の保全処分としての執行官保管命令及び占有移転禁止の保全処分（法187条1項、55条1項2号、3号）の相手方は、目的不動産を占有する債務者及び所有者については、売却のための保全処分と同一であるが、これ以外の占有者については、「その占有の権原が保全処分の申立てをした者に対抗することができない場合」に限る旨の規定があることから（法187条2項2号）、申立人が後順位担保権者であるときなどは、売却のための保全処分との差異を生じることになる。

(3) 申立ての始期及び終期
　担保不動産競売開始決定前の保全処分は、目的不動産の所有者の使用収益に制約を加える性質のものであるから、担保権実行ができる状況にある必要がある。そのため、申立期間は、被担保債権の弁済期が到来して担保権実行の実体的要件が満たされた後、担保不動産競売開始決定が発令されるまでの間となる。申立書には、担保権及び被担保債権の表示、目的不動産の表示等（規172条の2）のほか、被担保債権の弁済期の到来の事実を記載する必要がある。

(4) 申立手数料
　申立手数料は、500円に相手方の数を乗じた額の収入印紙を申立書に貼付して納付する（民訴費3条別表第一・17ロ）。当事者への決定正本の送達（送付）費用として当事者の数に応じた額の郵便切手を添付しなければならないが、保全処分の性質上、執行官による執行との同時送達の場合も多く、このような場合には、郵便切手の代わりに予納金を納めることとな

る。

3　保全処分の要件、内容等

　担保不動産競売開始決定前の保全処分の発令の要件、内容等については、対象が不動産（いわゆるみなし不動産（法43条2項）を含む。）に限られ、「特に必要があるとき」との要件が付加されているほかは、売却のための保全処分と同様である（〔Q54〕参照）。この「特に必要があるとき」とは、競売開始決定前の段階において保全処分を認める必要があり、競売開始決定後に保全処分を発令していたのでは目的不動産の価値が減少してしまうことを意味する。

　また、平成15年改正法により、担保不動産競売開始決定前の保全処分として占有移転禁止の保全処分及び公示保全処分の執行がされた場合には、その相手方に対する引渡命令に基づき、保全処分の執行後に当該不動産を占有した者に対し引渡しの強制執行をすることができるようになった（法187条5項、83条の2。〔Q58〕参照）。

　なお、性質上、担保不動産競売開始決定前の保全処分の発令は、競売開始決定前に限られる。

4　競売申立てがないことを理由とする保全処分の取消し等

　担保不動産競売開始決定前の保全処分が発令された場合、申立人は、告知を受けた日から3か月以内に、執行裁判所に対し、担保不動産競売の申立てをしたことを証する文書を提出しなければならない。申立人がこの期間中にこの証明文書を提出しないときは、執行裁判所は、相手方又は所有者の申立てにより、保全処分を取り消すことになる（法187条4項）。

　なお、担保不動産競売開始決定前の保全処分の申立てをした担保権者が、その基礎となった担保権の実行としての競売申立てをする場合には、申立書に担保不動産競売開始決定前の保全処分事件の表示を記載しなければならない（規170条2項。保全処分が発令された場合に限らない。）。

5　担保不動産競売開始決定前の保全処分以外の方法による執行妨害排除

　最判平17.3.10（民集59巻2号356頁・金法1742号30頁）は、「抵当権設定登記後に抵当不動産の所有者から占有権原の設定を受けてこれを占有する者についても、その占有権原の設定に抵当権の実行としての競売手続を妨害する目的が認められ、その占有により抵当不動産の交換価値の実現が妨げられて抵当権者の優先弁済請求権の行使が困難となるような状態があるときは、抵当権者は、当該占有者に対し、抵当権に基づく妨害排除請求として、上記状態の排除を求めることができるものというべきである。」、「抵当権に基づく妨害排除請求権の行使に当たり、抵当不動産の所有者において抵当権に対する侵害が生じないように抵当不動産を適切に維持管理することが期待できない場合には、抵当権者は、占有者に対し、直接自己への抵当不動産の明渡しを求めることができるものというべきである。」と判示し、権原がある占有者であっても、その設定行為に抵当権の実行としての競売手続を妨害する目的が認められ、その占有により抵当不動産の交換価値の実現が妨げられるなどの状態があるときは、これに対し抵当権に基づく妨害排除請求ができる場合があることを明らかにし、担保不動産競売申立て前の保全処分以外にも執行妨害を排除する手段を示した。

　また、上記最判の枠組みを踏まえて根抵当権に基づく妨害排除請求が認められることを前提とした裁判例として、東京高決平20.2.28（判タ1266号226頁）がある。同高決は、根抵当権設定後に建築されたプレハブ式建物が、競売対象建物の従物に当たり、かつ第三者名義の所有者保存登記がされた場合において、当該保存登記が執行の妨害を目的としてされたものであり、実体に合致しないことを認定した上で、これにより抵当不動産の交換価値の実現が妨げられ、根抵当権者の優先弁済請求権の行使が困難となるような状態にあると一応認められるから、根抵当権に基づく妨害排除請求権の行使として、根抵当権者が当該所有権保存登記の抹消登記を請求することができるとの判断を示し、この所有権保存登記抹消登記請求権を被保全権利として当該プレハブ式建物の処分禁止の仮処分を認めたもので

ある。
〈参考文献〉
不動産執行の理論と実務(上)369頁、例題解説273頁

Q54 売却のための保全処分

売却のための保全処分とは、どのような保全処分か。また、その申立てに当たって、どのような点に留意すべきか。

1 売却のための保全処分の趣旨

不動産競売手続において、差押えは、目的不動産の処分制限効を有するが、その交換価値の減損、減却を禁止するにとどまり、占有を奪うものではないから、債務者（担保不動産競売の場合は、所有者）が通常の用法に従って使用収益することは妨げられない（法46条2項）。しかし、債務者（所有者）又は占有者が不動産を毀損し、あるいは、必要な管理又は保存を行わないような場合には、目的不動産の交換価値が減少し、売却価格が下落してしまうおそれがある。このような事態を防止し、差押債権者の利益を保護するためには、債務者（所有者）等に対して、一定の行為を禁止し、又は一定の行為を命じ、場合によっては、債務者（所有者）等の目的不動産の占有自体を取り上げることが必要なときもある。

そこで、執行裁判所が、差押債権者の申立てにより、競売手続内において、目的不動産の価値を保全する簡易な手段として債務者（所有者）等に一定の行為を行うこと又は行わないことの命令（作為・不作為命令）、目的不動産の執行官保管命令、占有移転禁止の保全処分を発令することができるとしたのが、売却のための保全処分の制度（法55条）である。売却のための保全処分制度については、平成8年法律第108号による改正により、保全処分の相手方の範囲が拡大され、債務者（所有者）に加えて不動産の占有者等も含まれることとされた。また、平成15年改正法により、保全処分の発令に当たって不動産の価格減少の程度が著しいものであることを要しないとされ、また、執行官保管を命ずる保全処分についても、不動産の占有者が他の保全処分に違反したことを要件とせず、他の保全処分を命ずる場合と同様の要件の下に発令することができることになった。

2 保全処分の申立て

(1) 管轄裁判所

基本事件である競売事件が係属する執行裁判所に申し立てる(法55条1項)。

(2) 当事者

ア 申立人

差押債権者に限られる。配当要求終期前に申し立てた後行事件の差押債権者も申立人となることができる。同一事件で同一目的不動産につき差押債権者が数人いる場合は、その全員又は一人のいずれでも申立てをすることができる。

イ 相手方

作為・不作為命令(法55条1項1号)については、債務者(所有者)又は目的不動産の占有者が、執行官保管命令(同項2号)及び占有移転禁止の保全処分(同項3号)については、不動産を占有する債務者(所有者)又は目的不動産の占有者でその占有権原を差押債権者、仮差押債権者若しくは法59条1項により消滅する権利を有する者に対抗することができない者が、それぞれ相手方となる(法55条2項)。

保全処分命令は、一定の行為等を禁止し、又は作為の実施を命じる場合、その相手方を特定する必要があるのが原則である。しかし、平成15年改正法により、執行官保管又は占有移転禁止の保全処分を命ずる場合において、執行前に相手方を特定することが困難な特別な事情があるときは、相手方を特定しないで保全処分を発令することができるものとされた(法55条の2。〔Q56〕参照)。「相手方を特定することが困難な特別な事情」としては、表札の有無、居住者への質問の試み等の通常の調査を行っても占有者を特定することができない場合や、占有者が次々に入れ替わる方法により現在の占有者を特定することが著しく困難である場合、特定することができたとしても保全処分の執行までに占有者が入れ替わってしまうことが想定されるような事情がある場合等が挙げられる。この場合の相手方は、「保全処分の執行時に目的不動産を占有する者」として保全処分が発

令されるが、執行官は、その執行の際に占有者を特定することを要し、不動産の占有を解く際にその占有者を特定することができない場合には、執行することができない（法55条の2第2項）。したがって、保全処分の申立人は、執行官に全て任せるのではなく、申立ての際の調査等によって得られた情報等から執行官が占有者を特定することができるように協力する必要がある。

(3) 申立ての始期及び終期

申立ての始期は、差押債権者の競売申立て時であり、競売申立てと同時に保全処分の申立てをすることもできる。

申立ての終期は、目的不動産について買受人が代金を納付するまでである（法55条1項）。競売手続が執行停止になっている場合でも、保全処分の申立ては可能である。

なお、目的不動産の売却実施後（開札期日終了後）から代金納付までの間は、最高価買受申出人又は買受人のための保全処分（法77条）も認められることから、開札期日終了後代金納付までの間は、売却のための保全処分及び最高価買受申出人又は買受人のための保全処分のいずれの申立ても可能である。

(4) 申立ての方式

申立ては、民訴規則2条所定の事項のほか（規15条の2）、当事者の氏名又は名称及び住所（相手方を特定することができない場合にあってはその旨）並びに代理人の氏名及び住所、申立ての趣旨及び理由、競売の申立てに係る事件の表示、不動産の表示を記載した申立書を執行裁判所に提出して行う（規27条の2第1項）。申立ての理由においては、申立てを理由付ける事実を具体的に記載し、かつ、立証を要する事項ごとに証拠を記載しなければならない（同条2項）。

(5) 申立手数料

申立手数料は、500円に相手方の数を乗じた額の収入印紙を申立書に貼付して納付する（民訴費3条別表第一・17ロ）。当事者への決定正本の送達（送付）費用として当事者の数に応じた額の郵便切手を添付しなければならないが、保全処分の性質上、執行官による執行との同時送達の場合も多

く、このような場合には、郵便切手の代わりに予納金が必要になる。

3　保全処分の要件等

(1)　価格減少行為

　保全処分発令の要件は、相手方が価格減少行為（不動産の価格を減少させ、又はそのおそれがある行為）をすることである。価格減少行為は、物理的に競売不動産を毀損するなどして価格を減少させる行為（物理的価格減少行為）と、競争売買を阻害することにより価格を減少させる行為（競争売買阻害価格減少行為）とに大別される（例題解説274頁）。

　平成15年改正法による改正前の法55条では、価格減少行為について、不動産の価格を「著しく」減少する行為との要件が規定されていたが、同改正により、「著しく」の要件が削除された上で、不動産競売手続が開始されても不動産の通常の使用は許されているので継続使用による軽微な損傷が生ずることはあり得ることを考慮して、「不動産の価格の減少又はそのおそれの程度が軽微であるとき」を除外することとされた（法55条1項ただし書）。もっとも、同改正前においても、「著しく」の要件については緩やかに解する運用であったので、実務上は大きな変更はないと思われる。

ア　物理的価格減少行為

　物理的価格減少行為は、文字どおり物理的な行為により目的不動産の価格を減少させる行為であり、作為及び不作為双方がある。

　作為によるものとしては、目的不動産の直接の毀損のみならず、目的不動産の機能、効用を害する付加、改変を加えることも価格減少行為に当たる。例えば、目的建物を取り壊す行為、更地である目的土地に土砂を搬入する行為等が該当するほか、目的不動産から公道へ通じる通路に障害物を設置するなど、目的不動産自体に変更を加えない行為も含まれる。不作為によるものとしては、目的不動産の管理又は保存行為の懈怠等がある。例えば、目的建物の所有者が無施錠のまま建物を去って行方不明となり、建物が無断侵入者らの溜まり場となって火災発生の危険もある状態で放置することを価格減少行為とした裁判例がある（福岡地小倉支決平4.11.12金法1339号40頁）。

イ　競争売買阻害価格減少行為

　競争売買阻害価格減少行為とは、買受希望者の入札意欲を削ぎ、買受希望者を減少させて競争を阻害し、あるべき適正な売却価格の成立を妨害する行為である。物理的価格減少行為が競争売買阻害価格減少行為に当たることも少なくない。

　具体的な競争売買阻害価格減少行為としては、執行妨害目的で形式的に賃貸借契約を締結して第三者へ目的不動産の占有を移転させる行為、虚偽の留置権を主張する行為、暴力団が占有していることを誇示して買受申出を躊躇させる行為等がこれに当たる（東京地決平3.8.7金法1321号30頁、東京地決平4.1.20金法1323号36頁、東京地決平4.3.26金法1322号39頁、東京地決平4.5.6判夕794号257頁、東京高決平10.8.21金法1536号43頁等）。

　なお、正常な賃借権の設定及びこれに基づく占有は保全処分の対象とはならないが（法46条2項）、新築分譲用マンションの全室を転貸目的で一括して賃借し、それらを第三者に使用させようとしたいわゆるサブリースによる転貸行為につき、新築分譲用マンションという目的不動産の特性から、執行妨害目的であるかどうかにかかわらず、価格減少行為に当たることを認めた裁判例もある（東京高決平20.7.30金法1862号44頁）。

　また、目的土地である更地に建物を建築する行為が価格減少行為に当たるか否かについて、従前は説が分かれていたが、現在は、価格減少行為に当たるとするのが確定した実務である（東京地決平3.6.3金法1300号30頁、東京地決平3.7.25金法1300号30頁、東京地決平4.9.16判夕797号258頁等）。建物が建築されると、買受人は引渡命令（法83条）によって建物収去を求めることはできず、訴訟により建物収去の債務名義を得た上、さらに、代替執行の申立てをして授権決定（法171条）を得て執行する必要がある。これらの手続に要する費用及び時間の負担は大きく、買受希望者が減少して売却価格が相当程度低下するためである（ただし、時期に関する要件については後記(2)参照）。

(2)　価格減少行為の時期

　担保不動産競売においては、被担保債務が履行遅滞に陥った後、すなわち、債務者の信用状態が悪化し債権者がいつでも担保権を実行することが

できる状態になった以降の価格減少行為であることを要する（目的土地である更地に建物を建築する行為が価格減少行為に当たる時期について一般論を述べた裁判例として東京地決平4.1.29判タ780号258頁・金法1319号30頁参照）。被担保債務が履行遅滞に陥った後であれば、担保権設定者に留保された用益権よりも、担保権者が把握した価値権の方を優先させてよい時期といい得るからである。また、更地上の建物の建築自体は競売申立てより前から行われているが、当該建物建築行為が、会社（債務者兼所有者）の代表者に対する仮差押命令が発せられた直後に開始されていたことなど、当該建物の建築経緯等の間接事実から価格減少行為に当たると判断して、建物の収去等を認めた裁判例もある（東京高決平21.9.16金法1916号121頁）。

これに対し、強制競売においては、債権者は目的不動産の価値を把握していたわけではないので、差押え後の行為に限られるのが原則であるが（例題解説284頁）、差押え直前に執行妨害を目的として不動産の価値を減少する行為がされたような事案では、価格減少行為と解する余地がある（民事執行法上の保全処分61頁）。

4　保全処分の審理

(1)　審尋の要否

法55条3項は、執行裁判所が、債務者（所有者）以外の占有者に対し保全処分を命ずる場合に、必要があると認めるときは、相手方を審尋しなければならない旨規定するが、実務上、密行性の要請（保全の効果保持）から、保全処分の審理において、相手方に対する審尋がされることはあまりない。

(2)　担保の額及び基準

売却のための保全処分のうち作為・不作為命令（法55条1項1号）及び占有移転禁止の保全処分（同項3号）については、立担保が任意的であるが、執行官保管命令（同項2号）については、立担保が必要的である（同条4項）。

実務上、担保の額は、民事保全法上の仮処分の場合の担保と比べて相当低額である。売却のための保全処分は、競売申立て後の段階で初めて発令

されるものであり、担保権設定者に留保された用益権は相当程度制約を受けてもやむを得ない時期にある。また、性質上、発令の対象となる行為は、悪質な執行妨害行為であることが多く、さらに、特に債務者（所有者）が相手方の場合、発令により目的不動産の価格が維持されることから、債務者（所有者）が不利益を被るとは考えにくいからである。

5 保全処分の内容

(1) 作為・不作為命令（法55条1項1号）

売却のための保全処分においては、債務者等に対し、価格減少行為の禁止を命じたり（不作為命令）、一定の行為をすることを命じたり（作為命令）することができるほか、これを補助するものとして、執行裁判所において必要があると認めるときは、公示保全処分（執行官に、当該保全処分の内容を、不動産の所在する場所に公示書その他の標識を掲示する方法により公示させることを内容とする保全処分をいう。）を命ずることができる。平成15年改正法により、従前からされていた執行官に対する公示命令を併用する運用が明文化されたものである。

作為・不作為命令は、いずれも債務名義となり、債務者（所有者）等が作為・不作為命令に従わないときは、代替執行又は間接強制の方法により強制執行をすることになり、強制執行の際には債務名義の送達と執行文の付与を必要とする。公示保全処分の執行には執行文の付与を要しない（伊藤＝園尾「条解民事執行法」501頁）。

なお、建物退去命令は、建物収去命令（これを債務名義として強制執行することができる。法22条3号）と同時に執行する場合に限っては、相手方の占有を解くのみで足りることから、執行することが許される（不動産執行の理論と実務(上)364頁）。一方、建物退去命令のみに基づき、建物退去の直接強制をすることは、相手方の占有を解いた後に目的不動産の占有を移すべき者がいないことから、許されない。

(2) 執行官保管命令（法55条1項2号）

不動産を占有する債務者（所有者）又は差押債権者、仮差押債権者若しくは法59条1項の規定により消滅する権利を有する者に対抗する権原を有

しない占有者が価格減少行為をする場合には、目的不動産に関するこれらの者の占有を解いて執行官にその保管を命じることができる(執行官保管命令)。執行官保管命令は債務名義となるが、その執行は、不動産引渡しの執行に準じ、債務者等から目的不動産に対する占有を取り上げて執行官が保管する方法による。この執行官保管命令は、仮差押え及び仮処分の執行に準じ、承継執行文を要する場合以外は執行文の付与を要しない(伊藤＝園尾「条解民事執行法」501頁)。補助的に執行裁判所が必要があると認めるときに公示保全処分を発令するのは作為・不作為命令と同様である。

(3) **占有移転禁止の保全処分**(法55条1項3号)

平成15年改正法による改正前は、民事執行法上の保全処分については、当事者恒定効がなかった。しかし、同改正により、占有移転禁止(相手方に使用を許す執行官保管)を内容とする保全処分及び公示保全処分が命じられ(承継執行文を要する場合以外は執行文の付与を要しない。)、その執行がされた場合には、その相手方に対する引渡命令に基づき、保全処分の執行後に当該不動産を占有した者に対する引渡しの強制執行をすることができるものとして、一定の範囲で当事者恒定効が認められることとなった(法83条の2。〔Q57〕参照)。

(4) 主 文 例

東京地裁民事執行センターにおける民事執行法上の保全処分の主文は、次のようなものである。

ア 作為・不作為命令(法55条1項1号)

(建物退去)

> 1 相手方は、本決定送達の日から○日以内に、本件建物から退去せよ。
> 2 執行官は、相手方が本件建物から退去を命じられていることを公示しなければならない。

(建物収去)

> 1 相手方は、本件建物を収去せよ。

> 2　執行官は、相手方が本件建物を収去するまでの間、相手方が同建物の収去を命じられていることを公示しなければならない。

（工事禁止）

> 1　相手方は、本件建物に対して行っている全ての工事を中止せよ。
> 2　執行官は、相手方が前項の命令を受けていることを公示しなければならない。

イ　執行官保管命令（同項2号）

> 1　相手方は、本件不動産の占有を解いて、これを執行官に引き渡さなければならない。
> 2　執行官は、
> 　(1)　本件不動産を保管しなければならない。
> 　(2)　執行官が本件不動産を保管していることを公示しなければならない。

ウ　占有移転禁止の保全処分（同項3号）

> 1　相手方は、
> 　(1)　本件不動産に対する占有を他人に移転し、又は占有名義を変更してはならない。
> 　(2)　本件不動産の占有を解いて、これを執行官に引き渡さなければならない。
> 2　執行官は、
> 　(1)　本件不動産を保管しなければならない。
> 　(2)　相手方に本件不動産の使用を許さなければならない。
> 　(3)　相手方が本件不動産の占有の移転又は占有名義の変更を禁止されていること及び執行官が本件不動産を保管していることを公示しなければならない。

6　保全処分の申立てにおける留意点

(1)　申立書の記載等

　申立書には、前記5を踏まえ、求める保全処分の趣旨を、具体的な行為を明示して記載する必要があり、また、申立ての理由として、①抵当権設定時期、②履行遅滞に陥った時期、③競売申立ての時期、④差押えの時期、⑤保全処分申立ての時期という時間の経過に従い、価格減少行為に関する事実の経過をまとめ、それを疎明する資料を提出する必要がある（競売手続中における保全処分としての性質上、疎明で足りるとされる。伊藤＝園尾「条解民事執行法」496頁）。具体的な疎明資料としては、現況調査報告書が有力な資料となるほか（同書面については、改めて写しを提出するまでの必要はないが、同書面の記載自体から一見明白でないのであれば、どの部分から「価格減少行為」が読み取れるのかを申立書において説明する。）、不動産登記事項証明書（差押え後に執行妨害的な登記がされていることを証するもの）、商業登記事項証明書（占有者と債務者ないし所有者との人的関係を証するもの）、報告書（担保権設定時の状況、不動産競売申立て時の状況、保全処分申立て時の状況、占有者との面接結果等に関するもの）、写真（担保権設定時の状況、不動産競売申立て時の状況、保全処分申立て時の状況等を証するもの）等が挙げられる。

　相手方を特定することを困難とする特別の事情があり、相手方を特定しないで発する保全処分を申し立てる場合には、その疎明資料として、前記疎明資料のほかに住民票、ライフラインに対する弁護士照会回答書、商業登記事項証明書の交付申請に対し登記のない旨の記載がされ返還された交付申請書等が考えられる（〔Q56〕参照）。

(2)　執行の準備

　執行官保管命令及び占有移転禁止の保全処分は、差押債権者に対する告知後、2週間以内に執行する必要があるため（法55条8項）、差押債権者は発令後速やかに執行官に執行の申立てをする。このような保全処分の執行については、日程確保、補助者（労務作業員、運送業者、倉庫業者等）の手配、事案によっては警察の援助要請（法6条1項）等が不可欠であること

から、差押債権者は、可能であれば、発令前にあらかじめ執行官と事実上打合せをするなどして円滑な執行のための準備を整えておく必要がある。

7 保全処分の取消し又は変更

売却のための保全処分の発令後に事情の変更があったときは、執行裁判所は、申立てにより、保全処分の取消し又は変更をすることができる（法55条5項）。

8 担保の取消し

(1) 担保の取消しが認められる場合

保全処分を得るために担保を立てた差押債権者がその担保を取り戻すためには、担保取消手続による（法15条2項、民訴79条）。民訴法79条は、担保の取消しが認められる場合を以下のとおり定めている。

ア 担保を立てた者が担保の事由が消滅したことを証明したとき（民訴79条1項）

被担保債権である相手方の損害賠償請求権の不存在が確定し、担保を提供しておく必要がなくなった場合である。保全処分の申立人（差押債権者）が、保全処分による損害賠償債務の不存在確認訴訟を提起し、勝訴判決が確定した場合は、これに該当すると考えてよいと思われる。

なお、申立人が担保を立てたが、保全処分の発令前に申立てを取り下げた場合には、担保取消手続によることなく、民保規則17条を類推適用して担保の取戻しによることが可能となると考えられる。保全処分の発令後でも、申立てが取り下げられたため、送達及び公示の執行が行われなかった場合、また申立ての取下げや執行期間（法55条8項）の徒過により執行官保管の執行が行われなかった場合も同様と考えられる。

イ 担保権利者の同意を得たことを証明したとき（民訴79条2項）

担保権利者（相手方）が担保取消しに同意するということは、担保に対する権利を放棄する意思表示をしたものと解されるので、担保取消しの決定ができる。

担保権利者の同意は、担保権利者本人又はその代理人が書面によって行

うことが必要である。また、速やかに担保の取戻しができるように、同意書とともに、あらかじめ担保取消決定に対する即時抗告権放棄書が提出されることが多い。実務上、担保権利者本人の同意の場合は、同意書の真正な成立を証するため、同意書とともに同意書に押捺した印鑑の印鑑登録証明書の提出を求めている。同意が担保権利者の代理人によってされる場合は、委任状には、担保取消しの同意及び即時抗告権（民訴332条）の放棄を委任する旨の記載と担保権利者の住所・氏名及び押印が必要である。

ウ　訴訟の完結後、権利行使の催告により同意が擬制される場合（民訴79条3項）

　売却のための保全処分における「訴訟の完結」に該当する場合としては、買受人が代金を納付したときなど、保全処分が効力を失ったときや、保全処分の申立てが取り下げられ、執行が解放されたとき、保全処分命令が執行抗告又は事情変更により取り消されて執行が解放されたときなどが考えられる。これらの場合には、その後に保全処分による損害が発生するとは考えられないことから、担保を立てた者の申立てにより、執行裁判所が担保権利者（相手方）に対し、一定の期間内にその権利を行使すべき旨を催告し、担保権利者が権利の行使をしなかった場合には、担保の取消しに同意があったものとみなされる。

(2)　担保取消しの手続

　担保取消しの申立ては、執行裁判所（当該担保の提供を命じた裁判所）に対して行う。申立権者は、担保提供者又はその承継人である。申立人が複数の共同担保の場合には申立人全員が相手方との間で、相手方が複数の共同担保の場合には申立人が相手方全員との間で、それぞれ担保取消事由を具備する必要がある。

ア　申立ての方式

　担保取消しの申立ては、書面又は口頭で行うが（規15条の2、民訴規1条）、実務上は全て書面による申立てを求めている。なお、手数料は不要である。

　添付書類として、取消事由を証する書面が必要となる。もっとも、買受人が代金を納付したときなど、取消事由が基本事件記録から明らかなとき

は、不要であろう。

また、相手方への権利行使の催告書や決定正本の送達費用として、相手方の数に応じた額の郵便切手を添付する必要がある。

イ 権利行使の催告

法15条2項が準用する民訴法79条3項による申立ての場合には、執行裁判所は、担保を立てた者の申立てにより、担保権利者に対し、一定の期間内にその権利を行使すべき旨を催告し、その期間内に担保権利者が権利行使をしなかった場合には、担保の取消しに同意したものとみなす。

東京地裁民事執行センターでは、前記の一定の期間を原則として14日間とし、さらに権利行使の証明書の提出期間として5日間を加えている。期間の起算日を明確にするため、催告書は相手方に対し、特別送達の方法により発送している。相手方の住所、居所等が不明な場合には、申立人により住所等が不明であることの疎明（区役所発行の不在住証明書の提出等）があれば、公示送達の方法により、催告をしている。

ウ 担保取消決定

執行裁判所は、民訴法79条各項の事由に該当するか否かを審査の上、該当すると認めれば担保の取消しの決定をする。同決定に対しては、即時抗告をすることができるので（同条4項）、取消決定正本は相手方に対し、特別送達の方法により発送している。即時抗告は、裁判の告知を受けた日から1週間の不変期間内にしなければならない（民訴332条）。

エ 供託物の取戻し

担保取消決定が確定すると担保提供者は供託物の取戻しが可能となるので、担保取消決定正本及びその確定証明書（又はこれらに代えて供託原因の消滅を証する裁判所の供託原因消滅証明書）を添付して供託物取戻請求書を供託所に提出して、供託物を取り戻すことができる（供託規25条）。

〈参考文献〉

不動産執行の理論と実務(上)354頁、改正担保・執行法の解説73頁、東京地裁民事執行センター「さんまエクスプレス第27回」金法1724号51頁、例題解説273頁

Q55 買受けの申出をした差押債権者のための保全処分

差押債権者が買受けの申出をした上で行う保全処分とは、どのような保全処分か。また、その申立てに当たって、どのような点に留意すべきか。

1 制度の概要

買受けの申出をした差押債権者のための保全処分とは、競争による売却を実施したものの買受けの申出がなかった場合において、不動産を占有する債務者（担保不動産競売の場合は所有者）又は不動産の占有者でその占有権原を差押債権者、仮差押債権者若しくは法59条1項の規定により消滅する担保権を有する者に対抗することができない者が、目的不動産の売却を困難にする行為をし、又はその行為をするおそれがあるときに、差押債権者の申立てにより、買受人が代金を納付するまでの間、これらの者の目的不動産に対する占有を解いて、執行官又は差押債権者に目的不動産の保管を命ずる保全処分である。差押債権者がこの保全処分の申立てをするには、買受可能価額以上の額（申出額）を定めて、次の売却の実施において買受けの申出がなければ自ら申出額で不動産を買い受ける旨の申出をし、かつ、申出額に相当する保証の提供をしなければならない（法68条の2）。

この保全処分は、平成10年法律第128号による改正により創設されたものであるが、買受人が確実に目的不動産の引渡しを受けられるようにするとともに、差押債権者自らが保管する場合には買受希望者の内覧を事実上可能とすることを通じ、売却手続の円滑化を図ることを期待された。また、平成15年改正法により、公示保全処分を併用することが明文化されたほか、相手方を特定しないで発令することができるようになり（法68条の2第4項、55条の2）、不動産の保管に要する費用が共益費用となる旨が定められた（法68条の2第4項、55条10項）。

なお、令和元年改正法によって、「不動産の買受けの申出」については、

暴力団員等に該当しないこと等の陳述が必要となった（詳細は〔Q82〕参照）。この保全処分の申立てをした差押債権者による買受けの申出も「不動産の買受けの申出」に当たるので、暴力団員等に該当しない旨の陳述書及び所定の添付書類の提出が必要となる。

　この制度は、実務上、利用が非常に少なく、債権者保管型に至っては極めてまれな状況にある。差押債権者には自ら買い受けることを覚悟して保証を提供するという負担があるほか、債権者保管型については、差押債権者が管理の負担と責任を敬遠することも原因であろうかと思われる。

2　保全処分の申立て

(1)　当事者
ア　申立人

　申立てができる者は、差押債権者である。二重開始決定を受けた後行事件の差押債権者を含むが、配当要求終期後に競売の申立てをした差押債権者は除かれる。同一事件で同一目的不動産につき差押債権者が複数いる場合は、その全員、その中の何名か又は一人のいずれでも申立てをすることができる。

イ　相手方

　目的不動産の占有者であって、債務者（所有者）である者又はその占有権原を差押債権者、仮差押債権者若しくは法59条1項により消滅する担保権者に対抗することができない者である（法68条の2第4項、55条2項）。平成15年改正法による改正により、相手方の特定を困難とする特別の事情がある場合には、相手方を特定しないで保全処分を発することができることとされている（法68条の2第4項、55条の2。〔Q56〕参照）。

(2)　申立ての始期及び終期

　入札又は競り売りの方法による売却を1回実施しても適法な買受けの申出がなかった時から、買受人が目的不動産の代金を納付する時までの間である。

(3)　申立ての方式

　申立ては、①民訴規則2条所定の事項のほか（規15条の2）、②当事者の

氏名又は名称及び住所並びに代理人の氏名及び住所、申立ての趣旨及び理由、競売の申立てに係る事件の表示、不動産の表示（規51条の4第1項1号、27条の2第1項）、③法68条の2所定の申出額（規51条の4第1項2号）、④次の入札又は競り売りの方法による売却の実施において③の申出額に達する買受けの申出がないときは自ら当該申出額で不動産を買い受ける旨の申出（規51条の4第1項3号）を記載した申立書を執行裁判所に提出して行う。申立ての理由においては、申立てを理由付ける事実を具体的に記載し、かつ、立証を要する事項ごとに証拠を記載しなければならない（規51条の4第4項、27条の2第2項）。

　④の申出に当たっては、暴力団員等に該当しない旨の陳述書及び所定の添付書類の提出を要する（法65条の2、規51条の4、31条の2。詳細は〔Q82〕参照）。

(4) **申立手数料等**

　申立手数料は、500円に相手方の数を乗じた額の収入印紙を申立書に貼付して納付する（民訴費3条1項別表第一・17ロ）。当事者への決定正本の送達（送付）費用として当事者の数に応じた額の郵便切手を添付しなければならないが、保全処分の性質上、執行官による執行との同時送達の場合も多く、このような場合には、郵便切手の代わりに予納金を納めることとなる。

3　保全処分の要件

(1) **手続的要件**

ア　売却の不奏功

　買受けの申出をした差押債権者のための保全処分の発令のためには、入札又は競り売りの方法により売却を実施させても買受けの申出がなかった場合であることが必要である。すなわち、少なくとも1回は、競争売却が実施されることが必要である。

イ　差押債権者による買受けの申出

　差押債権者は、買受可能価額以上の申出額を定めて、次の売却の実施において申出額に達する買受けの申出がなければ自ら申出額で買い受ける旨

の申出をし、かつ、申出額に相当する保証を提供しなければならない（法68条の2第2項）。一括売却の対象となっている不動産の一部について保全処分を申し立てる場合であっても、一括売却の対象となっている不動産全体の買受可能価額以上の保証を提供しなければならない。

ウ　必要的立担保

このほか、この保全処分を発令するに当たっては、担保を立てさせることが必要的とされていることから（法68条の2第1項）、執行裁判所の決定に係る担保を提供することが手続的要件となる。

(2)　実体的要件

相手方が、不動産の売却を困難にする行為をし、又はその行為をするおそれがある場合である。なお、保全処分としての性質上、疎明で足りるとされている（伊藤＝園尾「条解民事執行法」698頁）。

「不動産の売却を困難にする行為」とは、一般の買受希望者に買受けの申出を躊躇させるような行為と解されている。具体的には、虚偽の賃借権、留置権等を主張したり、占有者を次々に入れ替えたり、占有屋に目的不動産を引き渡したり、目的不動産を毀損したりするなどして売却後の立退きの実現が困難になることが予想されるような外形を作出している場合がこれに当たる。

具体的な疎明資料としては、現況調査報告書が有力な資料となる（改めて写しを提出するまでの必要はなく、現況調査報告書のどの部分から「不動産の売却を困難にする行為」が読み取れるかについて申立書において説明する。）。このほか、不動産登記事項証明書（差押え後に執行妨害的な登記がされていることを証するもの）、商業登記事項証明書（占有者と債務者ないし所有者との人的関係を証するもの）、報告書（担保権設定時の状況、不動産競売申立て時の状況、保全処分申立て時の状況、占有者との面接結果等に関するもの）、写真（担保権設定時の状況、不動産競売申立て時の状況、保全処分申立て時の状況等を証するもの）等が挙げられる。

4　保全処分の内容

買受けの申出をした差押債権者のための保全処分には、執行官保管と債

権者保管の二つの形態がある（法68条の2第1項）。

執行官保管は、売却のための保全処分の場合（法55条2項）及び担保不動産競売の開始決定前の保全処分の場合（法187条2項）と同じである。

債権者保管は、平成10年法律第128号による改正により、民事執行法上の各種保全処分を通じて初めて認められた制度であるが、その執行方法は、執行官保管の場合と同様に、不動産引渡執行（法168条）に準じて行われ、相手方の目的不動産に対する占有を解いた上で差押債権者に保管させるものである。差押債権者が保管する場合には、善良なる管理者の注意（民400条参照）をもって目的不動産を保管する必要がある。目的不動産を保管する差押債権者は、買受希望者に対し建物の内部を見せる、その内部又は外部を清掃するといった現状を変更しない行為をすることは可能であるが、差押債権者は、あくまでも保管者の立場にあり、買受けにより所有権を取得した者ではないから、自ら使用したり他人に賃貸したりして使用収益することができないのはもちろんのこと、建物の内装工事等の管理行為もできないと解されている。したがって、債権者保管による保全処分を申し立てようとする場合には、内覧実施による買受希望者の増加可能性を計算に入れた上、自ら相応の保管態勢をとることができるか否かを判断する必要がある。

前記のとおり、平成15年改正法により保全処分の相手方を特定することを困難とする特別の事情がある場合には、相手方を特定しないで保全処分を発令することができるようになった。特別の事情の要件を満たすためには、差押債権者が現地等において占有者を調査し、表札の確認をしたり、占有者への質問等を試みたりするなど、通常想定される実施可能な調査を尽くしていることが必要であり、その結果、占有者は存在するが氏名等を特定することができない場合に、初めて「特別の事情」の要件が満たされることになる。その疎明資料としては、現況調査報告書が有力な資料になるほか、差押債権者による調査報告書、不動産登記事項証明書、住民票、ライフラインに対する弁護士照会回答書、商業登記事項証明書（商業登記事項証明書の交付申請に対し登記のない旨の記載がされ返還された交付申請書）等が考えられる（〔Q56〕参照）。

5　保全処分の取消し又は変更

　買受けの申出をした差押債権者のための保全処分については、売却のための保全処分の場合（法55条5項）と同じく申立てによるもののほか、職権で事情変更に基づく取消し又は変更が認められている（法68条の2第3項）。職権による取消し又は変更は、債権者保管の保全処分が認められたことに対応し、差押債権者の不適切な保管状態を円滑に是正し得るように規定されたものである。

　なお、この保全処分の取消し又は変更の申立てについては、手数料は不要である。

6　保全処分発令後の手続

　買受けの申出をした差押債権者のための保全処分は、差押債権者に対する告知後2週間以内に執行する必要があるため（法68条の2第4項、55条8項）、差押債権者は発令後速やかに執行官に執行の申立てをする。売却のための保全処分の場合と同様、承継執行文を要する場合以外は執行文の付与を要しない（〔Q54〕参照）。この保全処分の執行については、日程確保、補助者（労務作業員、運送業者、倉庫業者等）の手配、事案によっては警察の援助要請（法6条1項）等が不可欠なので、差押債権者は、発令前にあらかじめ執行官と事実上打合せをするなどの準備を整えておく必要がある。相手方を特定しない保全処分の場合も、占有を解く際には占有者を特定する必要があり、特定することができなかったときには、執行は不能に終わることになる。

　この保全処分の執行完了後は、速やかに売却が実施される。適法な買受けの申出がなかったとき、又は差押債権者が申し出た額に達する買受けの申出がなかったときは、差押債権者に対して売却許可決定がされることになる。

　なお、東京地裁民事執行センターにおいては、原則として、期間入札を実施したが適法な入札がなかった場合には特別売却（条件付特売）を実施しているため、この保全処分の執行がされている事件についても、条件付

Q55

特売を実施するのが原則であり、特別売却期間にも適法な買受けの申出がなかった場合に、差押債権者に売却許可決定をすることになる。この保全処分の執行後、目的不動産を執行官又は差押債権者が保管している場合に、買受人が代金を納付したときは、売却のための保全処分の執行により執行官保管となっている場合（〔Q58〕参照）と同様、引渡命令を要せずして目的不動産の引渡しを受けることができる。

　担保の取消しについては、売却のための保全処分と同様の取扱いになるので、〔Q54〕を参照されたい。

〈参考文献〉
不動産執行の理論と実務(上)371頁、例題解説273頁

Q56 相手方を特定しないで発する保全処分

相手方を特定しないで発する保全処分とは、どのような保全処分か。

1 相手方を特定しないで発する保全処分の趣旨

　民事執行法上の保全処分については、平成8年法律第108号及び平成10年法律第128号による改正によって、保全処分対象者の拡大、発令要件の緩和、競売開始決定前の保全処分の創設などの措置が講じられ、執行妨害への対策が強化されてきた。しかし、平成15年改正法による改正前には、保全処分の発令段階において、保全処分の相手方をその氏名等をもって特定する必要があったため、保全処分の申立人が調査を行っても不動産の占有者を特定するに足りる情報を得られない場合や、次々に占有者を入れ替える方法などによる執行妨害が行われている場合には、保全処分を得ることができなくなるか、占有者を特定して保全処分が発令されてもその執行までに占有者が入れ替わることによって保全処分の執行が不能に終わってしまうという問題があった。

　そこで、平成15年改正法により、「相手方を特定することを困難とする特別の事情があるとき」には、相手方を特定しないで、執行官保管命令又は占有移転禁止の保全処分を発することができることとされた（法55条の2第1項）。ただし、その保全処分によって不動産の占有を解く際にその占有者を特定することができない場合には、保全処分の執行はできないとされている（同条2項）。

2 相手方を特定しないで発する保全処分が認められる場合

　相手方を特定しないで発する保全処分は、①執行官保管命令又は占有移転禁止の保全処分を発することができる場合であって、②相手方を特定することを困難とする特別の事情があるときに認められる。

Q56

(1) 執行官保管命令又は占有移転禁止の保全処分が認められる場合であること

次のいずれかの場合であることが必要である。

㋐ 売却のための保全処分（法55条1項2号又は3号）、最高価買受申出人若しくは買受人のための保全処分（法77条1項2号又は3号）又は担保不動産競売開始決定前の保全処分（法187条1項）として、執行官保管命令又は占有移転禁止の保全処分を発することができる場合であること（法55条の2、77条2項、187条5項）。

㋑ 買受けの申出をした差押債権者のための保全処分（法68条の2第1項）として、執行官保管命令又は債権者保管命令を発することができる場合であること（法68条の2第4項、55条の2）。

(2) 相手方を特定することを困難とする特別の事情があること

相手方を特定することを困難とする特別の事情には、ⓐ占有者の特定そのものが困難である場合と、ⓑその時々の占有者の特定自体は可能であるものの、占有者が頻繁に入れ替わっている場合の二つの類型がある。

ⓐの占有者の特定そのものが困難な類型については、不動産を外部から観察して、看板や表札の有無を確かめたり、居住者に対する質問を試みたりするなど、申立人として通常行うべき調査を行った上で、それでも相手方を特定することができない場合に、「相手方を特定することを困難とする特別の事情がある」ということができると解される。

ⓑの占有者が頻繁に入れ替わっている類型については、執行官による現況調査報告書や申立人による調査の結果から占有者が頻繁に入れ替わっていることが認められ、最新の占有者を相手方とする保全処分が発令されても、その執行時には占有者が入れ替わっている蓋然性が高い場合に、「相手方を特定することを困難とする特別の事情がある」ということができると解される。

「特別の事情」の認定資料としては、執行官による現況調査報告書が有力な資料になるほか、申立人による調査報告書、不動産登記事項証明書、住民票、ライフラインに対する弁護士照会回答書、商業登記事項証明書（商業登記事項証明書の交付申請に対し登記のない旨の記載がされ返還された交

付申請書）等が考えられる。

3 相手方を特定しないで発令された保全処分の執行

　相手方を特定しないで保全処分が発令された場合、執行官が執行の現場で占有者を特定し、その者の占有を解くこととなる。執行官による占有者の特定は、執行現場に赴く前に現況調査報告書や申立人から得た情報と、執行現場で外形的な徴表（表札、看板、郵便受けの表示、郵便物の宛先、ガスの開栓票の表示等）や不動産内にある物を確認したり、不動産に所在する者に質問したり、不動産の管理人、近隣者等から聴取したりして得た情報を総合して行われる。そして、当該保全処分の執行により不動産の占有を解かれた者が、当該保全処分の相手方となる（法55条の2第3項）。執行官は、相手方を特定しないで発令された保全処分を執行したときは、速やかに、当該保全処分の相手方となった者の氏名又は名称その他の当該者を特定するに足りる事項を執行裁判所に届け出なければならない（規27条の4、172条の2第4項）。これは、執行裁判所としては、保全処分の相手方に対して決定正本を送達したり、担保取消しの手続における担保権利者を把握したりするため、当該保全処分の相手方となった者を知る必要があるからである。

　相手方を特定しないで保全処分が発令された場合において、当該保全処分の執行の現場においても執行官が不動産の占有者を特定することができなかったときは、結局、当該保全処分の執行はできない（法55条の2第2項）。また、この保全処分は申立人に対する告知後2週間以内に執行する必要があるが、保全処分の執行時においても相手方を特定することができず、上記期間内に保全処分が執行されなかった場合には、相手方が特定されていない以上、相手方への送達をすることもできないことから、相手方への送達は不要とされている（法55条の2第4項前段）。なお、保全処分の執行時に不動産の占有者が特定されなかった場合、申立人は執行官が作成した執行不能調書の写し等により、担保の事由が消滅したことを立証して、担保取消決定の申立てをすることになるが（法15条2項、民訴79条1項）、担保取消決定を相手方に告知することができないので、申立人への

告知のみによって同決定の効力が生ずる（法55条の2第4項後段）。

4　申立てにおける留意点

　民事執行法上の保全処分の申立ては、申立ての趣旨及び理由等を記載した書面で行うことが必要であり、申立ての理由については、申立てを理由付ける事実を具体的に記載し、かつ、立証を要する事由ごとに証拠を記載しなければならない（規27条の2、51条の4、55条の2、172条の2）。したがって、相手方を特定しないで発する保全処分の申立てをする場合には、「相手方を特定することを困難とする特別の事情」を具体的に記載し、かつ、その事情についての証拠を記載する必要がある。当事者の記載のうち相手方については、「本件保全処分決定の執行の時において別紙物件目録記載の不動産を占有する者」等と記載すれば足りる。

　また、前記3のとおり、執行の現場で執行官が不動産の占有者を特定することができなかった場合には、結局、発令された保全処分の執行はできないことになる。もともと占有者を特定することが困難な特別の事情がある事案なのであるから、現場における執行官による占有者の特定にも困難が予想される。申立人としては、保全処分の発令に最低限必要な資料を集めるだけではなく、保全処分の執行現場における執行官による占有者の特定に資する情報を収集するなどの準備をしておくことが望まれる。

〈参考文献〉
改正担保・執行法の解説73頁、条解民事執行規則(上)133頁、園部厚「民事執行の実務(上)」262頁、新基本法コンメンタール民事執行法158頁〔瀬戸さやか〕、東京地裁民事執行センター「さんまエクスプレス第27回」金法1724号51頁

Q57 占有移転禁止の保全処分

民事執行法上の保全処分としての占有移転禁止の保全処分とは、どのような保全処分か。

1 占有移転禁止の保全処分と当事者恒定効

民事執行法上の保全処分に関しては、平成8年法律第108号及び平成10年法律第128号による改正によって、保全処分対象者の拡大、発令要件の緩和、競売開始決定前の保全処分の創設などの措置が講じられ、執行妨害への対策が強化されてきた。しかし、平成15年改正法による改正前は、民事執行法上の保全処分につき、本案の存在を予定しない特殊保全処分であることを理由として、占有移転禁止の仮処分に当事者恒定効を付与している民保法の規定（民保62条）は適用されないと解されていた。また、引渡命令について当事者恒定効を付与する旨の明文の規定もなく、引渡命令が民保法上の占有移転禁止の仮処分の本案に当たるか否かは学説上争いがあり、実務上もこれを否定する見解が有力であった。そのため、占有者を次々に入れ替える方法等により執行妨害が行われる場合、ある時点での占有者に対して引渡命令が出されても、占有者が入れ替わることにより、新たな占有者に対して引渡命令を申し立てる必要が生じてしまうという問題があった。

そこで、平成15年改正法により、当事者恒定効を付与すべき新たな類型の民事執行法上の保全処分として占有移転禁止の保全処分の規定が整備され、占有移転禁止の保全処分が発令されその執行がされた場合について、引渡命令との関係で当事者恒定効が付与されることになり（法83条の2）、新たな占有者に対する引渡命令の申立てによらなくても、承継執行文の付与を受けることによって、新たな占有者に対して引渡命令の執行ができることになった。

2 占有移転禁止の保全処分が認められる場合

占有移転禁止の保全処分が認められるためには、以下の(1)ないし(3)の場合であることを要する。なお、買受けの申出をした差押債権者のための保全処分（法68条の2）においては、占有移転禁止の保全処分は認められていない。

(1) 売却のための保全処分の場合（〔Q54〕参照）

売却のための保全処分（法55条）として占有移転禁止の保全処分が認められるためには、①不動産を占有する債務者（所有者）（同条2項1号）又は②差押債権者、仮差押債権者若しくは法59条1項の規定により消滅する権利を有する者に対抗することができない権原により不動産を占有する者（法55条2項2号）が、価格減少行為（ここでは、不動産の価格を減少させ、又は減少させるおそれがある行為をいう。）をする場合（同条1項3号）であることを要する。ただし、不動産の価格の減少又はそのおそれの程度が軽微である場合には認められない（同項ただし書）。

(2) 最高価買受申出人又は買受人のための保全処分の場合（〔Q99〕参照）

最高価買受申出人又は買受人のための保全処分（法77条）として占有移転禁止の保全処分が認められるためには、㋐不動産を占有する債務者（所有者）（同条2項、55条2項1号）又は㋑差押債権者、仮差押債権者若しくは法59条1項の規定により消滅する権利を有する者に対抗することができない権原により不動産を占有する者（法77条2項、55条2項2号）が、価格減少行為等（ここでは、不動産の価格を減少させ、又は不動産の引渡しを困難にする行為をいう。）をし、若しくは価格減少行為等をするおそれがある場合（法77条1項3号）であることを要する。

(3) 担保不動産競売開始決定前の保全処分の場合（〔Q53〕参照）

担保不動産競売開始決定前の保全処分（法187条）として、占有移転禁止の保全処分が認められるためには、ⓐ不動産を占有する債務者（所有者）（同条2項1号）又はⓑ保全処分の申立人に対抗することができない権原により不動産を占有する者（同条2項2号）が、価格減少行為（ここで

は、不動産の価格を減少させ、又は減少させるおそれがある行為をいう。）をする場合で、特に必要があるとき（同条1項）であることを要する。ただし、不動産の価格の減少又はそのおそれの程度が軽微である場合には認められない（同項ただし書）。

3 占有移転禁止の保全処分の内容

　占有移転禁止の保全処分の内容は、ⅰ相手方（占有者）に対し、不動産に対する占有を解いて執行官に引き渡すことを命じ、ⅱ執行官に不動産の保管をさせ、ⅲ相手方（占有者）に対して不動産の占有の移転を禁止することを命じて、当該不動産の使用を許し、ⅳ執行官に、当該保全処分の内容を、不動産の所在する場所に公示書その他の標識を掲示する方法により公示させる（公示保全処分）というものである（法55条1項3号、77条1項3号、187条1項）。

　執行官保管命令（法55条1項2号、77条1項2号等）の場合には、執行官が現実に不動産を保管し、相手方（占有者）の使用が許されないのに対し、占有移転禁止の保全処分の場合には、執行官保管は観念的なものであり、相手方（占有者）の使用が許される。また、執行官保管命令の場合には、公示保全処分は執行裁判所が必要と認めるときに限り発令されるのに対し、占有移転禁止の保全処分の場合には、必ず公示保全処分が発令される。これは、占有移転禁止の保全処分については、当事者恒定効を付与する前提として、占有移転禁止の命令等が発せられている旨の公示が不可欠の要素になると考えられるからである。

4 当事者恒定効と執行文付与に関する手続

　占有移転禁止の保全処分の執行がされ、かつ、買受人の申立てにより占有移転禁止の保全処分の相手方に対して引渡命令が発令されたときは、買受人は、当該引渡命令に基づいて、Ⓐ占有移転禁止の保全処分の執行がされたことを知って当該不動産を占有した者、又は、Ⓑ占有移転禁止の保全処分の執行後に当該執行がされたことを知らないで当該保全処分の相手方の占有を承継した者に対し、不動産の引渡しの強制執行をすることができ

る（法83条の2第1項）。具体的には、上記Ⓐ又はⒷの新たな占有者に対する承継執行文（法27条2項）の付与を受けて、引渡命令の執行をすることになる。新たな占有者に対する承継執行文の付与を受けるため、買受人は、新たな占有者が上記Ⓐ又はⒷに該当する者であることを証明する文書を提出する必要があるところ（法27条2項）、法83条の2第2項により、占有移転禁止の保全処分の執行後に当該不動産を占有した者は、当該保全処分の執行がされたことを知って占有したものと推定されるため、買受人は、新占有者が占有移転禁止の保全処分の執行後に当該不動産を占有したこと及びその者が現在も当該不動産を占有していることを証する文書を提出すればよい。具体的には、占有移転禁止の保全処分の保全処分調書の写し及び新占有者が現在も当該不動産を占有していることを証する買受人作成の報告書や、占有移転禁止の保全処分の相手方に対して引渡命令を執行しようとして執行不能となった際の執行調書の写し等を提出する。

　新たな占有者は、承継執行文の付与について不服がある場合には、買受人に対抗することができる権原により不動産を占有していること、又は自己が上記Ⓐ及びⒷのいずれにも該当しないことを理由として、執行文の付与に対する異議の申立てをすることができる（法83条の2第3項）。

5　引渡命令に関する相手方不特定の承継執行文

　占有移転禁止の保全処分の執行がされることにより当事者恒定効が生じ、法83条の2第1項の規定により引渡命令の執行をする場合において、引渡命令の執行をする前に当該不動産を占有する者を特定することを困難とする特別の事情がある場合には、買受人が、そのことを証する文書を提出したときに限り、相手方を特定しないで、承継執行文を付与することができる（法27条3項2号）。この場合の引渡命令は、当該執行において不動産の占有を解く際にその占有者を特定することができる場合に限り執行することができ、占有者を特定することができない場合には執行不能となる（同条4項）。また、この引渡命令は、執行文の付与の日から4週間を経過すると、執行することができなくなる（同項）。承継執行文であるから、当該執行文及び前記4の証明文書の謄本が送達されることが執行開始要件

となる（法29条後段）。通常は、これらの送達も引渡命令の送達と同時に行うこととなろう。

〈参考文献〉
改正担保・執行法の解説73頁、民事保全の実務㊤314頁・㊦367頁

Q58 売却のための保全処分としての執行官保管と買受人への不動産の占有移転の方法

売却のための保全処分として執行官保管の保全処分の執行をした場合、買受人への不動産の占有移転は、どのような方法によって行うのか。

1 問題の所在

売却のための保全処分を含む民事執行法上の各種保全処分の執行により、執行官が目的不動産を保管することがある（法55条1項2号、68条の2第1項、77条1項2号、187条1項）。

この場合、執行官は、目的不動産が建物であればその鍵を保管し、土地であれば立入禁止の措置をとって目的不動産を管理占有している。

そして、買受人が代金を納付すると、目的不動産の所有権が買受人に移転することとなるが（法79条）、民事執行法は、売却のための保全処分等の各種保全処分において執行官保管の処分がされている場合に、買受人が目的不動産の引渡しを受けるための手続を明示していない。

そこで、このような場合に、買受人が目的不動産の引渡しを受けるためにはどのような手続をする必要があるか、具体的には買受人が買受人のための保全処分（法77条）又は引渡命令（法83条）の発令を受ける必要があるか否かが問題となる。なお、買受人のための保全処分として執行官保管をした場合と引渡命令の要否については、〔Q99〕参照。

2 買受人のための保全処分又は引渡命令の要否

東京地裁民事執行センターでは、執行官保管の処分が行われている場合、次の理由から、買受人が引渡しを受けるために買受人のための保全処分又は引渡命令の発令を経る必要はなく、買受人は代金納付の事実を執行官に証明するのみで執行官からその保管に係る目的不動産の引渡しを受けることができるとする運用である。

① 売却のための保全処分は、本案を前提とせず、それ自体において規制的効果を伴う裁判に該当すると考えられるから、買受人のための保全処分又は引渡命令の発令がその本案に当たるとはいい難い。
② 買受人のための保全処分は、最高価買受申出人又は買受人を申立権者として、売却実施後の目的不動産の毀損等から最高価買受申出人又は買受人の利益を保護することを目的としているのに対し、売却のための保全処分は、競売の差押債権者を申立権者として、適正価格による売却を実現させることを目的としているもので、この点からいっても前者が後者の本案に当たるとはいえない。
③ 上記②の売却のための保全処分の目的を達するには、代金納付までの間、目的不動産を執行官が保管しているというのみでは足りず、代金を納付した買受人に目的不動産の占有を取得させる必要があり、同保全処分は本質的に引渡しと不可分一体の関係にあると理解される。
④ 売却のための保全処分が発令されていれば執行官保管されている目的不動産について買受人のための保全命令の要件が満たされるとするのであれば、あえて買受人のための保全処分の発令を受けて、その執行の申立てをさせるという迂遠な方法を講じる必要がない。
⑤ 売却のための保全処分として執行官保管の保全処分の執行がされている場合に、買受人のための保全処分として執行官保管の保全処分を得てその執行申立てをしたとしても、執行官は単に最高価買受申出人又は買受人のために名目を変えて目的不動産の保管を継続するにすぎないのであり、買受人が引渡命令の執行の申立てをして初めて執行官から引渡しを受けられるというのは形式論理にすぎる。
⑥ 買受人は、代金納付によって目的不動産の所有権を取得したのであるから、むしろ、その事実が証明されるのであれば、目的不動産の引渡しを受ける権利者として取り扱われることが実体的にみて当然である。
　ところで、買受人が引渡命令を要しないで執行官から目的不動産の引渡しを受けることができるという運用によれば、法55条1項2号等の執行官保管命令に関しては引渡命令との関係で当事者恒定効を付与する必要はないことになる。そこで、平成15年改正法では、占有移転禁止の保全処分に

ついて引渡命令との関係で当事者恒定効が付与されたが、執行官保管命令については、上記運用を前提として、当事者恒定効が付与されなかった（法83条の2参照。改正担保・執行法の解説78頁）。

3　目的不動産の占有移転の方法

　前記2の運用に基づく具体的な手続は、次のとおりである。
　買受人は、保全処分の確定証明書のほか、売却許可決定謄本及び代金納付済証明書（執行裁判所の裁判所書記官に申請して交付を受ける。）を目的不動産の権利者であることの証明文書として添付して、目的不動産の引渡しを求める旨を記載した上申書を執行官に提出する。このような上申書等の提出を受けた執行官は、権利者（買受人）に鍵を引き渡し、権利者から不動産の受領書を提出させる方法で引渡しをする。

〈参考文献〉
新基本法コンメンタール民事執行法157頁〔瀬戸さやか〕、民事執行法上の保全処分165頁〔上田正俊〕

第 **4** 節

売却条件の判断

Q59 消除主義と引受主義

競売により売却される不動産上の権利は、どのように取り扱われるか。

1 消除主義と引受主義

　不動産には、抵当権等の担保権や賃借権等の用益権が設定されていることが多い。買受人が競売手続における売却により目的不動産の所有権を取得する際に、目的不動産上の権利負担をどのように取り扱うかについては、消除主義と引受主義の二つの考え方がある。消除主義は、不動産上の負担を可能な限り消滅させ、買受人に負担の小さい不動産を取得させようとするものであり、引受主義は、差押債権者に優先する目的不動産上の負担はそのまま買受人が引き受けるとするものである。

　民事執行法は、買受人が所有権を取得する際に、消除主義の原則を採用し、引受主義を例外としている（法59条）。すなわち、売却に伴う権利の処遇については、法59条1項ないし4項に、競売における権利の変動に関して消除主義の原則を基本とする法定条件を規定し、同条5項で売却基準価額の決定時までに、利害関係人が法定条件と異なる合意をした旨の届出をしたときは、その合意に従うこととされている（ただし、このような届出は、実務ではみられない。）。

2 担保権の処遇

　目的不動産上の担保権のうち先取特権、使用及び収益をしない旨の定めのある質権並びに抵当権は、売却により消滅する（法59条1項）。担保仮登記に係る権利も売却により消滅する（仮担16条1項）。これらの担保権は、本登記、仮登記にかかわらず、売却によって全て消滅する。

　一方、担保権のうち使用及び収益をしない旨の定めのない質権で最先順位のもの並びに留置権は、売却により消滅せず、買受人が引き受けること

になる。すなわち、最先順位の使用及び収益をしない旨の定めのない質権が設定されている目的不動産を買い受けた者は、質権が設定された不動産を取得することになり、その被担保債権を弁済する責めを負う（法59条4項）。また、留置権が成立している目的不動産を買い受けた買受人は、その留置権が差押え後のものであっても、留置権が消滅しない限り、当該不動産の引渡しを受けることができず（留置的効力）、留置権によって担保される債権を弁済する責任を負う（法59条4項）。

3 用益権の処遇（〔Q60〕ないし〔Q68〕参照）

(1) 原　則

消滅する担保権又は差押え若しくは仮差押えの執行に対抗することができない用益権は引受けとならない（法59条2項）。抵当権に劣後する賃借権は、抵当権者に対抗することができないから、消滅する。

(2) 賃借権・地上権

平成15年改正法による改正前の民法においては、抵当権の設定登記に後れて設定された賃借権であっても、民法602条に定める期間を超えない期間の賃借権は、いわゆる短期賃借権として抵当権者に対抗することができるとされていた（平成15年改正法による改正前の民395条本文。〔Q61〕参照）。

これに対し、平成15年改正法は、このような短期賃借権保護の制度を廃止し、抵当権に後れる賃貸借はその期間の長短にかかわらず、抵当権者及び買受人に対抗することができないものとしたほか、抵当権者に対抗することができない賃貸借に基づき建物を占有する者に対し、一律に6か月の明渡猶予を与える制度（民395条）を創設するとともに、抵当権に後れる賃貸借であっても、その設定につき登記がされ、その登記前に登記された全ての抵当権者が同意し、かつ、同意について登記がされたときは、当該抵当権者及び買受人に対抗することができることとする制度（民387条）も創設した（〔Q61〕、〔Q63〕参照）。平成15年改正法が創設した明渡猶予制度によれば、抵当権者に対抗することができないが競売手続の開始（差押え）前から使用又は収益をする賃借権者は、代金納付日から6か月間、買受人への当該物件の引渡しを猶予される（民395条1項1号）。

以上とは異なり、抵当権の設定登記又は先取特権の登記前に対抗要件を備えた賃借権や地上権は、抵当権に対抗することができるので、売却によって消滅せず、買受人はこれを引き受ける。なお、最判平23.1.21（集民236号27頁・金法1927号140頁）は、賃借権の設定は抵当権に先行するが、その対抗要件を具備しない間に抵当権の設定登記がされ、その後賃借権の時効取得に必要な期間を経過しても（民163条）、賃借人はその時効取得を買受人に対抗することができないと判示している。

(3) 地役権

　最判平25.2.26（民集67巻2号297頁・金法1989号138頁）は、通行地役権の承役地が担保不動産競売により売却された場合において、最先順位の抵当権の設定時に既に設定されている通行地役権に係る承役地が要役地の所有者によって継続的に通路として使用されていることがその物理的状況から客観的に明らかで、かつ、抵当権者がそのことを認識していたか又は認識することが可能であったときは、抵当権者は地役権設定登記の欠缺を主張するについて正当な利益を有する第三者とはいえないから、通行地役権者は、特段の事情がない限り、登記がなくとも、買受人に対して当該通行地役権を主張することができると判示している。このように、地役権については、単純に登記の有無のみで引受けの有無が決せられるものではないため、注意を要する。

　また、地役権は、承役地が数人の共有に属する場合、各共有者がその持分につき地役権を消滅させることはできず、また、土地の一部が譲渡されて所有者を異にするに至ったときでも原則として地役権は消滅せず、そのまま分割された各土地上に存続する（民282条）という不可分性を有することから、土地全体に対して設定されている地役権の登記が共有持分に係る抵当権の登記に後れる場合であっても、当該抵当権に基づく競売手続においては、当該地役権の登記を抹消したり、売却対象となっていない他の共有者の持分に係る地役権への変更登記をしたりすることはできないと考えられる。

(4) 配偶者居住権・配偶者短期居住権

　登記された配偶者居住権は第三者に対する対抗力を有するところ（民

1031条2項、605条)、売却により、配偶者居住権の効力が失われるか否か、すなわち、買受人の引受けになるか否かは、配偶者居住権の登記と抵当権、差押え、仮差押え等の登記との先後で決まる。他方、配偶者短期居住権は、第三者に対する対抗力を有しないので、競売手続においては、売却により常に効力を失うことになる（〔Q68〕参照）。

4 差押え、仮差押え及び仮処分の執行の処遇

(1) 差押え及び仮差押えの執行

目的不動産に対する差押え及び仮差押えの執行は、売却によってその目的が達せられるから、売却によりその効力を失う（法59条3項）。この差押えには、強制管理、担保不動産収益執行による差押えも含まれる。差押え及び仮差押えの登記については、買受人が代金を納付した後、裁判所書記官により抹消登記の嘱託がされる（法82条1項3号）。なお、滞納処分による差押えも売却により効力を失うが、滞納処分による差押登記の抹消は登記官により職権で抹消されるので（滞調32条）、裁判所書記官はこの差押登記の抹消登記嘱託はしない。

(2) 仮処分の執行

売却により消滅する担保権者、差押債権者又は仮差押債権者に対抗することができない仮処分の執行は売却により効力を失う（法59条3項）。法59条3項の規定は、仮処分の内容が売却による買受人の（完全な）所有権取得を妨げるものである場合に、その処遇を定めたものである。具体的には、第三者の所有権（取得）又はその他の物権（取得）を保全するための処分禁止の仮処分の執行を指すと解されている（注解民事執行法(2)271頁〔竹下守夫〕）。

ア 処分禁止の仮処分

(ア) 被保全権利が所有権に基づく移転又は抹消登記請求権の場合

この仮処分は、買受人の所有権の取得を妨げる内容であるから、法59条3項が適用される。仮処分の登記が最先順位の場合には、売却によってもその効力は失われないから、買受人と仮処分債権者との紛争の拡大の防止と手続の安定性を考慮し、競売手続の進行を事実上停止する取扱いがされ

る（〔Q37〕参照）。一方、仮処分の登記が売却によって消滅し又は効力を失う抵当権等に劣後する場合には、売却によって効力を失うことから、競売手続が進行し、売却されて代金納付がされたときは、仮処分登記も抹消される（法82条1項2号）。したがって、売却によって消滅する仮処分の債権者が競売手続の停止を求めるには、別途執行停止の裁判を得て、その決定正本等を執行裁判所に提出する必要がある（法39条1項7号、183条1項6号、7号）。

(イ) 被保全権利が抵当権等の担保権設定登記請求権の場合

この仮処分は、処分禁止の登記とともにいわゆる保全仮登記がされているので（民保53条2項）、不動産登記事項証明書の記載により被保全権利の内容を認定することができる。

また、この仮処分は、本案訴訟において勝訴したときに、抵当権者等であることを主張することができる地位を保全するものにすぎない。抵当権のように、その性質上もともと売却によって消滅する担保権（法59条1項）であれば、その仮処分の登記が最先順位であっても、売却によりこの仮処分は消滅する。差押えの前に登記された保全仮登記に係る担保権者は、競売手続において、配当等を受ける債権者として処遇され（法87条1項4号）、その配当は供託される（法91条1項5号）。

(ウ) 被保全権利が地上権等の用益権の設定登記請求権の場合

この仮処分も、処分禁止の登記とともにいわゆる保全仮登記がされているので（民保53条2項）、不動産登記事項証明書の記載により被保全権利の内容を認定することができる。

この仮処分は、本案訴訟において勝訴したときに、用益権者であることを主張することができる地位を保全するものである。そこで、前記3と同一に考えれば足り（法59条2項）、仮処分の登記が最先順位であれば買受人が引き受けるが、最先順位でなければ仮処分の執行は売却によって効力を失う。

(エ) 被保全権利が建物収去土地明渡請求権の場合

この仮処分がされた場合、処分禁止の登記の目的欄に「処分禁止仮処分（建物収去請求権保全）」と記載されるので、不動産登記事項証明書の記載

により判断することができる。
　この仮処分は、建物の所有権を争うものではなく、建物の名義が第三者に移転した場合の仮処分の当事者恒定効を維持する目的でされる。したがって、この仮処分は最先順位かどうかを問わず、売却によって効力を失うことはない。

イ　その他の仮処分
　その他の仮処分、例えば目的不動産の占有移転禁止・執行官保管の仮処分の執行については、抵当権の設定登記又は差押え若しくは仮差押えの執行との先後によって対抗関係を生じるものではないので、法59条3項の仮処分に当たらず、売却によって効力を失うことはない（注釈民事執行法(3)292頁〔大橋寛明〕）。

Q60 抵当権に優先する賃借権等の処遇

目的建物の最先順位の抵当権に優先する賃借人の賃借権は、競売手続上どのように扱われるか。当該賃借人が、同建物に設定された抵当権の債務者である場合はどうか。賃借権ではなく、配偶者居住権の場合はどうか。

1 最先順位の抵当権に優先する賃借権の原則的取扱い

目的建物の最先順位の抵当権の設定登記前に設定され、かつ、対抗要件を備えた賃借権（以下「最先賃借権」という。）は、最先順位の抵当権に対抗することができ、売却によっても消滅しないため（法59条）、買受人がその賃借権を引き受けることになる。対抗要件としては、登記（民605条）、引渡し（借地借家31条、旧借家1条1項）等があるが、実務上は、引渡しを対抗要件とするものがほとんどである。

更新拒絶が制限されている最先賃借権（借地借家28条、平成3年法律第90号による廃止前の借家2条）についての賃貸借契約の更新（法定更新、合意更新又は自動更新）は、差押え前に更新されたときはもちろんのこと、差押え後に更新されたときであっても、差押えの処分制限効には抵触せず、更新の効果を抵当権者に対抗することができると解されている。

したがって、最先賃借権は、売却条件の判断においては、差押え後に更新された場合も含めて売却によっても消滅しないもの、すなわち、買受人が引き受けるべき権利として取り扱うことになり（法59条2項参照）、法62条1項2号に従い、物件明細書の「買受人が負担することとなる他人の権利」の欄（以下「引受け欄」という。）に、賃借権の内容を記載することになる。そして、期限の定めがある場合には、物件明細書の引受け欄に、「期限後の更新は買受人に対抗できる。」旨も記載する。

また、いわゆるサブリース契約（自らが現実に居住、占有することを目的とせず、物件を転貸して収益を上げることを目的とするもの）の中には、最先

抵当権設定登記と賃貸借の始期・占有の始期が同一日となっている事例が少なくない（いわゆる同日付サブリース）。この場合も、東京地裁民事執行センターでは、原則どおり、抵当権設定登記と建物の引渡し（具体的には鍵の授受等）の先後で賃借権を買受人が引き受けるべきか否かを判断している。

なお、最先賃借権の存在する建物について、売却基準価額の決定（法60条）の前提となる評価（法58条）をするに当たっては、以上のような負担があることを踏まえ、原価法において相当の減価をすることとなる。東京地裁民事執行センターでは、20％ないし40％程度の占有減価をするが、収益物件として収益還元法を併用している場合には原則として占有減価は行わない取扱いである（競売不動産評価マニュアル98頁）。

2　最先賃借権者が実行抵当権の債務者である場合の取扱い

最先賃借権者が実行抵当権（競売開始決定がされ、かつ、担保不動産競売手続進行の基礎となっている抵当権）の債務者である場合に、前記1の考え方を形式的に当てはめれば、目的不動産が最先賃借権者の債務の担保に供され、その債務不履行により当該不動産が売却されて所有者が所有権を失い、その売却代金から債務の弁済がされることになるにもかかわらず、当該賃借権が売却によっても消滅せず、当の債務者が最先賃借権者として保護されることになるという著しく衡平・信義に反する結果となる。

このような事情がある場合に債務者である最先賃借権者が賃借権を主張することは、担保に供された不動産の売却を困難とさせ又は売却価額の低下を生じさせて、抵当権者及び担保を提供した所有者の利益を害することになるから、信義則に反し許されないというべきであり、不動産を占有する債務者は、不動産の競売による買受人に対してその賃借権をもって対抗することができないと解すべきである（最決平13.1.25民集55巻1号17頁・金法1609号50頁）。

したがって、賃借人が実行抵当権の債務者である最先賃借権は、売却条件の判断において、売却により消滅するものとして扱われ、物件明細書の引受け欄には賃借権の記載をせず、「物件の占有状況等に関する特記事項」

欄（以下「特記事項欄」という。）に「本件債務者が占有している。」旨記載し、評価に当たっても、原価法においても特段の減価をしない。

　なお、前記最決平13.1.25に関連して、目的建物が賃貸専用物件の場合には、賃借人の存在が財産的価値になるとして、最先賃借権者が実行抵当権の債務者であっても、最先賃借権は引受けとなるとの考え方もあり得るが、賃貸専用物件か否かは関係人の主観に左右される面があり、かつ、仮に賃貸専用物件であっても賃借権の存在が必ずしも財産的価値になるとはいい難い場合があることなどから、東京地裁民事執行センターでは、賃貸専用物件か否かにかかわらず、このような最先賃借権者は買受人に対抗することができないとする取扱いである（もっとも、実務上、建物賃借人が所有者に物上保証を受けているのは、親族又は同族会社が一戸建ての住宅又は店舗を賃借している事例がほとんどであり、典型的な賃貸専用物件の事例はあまり想定することができない。）。

3　最先の配偶者居住権者が実行抵当権の債務者である場合の取扱い（〔Q68〕参照）

　平成30年民法改正法により配偶者居住権の制度が設けられたところ、実行抵当権に先立つ登記がされた配偶者居住権を有する配偶者が当該実行抵当権の債務者である場合に、当該配偶者居住権が引受けとなるか否かという問題がある。

　配偶者居住権は、賃借権類似であるとはいえ、賃借権そのものではないし、配偶者の居住権を確保するという配偶者居住権の趣旨や、最先の配偶者居住権の登記がある場合には、賃借権の多くが引渡しを対抗要件とするのと異なり、抵当権者は、配偶者居住権の登記があることを知った上で抵当権の設定をしたといえることからすると、実行抵当権の債務者であることのみをもって配偶者が配偶者居住権を主張することが信義則に反するとまではいえないと考えられる。したがって、最先の配偶者居住権を有する配偶者が実行抵当権の債務者であっても、当該配偶者居住権は買受人の引受けになると解するのが相当である。同様に、最先の登記がされた配偶者居住権を有する配偶者が目的建物の共有持分を有しており、その持分が売

却対象となっている場合についても、買受人の引受けになると考えられる。

4 最先賃借権者が実行外抵当権の債務者である場合の取扱い

最先賃借権者が実行外抵当権（目的建物に複数の抵当権が設定されている場合における実行抵当権以外の抵当権）の債務者である場合、東京地裁民事執行センターでは、以下のとおり取り扱っている。なお、引渡命令の取扱いについては、〔Q105〕を参照されたい。

(1) 実行外抵当権の被担保債権について債務不履行がある場合

最先賃借権者が実行外抵当権の被担保債権について債務不履行の状態にある場合は、売却条件の判断において、最先賃借権は売却により消滅するものと扱う。このような場合には、当該実行外抵当権に基づいて、最先賃借権者を債務者とする不動産競売手続が申し立てられる可能性があり、係属している競売手続がたまたま他の抵当権に基づくものであるからといって最先賃借権者が担保として利用して金融の利益を得た不動産の担保価値の低下を招くような賃借権を主張することは、抵当権者及び所有者の利益を害し、信義に反することには変わりないからである（前記最決平13.1.25も、同様の考え方に立っていると思われる。）。

実行外抵当権の被担保債権に係る債務不履行の事実をどのような場合に認定することができるかについては、まず、実行外抵当権に基づく二重開始決定がある場合が挙げられる。そのほかに、東京地裁民事執行センターでは、①当該最先賃借権者が破産手続開始決定を受けていることが事件記録上明らかである場合や、②当該最先賃借権者が執行裁判所の審尋（法5条）において、被担保債権の債務不履行を自認している場合などにも、債務不履行を認定することができるものと取り扱っている。これは、前記最決平13.1.25が、最先賃借権者が債務者である抵当権の実行として競売開始決定（二重開始決定を含む。）がされている場合に当該最先賃借権者を相手方とする引渡命令を発することができるとしているのは、執行事件の記録上債務不履行の事実を客観的に明らかに認定することができる最も一般的かつ典型的な場合を示したものであり、これ以外の資料による認定の余

地を一切否定するものではないと解され、上記①や②のような場合には、債務不履行の事実が事件の記録上明らかであるということができるからである。これに対し、実行外抵当権の抵当権者の被担保債権に係る債権届出書に遅延損害金が記載されているといった事実のみの場合には、当該被担保債権に係る債務者には債権届出書の内容を知る制度的保障がなく、その内容を争う方法も必ずしも明確ではないことを考慮すると、このような事実のみで直ちに債務不履行の事実を認定することは困難である（最判解平成13年度(上)43頁〔瀬戸口壯夫〕）。

(2) 実行外抵当権の被担保債権について債務不履行がない場合

最先賃借権者が実行外抵当権の被担保債権について債務不履行の状態にない場合は、当該実行外抵当権は売却によって消滅することになるものの、最先賃借権者が自らの債務を履行している以上、賃借権の主張をしても信義に反するとはいい難い。したがって、このような場合には、売却条件の判断において、最先賃借権は売却によっても消滅しないものと取り扱っている。

(3) 物件明細書の記載及び評価

最先賃借権者が実行外抵当権の債務者である場合の具体的な物件明細書の記載及び評価は以下のとおりである。⑦最先賃借権者が実行外抵当権につき競売開始決定（二重開始決定）を受けている場合には、物件明細書の引受け欄に賃借権の記載をせず、特記事項欄に「○○が占有している。同人は実行された抵当権の債務者である。」旨記載し、評価において特段の減価をしない。④最先賃借権者が実行外抵当権につき競売開始決定を受けていない場合のうち、ⓐ事件記録上、抵当債務が債務不履行状態にあると認定することができるときには、物件明細書の引受け欄に賃借権の記載をせず、特記事項欄に「○○が占有している。同人は実行された抵当権以外の債務者である。」旨記載する。これに対し、ⓑ事件記録上、抵当債務が債務不履行状態にあると認定することができないとき（債務不履行状態にあるか否か不明であるときも含む。）には、物件明細書の引受け欄に最先賃借権の内容を記載し、評価において相当の減価をすることとなる（競売不動産評価マニュアル99頁）。

Q61 短期賃貸借保護制度の廃止と建物明渡猶予制度

短期賃貸借保護制度が廃止されたのはなぜか。これに代わり平成15年改正法により創設された建物明渡猶予制度とはどのようなものか。

1 短期賃貸借保護制度の廃止と建物明渡猶予制度創設の趣旨

 抵当権は、目的不動産の交換価値を債権の担保として把握するものであり、目的不動産の使用収益権は所有者(抵当権設定者)に留保されているので、抵当権設定後も、所有者は目的不動産を自ら使用することができるほか、それを第三者に賃貸することもできる。

 民法177条によれば、抵当権設定に後れる賃借権は、対抗要件を備えたとしても、抵当権者や買受人に対抗することができないのが原則であるが、それでは、賃借人の地位が不安定となり、所有者による目的不動産の利用が制限されることになる。逆に、同条の適用を否定すると、抵当権者としては、抵当権設定後の賃借権により目的不動産の交換価値(担保価値)が低下して不測の損害を被ることになる。

 そこで、担保権と用益権との調整のために認められたのが、民法602条所定の期間(建物につき3年、山林以外の土地につき5年)を超えない短期の賃借権については、抵当権設定登記後に対抗要件を備えたものであっても抵当権に対抗することができるとした短期賃貸借保護制度(平成15年改正法による改正前の民395条)であった。

 ところが、短期賃貸借保護制度については、いわゆる占有屋等による執行妨害に悪用される例が実務上少なくなく、その弊害が指摘されていた。また、賃借人を保護する制度としても、保護の有無及び内容が、契約期間満了・更新の時期と差押えの時期との先後等の偶然の事情に左右される点や、同制度による保護を受けない場合には売却により直ちに明渡しを求められる点などについて合理性が乏しいと指摘されていた。

そこで、平成15年改正法によって民法が改正され、短期賃貸借保護制度は廃止されるとともに、執行妨害に悪用される余地を排除しつつ、保護すべき賃借人に合理的な範囲で確実に保護を与えるという観点から、抵当権者に対抗することができない賃貸借により建物を占有する者に対して、競売における買受人の買受けの時から6か月間の明渡猶予を与える建物明渡猶予制度（同改正後の民395条）が創設された。

2　建物明渡猶予制度の要件

短期賃貸借保護制度の廃止と建物明渡猶予制度の創設に関しては、平成15年改正法附則5条において経過措置が設けられている。同条により旧法が適用される賃貸借については、新法の適用がないから、明渡猶予制度の適用もない（平成15年改正法附則5条の要件については〔Q62〕参照）。本設例では、同条の要件を満たさず、新法が適用される場合であることを前提として、明渡猶予制度適用の要件を検討する。

(1)　抵当権者に対抗することができない賃貸借により抵当建物の使用又は収益をする者であること（民395条1項柱書）

土地の賃借人については、その占有を短期間保護する実益に乏しいことから、明渡猶予制度の対象とされていない。また、建物の賃借人であっても、代金納付時に現実に建物を使用又は収益していない者は保護を与える必要がないので対象から除外されている。さらに、無権原の占有者や使用借権に基づく占有者は、特別な保護を与える社会的必要性が低いと考えられることから、対象とされていない。

ア　定期借家権

明渡猶予制度は、条文上、定期借家権（定期建物賃貸借契約に基づく賃借権）を適用外とはしていない。東京地裁民事執行センターでは、代金納付時までに定期借家権の期間が満了しているか否かを基準として明渡猶予制度の適用の有無を判断する扱いである（〔Q67〕参照）。

イ　一時使用目的の建物の賃借権

一時使用目的の建物の賃借人については、借地借家法の適用がなく（借地借家40条）、平成15年改正法による改正前の民法395条の保護の対象では

なかったことや、一時使用目的であるという契約の趣旨等を理由として、明渡猶予制度の適用を否定する考えもあるが、東京地裁民事執行センターでは、条文上、賃貸借の種類について制限がないことなどを理由に、明渡猶予制度の適用を肯定している。

ウ　建物の未登記所有者からの賃借権

　原賃借権が明渡猶予制度によって保護されない場合、原則としてこれに基づく転借権も保護されないことから（後記3参照）、これと同様に、未登記所有者から賃借権の設定を受けた者については、明渡猶予制度の適用を否定すべきであるとの考えもある。しかし、東京地裁民事執行センターでは、建物の未登記所有者が、競売手続の開始前に所有権を取得した者である場合には、正常な賃借人を保護する明渡猶予制度の趣旨に照らし、同制度の適用を肯定することができるものとしている。

エ　駐車場（白線で区切られたにすぎない一区画）の賃借権等

　1階部分全体が、一つの区分所有建物（駐車場）として登記されているような場合で、その中の白線で区切られた一区画を駐車場として賃借しているときは、そのような占有では独占的・排他的支配が可能であるとはいえず、建物を使用する賃借人の保護を目的とした明渡猶予制度の適用はないと考えられる。また、ビルの屋上部分についてのアンテナ設備のための賃借権等についても、前記と同様に、独占的・排他的支配が可能であるとはいえないから、明渡猶予制度の適用はないものと考えられる。

(2)　①競売手続の開始前から使用又は収益をする者であること（民395条1項1号）、又は、②強制管理若しくは担保不動産収益執行の管理人が競売手続の開始後にした賃貸借により使用又は収益をする者であること（同項2号）

　競売手続の開始（差押え）前からの占有者（①）は、賃貸借期間の定めの有無・長短や、競売手続開始後に契約期間が満了したか否かにかかわらず、一律に明渡猶予制度の対象となる。競売による差押え後に占有を開始した賃借人を明渡猶予制度の対象とすることは、この制度が執行妨害に濫用されるおそれが高まるため相当でないと考えられるが、その占有が強制管理又は担保不動産収益執行の管理人との間の賃貸借に基づくものである

場合（②）は、執行妨害に濫用されるおそれはないし、強制管理等の手続における賃借人保護にも資すると考えられることから、これらの場合に限り明渡猶予制度の対象とされている。

競売手続による差押えには先行するが、仮差押え又は滞納処分による差押えに後れて占有を開始した賃借人については、明渡猶予制度の適用を肯定する説と否定する説とがある。最決平30.4.17（民集72巻2号59頁・金法2098号74頁）は、競売手続の開始前から賃借権により建物の使用又は収益をする者は、当該賃借権が滞納処分による差押えがされた後に設定されたときであっても、「競売手続の開始前から使用又は収益をする者」に当たるとしており、東京地裁民事執行センターでは、このような賃借人についても明渡猶予制度の適用を肯定している（詳細は、〔Q64〕参照）。

3　転貸借と明渡猶予制度

(1)　基準とすべき賃借権

抵当建物の占有者の占有権原が転貸借である場合、転借人は、所有者との関係では原賃貸借に基づいて占有権原を主張することになるのであるから、明渡猶予制度適用の要件も、原賃借人を基準に考えることが相当である。そこで、東京地裁民事執行センターでは、原賃借人が明渡猶予制度の適用がある者であれば、転借人は、買受人に対して、原賃借人と同様明渡猶予を主張することができるとの考えに基づく運用をしている。また、明渡猶予制度が適用される原賃借人から占有権原を与えられた者であれば、使用借人もこれに含まれるとする扱いである。

(2)　原賃借人がサブリース会社等である場合

民法395条1項に規定する「使用又は収益」は、前記(1)の考えに基づき、原賃借人を基準に判断される。この点、自らが現実に居住、占有することを目的とせず、物件を転貸して収益を上げることを目的としているいわゆるサブリース契約では、何をもって「使用又は収益」があると評価し得るのかが問題となることも多い。具体的には個別の事案ごとに判断されるべきではあるが、一般的なサブリース契約の場合については、所有者から原賃借人（サブリース会社等）への鍵の引渡し等があれば、原賃借人は転借

人に対しいつでも物件を貸し渡すことができる状態になっているといえることから、民法395条1項所定の「使用又は収益」があると評価してもよいと考えられる。

　(3)　割り込み型の転貸借（〔Q62〕参照）

　最先抵当権設定前に、転借人が所有者との間で賃貸借契約を締結し建物の引渡しを受けていたが、抵当権設定後に、原賃借人が転貸借関係を作ることを目的として前記賃貸借契約に割り込み、所有者との間で賃貸借契約を締結し、転借人との間で転貸借契約を締結するという場合がある。このような場合、原賃借人を基準に判断すると、転借人は明渡猶予制度の対象となるにすぎない。しかし、原賃借人に割り込まれたために転借人が最先の賃借権としての保護が受けられないとするのは酷な結果となりかねない。また、最先の抵当権者との関係においても、そもそも存在していた所有者と転借人との最先の賃借権が、買受人の代金納付を契機として顕在化したものと考えられる。こうした理由から、東京地裁民事執行センターでは、転借人は最先の賃借人として保護され、当該賃借権は買受人の引受けとなるものとして扱っている。加えて、所有者と転借人との間の当初の賃借権が最先の賃借権ではなく、平成15年改正法附則5条により短期賃借権として保護を受ける賃借権であった場合も同様に考え、転借人は短期賃借人として保護されるものとして扱っている。これらの判断をした際には、物件明細書の「買受人が負担することとなる他人の権利」欄に、引受けとなる賃借権の内容とともに、占有者たる転借人は、「転貸借契約が締結される前から所有者と直接賃貸借契約を締結していた事実が認められる」などの理由を記載している。

4　いわゆる非正常な賃借権と明渡猶予制度

　(1)　占有の実態がない賃借権

　差押え時に占有がない場合や差押え時の占有が管理のための占有にすぎない場合には、民法395条1項にいう「建物の使用又は収益」があるとはいえないため、明渡猶予制度の適用対象とはならない。

(2) 執行妨害を目的とする賃借権

執行妨害を目的とする賃借権とは、賃借権を装い占有したり、威力等を示したりすることにより、売却基準価額の低減を図り、自ら安価で買い受けたり、自ら買い受けない場合には不実の敷金返還請求権を行使したり、立退料名下に買受人から金銭を取得したりするなど不正な利益を得ることを目的とするものである。

このような賃借権について、明渡猶予制度を適用することは明らかに制度趣旨に反することから、このような執行妨害目的の賃借権には明渡猶予制度の適用はない。

(3) 信義則上否認すべき賃借権

短期賃借権を主張する者が、債務者又は所有者と特別な関係にあり、賃借権を主張することが信義則に反すると認められる場合には、そのような賃借権は短期賃借権として保護されない（〔Q62〕参照）。これは、いわば賃借人を信義則上所有者と同視する取扱いといえる。明渡猶予制度の下でも、所有者に明渡猶予制度の適用がない以上、所有者と同視されるこれらの占有者が賃借権を主張しても、明渡猶予制度の適用を否定すべきである。

(4) 債権回収目的の賃借権

短期賃貸借保護制度の下では、債権回収目的の賃借権を短期賃借権として保護すると、担保価値（売却価格）の下落という先順位担保権者の犠牲の下で、一般債権者又は後順位担保権者が前所有者に対する債権と賃料とを相殺するなどの形で、事実上、優先弁済を受けることになり、担保法体系の秩序に反することから、このような賃借権に基づく占有者は保護されないとされていた（〔Q62〕参照）。

しかし、明渡猶予制度においては、明渡しが猶予される占有者は、買受人に対してその間の使用の対価を実際に支払わなければならず、後述するとおり、前所有者に対する債権との相殺や賃料前払を主張して使用の対価の支払を免れたり、前所有者に差し入れた敷金等の返還を買受人に対して請求したりする余地がないため、明渡猶予制度の適用を肯定しても賃借人が優先弁済を受ける事態にはならず、担保法体系の秩序の維持という理由

付けが妥当しない。また、実質的な価値判断としても、債権回収それ自体は債権者として当然の行為であるし、賃借人として目的建物を本来の用途に従って利用している限り、代金納付前でも相殺の形とはいえ対価を支払っており、代金納付後は買受人に使用の対価を支払う点において、通常の賃借権と変わるところはないのであるから、債権回収目的であることをもって直ちに明渡猶予制度の適用を否定すべきであるとはいえない。以上の点からすると、債権回収目的であることのみを理由として明渡猶予制度の適用を否定することはできないと解される。

もっとも、実務上、債権回収目的の賃貸借については併せて執行妨害目的であると認められることが少なくないため、債権回収目的の賃貸借であることを一つの徴表として、執行妨害目的の賃貸借に基づく占有であることが認められることはあり得る。この場合には、前記(2)のとおり、明渡猶予制度は適用されない。

5 実行抵当権又は実行外抵当権の債務者の賃借権と明渡猶予制度

(1) 実行抵当権の債務者の場合

この場合の賃借人は、既に実行された抵当権の債務者であるため、信義則上、占有権原を主張することはできず、所有者と同視することができると考えられる。そのため、明渡猶予制度の適用はないと考えられる。

(2) 実行外抵当権の債務者の場合

賃借人の債務が債務不履行の状態であると認められる場合には、当該実行外抵当権に基づいて不動産競売手続を進行される可能性が生じているので、明渡猶予制度の適用を否定すべきときがあると考えられる。この点については、最先賃借権者が実行外抵当権の債務者である場合の引渡命令の可否についての議論と同様に考えればよいと思われる（〔Q105〕参照）。

6 明渡猶予期間中の法律関係

民法395条1項の規定は、占有者に対して、賃借権その他の占有権原を付与するものではなく、所有者である買受人との関係において、明渡義務

の履行に実体法上の期限の猶予を受けることができるとするにすぎない。したがって、明渡猶予を受ける占有者は、買受人に対して建物の修繕を求めたり、債務不履行責任を追及したりすることはできない。また、占有者は、前所有者に対する敷金返還請求権その他の債権と買受人に対する使用の対価の支払債務との相殺を主張することもできない。

　明渡猶予期間中の占有者は、買受人に対し、建物を使用したことの対価を支払う義務を負う。この使用の対価の法的性質は、不当利得金であると解される。占有者が支払うべき使用の対価の額は、実務上は、従前の賃料と同額とされるのが通常であろうが、従前の賃料が不当に高額又は低額であった場合に、従前の賃料と異なる額を使用の対価として主張することも可能である。使用の対価について、買受人が占有者に対し、相当の期間を定めて、その1か月分以上の支払を催告したにもかかわらず、その相当の期間内にこれが支払われないときは、明渡猶予制度の適用がなくなり、占有者は、その期間経過後は明渡しを拒むことはできない（民395条2項）。

7　引渡命令との関係

　明渡猶予制度の適用と引渡命令の関係については、〔**Q105**〕を参照されたい。

〈参考文献〉
中野＝下村「民事執行法」430頁、改正担保・執行法の解説32頁、園部厚「民事執行の実務(上)」162頁、東京地裁民事執行センター「さんまエクスプレス第36回」金法1798号24頁、池田知史「短期賃貸借保護の制度の廃止と建物明渡猶予制度の創設」判タ1233号72頁

Q62 短期賃貸借保護制度廃止後の短期賃借権の保護

平成15年改正法により廃止された短期賃貸借保護制度により保護されるのは、どのような場合か。

1 平成15年改正法の経過措置

　平成15年改正法によって民法が改正され、短期賃貸借保護制度は廃止されたが（〔Q61〕参照）、同改正法施行日前から存在する短期賃貸借について新法を適用すると、事案によっては旧法が適用される場合より賃借人の受ける利益が相当低減する場合がある。このことを考慮して、同改正法には経過措置（附則5条。以下、本設例においては単に「経過措置」という。）が設けられ、同改正法施行後も、短期賃貸借保護制度が適用される賃貸借と適用のない賃貸借が併存する形となった。

　抵当権に後れる賃借権が、経過措置の適用を受けて短期賃借権として保護されるためには、①経過措置適用の要件及び②同改正法による改正前の民法395条に規定する短期賃借権の要件の双方を満たすことが必要である。

(1) 経過措置適用の要件

　経過措置が適用されるための要件としては、㋐平成15年改正法の施行日である平成16年4月1日に現に存する賃貸借であること、㋑平成16年4月1日時点で民法602条に定める期間を超えない賃貸借であること、㋒抵当権の登記後に対抗要件を備えたものであることが必要である。

ア　平成16年4月1日に現に存する賃貸借であること

　平成15年改正法附則5条にいう「この法律の施行の際現に存する賃貸借」については、平成16年4月1日時点において、賃貸借契約が成立していれば足り、契約期間が開始していなくてもよいとする説、契約期間が存在していることを要するとする説、契約期間が存在するだけでなく、対抗要件を備えていることを要するとする説がある。具体的には、賃貸借契約は平成16年3月31日までに成立したが、契約期間が同年4月1日以降とい

う形態のものや、実際の入居日（占有開始）が同年4月1日以降という形態のものについて、経過措置が適用されるのか否かという問題である。

　東京地裁民事執行センターでは、条文上「現に存する賃貸借」と規定されているところ、賃貸借契約は諾成契約であり契約成立時から賃貸借が存在していると解されること、経過措置が設けられた趣旨が、施行日直前に学生等に多くみられるであろう前記のような契約形態について短期賃貸借として保護するものと解されることを考慮して、平成16年3月31日までに賃貸借契約が成立していれば足りると解している。このような解釈の場合、契約成立日を施行日以前に遡らせる方法により執行妨害に利用される懸念があるが、そのような場合は、非正常な賃貸借として保護を否定すれば足りると思われる。

イ　平成16年4月1日時点で民法602条に定める期間を超えない賃貸借であること

　経過措置が適用されるためには、平成16年4月1日の時点において存在する賃貸借契約の契約期間が民法602条に定める期間を超えないことが必要である。

(ｱ)　民法602条に定める期間

　民法602条に定める期間とは、建物については3年、土地（山林を除く。）については5年である。

　建物についての期間の定めのない賃借権は、同条に定める期間を超えない賃借権に該当する（最判昭39.6.19民集18巻5号795頁）。

　土地についての期間の定めのない賃借権のうち建物所有目的の借地契約の期間は、旧借地法2条1項の適用を受けるときは、堅固建物であれば60年、非堅固建物であれば30年となり、借地借家法3条の適用を受けるときは、一律に30年の期間となって、5年を超えてしまうため、経過措置が適用される余地はない。建物所有目的でない場合は、借地借家法3条等の適用はないので（借地借家1条等参照）、建物の場合と同様に、民法602条に定める期間を超えない賃借権に該当することになる。ただし、建物所有目的でない場合は、実務上、後記ウの対抗要件を備えていないことがほとんどであるので、短期賃借権として保護されることはまれである。

(イ) 平成16年4月1日時点における賃貸借の契約期間

　経過措置が適用されるために、平成15年改正法施行日である平成16年4月1日の時点において民法602条に定める期間を超えない賃貸借であることを要するか否かについては、同時点における契約期間の長短は問わないとして、これを不要とする考え方もあり得る。しかし、東京地裁民事執行センターでは、契約期間は賃貸借契約の本質的要素であること、経過措置が設けられた趣旨が、施行日前から存在する短期賃貸借について新法を適用すると、事案によっては旧法が適用される場合より賃借人の受ける利益が相当低減する場合があることを考慮したものであることなどから、平成16年4月1日時点における契約の期間が民法602条に定める期間を超えないことが必要と解している。したがって、例えば差押え時の契約期間が3年以下の建物賃貸借契約であっても、平成16年4月1日時点の契約期間が3年を超える場合には、経過措置は適用されず、新法が適用されることになる。

　他方、最先抵当権に後れ期間3年を超える建物賃借権が、平成16年3月31日までに法定更新された場合、借地借家法26条1項の適用がある場合はもちろん、旧借家法2条1項の適用がある場合にも、期間の定めのないものとなるので（最判昭28.3.6民集7巻4号267頁・金法20号26頁）、平成16年4月1日時点における契約期間は民法602条に定める期間を超えないこととなり、経過措置の適用を受けるものと解される。また、最先抵当権に後れ期間3年を超える建物賃借権が、平成16年3月31日までに合意更新されて期間3年以下の建物賃貸借になっていた場合も、平成16年4月1日時点における契約期間は民法602条に定める期間を超えないことから、経過措置の適用を受けるものと解される（後記(2)ア参照）。

　なお、平成16年4月1日時点で存在する賃貸借契約の契約期間が民法602条に定める期間を超えないものであれば、その後、賃貸借が更新されても、やはり経過措置が適用される。したがって、上記時点で契約期間を3年としていた建物賃貸借契約が、その後差押え前まで3年ごとに更新され続けていた場合には、現在においても短期賃貸借保護制度により保護され得ることになる。

Q62

ウ　抵当権の登記後に対抗要件を備えたものであること

　平成15年改正法による改正前の民法395条本文は「登記」を短期賃借権の要件と規定しているが、これは対抗要件の趣旨と解されており、特別法で認められた対抗要件をもって「登記」に代えることができる。したがって、抵当権の登記後に、賃借権の登記がされた場合のほか、建物について借地借家法31条1項（旧借家1条）による「引渡し」がされた場合、土地について借地借家法10条（平成3年法律第90号による廃止前の建物保護に関する法律1条）による「地上建物の登記」がされた場合等がこれに当たる。

　なお、対抗要件となる「登記」には仮登記も含まれると解されているが、このような仮登記は濫用的に利用される実態があることから、非正常な短期賃借権の徴表と考えられ、短期賃借権として保護されないことが多い。

(2)　**短期賃貸借の要件**（平成15年改正法による改正前の民法395条）

　経過措置の適用を受ける賃借権が短期賃借権として保護を受けるための要件は、差押え時に、ⓐ民法602条に定める期間を超えないこと、ⓑ対抗要件を具備していること、ⓒ賃借権としての利用実態を備えていることである。

ア　差押え時に民法602条に定める期間を超えないこと

　短期賃借権として保護されるためには、差押え時の賃貸借契約の期間が民法602条に定める期間（前記(1)イ(ア)）を超えないことが必要であると解される。

　この要件については、特に、最先抵当権に後れ期間3年を超える建物賃借権が法定更新された場合、また、合意更新後、期間3年以下の賃貸借になった場合に、更新後の賃借権が短期賃借権として保護を受けるか否かという問題があり、実務上の取扱いも分かれている。肯定説は、更新された賃貸借契約は新たな賃貸借契約であること、対抗問題が現実化するのは差押え後であることなどを理由とし（肯定説に立つ裁判例として、東京高決平13.6.22判タ1077号286頁がある。）、否定説は、最先抵当権に優先する賃貸借契約は更新後も買受人に対抗することができると解されているのと同様に、更新された賃貸借契約は当初の賃貸借契約の性状を引き継ぐこと（特

に法定更新の場合)、平成15年改正法による改正前の民法395条ただし書が差押え前に短期賃貸借の解除を認めていることなどを理由とする。

　東京地裁民事執行センターでは、肯定説に立ち、差押え時に存在する更新後の契約期間を基準として民法602条に定める期間を超えるか否かを判断する扱いをしている。

イ　差押え時に対抗要件を具備していること

　経過措置適用の要件として、前記(1)ウに記載したとおりである。

ウ　差押え時に賃借権としての利用実態を備えていること（正常な賃借権であること）

　平成15年改正法による改正前の民法395条本文が定める短期賃借権の要件は、前記ア及びイのみであるが、担保権と用益権の調整を図るという短期賃貸借保護制度の趣旨から、賃借権としての利用実態を備えていること（正常な賃借権であること）が短期賃借権として保護されるための要件とされている。非正常な短期賃借権には次のようなものがある。

(ｱ)　差押え時に占有がないもの

　差押え時に占有がない賃借権は、賃借権としての利用実態がないことの典型である。実務上、よく見受けられるものとしては、賃借権の（仮）登記はあるが占有が伴わないもの、特に抵当権又は仮登記担保権と併用された賃借権（仮）登記はあるが占有を伴わないものがある。このような賃借権は、真実、目的不動産の利用を企図するものではないので、短期賃借権として保護されない。

　なお、執行官は、電気、ガス又は水道水の供給その他これらに類する継続的給付を行う公益事業を営む法人に対し、必要な事項の報告を求めることができ（いわゆるライフライン調査。法57条5項）、契約名義人、契約締結時期、使用状況等の調査が可能であるので、それにより、差押え時の占有者は誰か、いつから占有しているか、現実の占有があるかなどの判断が容易にできる。この権限は評価人にも認められている（法58条4項、57条5項）。

(ｲ)　差押え時の占有が管理占有であるもの

　差押え時の占有がある場合でも、占有の形態が利用の実態の伴わない管

理のための占有、すなわち、占拠している事実を第三者に誇示するための占有であるものは、やはり、真実、目的不動産の利用を企図するものではないので、短期賃借権として保護されない。

　㈦　独立の占有がないもの

　建物の構造、現実の利用形態等から短期賃借権を主張する者の独立の占有が認められない場合がある。すなわち、短期賃借権主張者が賃貸借対象と主張している占有部分とその他の部分との間の空間の仕切りが曖昧な場合、所有者と短期賃借権主張者が互いにその主張する占有部分を自由に行き来している場合、所有者の所有物と短期賃借権主張者の所有物が混在して置かれている場合等がこれに該当する。

　㈣　賃料が現実に支払われていないもの

　実務上、所有者の親族が短期賃借権の主張をしているが、領収書等の賃料の支払を証する書類がないなどの理由により現実の支払が認められない場合、所有者が代表者である同族会社が短期賃借権を主張しているが、その賃貸借契約は税務対策等のために形式的にされ、賃料についても帳簿上の処理のみで現実の支払はない場合等がある。また、賃料の支払はあっても、その金額が一般の市場から比較して相当低額な場合も多い。

　このような短期賃借権も非正常なものとして保護されない。賃料が現実に支払われていない短期賃借権は使用借権として取り扱うことも考えられる（建物の公租公課分だけ支払っている場合について、最判昭41.10.27民集20巻8号1649頁は、使用借権に当たるとしている。）。

　㈸　債権回収目的のもの

　実務上、所有者に対する一般債権者又は後順位抵当権者が、短期賃借権を主張して、目的不動産を自ら占有し、又はこれを借り受けた上で第三者に転貸している場合がある。このような短期賃借権者は、自らの所有者に対する債権と賃料債権とを相殺し、あるいは、転貸賃料により自らの債権を満足させ、さらには、買受人に対し敷金返還請求権を行使してこれを自らの債権に充当することを目的としているが、このような賃借権を短期賃借権として保護すると、結果として、担保価値の下落（売却基準価額及び現実の売却価額の低下）という（先順位）抵当権者の犠牲の下で、一般債権

者又は後順位抵当権者が事実上優先弁済を受けることになり、担保法体系の秩序を維持することができなくなる。したがって、このような債権回収目的の賃借権は、短期賃借権として保護されない。

(カ) 賃借人が所有者と特別な関係にあるもの

短期賃借権主張者が、債務者又は所有者と特別な関係にあり、賃借権を主張することが信義則に反すると認められた場合には、そのような賃借権は短期賃借権として保護されない。例えば、債務者又は所有者と親族関係にある者が賃借権を主張する場合、法人所有の不動産についてその代表者が賃借権を主張する場合、実体のない法人の代表者個人所有の不動産について当該法人が賃借権を主張する場合等において、短期賃借権としての保護が認められないことが多い。

(キ) 執行妨害や不当な利益の獲得を目的とするもの

短期賃借権を装い占有することにより、売却基準価額の低減を図ったり、買受人に対して不実の敷金返還請求や立退料名下の金銭の請求をしたりするものは、執行妨害や不当な利益の獲得を目的とする賃借権であり、短期賃借権として保護されない（物件の価値を下落させ、自ら安価に買い受けることを目的とすることもある。）。短期賃借権自体を第三者に譲渡し、又は転貸して金銭を取得しようとするものも同様である。

このような短期賃借権の徴表としては、契約締結に際して確定日付入りの公正証書を作成するなど後日の紛争に備えていること、賃借権設定時期ないし占有開始時期が、債務者の財産状態悪化後（差押えの直前、仮差押え後、滞納処分による差押え後、競売申立てに係る被担保債権の期限の利益喪失等）であること、異常に高額な敷金が差し入れられていること、賃料が著しく低額であること、賃料の全期間分（ないし数年間分）が前払されていること、譲渡転貸自由の特約があること、格別の理由がないのに賃借人が一度も使用せず転借人又は賃借権の譲受人が使用していることなどがある。また、前記(ア)ないし(カ)も、執行妨害目的の短期賃借権の徴表といえる。例えば、所有者が、親族、同族会社等に短期賃借権を主張させ、事実上競売手続の進行を妨害して、自己の実質的占有継続を図ろうとするものであれば、これは執行妨害目的ともいい得る。

2 差押え・仮差押えとの関係

(1) 差押え・仮差押えの処分制限効

　競売が開始され、不動産が差し押さえられると、債務者は通常の用法に従って不動産を使用・収益することが可能であるが、不動産を譲渡したり、担保権、用益権を設定したりするなどの処分行為はできなくなる。このように、差押えには処分制限効があるため、差押え後に設定又は更新（後記(2)）された賃借権は、短期賃借権の要件を備えていても保護されない。また、仮差押え後又は滞納処分による差押え後に設定又は更新された短期賃借権の要件を満たす賃借権も、これらにも処分制限効があるとされているため、結局、短期賃借権として保護されない（〔Q64〕参照）。

(2) 差押え後の更新

　更新には、合意更新（当事者が、期間満了に際して新たに更新について合意することによって更新されたもの）、法定更新（当事者の意思に関係なく、一定の事由があれば法律の規定により更新されたものとみなされるもの）、自動更新（契約締結時に更新の条件を定めておき、それに沿った条件で契約を更新するものであり、広義の合意更新の一類型）があるので、これらの場合と差押えとの関係について詳しく説明する。

ア　差押え後の合意更新の場合

　差押え後に更新契約により合意更新をすることは、債務者の処分行為にほかならないから、差押えの処分制限効に抵触し、賃貸期間の合意更新をもって抵当権者に対抗し得ず、合意更新前の賃貸期間の満了後の賃借人の占有は保護を受けない。

イ　差押え後の法定更新の場合

　差押え後に短期賃貸借の期間が満了し、更新の合意はないが、法定更新があったとされる場合においても、判例は、その更新を抵当権者に対抗することができないとする（最判昭38.8.27民集17巻6号871頁）。法定更新は法律の擬制により当然生ずるもので、更新合意という処分行為はないものの、結果として目的物の交換価値を減少させる点においては処分行為があったのと同様であり、これを抵当権者に対抗し得るとすることは、抵当権

者の利益と抵当権の設定された不動産の利用との調整を図る平成15年改正法による改正前の民法395条の趣旨に反すると考えられるためである。

したがって、差押え後に法定更新された短期賃貸借の賃借人は、法定更新を抵当権者に対抗することができず、法定更新前の賃貸期間の満了後の賃借人の占有は保護を受けない。

ウ　差押え後の自動更新の場合

自動更新は、例えば、「契約期間は平成16年2月1日から平成18年1月31日までの2年間とする。ただし、甲（賃貸人）又は乙（賃借人）が相手方に対して反対の意思表示をしないときは、同一条件で2年間契約が更新されるものとし、以後も同様とする。」旨の契約に基づいて契約期間の更新をする場合である。この合意も債務者の処分行為にほかならないので、差押えの処分制限効に抵触し、自動更新前の賃貸期間の満了後の賃借人の占有は保護を受けない。

なお、東京地裁民事執行センターでは、契約の合理的意思解釈として、上記条項例のただし書が、「ただし、甲又は乙が相手方に対して反対の意思表示をしないときは、同一条件で契約が更新されるものとし、以後も同様とする。」という条項の場合、「同一条件」とは期間の点も含むものとして、やはり、更新後の契約期間は2年になるものとして扱っている。これに対し、「同一条件」に期間の点は含まれないと解するのであれば（旧借家2条1項の「同一条件」の解釈に関する最判昭27.1.18民集6巻1号1頁及び最判昭28.3.6民集7巻4号267頁・金法20号26頁参照）、この条項は、自動更新の意味を持つものではなく、上記条項に定める最初の期間経過後は法定更新と同様に期間の定めのないものになる。

3　非正常な短期賃借権者からの転借人の取扱い

非正常な短期賃借権者からの転借人は、たとえ、所有者と原賃借人との間の事情について善意であったとしても、これを保護すると、転貸の形式をとりさえすれば濫用目的が達せられることになってしまうので、原賃借権が保護されない以上、これに基づく転借権も保護されないとする取扱いである（東京高決昭60.11.29判時1182号89頁・金法1128号62頁、大阪高決平

元.3.6判タ709号265頁、東京高決平2.2.22金法1257号38頁ほか)。

この取扱いの例外として、実務上、割り込み型と呼ばれる場合がある([Q61]参照)。これは、転借人がもともと所有者との間で直接賃貸借契約を締結して賃借していたところ、その後、転貸目的の賃借人が割り込んで、所有者との間で賃貸借契約を締結し、もともとの賃借人との間で転貸借契約を締結した場合である。このような転貸目的の賃借権は、債権回収目的等の非正常な場合が多く、そのような場合に上記の取扱いとすれば、転借人は保護されないことになる。しかし、このような転借人は、割り込みがなければ、短期賃借権として保護されたはずの場合もあり、占有者に酷な結果となりかねない。そこで、実務上、このような割り込み型の場合には、中間の賃借人兼転貸人の賃借権は否認しつつ、転借人については、所有者に対する関係での元の賃借権が短期賃借権の要件を満たしているか否かで短期賃借権該当性を判断している(吉村真幸「新しい形態の建物賃貸借と不動産執行について」執行官雑誌27号14頁)。

4 短期賃借権者が目的不動産に設定された抵当権の債務者である場合の取扱い

短期賃借権者が実行抵当権の債務者である場合には、目的不動産が売却されれば、所有者ですらその所有権を失い、買受人に引渡義務を負うにもかかわらず、実行された抵当権についての当の債務者がそのまま占有を続けられることは公平ではない。また、賃借権が引受けとなり、担保価値が下落することにより、抵当権者や所有者の利益を害することになる。そこで、実務上、このような短期賃借権者は、買受人に対抗することができないという取扱いである。抵当権に優先する賃借権(最先賃借権)についてであるが、最決平13.1.25(民集55巻1号17頁・金法1609号50頁)もこのような取扱いを肯認している。

次に、短期賃借権者が実行外抵当権の債務者である場合には、最先賃借権に関する前記最決平13.1.25が、賃借人に対し引渡命令を発令するためには、実行外抵当権についてその被担保債務の不履行の事実が執行事件の記録上明らかである(例えば、二重開始決定がされている)必要があるとし

ている点に注意する必要がある。

　もっとも、このような短期賃借権は、所有者が短期賃借権者の物上保証をするという密接な人的関係、賃借権設定時期、賃借権内容その他の事情から非正常な賃借権と認定されることも多い。非正常な賃借権と認定されれば、競売手続上、賃借権が否認されることはもちろん、二重開始決定がなくとも賃借人に引渡命令が発令されることになるので、可能な限り、非正常な賃借権であるか否かの認定を先行させて対応することになる（畑一郎＝松本有紀子「競売不動産の長期賃借人が当該不動産に設定された実行抵当権以外の抵当権の抵当債務者である場合の取扱い」金法1612号6頁）。

　なお、この場合については、基本的に、最先賃借権者が目的不動産に設定された抵当権の債務者である場合と同じ取扱いになるので、詳細は〔Q60〕、〔Q105〕を参照されたい。

〈参考文献〉
池田知史「短期賃貸借保護の制度の廃止と建物明渡猶予制度の創設」判タ1233号72頁

Q63 抵当権者の同意により賃貸借に対抗力を与える制度

抵当権者の同意により賃貸借に対抗力を与える制度とはどのような制度か。

1 制度の趣旨

　抵当権者の同意により賃貸借に対抗力を与える制度は、抵当権設定後の賃貸借につき登記がされ、かつ、これに優先する抵当権を有する全ての者がこれに対抗力を与えることに同意し、その同意につき登記がされたときは、その賃貸借は抵当権者に対抗することができるとするものである（民387条）。抵当権設定後の賃貸借であっても、抵当権者が競売後もその賃貸借を存続させることが自己の債権回収に資すると判断して同意を与えるときには、これを抵当権者に対抗することができる賃貸借として扱うことは抵当権者の利益を害するものではない上、賃借人にとっても競売後に賃借権を失う危険が消滅して安定した地位を得ることができるので、抵当権者、賃貸人及び賃借人のいずれにとっても望ましい。そこで、平成15年改正法により、これらの者の利益にかなう制度として創設された。

2 要　件

(1) 賃借権設定について登記がされていること

　この制度の適用を受けるためには、賃借権について登記がされていることが必要であり、借地借家法上の対抗要件（借地借家10条、31条）を備えたのみでは適用を受けることはできない。これは、同意があったこと及び同意の対象となった賃借権の内容を公示することにより、抵当権と賃借権の優先関係を明らかにするとともに、関係者の予測可能性を高め、さらに権利内容を仮装する執行妨害を防止するためである。

(2) 賃借権設定の登記前に登記された抵当権を有する全ての者の同意があること

　法律関係が複雑化することを避けるために、当該賃借権に優先する抵当権を有する全ての者の同意を要する。同意をしていない抵当権者がいる場合には、その抵当権者及び競売手続の買受人に対して対抗することができない。なお、この同意は抵当権設定後の賃貸借を抵当権者に対抗することができるとする抵当権者の意思表示であり、賃借人に不利益を与えるものではないので、同意に対する賃借人の承諾（民387条2項）は要しないと考えられる。また、抵当権者の同意は、抵当権者と賃借人との関係を変動させるにとどまり、抵当権設定者の権利義務を変動させるものではないため、抵当権設定者の関与も不要である。

(3) **抵当権者の同意について登記があること**

　この制度は、抵当権の順位の変更（民374条）に類するものと考えられ、抵当権の順位の変更では順位変更の登記が効力発生の要件とされているのと同様に、同意の登記をすることによって賃貸借を抵当権者に対抗することができるものとされた。

　抵当権設定、その旨の登記、賃貸借の登記が平成15年改正法の施行前に行われた場合であっても、抵当権者の同意及び同意の登記が同改正法施行後にされていればこの制度の適用がある。しかし、民法387条は、同意の意思表示及びその旨の登記に対して創設的に同意の効果を承認したものと考えられるから、抵当権者の同意の意思表示が平成15年改正法の施行前にされた場合には適用されないというべきであろう。

(4) **抵当権者の同意により不利益を受ける者の承諾があること（民387条2項）**

　これは、抵当権の順位の変更に関する民法374条1項ただし書と同旨の規定であり、承諾を要する者の例としては、転抵当権者、抵当権の被担保債権の差押債権者、質権者等が挙げられる。前記(2)のとおり、賃借人の承諾は要しないと考えられる。

3 効　果

(1) 対抗することができる内容

前記２の要件を満たす賃貸借は、その設定登記前に登記された抵当権を有する者にも対抗することができるものとなり、抵当不動産が競売により売却された際には、その賃貸借が差押債権者又は仮差押債権者に対抗することができないものである場合を除き（法59条２項）、買受人に引き受けられ、買受人が賃貸人となるほかは従前どおりの内容で存続することになる。

(2) 同意後の賃貸借の内容の変更

抵当権者の同意後に賃貸人と賃借人との間で賃借権の内容の変更がされた場合において、それが賃借人に有利な変更であるときは、賃借人は、その付記登記をしなければ、変更後の賃借権の内容を買受人に主張することができない。また、賃借人に有利な変更を付記登記で申請する場合には、後順位の抵当権者その他の利害関係人の承諾書等を添付する必要があるところ（不登66条、不登令７条１項６号別表25ロ）、同意を与えた抵当権者は、この利害関係人に該当するので、その承諾書等を添付する必要がある。有利な変更としては、存続期間の延長、契約更新による期間延長、敷金の追加差入れ、賃料の減額等が考えられる。一般に、賃貸借が抵当権設定登記に先んじて借地借家法上の対抗要件を具備した場合には、当該賃貸借が抵当権設定登記後に更新されたときも、更新後の賃貸借は抵当権者に対抗することができるものとされているが、この制度で対抗力を付与された賃貸借については、更新について全ての抵当権者が同意して付記登記がされない限り、更新後の賃貸借を抵当権者に対抗することはできない。

他方、賃料の増額は賃借人にとって不利な賃貸借の内容の変更となるところ、賃借人は賃貸人に対して増額後の賃料債務を負担しており、買受人は賃貸人の地位を承継することになるのであるから、付記登記の有無にかかわらず、賃借人に対して増額された賃料を請求することができる。

抵当権者の同意後における賃借権の譲渡又は転貸については、抵当権者は法律上の利害関係を有しないので、その付記登記の申請については、抵

当権者等の承諾書を添付する必要はない。

(3) 同意後の事情変更

抵当権者が同意を与える際に基礎とした事情に変更が生じたときに同意の効力を失わせたい場合は、同意をするに当たり、相手方である賃借人との合意により、解除条件を付し、解除条件が成就した場合に抵当権者が賃借人に対し同意の登記の抹消を請求することが考えられよう。ただし、複数の抵当権者が同意を与えた場合は、その全ての抵当権者について解除条件が成就し同意の登記が抹消されなければ、同意を与えた賃借権の対抗力を否定することができないと考えられる。

4 敷金の登記

この制度の創設に関連して、平成15年改正法により敷金が賃借権登記における登記事項とされた（不登81条4号）。賃貸人の敷金返還義務は、目的不動産の所有権の移転に伴い当然に新所有者に承継されることから（平成29年民法改正法による改正後の民605条の2第4項参照）、敷金の有無及び額は、目的不動産の新所有者にとって重要なものであること、高額の敷金差入れの仮装といった執行妨害を排除するためには敷金を登記事項とする必要があることから、このような改正となった。この改正についての経過措置として、平成15年改正法附則7条では、同改正法の施行日（平成16年4月1日）前に登記された賃貸借の敷金については同改正法の適用がないと定められており、不登法においても同様である。それは、平成15年改正法施行日前に賃貸借登記がされたものにも同改正法が適用されると、敷金に関する事項を追加する変更登記をする前に当該不動産の譲渡等がされた場合に、賃借人は敷金返還請求権を新所有者に主張することができないことになる不利益を回避するためである。

〈参考文献〉
改正担保・執行法の解説40頁、山野目章夫＝小粥太郎「抵当権者の同意により賃貸借に対抗力を与える制度」NBL798号58頁

Q64 仮差押登記又は滞納処分による差押登記に後れる用益権の処遇

仮差押登記又は滞納処分による差押登記に後れる用益権は、どのように取り扱われるか。

1 仮差押登記に後れる用益権の処遇

(1) 手続相対効

　民事執行法は、差押えの効力について、手続相対効説を採用している。手続相対効説とは、差押えの効力発生後の債務者（担保不動産競売の場合は所有者）の行為は、差押債権者の申立てによる執行手続との関係で効力が否定され、その執行手続に参加する全ての債権者に対して対抗することができないが、その差押えによって開始された執行手続が取り消されたり、執行申立てが取り下げられたりしたときには有効性を主張することができるという考え方である。

　仮差押えの効力についても、民事執行法は、手続相対効説を採用している。すなわち、差押債権者又は仮差押債権者に対抗することができない不動産に係る権利の取得は、売却によりその効力を失うとし（法59条2項）、仮差押えに劣後する担保権者は、仮差押えが失効した場合に限りその配当を受けると規定している（法87条2項）。

(2) 仮差押えの効力と用益権

　仮差押えの効力と仮差押えに後れる担保権との関係について、法87条2項は、仮差押えの処分制限の効力が将来の本案の結果により最終的に有効となるか無効となるかによって区別し、仮差押えの仮定性、暫定性を配当手続上に反映させている。

　一方、仮差押えの効力と仮差押えに後れる用益権との関係については、将来の本案の結果により区別をする旨の規定がなく、法59条2項の文言上は、仮差押えの登記に後れる用益権は、売却によりその効力を確定的に失うものとされている。そこで、仮差押えの登記には後れるが差押えの登記

には先立つ用益権が設定されている場合、法59条2項の文理と仮差押えの仮定性、暫定性との関係をどのように解するかが問題となり、売却条件の定め方や競売手続の進行の可否について見解が分かれている（詳細は、中野＝下村「民事執行法」410頁、民事執行セミナー79頁以下、理論展望59頁以下、注釈民事執行法(3)279頁以下などを参照）。

　この点、大別すると、①法59条2項の文言に忠実に、仮差押えの登記に後れる用益権は売却により（すなわち売却許可決定確定時に）実体的にも消滅すると考え、したがって、その前提で売却条件を定め、競売手続を進行すべきとする考え方（A説）、②仮差押えの仮定性、暫定性を強調し、法59条2項に仮差押えに後れる権利の取得は売却によって効力を失うと定められているとしても、それは、仮差押えに基づく本執行の要件が備わった場合を前提とするものと考え、執行裁判所は仮差押えの被保全権利の有無を判断することはできないから、競売手続において仮差押えに後れる用益権が引受けとなるか消滅するかを決することができず、したがって、仮差押えの本案訴訟の決着がつくまで競売手続を事実上停止せざるを得ないという考え方（B説）、折衷的な見解として、③執行裁判所としては、法59条2項に従い仮差押えに後れる用益権が売却により消滅するものとして売却条件を定め、競売手続を進行するほかないが、売却後に本案訴訟で仮差押債権者が敗訴し、仮差押えの執行が取り消されることとなった場合には、仮差押えに後れる用益権は実体的に差押債権者に対抗することができると解さざるを得ないから、買受人はその用益権を引き受けなければならない（この場合、買受人は、民法の担保責任の規定（民568条）により、契約の解除又は代金の減額請求をすることができる。）とする考え方（C説）に分かれる。

　東京地裁民事執行センターでは、㋐法59条2項の文言上、差押えと仮差押えとの間に差異がなく、差押えと仮差押えとは、換価権の有無に差異はあるが、処分制限の効力としては差異がないと考えられるところ、差押えの基礎となった債務名義が売却後に取り消されるなどした場合であっても、差押えに後れる用益権が法59条2項に基づき実体法上も確定的に効力を失うと解すべきことに争いはないから、仮差押えに後れる用益権についても同様に考えるべきこと、㋑法87条1項3号は、本案未確定の仮差押債

権者にも配当受領資格を認めているところ、これは、本案が未確定であっても、仮差押えが有効なものであることを前提に売却し、配当財団を確保すべきことを命じたものと解されること、⑦仮差押えに後れる用益権が売却により確定的に消滅すると解しても、仮差押登記後の用益権者は、登記記録の記載によってその処遇を予測することができ、不測の損害を被ることはないことなどの理由から、前記A説により、仮差押えに後れる用益権は、売却時（売却許可決定確定時）に消滅するものとして売却条件を定め、競売手続を進行させる取扱いをしている（不動産執行の理論と実務(上)252頁）。

2 滞納処分による差押登記に後れる用益権の処遇（〔Q105〕参照）

滞納処分による差押登記には後れるが民事執行法による差押登記には先立つ用益権の処遇については、滞調法にも民事執行法にも明文の規定がない。そのため、続行決定により進行する競売手続において、滞納処分による差押えに処分制限効を認めるか否かにより、ⓐ競売手続においても滞納処分による差押えに処分制限効を肯定し、法59条2項を類推適用して、滞納処分による差押えに後れる用益権は売却の結果消滅するという処分制限効肯定説、ⓑ民事執行手続においては滞納処分による差押えの処分制限効を否定し、滞納処分に後れる用益権は売却によっても消滅しないとする処分制限効否定説、ⓒ滞納処分庁が配当要求終期内に交付要求をした場合に限り、処分制限効を認める条件付処分制限効肯定説に見解が分かれていた（不動産執行の理論と実務(上)258頁参照）。

東京地裁民事執行センターでは、かねてからⓐの処分制限効肯定説の立場で運用しており、滞納処分による差押えに後れる用益権は売却により効力を失う取扱いとしてきた。この点に関し、最決平12.3.16（民集54巻3号1116頁・金法1587号64頁）は、「滞納処分による差押えの後に設定された賃借権は、民事執行法59条2項の類推適用により、続行決定に係る強制競売手続等における売却によってその効力を失う」としており、交付要求の有無を問わない処分制限効肯定説に立つことを示したものと考えられる（最

判解平成12年度(上)313頁〔杉原則彦〕、中野＝下村・前掲412頁）。

3　明渡猶予制度の適用との関係

　前記1及び2のとおり、仮差押登記又は滞納処分による差押登記に後れる用益権は売却により消滅するものとして扱われることになるが、これらの扱いと、民法395条による明渡猶予制度との関係が問題となる。

　平成15年改正法による改正前の民法395条の短期賃貸借保護の制度との関係では、仮差押え又は滞納処分による差押えに後れる賃貸借の帰趨については、専ら仮差押え及び滞納処分による差押えの処分制限効の問題として論じられてきた。しかし、同改正後の民法395条は、抵当権に後れて対抗要件を備えた賃借権は全て売却により消滅するものとしつつ、一定の保護要件を満たす占有者に対し一律6か月の明渡猶予を与えるという制度を創設したものであって、同改正前におけるそれとは異なり、賃貸借の存続を認めるものではないから、仮差押え及び滞納処分による差押えの処分制限効の肯否についての議論は、この制度による明渡猶予が与えられるか否かの結論には直結しない。明渡猶予の対象となるか否かは、端的に民法395条1項が規定する保護要件に該当するか否かにより判断すべき問題である（谷口園恵「短期賃貸借保護の廃止と建物明渡猶予による保護」新民事執行実務3号64頁）。

　したがって、民法395条1項が「競売手続の開始前から使用又は収益をする者」（同項1号）と規定するのみである以上、仮差押えや滞納処分による差押え後であっても、競売手続開始前からの賃借権に基づく占有者であれば、明渡猶予の対象となると解するのが素直な文理解釈であり、東京地裁民事執行センターでも、この考え方に基づき売却条件の検討がされている。最決平30.4.17（民集72巻2号59頁・金法2098号74頁）も、滞納処分による差押登記に後れる賃借権について、競売手続の開始前から抵当権者に対抗することができない賃借権により建物の使用又は収益をする者は、当該賃借権が滞納処分による差押えがされた後に設定されたときであっても、「競売手続の開始前から使用又は収益をする者」に当たるとして、明渡猶予の対象となることを明らかにした。

Q65 建物共有持分の一部に対する滞納処分と賃借権の処遇

> 共有に係る建物の全体に抵当権が設定されている場合において、一部の共有持分に滞納処分による差押えがされた後に建物共有者の全員を賃貸人として設定された賃借権は、上記抵当権の実行による競売手続上どのように扱われるか。滞納処分による差押えがされた共有持分が3分の2の場合と、3分の1の場合とで、違いはあるか。

1 はじめに

　民事執行手続における競売対象は単独所有物件ばかりではなく共有物件もあり、その中には、共有者全員により、あるいは、共有者の一部の者により、当該物件が賃貸されている場合もある。執行裁判所が売却条件を定めるに当たり、共有物件の取扱いには法解釈上の難問が多いにもかかわらず、裁判例は少なく、全国的にみて執行実務が統一されているとはいい難い面がある。本設例は、一部の共有持分について滞納処分による差押えがされている場合に、共有者の全員を賃貸人として設定された、抵当権及び滞納処分による差押えに後れる賃借権の処遇の問題である。ここでは、A、Bが共有する建物全体に抵当権が設定された後、Aの共有持分のみに滞納処分による差押えがあり、その後、A、Bが賃貸人となってCのために賃借権を設定し、引き渡したが、抵当権が実行され、Dが買い受けた場合を例に説明する。なお、共有者の一部により賃借権が設定されている場合については〔Q66〕を参照されたい。

2 前提となる考え方

(1) 滞納処分による差押えの処分制限効と用益権の処遇

　滞納処分による差押えがされた後、競売開始決定による差押えがされるまでの間に設定された賃借権は、法59条2項の類推適用により（すなわち滞納処分による処分制限効を肯定して）、売却により消滅し、引渡命令の対

象となるが、明渡猶予制度との関係では、競売手続開始前からの賃借権に基づく占有者として、明渡猶予制度の対象になる（最決平12.3.16民集54巻3号1116頁・金法1587号64頁、最決平30.4.17民集72巻2号59頁・金法2098号74頁。〔Q64〕、〔Q105〕参照）。

　これを前提とすると、Cの賃借権は、A持分との関係では滞納処分による差押えに後れ、賃借権設定が否定されることになるため、結局、共有者Bが、他の共有者Aとの協議を経ずに無断で賃借権を設定している場合と同様に考えることができる。

　(2)　共有関係をめぐる判例

　最判昭41.5.19（民集20巻5号947頁）は、共有者は、他の共有者との協議を経ないで当然に共有物を単独で占有する権原を有するものではないが、自己の持分によって共有物を使用収益する権原を有するので、他の全ての共有者は、自己の持分に基づいて現に共有物を占有する共有者に対し、当然には共有物の明渡しを請求することができないとしている。さらに、最判昭63.5.20（集民154巻71頁・金法1194号26頁）は、前記最判昭41.5.19を引用しつつ、共有者の一部の者から共有者の協議に基づかないで共有物を占有使用することを承認された第三者は、その者の占有使用を承認しなかった共有者に対して共有物を排他的に占有する権原を主張することはできないが、現にこれを承認した共有者の持分に基づくものと認められる限度で共有物を占有使用する権原を有するので、同第三者の占有使用を承認しなかった共有者は、同第三者に対して当然には共有物の明渡請求をすることはできないとしている。

3　平成16年4月1日以降に設定された賃借権の場合

　Cの賃借権は抵当権に後れ、かつ、平成15年改正法により廃止された短期賃貸借保護制度は適用されないから（〔Q62〕参照）、いずれにせよ売却により消滅する。そして、前記2のとおり、滞納処分による差押えに後れる賃借権であっても、競売手続開始前からの賃借権に基づく占有者であれば、民法395条の明渡猶予制度の対象となる。したがって、共有持分の一部に対する滞納処分の差押えに後れるCの賃借権についても、同様に明渡

猶予制度の対象となるものとして扱うことになる。このことは、滞納処分による差押えがされたAの共有持分が3分の2の場合と、3分の1の場合とで、違いはない。

4　短期賃貸借保護制度の対象となる賃借権の場合

　平成16年3月31日までに成立した賃貸借契約に基づく賃借権の場合、短期賃貸借保護制度の対象となり得る（〔Q62〕参照）。前記最判昭63.5.20が共有者の一人が単独で設定した賃借権の性質をどのように捉えているかは必ずしも明らかではないが、いずれにせよ、賃借人CはBとの短期賃貸借契約に基づき建物の引渡し（借地借家31条）を受けているので、買受人Dは、短期賃借権を設定することができないAの地位のほかに、短期賃借権の賃貸人であるBの地位も承継すると考えることができる。そして、Bは、Cに対し、共同賃貸人の一人として不可分債務を、A持分については他人物賃貸人としての債務を、それぞれ負っていたと解されるので、Dは、B持分を承継することにより、Cに対し、短期賃貸借契約における賃貸人の債務（建物賃貸義務、敷金返還義務等）を負うことになる。このようなDの法的地位は、結果的には、一般的に短期賃借権を引き受けた場合と同じとなるので、物件明細書には、「買受人が負担することとなる他人の権利」欄にCの賃借権を短期賃借権として記載するとともに、参考として「共有者B持分との関係で」と付記するのが適当であろう。この考え方に基づく取扱いは、これまで述べてきた前記最判昭41.5.19及び前記最判昭63.5.20の趣旨からすれば、A持分が3分の2の場合と3分の1の場合とを問わないことになる。

　これに対し、差押えを受けていない共有者の持分が過半数であるか否かを基準として、短期賃借権の引受けの有無を決する考え方や（山門優「共有持分の差押えと占有権原」山﨑＝山田「民事執行法」121頁）、共有者の一人が単独で設定した賃借権に基づく占有者は排他的占有権原を有しておらず短期賃借権の対抗要件を欠くとしてCの短期賃借権がDに引き受けられる余地はないとする考え方があるが、東京地裁民事執行センターでは、前記最判昭41.5.19及び前記最判昭63.5.20の各趣旨に照らし、前記の考え方

(滞納処分を受けたAの持分割合にかかわらず、買受人はCの短期賃借権を引き受ける。)に基づく取扱いをしている。

　なお、この考え方による場合、A持分に対して滞納処分による差押えがされ、その後差押え前に短期賃借権が更新されたとしても、B持分との関係で、当該短期賃借権が保護されることに変わりはないから、買受人はCの短期賃借権を引き受けることになる。

> # Q66 建物共有者の一人を賃貸人とする賃借権の処遇
>
> 次のような賃借権は、競売手続上どのように取り扱われるか。
> (1) 建物全体に設定された抵当権が実行されている場合において、建物共有者の一人のみを賃貸人とする賃借権が設定されているとき
> (2) 建物共有持分に設定された抵当権が実行されている場合において、
>   ① 抵当権設定者である共有者のみを賃貸人とする賃借権が設定されているとき
>   ② 抵当権設定者でない共有者のみを賃貸人とする賃借権が設定されているとき

1 建物所有者でない者を賃貸人とする賃借権の処遇

　本設例の検討に入る前に、便宜上、建物所有者でない者を賃貸人（転貸人の場合を含まない。）とする賃借権の処遇を検討しておく。

　実務上、このような建物所有者でない者を賃貸人とする賃借権はまれではない。例えば、妻名義の建物を夫名義で賃貸している事例、個人名義の建物を同人を代表者とする会社名義で賃貸している事例、所有者が建物の管理を管理会社に委託し、管理会社がその名義で賃貸している事例がある。なお、管理会社が関わる類似の形態として、管理会社が建物所有者から賃借し、それを転貸している事例があるが、これは、ここで取り上げる事例とは異なる（これら事例の区別については、吉村真幸「新しい形態の建物賃貸借と不動産執行について」執行官雑誌27号1頁参照）。

　このような事例では、実務上、所有者と賃貸人との間に使用貸借契約があるといった認定はせず、名義上の賃貸人が、いわば所有者の代理人として、賃貸借契約を締結しているとして、競売手続上、所有者が直接賃貸借契約を締結しているのと同様の法的効果を認め、売却条件の判断がされている。いわゆる所有者代理型である。仮に、これらの事例について、占有

者を使用借人からの転借人として扱うと、転借人は買受人に対しおよそ対抗することができないこととなり、実態に合わないと思われる。

2 建物全体に抵当権が設定されている場合において建物共有者の一人のみを賃貸人とする賃借権の処遇（設例(1)）

建物全体に抵当権が設定されている場合において建物共有者の一人のみを賃貸人とする賃借権が設定されている例としては、実務上、夫婦共有の建物を一方の配偶者名義で賃貸している事例や、共同相続人のうちの一人の名義で賃貸している事例が典型である（ここでは、他の共有者の明示又は黙示の承諾を得て賃借権が設定されていることを前提とする。一人の共有者が他の共有者に無断で賃貸している事例については〔Q65〕と同じ考え方になると思われる。）。このような事例では、①共有者全員で建物を担保に供している人的関係に鑑みても、賃貸人たる共有者は、いわば共有者全員を代表し、自己の持分については自ら、他の共有者の持分については所有者の代理人として賃貸借契約を締結しているとする構成と、②当該賃貸借契約について形式的に賃貸人となっていない共有者は、単に共有物利用の方法としての賃貸借契約の締結を承諾しただけであって、実質的にも賃貸人ではないとする構成が考えられる。

最終的には現況調査の結果等を踏まえた事実認定の問題であるが、①の構成によれば、共有者全員が賃貸借契約を締結した場合と同じように、競売手続における賃借権の処遇（最先抵当権に優先する賃借権（最先賃借権）や短期賃借権（平成15年改正法による改正前の民395条。以下同じ）の該当性等）を判断すればよい。また、②の構成によっても、買受人は、賃貸人となっていない共有者の持分を承継することにより、賃貸借契約の締結を容認した地位も承継したものとみることができるので、①の構成と同様に賃借権の処遇を判断して差し支えないと考えられる。結局、いずれの考え方によっても、例えば最先賃借権や平成16年3月31日までに成立した短期賃借権（差押え前に更新されたもの）である場合には、物件明細書上は「引受け」として取り扱うこととなる。

Q66

3 建物共有持分に抵当権が設定されている場合において抵当権設定者である共有者のみを賃貸人とする賃借権の処遇（設例(2)①）

　建物共有持分に抵当権が設定されている場合において一人の共有者のみを賃貸人とする賃借権が設定されている例としては、AとBとが共同出資をして建築した共有に係る6階建ての商業ビルのうち、1階から3階までをAが、4階から6階までをBが、それぞれ第三者に賃貸して収益を上げているような事例が典型である。このような事例では、前記2の事例と異なり、共有者間の人的関係がさほど密ではなく、一人の共有者が建物を担保に融資を受けようとする場合でも、自己の持分のみを担保に供していることが多い。このような人的関係に鑑みると、通常、賃貸人である共有者は、共有物利用の在り方について他の共有者との明示又は黙示の協議は経ているものの、他の共有者を代表して賃貸借契約を締結しているとはいい難い。そうすると、前記2の①の考え方である所有者代理の構成をとることは難しく、前記2の②の考え方に基づき賃借権の処遇を考察すべきことになる。また、この事例において、Aがその持分に抵当権を設定した場合、Aの主観としては、建物の1階から3階までが自己の持分に相当する部分であり、それに抵当権を設定したと認識していることも多いと思われるところ、法律上は、Aの持分は1階から6階まで全部に及んでいるので、それを前提に賃借権の処遇を考える必要がある。

　設例(2)①では、上記の事例でいうと、Aを賃貸人とする建物の1階から3階までの賃借人（Dとする。）の処遇が問題となる。前記2の②の考え方によれば、建物のAの持分に設定された抵当権が実行され、買受人（Cとする。）が現れ、建物がBとCとの共有になった場合のDの賃借権については、Aが設定した抵当権との関係により、競売手続における賃借権の処遇を判断すればよいことになる。ただし、Dの賃借権が引受けになるとしても、それは買受人Cとの関係でそうなるのであって、BとDとの間で賃貸借契約が成立するわけではないため、例えば、DがBに対して敷金返還請求権を行使することはできない。

この場合の物件明細書の記載としては、一般的な記載と異なるところはなく、Dの賃借権が買受人に対抗することができる場合には、それを引き受けるべき権利として記載し、買受人に対抗することができない場合には、買受希望者に対する情報提供の見地から、「その他買受けの参考となる事項」欄に、共有持分の売却のときの定型的な記載である「本件は、共有持分の売却であり、買受人は当然に使用収益できるとは限らない。」旨を記載するほか、「物件の占有状況等に関する特記事項」欄にDは買受人に対抗することができない旨（これに加えて明渡猶予制度の対象となる場合にはその旨）を記載することになろう。

なお、AとBの持分割合により、結論を異にしないと解される（〔Q65〕参照）。

4 建物共有持分に抵当権が設定されている場合において抵当権設定者でない共有者のみを賃貸人とする賃借権の処遇（設例(2)②）

設例(2)②では、前記3に掲げた事例において、Bを賃貸人とする建物の4階から6階までの賃借人（Eとする。）の処遇が問題となる。前記3に記載したように、前記2の②の考え方によれば、建物のAの持分に設定された抵当権が実行されて買受人Cが現れ、建物がBとCとの共有になった場合、A持分を承継したCに対してEが賃貸借契約の承継を主張する余地はないものの、BとEの賃貸借契約が継続している限りは、Eは、Cに対し、Bから賃借権を設定されている旨及びBとEの賃貸借契約の締結を容認したAの地位をCが承継した旨を主張して、Cからの明渡請求を拒むことができる。ただし、CがEとの関係において賃貸人の地位にあるわけではないから、仮にBとEの賃貸借契約が終了したとしても、Eは、Cに対して敷金返還請求権を行使することはできないことに注意すべきである。この場合の物件明細書の記載としては、Eの賃借権が最先の賃借権であるか否かにかかわらず、買受人が引き受けるべき権利としては扱わない（賃借権が短期賃借権等の要件を備えている場合に買受人がこれを容認すべき地位を承継することを捉えて「引受け」と説明する考え方もあり得るが、買受人が賃貸

Q66

の地位を承継するかのような誤解を与えるので、適当ではないと思われる。)。ただし、買受希望者に対する情報提供の見地から、「その他買受けの参考となる事項」欄に「本件は、共有持分の売却であり、買受人は当然に使用収益できるとは限らない。○階部分を売却対象外の共有持分を有するBからの賃借人Eが占有している。」旨を記載するのが相当であろう。

　なお、AとBの持分割合により、結論を異にしないと解される（〔Q65〕参照）。

Q67 定期借家権の処遇

競売手続において、定期借家権はどのように取り扱われるか。

1 定期借家権の意義と内容

(1) 定期借家権の意義

定期借家権（定期建物賃貸借契約に基づく賃借権）とは、契約の更新がないこととする旨の定めのある建物賃借権である（借地借家38条1項）。定期建物賃貸借契約を締結する際には、賃貸人は、あらかじめ、賃借人に対し、当該賃貸借は契約の更新がなく、期間の満了により当該建物の賃貸借が終了することについて、その旨を記載した書面を交付して説明しなければならず（同条2項）、賃貸人が当該説明をしなかったときは、契約の更新がないこととする旨の定めは無効となる（同条3項）。

この点、最判平24.9.13（民集66巻9号3263頁）は、借地借家法38条2項所定の書面について、賃貸人が、当該契約に係る賃貸借は契約の更新がなく、期間の満了により終了すると認識しているか否かにかかわらず、契約書とは別個独立の書面であることを要するというべきであると判示し、契約書とは別個独立の書面が交付されていない場合は、定期借家条項は無効であり、当該契約は、定期建物賃貸借に当たらず、約定期間の経過後、期間の定めがない賃貸借として更新されたことになる（借地借家26条1項）とした。

(2) 定期建物賃貸借契約における終了通知の要否

定期建物賃貸借契約において賃貸借期間を1年以上と定めた場合、賃貸人は、賃借人に対し、通知期間（期間満了の1年前から6か月前までの間）に、賃貸借期間の満了により建物の賃貸借が終了する旨の通知（終了通知）をしなければ、その終了を建物の賃借人に対抗することができない（借地借家38条4項本文）。なお、賃貸借期間が1年未満の場合、終了通知は必要とされていない。

Q67

　同項ただし書は、賃貸人が通知期間の経過後に賃借人に対して終了通知をした場合において、その通知の日から6か月を経過した後はこの限りでない旨を規定している。同項の解釈に関し、通知期間経過後賃貸借期間満了までに終了通知をしたときに、通知の日から6か月の経過により賃貸借終了を主張することができるようになることについては、明らかである。これに対し、賃貸人が賃貸借期間満了までに終了通知をしなかった場合の法律関係については、見解が分かれている。主なものとして、①通知を怠った場合、賃貸人は、賃貸借期間が満了しても、賃貸借が終了したことを賃借人に主張することができず（賃借人から契約終了の事実を認めて契約関係から離脱することは自由であると解される。）、賃借人も契約の終了を主張しなかった場合は、契約期間満了後も、従前の賃貸借契約が継続している状態になり、借地借家法26条のみなし更新規定の適用も、民法619条の黙示の更新の規定の適用もなく、賃貸人は、通知期間経過後であっても、終了の通知をすれば、その通知の日から6か月が経過したときは、賃借人に対して契約が終了したことを主張することができるとする見解と（借地借家法制研究会編『新訂版一問一答新しい借地借家法』193頁、山口英幸「改正借地借家法の概要」ジュリ1178号8頁参照）、②賃貸借期間満了後も賃借人が建物の使用を継続し、賃貸人が異議を述べないときは、民法619条1項の規定により、黙示の更新がされて期間の定めのない普通建物賃貸借契約が締結されたものと推定すべきであり、賃貸人は正当事由がある場合に解約の申入れをすることができる（民617条、借地借家28条）との見解（稲本洋之助・澤野順彦編『コンメンタール借地借家法〔第3版〕』297頁〔藤井俊二〕）がある。

　この点に関し、賃貸人が契約期間満了後に借地借家法38条4項の通知をした場合でも、通知の日から6か月を経過した後は契約の終了を賃借人に対抗することができるとした裁判例として、東京地判平21.3.19（判時2054号98頁）がある。東京地裁民事執行センターでは、同裁判例と同様に、上記①の見解に基づく取扱いをしている。

(3) 問題の所在

　定期借家権が最先賃借権（最先順位の抵当権に先立つ賃借権）の要件を満

たす場合、売却条件の確定に際して、㋐定期借家権の賃貸借期間が終了通知のないまま満了した後、買受人が代金納付をして目的建物の所有権を取得したとき、買受人は賃貸借（ないしそれに類する法律関係）を引き受けるのか否か、㋑賃貸借期間が満了する前に買受人が代金納付をして目的建物の所有権を取得したとき、買受人は賃借人に対し、終了通知なくして期間満了による賃貸借契約の終了を主張することができるのか否かという問題がある。

また、定期借家権が最先賃借権ではない場合、㋒明渡猶予制度（民395条）の適用があるか否か、㋓短期賃借権（平成15年改正法による改正前の民395条）の場合はどうかといった問題がある。

以下、前記(2)の①の見解に立つ東京地裁民事執行センターの取扱いを紹介する。

2　最先順位である定期借家権

(1)　代金納付が期間満了後になる場合

ア　物件明細書作成時、既に終了通知をしてその終了を賃借人に対抗することができる状態であり、かつ、賃貸借期間が満了しているとき

　定期借家権は買受人の引受けにならない。東京地裁民事執行センターでは、賃借人が定期借家権の期間満了後も継続して賃料を支払っている場合には、期間満了後に新たな賃借権が設定されたものとして、物件明細書の「物件の占有状況等に関する特記事項」欄において、「○○が占有している。同人の賃借権は差押えに後れる。」と記載する取扱いである。

イ　物件明細書作成時、既に賃貸借期間が満了しているが、終了通知が未了のとき

　東京地裁民事執行センターでは、買受人に不測の損害を与えないという実践的観点から、この場合、物件明細書の「買受人が負担することとなる他人の権利」欄に、終了した定期建物賃貸借契約の内容を記載した上、「上記賃借権は最先の定期建物賃借権と認められるが、借地借家法38条4項所定の通知がされないまま上記期限が経過したため、上記賃借人に対しその終了を対抗できないものである。」と記載する取扱いである。

ウ 物件明細書作成時、既に終了通知をしてその終了を賃借人に対抗することができる状態であり、賃貸借期間が代金納付時までに満了することが見込まれるとき

東京地裁民事執行センターでは、最先順位の定期借家権が存在するが、終了通知をしてその終了を賃借人に対抗することができる状態であり、予想される代金納付時（物件明細書作成時から6か月後）までに賃貸借期間が満了する場合には、物件明細書の「物件の占有状況等に関する特記事項」欄に、「○○が占有している。同人の定期建物賃借権は令和○○年○○月○○日をもって期間が満了するものである。」と記載している。

(2) 代金納付が期間満了前になる場合

賃貸借期間満了前の買受人は、期間満了まで賃貸借が存在する以上、賃貸人の地位を承継し、賃貸借終了通知なくして賃貸借終了を対抗することができないこととなる。

ア 物件明細書作成時、終了通知がなく、予想される代金納付時までに賃貸借期間が満了しないとき

東京地裁民事執行センターでは、この場合には、物件明細書の「買受人が負担することとなる他人の権利」欄に「上記賃借権は最先の定期建物賃借権と認められる。上記賃借人に対し賃貸借の終了を対抗するには、借地借家法38条4項所定の通知を要する。」と記載している。

イ 物件明細書作成時、既に終了通知をしてその終了を賃借人に対抗することができる状態であるが、予想される代金納付時までに賃貸借期間が満了しないとき

この場合、東京地裁民事執行センターでは、物件明細書の「買受人が負担することとなる他人の権利」欄に「上記賃借権は最先の定期建物賃借権と認められる。上記賃借人に対し借地借家法38条4項所定の通知がされたため、令和○○年○○月○○日の経過により上記賃借権の期限が経過するものである。」と記載している。

3　最先順位ではない定期借家権

(1) 民法395条の明渡猶予制度の適用の有無

　平成15年改正法により創設された明渡猶予制度（民395条）は、定期借家権を適用除外とはしていない。東京地裁民事執行センターでは、最先の定期借家権ではない定期借家権について、予想される代金納付時（物件明細書作成時から6か月後）までに賃貸借期間が満了しているか否かを基準として、明渡猶予制度の適用の有無を判断する取扱いである。この場合の「期間の満了」とは、賃貸借期間の経過に加え、終了通知をしてその終了を賃借人に対抗することができる状態になったことを指す。したがって、終了通知をしていない場合や終了通知がされたか否かが不明な場合、終了通知をしていても6か月が経過していない場合などは「期間の満了」に該当せず、賃借人が代金納付時（基準時）に定期建物賃貸借（ないしはそれに類する法律関係）により建物を使用収益していれば、明渡猶予制度の適用がある。そして、その後に定期建物賃貸借の賃貸借期間が満了したとしても、明渡猶予期間（6か月）の適用に変更はないという扱いである。

　このように明渡猶予制度の適用がある場合には、物件明細書の「物件の占有状況等に関する特記事項」欄に「○○が占有している。同人の賃借権は抵当権に後れる。ただし、代金納付日から6か月間明渡しが猶予される。」と記載している。

　これに対し、最先順位ではない定期借家権で代金納付時までに賃貸借期間が満了し、終了通知をしてその終了を賃借人に対抗することができる状態となった場合、すなわち、明渡猶予制度の適用がない場合には、物件明細書の「物件の占有状況等に関する特記事項」欄に「○○が占有している。同人の定期建物賃借権は令和○○年○○月○○日をもって期間が満了するものである。」と記載している。

(2) 短期賃貸借保護制度が適用される場合

　短期賃貸借保護制度が適用されるのは平成15年改正法の施行日である平成16年4月1日に現に存する賃借権であることから、民法602条に定める期間を超えない定期借家権が現在に至るまで存続していることは通常想定

Q67

し難いが、終了通知を欠いたまま従前の契約が更新されることなく継続している場合がないわけではない。

　この場合、短期賃借権の制度が抵当権に劣後し買受人に対抗することができない権利を一定限度で特別に保護する制度である以上、一般の短期賃借権の差押え後の法定更新が認められない（〔Q62〕参照）のと同様、買受人との関係では、終了通知がないことによる賃貸借継続ないしそれに類する効果は認められないとするのが妥当と考えられる。したがって、賃貸借期間満了後に代金納付をした買受人は、賃借権（ないしそれに類する法律関係）を引き受けないと考えられる。

Q68 配偶者居住権・配偶者短期居住権の処遇

競売手続において、配偶者居住権・配偶者短期居住権はどのように取り扱われるか。

1 配偶者居住権・配偶者短期居住権の意義と内容

平成30年民法改正法により、配偶者居住権及び配偶者短期居住権（以下、配偶者居住権と配偶者短期居住権とを併せて「配偶者居住権等」という。）の制度が設けられた。

(1) 配偶者居住権

ア 趣　旨

配偶者居住権の制度は、配偶者に居住建物の使用収益権限のみを認め、処分権限のない権利を創設することによって、遺産分割の際に、配偶者が居住建物の所有権を取得する場合よりも低廉な価額で居住権を確保することができるようにすること等を目的として創設されたものである。

イ 成立要件

配偶者居住権の成立要件は、①配偶者が相続開始時に被相続人所有の建物に居住していたこと、②その建物について配偶者に配偶者居住権を取得させる旨の遺産分割、遺贈又は死因贈与がされたことである（民1028条1項本文、554条）。被相続人が建物の共有持分を有していたにすぎない場合には、原則として配偶者居住権は成立しないが、例外的に居住建物が被相続人と配偶者のみの共有となっていた場合には、配偶者居住権を成立させることができる（民1028条1項ただし書）。配偶者居住権の発生原因の一つである遺産分割に関しては、遺産分割の審判も含まれ、遺産分割の請求を受けた家庭裁判所は、一定の要件を満たす場合に配偶者に配偶者居住権を取得させる旨の審判をすることができる（民1029条）。

ウ 主な内容

配偶者居住権は、無償で居住建物全部の使用及び収益をすることができ

第4節　売却条件の判断

る権利であり（民1028条1項本文）、賃借権類似の法定の債権とされている。もっとも、居住建物の所有者の承諾を得なければ、居住建物の増改築や第三者に居住建物の使用又は収益をさせることはできず（民1032条3項）、配偶者は、従前の用法に従い、善良な管理者の注意をもって、居住建物の使用及び収益をしなければならない（同条1項本文）。

　配偶者居住権は原則として配偶者の終身の間存続するが、遺産分割、遺贈、死因贈与又は遺産分割の審判の際に、存続期間を定めることもできる（民1030条）。

　配偶者から第三者に対する配偶者居住権の譲渡は、配偶者居住権創設の趣旨と整合しないことから、認められない（民1032条2項、帰属上の一身専属権）。

　配偶者が配偶者居住権を第三者に対抗するためには、建物の引渡し（借地借家31条）では足りず、配偶者居住権の設定登記をする必要がある（民1031条2項、605条）。

エ　消　滅

　配偶者居住権の消滅原因としては、㋐存続期間の満了（民1036条、597条1項）、㋑用法遵守義務若しくは善管注意義務に違反した場合又は無断で増改築したり第三者に使用収益させたりした場合において相当期間内に是正がされないときの居住建物の所有者による消滅請求（民1032条4項）、㋒配偶者の死亡（民1036条、597条3項）、㋓居住建物の全部滅失（民1036条、616条の2）等がある。

(2)　配偶者短期居住権

ア　趣　旨

　配偶者短期居住権の制度は、被相続人の意思にかかわらず、配偶者の短期的な居住権を保護するため、配偶者が従前居住していた建物に被相続人の死亡後も引き続き無償で居住することができるようにすることを目的として創設されたものである。

イ　成立要件

　配偶者短期居住権は、配偶者が、被相続人の財産に属した建物に相続開始の時に無償で居住していたことが成立要件とされている（民1037条1項

本文）。

ウ　主な内容

　配偶者短期居住権は、無償で居住建物（居住建物の一部のみを使用していた場合にあっては、その部分）を使用することのできる権利であり（民1037条1項本文）、使用借権類似の法定の債権とされている。配偶者居住権とは異なり、収益権限は認められていない。第三者に居住建物の使用をさせることはできるが、居住建物の所有者の承諾を得る必要がある（民1038条2項）。配偶者は、従前の用法に従い、善良な管理者の注意をもって、居住建物の使用をしなければならない（同条1項）。

　居住建物について配偶者を含む共同相続人間で遺産分割をすべき場合、配偶者短期居住権は、相続開始の時から遺産分割により居住建物の帰属が確定した日又は相続開始の時から6か月を経過する日のいずれか遅い日まで存続する（民1037条1項1号）。これ以外の場合には、配偶者短期居住権は、相続開始の時を始期、居住建物取得者による配偶者短期居住権の消滅の申入れから6か月を経過する日を終期として存続する（同項2号）。

　配偶者居住権同様、配偶者短期居住権は譲渡することができない（民1041条、1032条2項）。なお、配偶者短期居住権の存続期間は短期間に限定されることが通常であることなどから、対抗要件制度は設けられていない。

エ　消　　滅

　配偶者短期居住権の消滅原因としては、ⓐ存続期間の満了、ⓑ用法遵守義務若しくは善管注意義務に違反した場合又は無断で第三者に使用させた場合における居住建物の所有者による消滅請求（民1038条3項）、ⓒ配偶者による配偶者居住権の取得（民1039条）、ⓓ配偶者の死亡（民1041条、597条3項）、ⓔ居住建物の全部滅失（民1041条、616条の2）等がある。

2　競売手続における配偶者居住権等の帰趨

(1)　配偶者居住権

ア　配偶者居住権の登記が最先である場合

　競売手続においては、抵当権者、差押債権者、仮差押債権者等に対抗す

ることができない不動産に係る権利の取得は、売却によりその効力を失う（法59条2項）。前記1(1)ウのとおり、登記された配偶者居住権は第三者に対する対抗力を有するが、配偶者居住権の登記と抵当権、差押え、仮差押え等の登記との先後で、配偶者居住権が売却により効力を失うか否か、すなわち、買受人の引受けとなるか否かが決まることになる。

　具体的には、担保不動産競売においては、最先抵当権の登記より先に配偶者居住権の登記がされている場合に、不動産強制競売においては、差押えの登記及び抵当権の登記がある場合には最先抵当権の登記より先に配偶者居住権の登記がされている場合に、配偶者居住権は買受人の引受けとなる。これは、配偶者が実際に当該不動産に居住しているか否か、配偶者からさらに借り受けた者がいるか否かを問わない。

　なお、実行抵当権に先立つ登記がされた配偶者居住権を有する配偶者が当該実行抵当権の債務者である場合に当該配偶者居住権が引受けとなるか否かという問題がある。この点に関連して、最決平13.1.25（民集55巻1号17頁）は、最先の抵当権の被担保債権の債務者が当該抵当権に対抗することができる賃借権により不動産を占有する場合には、債務者がその賃借権を主張することは信義則に反して許されない旨判示している（〔Q60〕参照）。しかし、配偶者居住権は、賃借権類似であるとはいえ、賃借権そのものではなく、また、配偶者の居住権を確保するという配偶者居住権の趣旨や、前記のような場合には、賃借権の多くが引渡しを対抗要件とするのと異なり、抵当権者は、配偶者居住権の登記があることを知った上で抵当権の設定をしたといえることからすると、実行抵当権の債務者であることのみをもって配偶者が配偶者居住権を主張することが信義則に違反するとまではいえない。したがって、東京地裁民事執行センターでは、このような配偶者居住権は、買受人の引受けになるものと取扱うこととしている。同様に、最先の登記がされた配偶者居住権を有する配偶者が目的建物の共有持分を有しており、その持分が売却対象となっている場合についても、配偶者居住権は買受人の引受けになるものと取り扱うこととしている。

　配偶者居住権の登記が最先であっても、配偶者の死亡、存続期間の満了、配偶者に対する消滅請求などにより、配偶者居住権が消滅しているこ

とが記録上明らかである場合がある。このような場合には、配偶者居住権は買受人の引受けとならないが、その登記が最先である以上、競売手続においては、その登記を抹消することはできない。なお、配偶者に用法遵守義務等の違反がある場合であっても、当該義務違反の存否が当事者の主張にとどまる場合には、配偶者居住権が確定的に消滅したとまでは認められないため、配偶者居住権は買受人の引受けとなると考えられる。

イ　配偶者居住権の登記が抵当権や差押え、仮差押えの登記に後れる場合

配偶者居住権の登記が最先抵当権等の登記に後れる場合や、そもそも配偶者居住権の登記がされていない場合には、配偶者居住権は、売却により効力を失うことになる。もっとも、配偶者居住権の登記が共有持分に設定された抵当権の登記や共有持分に対する差押えの登記に後れる場合であっても、当該共有持分のみが売却の対象となるときには、配偶者居住権が建物全体に設定されるものであり、一部の共有持分の売却によって効力を失うものではないことからすると、買受人の引受けになると考えられる。

(2)　配偶者短期居住権

配偶者短期居住権は、前記1(2)ウのとおり、対抗要件制度が設けられておらず、第三者に対する対抗力を有しないので、競売手続においては、売却により常に効力を失うことになる。

(3)　明渡猶予制度との関係

抵当権者に対抗することができない配偶者居住権等（特に、賃借権類似の権利とされる配偶者居住権）を有する配偶者について、明渡猶予制度（民395条）の類推適用があるか否かが問題となる。東京地裁民事執行センターでは、同条は、配偶者居住権等の創設時に特段の手当がされていないことや、配偶者居住権が賃借権類似の権利であるとはいっても、無償で居住建物を使用又は収益することのできる権利であり、猶予期間中、買受人が使用料（同条2項）を得ることすらできないとすると買受人の不利益が大きいことなどを考慮し、明渡猶予制度の類推適用はないものとして取り扱うこととしている。

3 現況調査

(1) 配偶者居住権の登記がある物件の現況調査の内容

　現況調査は、執行裁判所における売却条件の判断や裁判所書記官による物件明細書作成の基礎資料とすること、評価人による評価及び執行裁判所による売却基準価額決定の参考資料とすること、執行裁判所における売却後の引渡命令の発令の可否の判断資料とすること等を目的としているところ（〔Q48〕参照）、目的物件について配偶者居住権の登記がされている場合には、これらの事項に影響を及ぼす可能性が高いことから、執行官としては、当該配偶者居住権の内容についても調査する必要がある。基本的には、目的物件の占有者である配偶者の陳述を得るほか、配偶者居住権の登記の内容を確認すれば足り、配偶者等に対し、改めて遺言書等の提示やこれらの写しの提出を求めるまでの必要はない。ただし、後記4(2)のとおり、配偶者居住権の存続期間が終身とされている場合（存続期間について配偶者居住権者の死亡時までとする登記がある場合）には、想定される配偶者居住権の存続期間（具体的には簡易生命表による配偶者の平均余命）が評価に影響することなどから、配偶者の生年月日等を確認するため、その住民票の写し等を取得する必要がある。また、配偶者が死亡していることがうかがわれる場合にも、住民票の写し等を取得して、その事実を確認することになる。執行官が取得した住民票の写し等は、現況調査報告書とは別に占有認定資料として執行裁判所に提出される。

(2) 配偶者居住権の登記がある物件の現況調査報告書の記載

　配偶者居住権の登記がある物件の現況調査報告書には、「配偶者居住権の登記あり」と記載した上で、配偶者居住権の登記の内容を記載する。また、取得した住民票の写し等の記載から配偶者の死亡が判明した場合には、「○○のために配偶者居住権の登記があるが、同人は令和○年○月○日に死亡している」などと記載する。

(3) 配偶者が対抗力のない配偶者居住権等に基づいて占有している場合

　配偶者が登記のない配偶者居住権に基づいて占有している場合や、配偶者短期居住権に基づいて占有している場合には、このような配偶者居住権

等は買受人の引受けとならないことが明らかである。このような場合には通常の現況調査と異なるところはなく、現況調査報告書には、「登記がない（ので買受人に対抗できない）」といった記載をする。

4 評　　価

(1) 減価の要否

　買受人の引受けとなる配偶者居住権が存在する場合（前記2(1)ア参照）、買受人は、配偶者居住権が存続する間は、建物の使用及び収益が制限されることになることから、評価上、減価をすることが相当である。

　これに対して、配偶者居住権の登記が最先抵当権又は差押えの登記に後れる場合や、配偶者の占有権原が配偶者短期居住権である場合には、これらの配偶者居住権等は買受人の引受けとならないことから、評価上、減価をする必要はない。また、配偶者居住権の登記が最先である場合において、配偶者の死亡や存続期間の満了などにより、配偶者居住権が消滅していることが記録上明らかであるときも、前記2(1)アのとおり、競売手続において配偶者居住権の登記は抹消されないが、買受人の引受けとはならないため、減価をする必要はないと考えられる。

(2) 減価の方法

　配偶者居住権は、建物の利用権原であることから、東京地裁民事執行センターにおいては、建物及び土地利用権について減価することとしている。その減価の方法は、配偶者居住権の残存期間（存続期間について配偶者居住権者の死亡時までとする登記がある場合は、簡易生命表による配偶者の平均余命）を前提に、配偶者居住権消滅時の建物及び土地利用権価格を現在の価値に割り戻す方法（権利消滅時現価法）を基にした計算により算出した減価率を乗じるものである。実際には、競売手続においては簡易迅速性が求められることから、一定の試算に基づき、戸建住宅及びマンションそれぞれについて、配偶者居住権の一定期間ごとの残存年数に応じて定められた減価率を用いることとしている。なお、当該減価率においては、一定の上限を設けているが、これは、競売手続においては、買受人は、目的物件を買い受けた後、配偶者に対し、立退料を支払うことや、別の住居を

提供すること等によって、配偶者居住権の消滅を図ることもあり得ることから、配偶者居住権が存在することを理由に極端な減価をすることは不要であると考えられたことによる。なお、具体的な事案に応じて、定められた減価率では賄えないと評価人が判断した場合には、市場性修正を用いて更に減価することが考えられる。

(3) 評価書の記載

買受人の引受けとなる配偶者居住権を理由とする減価をした場合には、評価書に、「配偶者居住権修正」欄を設けて減価率を記載する方法のほか、「占有減価修正」欄において減価率を記載する方法が考えられる。いずれの場合でも、減価の理由として、「配偶者居住権の存続するであろう期間（本件では簡易生命表によれば○年）等を考慮した」旨記載するのが相当である。

5 物件明細書

物件明細書は、買受人が不測の損害を被ることがないように、買受希望者に対し、目的物件の権利関係に影響を及ぼすような重大な情報を提供することを目的として作成されるものである（〔Q80〕参照）。

(1) 「買受人が負担することとなる他人の権利」欄

物件明細書には、必要的記載事項として、「不動産に係る権利の取得及び仮処分の執行で売却によりその効力を失わないもの」（法62条1項2号）が記載されることから、配偶者居住権が買受人の引受けとなる場合には、「買受人が負担することとなる他人の権利」欄にこれを記載する必要がある。具体的には、配偶者居住権者、存続期間、登記に第三者に居住建物の使用収益をさせることを許す定めがあればその旨、第三者に使用収益させているのであればその旨を記載し、末尾に「上記配偶者居住権は最先の配偶者居住権である」と記載して、最先の配偶者居住権であることを明確にする。最先の配偶者居住権が存在するが目的建物が空家である場合や、最先の配偶者居住権が実行抵当権の債務者である場合、持分に対する抵当権又は持分に対する差押えに後れる配偶者居住権が存在する場合も同様である。

(2) 「物件の占有状況等に関する特記事項」欄

　物件明細書の前記のような目的からすると、法62条1項各号の必要的記載事項のほか、任意的記載事項として、買受希望者が買受申出をするか否かを決定する際に、目的物件の情報を容易かつ正確に理解することができるような記載が必要である。そこで、東京地裁民事執行センターでは、配偶者が、買受人の引受けとならない配偶者居住権等に基づいて目的物件を占有している場合には、物件明細書の「物件の占有状況等に関する特記事項」欄に、「〇〇（配偶者）が占有している。同人の配偶者居住権は抵当権に後れる。」などと記載することとしている（配偶者居住権の登記が仮差押えや滞納処分による差押えに後れる場合も同様に考えられる。〔Q64〕参照）。同欄に記載された配偶者は、原則として引渡命令の対象となる。また、例えば、最先の配偶者居住権の登記があるものの、存続期間の満了又は配偶者の死亡等により明らかに配偶者居住権が消滅している場合で、当該建物が残置動産のない空家であるときには、原則として所有者の占有に戻ると考えられるから、同欄には「本件所有者が占有している」などと記載する（配偶者が死亡し、空家であるが配偶者の残置動産がある場合には、残置動産を通じて配偶者の相続人が占有しているとの考え方と、配偶者が死亡している以上占有は所有者に戻るとの考え方とがあり得る。物件明細書の「物件の占有状況等に関する特記事項」欄には、占有者、占有権原、占有時期など、具体的事案に応じた記載をすることになる。）。

(3) 「その他買受けの参考となる事項」欄

　さらに、最先の配偶者居住権の登記があるものの、存続期間の満了又は配偶者の死亡等により配偶者居住権が消滅していることが明らかである場合には、競売手続では配偶者居住権の登記が抹消されないことから、物件明細書の「その他買受けの参考となる事項」欄に「配偶者居住権登記は、配偶者の死亡により消滅しているが、本執行手続では抹消しない。」などと記載し、買受希望者に対して情報提供をすることとしている。他方、所有者が、用法遵守義務等の違反があることを理由として消滅請求（民1032条4項）をしたことを前提とする建物明渡請求訴訟等を提起している場合には、やはり、物件明細書の「その他買受けの参考となる事項」欄にその

Q68

旨を記載することとしている（訴訟提起に至らず、消滅請求をした旨の陳述にとどまる場合には、現況調査報告書の記載にゆだね、物件明細書には記載しない扱いである。）。

〈参考文献〉

堂薗幹一郎ほか「改正相続法の要点(1)—金融実務に関連する項目を中心に—」金法2099号8頁、東京地裁民事執行センター「さんまエクスプレス第104回」金法2148号36頁、石川茂夫「東京地方裁判所（本庁）における配偶者居住権の負担のある不動産の競売評価」事業再生と債権管理170号89頁、石田憲一「配偶者居住権・配偶者短期居住権の概要および現況調査に際しての留意点」新民事執行実務19号3頁（民事法研究会）

Q69 建物建築工事請負人の敷地に対する商事留置権の成否

土地に抵当権が設定された後、土地所有者との間で当該土地上に建物を建築する請負契約を締結し、建物建築工事を施工した請負人は、当該土地について開始された競売手続において、請負代金を被担保債権として敷地に対する商事留置権を主張することができるか。

1 問題の所在

抵当権が設定された土地の所有者が、その土地上に建物を建築するため請負契約を締結し、建物の建築が進められた後に土地について競売手続が開始された場合、当該競売手続において、請負人が建物請負代金債権を被担保債権とする留置権を主張することがある。

建物についていえば、建物が完成し、その所有権が注文者である土地所有者に帰属するときは、請負人は当該建物について留置権を行使することが可能となる（ただし、請負人が材料を供給しているのが通常であるので、建物の引渡しがない以上、請負人に所有権が残っていることが多いと思われる。）。しかし、建物について留置権を行使することが可能といっても、敷地の利用権原がないので、買受人から当該建物の収去を求められれば、ほとんど実益がない。

そこで、請負人が、建物の敷地について商事留置権を主張することができるか否かが問題となる（なお、請負代金債権と敷地との間には牽連性がないため、民事留置権が成立しないことは明らかである。）。当該建物が完成していない場合においても、同様である。このような商事留置権の成立が認められるとすれば、当該留置権は、競売手続における売却によっては消滅せず、買受人の引受けとなり、買受人は、当該留置権の被担保債権を弁済する責任を負担することとなる（法59条4項）。そして、このような場合に、競売手続において売却条件を定める際には、買受人が不測の損害を被らないようにするため、当該土地の価額から当該留置権の被担保債権額を

控除して評価することを考えなければならない。その結果、当該土地の評価額ひいては売却基準価額及び買受可能価額が低廉になり、場合によっては、無剰余を理由として競売手続が取り消されることにもなると考えられる（法63条）。

　ちなみに、最判平29.12.14（民集71巻10号2184頁・金法2090号50頁）は、「不動産は、商法521条が商人間の留置権の目的物として定める「物」に当たると解するのが相当である。」と判示しており、同条の「物」に不動産が含まれないことを理由として商事留置権の成立を否定することはできない。

2　東京地裁民事執行センターにおける取扱い

　東京地裁民事執行センターにおいては、かつて、買受人に不測の損害を与えることがないよう配慮するなどの理由から、売却条件を確定するに際して商事留置権の成立を肯定する説に立った取扱いをしていた（「別冊判例タイムズNo.24民事執行判例・実務フロンティア」39事件、不動産執行の理論と実務(上)262頁）。しかし、現在は、上記取扱いを変更し、少なくとも建物がいまだ完成していない事案（以下「建物未完成事案」という。）について、請負人の敷地に対する商事留置権は成立しないものとする取扱いをしている（東京地裁民事執行センター「さんまエクスプレス第60回」金法1912号82頁）。

　その理由は、①高裁の裁判例をみると、商事留置権の成立を否定する決定（東京高決平22.7.26金法1906号75頁、東京高決平22.9.9金法1912号95頁、大阪高決平23.6.7金法1931号93頁）が相次いで出され、理由付けはともかくとして、請負人の敷地に対する商事留置権の成立を否定するのが趨勢であるといって差し支えない状況にあること（岸日出夫「商事留置権」山﨑＝山田「民事執行法」98頁）、②商事留置権の成立を肯定した裁判例は、建物が完成ないしほぼ完成した事案（以下「建物完成事案」という。）についてのものであることなどから、少なくとも建物未完成事案については、競売手続上、商事留置権が成立しないものとして扱っても、買受人が不測の損害を被るおそれはほぼなくなっているといえるからである。

他方、建物完成事案については、裁判例が分かれている状況にあることから、東京地裁民事執行センターにおいては確立した取扱いは存在しておらず、事案ごとに個別に判断している。
　なお、建物未完成の場合であっても、注文者の責めに帰することができない事由により仕事の完成が不能となった場合、又はその完成前に契約が解除された場合において、既履行の仕事の結果のうち可分な部分の給付によって注文者が利益を受けるときは、その部分について仕事が完成したとみなされること（民法634条）にも、留意が必要である。

〈参考文献〉
日向輝彦「不動産競売手続における商事留置権の成否」民事執行実務の論点249頁

Q70 民法389条による一括競売と建物の売却条件

民法389条による一括競売において、建物の売却条件はどのように定められるか。

1 一括競売の意義（〔Q14〕参照）

更地に抵当権が設定された後、当該土地上に建物が建築されたときには、抵当権者は抵当土地と当該建物を一括して競売することができる（民389条1項本文）。これは、このような場合には法定地上権が成立せず、建物が収去されることになるため、社会経済的損失を避け、かつ、売却を容易にするために、抵当権者の選択による競売対象の拡大を認めたものである。平成15年改正法による改正前は、一括競売の対象となる建物は土地抵当権設定者が当該抵当土地上に建築した建物に限られていたが、執行妨害を目的として土地抵当権設定者以外の者が当該抵当土地上に建物を建築するような例がみられたことから、平成15年改正法において、土地抵当権設定者以外の者が建てた建物にも対象が広げられた。

なお、抵当権者は、土地の代価についてのみ優先弁済権を行使し得る（民389条1項ただし書）。

2 法的性質

民法389条による一括競売の法的性質については、土地の競売は本来の担保権の実行手続、建物の競売は民法の規定による換価のための競売手続（形式的競売（法195条））であって、この2種類の手続が混合した形の競売であるとする説（形式的競売説）と、土地の競売、建物の競売はいずれも担保権の実行としての競売であるとする説（担保権実行説）とがある。民法389条が土地の抵当権者に土地建物の競売の権限を認めたのは、前記1のとおり、土地抵当権者の競売対象を拡大して、担保権の実行としての競売を容易にし、その債権回収の実現を図るためであるから、この限りで土

地に対する抵当権の換価権が建物にも及んだものと考える（担保権実行説）のが相当であろう（伊藤善博ほか「配当研究」134頁）。

なお、建物については、売却条件の考え方（引受主義、消除主義）、配当要求の可否等の諸論点が問題となるが、東京地裁民事執行センターでは、形式的競売についても原則として担保不動産競売と同一の取扱いをしていることから（〔Q148〕参照）、仮に形式的競売説を採用しても、これらの扱いについて担保権実行説と変わるところはない。

3 売却条件

(1) 建物の売却条件

建物の競売の法的性質は、前記2のとおり担保権の実行としての競売であると考えられるから、建物の売却に伴う権利等の扱いは法59条により処遇され、建物に設定された担保権は売却により消滅する。ただし、建物に設定された用益権が消滅するか引受けになるかは、建物の担保権との対抗関係で判断することになる。建物の競売の基礎が土地の抵当権にあるからといって、建物の売却条件まで土地の抵当権によって決定されるわけではないからである。したがって、建物に建物の抵当権設定登記に先立つ対抗要件を備えた賃借権がある場合、この賃借権が、土地に設定された抵当権に後れるものであっても、建物の売却に関しては引受けとして取り扱われる。

(2) 土地の売却条件

土地の売却条件は、当然のこととして法59条が適用される。

4 現況調査

東京地裁民事執行センターでは、現況調査命令の発令に当たって、物件目録に土地と建物を表示し、建物の表示の末尾に「（民法389条による一括競売物件）」と記載する（〔Q14〕参照）など、当該事件が同条による一括競売事件であることを明らかにする取扱いをしている。また、民法389条による一括競売の場合には、土地と建物の牽連性を考えるまでもなく一括売却することになるから、現況調査において相互の牽連性を調査する必要

Q70

はない。そのほかは、通常の土地建物の競売と同じと考えてよい。

5 評　　価

(1) 評価上の法定地上権の扱い

　更地に抵当権を設定した後、土地抵当権設定者が当該土地上に建物を建築し、次いで土地抵当権が実行された場合、建物所有者のために法定地上権の成立は認められないとするのは確定した判例であって（大判大4.7.1民録21輯1313頁、最判昭36.2.10民集15巻2号219頁、最判昭51.2.27集民117号103頁・金法796号77頁）、民法389条による一括競売の場合も同様に解されており、実務上は、評価上の法定地上権（〔Q71〕参照）も成立しない取扱いがされている。

(2) 個別評価と一括評価

　一般に競売において土地及び地上建物を評価する場合、原則として個別売却を前提とした評価と一括売却を前提とした評価の双方をする必要があるとの考え方があるが（不動産評価執務資料225頁）、内訳価格があれば、一括売却が相当か否かの判断は一般的に可能であることから、東京地裁民事執行センターでは、個別売却すべきことが明らかな場合を除き、原則として一括売却を前提とする一括評価をすることとし、配当の際の割付けのため、その内訳として物件ごとの個別評価額（内訳価格）を評価書上明示する取扱いをしている（〔Q51〕参照）。民法389条による一括競売の申立てに基づく売却の場合、後記7のとおり、性質上常に一括売却すべきであるから、個別売却を前提とした評価は例外なく不要であるが、土地と建物とで権利関係が異なる上、建物から配当等を受けるべき債権者がいない場合には、所有者に対して剰余金を交付しなければならないので、やはり一括売却を前提とする一括評価をするとともに、物件ごとの内訳価格を明示することとしている。この場合、評価上の法定地上権が成立しないことは前記(1)のとおりであるが、建物の価格の評価に当たり、土地利用利益を考慮するか否かという問題がある。東京地裁民事執行センターにおいては、場所的利益として、事案に応じて建付地価格の0ないし10%を考慮することができるとする扱いである（競売不動産評価マニュアル85頁）。

こうしたことから、東京地裁民事執行センターでは、評価命令を発令するに当たって、物件目録に土地と建物を表示し、建物の表示の末尾に「（民法389条による一括競売物件）」と記載する（〔Q14〕参照）などして、当該事件が同条による一括競売の申立事件であることを明らかにする取扱いをしている。

6　配当要求の終期の決定及び公告等

　土地と建物の売却に当たっては、前記3のとおり、ともに消除主義（法59条）が適用され、一般債権者の配当要求も認められるから、土地と建物のいずれについても配当要求の終期を定めて公告し、担保権者及び租税官庁に対し、債権届出の催告をする。

7　売却の手続

　民法389条の趣旨は、土地と建物の所有者が異なる事態が生じるのを避けて同一所有者に買い受けさせることにあるから、同条による一括競売の申立てに基づく売却においては、常に土地と建物を一括売却しなければならない。したがって、土地のみの売却により被担保債権の満足を受け得る場合であっても、超過売却に関する法61条ただし書の規定の適用がなく、債務者の同意がなくとも、建物も一括して売却することができる（広島高決昭50.11.17判タ336号261頁・金法782号36頁）。また、同様の趣旨で、建物の売却に関しては、無剰余換価禁止に関する法63条の規定の適用もない。

〈参考文献〉
上田正俊「民法389条による一括競売をめぐる諸論点」金法1411号13頁、志田博文「一括売却の可否とその判断基準」金法1209号37頁

Q71 法定地上権制度

民法388条の法定地上権とは何か。どのような場合に成立するのか。

1 法定地上権の意義

　土地及びその上に存する建物が同一の所有者に属する場合において、その土地又は建物に抵当権が設定され、競売により所有者が異なるに至ったときは、その建物のために地上権が設定されたものとみなされる（民388条）。これが法定地上権である。法定地上権としては、ほかに抵当権の設定のない土地建物が強制競売された場合の法81条によるものなどがある。法定地上権は、実体法上は、競売後の地上建物の存続を図るところに意義があるが（現実の利用上の法定地上権）、不動産競売手続においては、一括売却の可否（法61条）や売却代金の案分（法86条2項）に影響を及ぼす評価上の意義もある（評価上の法定地上権。後記5参照）。執行実務上は、常に評価上の法定地上権の成否が問題になる上、訴訟実務上も、法定地上権の成否は、建物収去土地明渡訴訟よりも、配当異議訴訟で争われることの方が多い。

2 民法388条の法定地上権の成立要件

　民法388条の法定地上権の成立要件は、次の四つである。
① 土地若しくは地上建物の一方又はその双方に抵当権が設定されたこと
② 抵当権設定当時、土地上に建物が存立していること（物理的要件）
③ 抵当権設定当時、土地及び地上建物が同一所有者に属していること（所有者要件）
④ 競売が行われ土地と地上建物の所有者が異なるに至ったこと
　なお、②の物理的要件及び③の所有者要件の判断の基準時は、抵当権設定時、すなわち、土地又は建物に設定されている最先順位の抵当権の設定年月日となる（登記時ではない。）。

3 物理的要件

前記2②の物理的要件の判断においては、土地に抵当権が設定された時点で、土地上に建物が存在したか否かが問題となる。

土地抵当権設定時に更地であった場合は、土地の抵当権者は、地上権の負担のない土地所有権の交換価値を把握しているから、その後新築された建物のために法定地上権の成立を認めると、抵当権者に不測の損害を与えることとなるため（法定地上権が成立する場合、評価上、建物の従たる権利として、法定地上権相当価格が更地価格から控除され、建物価格に加算される。）、法定地上権は成立しない。ただし、土地と建物の共同担保としての抵当権が実行される場合において、土地と建物の抵当権者及び設定順位が同一のときには、評価上、法定地上権成立を肯定する裁判例がある（東京高決昭53.3.27判時888号93頁。新建物が建築される前に土地に後順位抵当権が設定されなかった事案）。もっとも、土地の最先抵当権に後れ、建物の最先抵当権に先立つ公債権の交付要求があった場合には、不成立として取り扱うこととなる（東京地判平8.6.11金法1455号43頁）。

判例は、法定地上権の成立要件としては抵当権設定時に現実に建物が存在していれば足り、建物の保存登記を不要としているが（大判昭14.12.19民集18巻1583頁）、迅速性と経済性が要求される執行手続において現実の建物の完成時期を認定するのは容易ではないから、既登記建物については、建物登記記録の表題部記載の新築年月日により建物の存在時期を認定するのが実務の取扱いである。そして、東京地裁民事執行センターにおいては、建物の規模や種類により一概にはいえないものの、建物の完成が土地抵当権の設定時から2、3か月以内である場合には、特段の事情のない限り、土地抵当権設定時には建物の規模及び種類が外形上予想できる程度に至っていたものと認めて、法定地上権の成立を肯定する取扱いである（不動産執行の理論と実務(上)265頁）。

4 所有者要件

土地と建物が異なる所有者に属する場合、建物のために何らかの約定の

土地利用権が設定されるはずであるから、法定地上権は成立しない。

　土地と建物の所有者が親子、兄弟、夫婦等の関係にある場合でも、異なる所有者に属することに変わりはなく、同様に法定地上権は成立しない（最判昭51.10.8集民119号35頁・金法807号25頁）。この場合、両者の間で明示的に約定の土地利用権が設定されていなくとも、黙示的に使用貸借契約が成立しているのが通常である。

　なお、強制競売事件における法81条の法定地上権に関する事例判断ではあるが、最判平28.12.1（民集70巻8号1793頁・金法2065号50頁）は、建物に対する仮差押えが本執行に移行して強制競売手続がされた場合において、土地及び建物が当該仮差押えの時点で同一の所有者に属していたときは、その後に土地が第三者に譲渡された結果、当該強制競売手続における差押えの時点では土地と建物が所有者を異にしていたとしても、法定地上権が成立するとした。この最判は、先行仮差押えが存在する場合における所有者要件の判断基準時を、差押え時ではなく仮差押え時とする立場をとったものである（伊藤＝園尾「条解民事執行法」806頁）。

5　一括売却と法定地上権

　一括売却（法61条）の場合、売却によって同一人が土地と地上建物の所有権を取得するので、法定地上権の成立要件（前記2④の要件）に欠け、現実の利用上の法定地上権は成立しないし、その必要もない。しかしながら、前記1記載のとおり、評価上の法定地上権はこの場合でも問題となり、前記2④以外の要件を満たすときは、不動産競売手続上、評価上の法定地上権が成立するものとして取り扱うことに注意を要する。

　すなわち、そもそも一括売却をするかどうかの判断に当たっては、土地と地上建物それぞれの買受可能価額を踏まえる必要があるため（法61条）、それぞれの売却基準価額を決定する前提として、法定地上権の成否を検討しなければならない。また、一括売却が選択された場合でも、土地と建物の担保権の設定状況が異なるときや、差押え後にいずれか一方について仮差押えに基づく配当要求があったときには、配当の基礎となる配当原資を求めるため、土地と建物それぞれに売却代金額を割り振る必要があり、そ

の額は、売却代金の総額を土地と建物の各売却基準価額に応じて案分した額となるので（法86条2項）、やはりそれぞれの売却基準価額を決定する必要がある。したがって、一括売却が見込まれる場合であっても、前記2④以外の要件を満たしているときは、法定地上権が成立するものとして土地及び建物を評価し、売却基準価額を定めることが必要となる（物件明細書の作成に関する研究188頁）。

　なお、こうした取扱いは、あくまで評価上の必要性に基づくものであって、現実に法定地上権が成立するわけではないので、物件明細書の「売却により成立する法定地上権の概要」欄（法62条1項3号）に法定地上権が成立する旨の記載がされることはない。

Q72 建物再築と法定地上権の成否

Xは、Y所有の土地建物に共同抵当権の設定を受けた。次の場合、再築建物のために法定地上権が成立するか。
(1) Yが建物を取り壊して新たに建物を建築した場合
(2) Xが、再築建物について土地の抵当権と同順位の共同抵当権の設定を受けた場合
(3) (2)の事例で、再築建物に抵当権を設定する前に法定納期限が到来した国税について交付要求があった場合

1 個別価値考慮説と全体価値考慮説

本設例での中心的な問題は、所有者が土地及び地上建物に共同抵当権を設定した後、建物が取り壊され、土地上に新建物が建築された場合、民法388条の法定地上権が成立するか否かである。

この点につき、従前の判例は法定地上権の成立を認めているものと解されていた。すなわち、共同抵当の事案ではないが、大判昭10.8.10（民集14巻1549頁）は、土地及び地上建物の所有者が、土地のみに抵当権を設定した後に、建物を取り壊して新建物を建築した場合において、土地が競売されたときは、新建物のために旧建物を基準とする法定地上権が成立するとしていた。この判例を前提として、大判昭13.5.25（民集17巻1100頁）は、所有者が土地と地上建物に共同抵当権を設定した後に建物が滅失し、滅失した旧建物所有者の妻が新建物を建築した場合において、土地が競売されたときは、旧建物を基準とする法定地上権が新建物のために成立する旨判示していた。

その後、再築後の新建物のために法定地上権が成立することを否定する見解が現れ、実務上の取扱いや学説は、次のとおり大きく分かれるに至っていた。すなわち、①再築後の新建物のために法定地上権が成立することを認める見解（個別価値考慮説）は、土地と地上建物に共同抵当権が設定

された場合、抵当権者は、土地の担保価値について、土地抵当権により底地価格を、建物抵当権により法定地上権相当価格を、それぞれ個別に把握していたのであるから、再築後の新建物のために法定地上権を成立させても、その内容を、旧建物を基準として定める限り、土地抵当権を害することにはならないとする（高木多喜男「共同抵当における最近の諸問題」金法1349号6頁、長谷川貞之「土地・建物の共同担保において建物が滅失し再築された場合と法定地上権の成否」ジュリ1015号278頁等参照）。

これに対し、②再築後の新建物のために法定地上権が成立することを否定する見解（全体価値考慮説）は、土地と地上建物に共同抵当権が設定された場合、抵当権者は、土地の担保価値のうち、底地価格を土地抵当権により、法定地上権価格を建物抵当権によりそれぞれ把握することで、結局、土地の担保価値の全体を把握していたのであるから、建物が滅失し再築された場合に、土地の担保価値のうち法定地上権相当価格の回収ができなくなることは不当であるとし、建物滅失後は土地抵当権が更地価格（土地の担保価値全体）を把握することになるとする（淺生重機＝今井隆一「建物の建替えと法定地上権」金法1326号6頁等参照）。

東京地裁民事執行センターでは、東京地裁平4.6.8付け執行処分（金法1324号36頁）が全体価値考慮説を採用することを明らかにして以来、この立場によっている。

2　最高裁平成9年2月14日判決

このような見解の対立がある中で、最判平9.2.14（民集51巻2号375頁・金法1481号28頁）は、所有者が土地及び地上建物に共同抵当権を設定した後、当該建物が取り壊され、当該土地上に新たに建物が建築された場合には、新建物の所有者が土地の所有者と同一であり、かつ、新建物が建築された時点での土地の抵当権者が新建物について土地の抵当権と同順位の共同抵当権の設定を受けたなどの特段の事情のない限り、新建物のために法定地上権は成立しないと解するのが相当である旨判示して、前記大判昭13.5.25を明示的に変更し、全体価値考慮説をとることを明らかにした。

なお、前記最判平9.2.14は、土地及び地上建物に共同抵当権が設定さ

た場合に限定した判示をしている以上、土地のみに抵当権が設定された後に建物が建て替えられた場合には、従前の判例（前記大判昭10.8.10）が示すとおり、法定地上権が成立するものと解される。地上建物が存在する場合において土地のみに抵当権を設定したときは、抵当権者は、土地の担保価値全体のうち底地価格のみしか把握していないのであるから、抵当権者が土地の担保価値全体を把握している共同抵当権が設定された場合とは異なるというべきであろう。

3 最高裁平成9年6月5日判決

前記最判平9.2.14は、法定地上権が成立する「特段の事情」について前記2のとおり述べているが、この特段の事情がある場合であっても、土地の抵当権者が新建物に抵当権の設定を受ける前に、土地建物所有者に対する租税の法定納期限等が到来した場合には問題がある。土地の換価代金については抵当権の被担保債権が租税債権に優先するが、新建物の換価代金については租税債権が抵当権の被担保債権に優先するため（国徴16条、地税14条の10）、新建物のために法定地上権が成立すると、租税債権は、建物自体の価格だけでなく、土地の担保価値のうち、法定地上権相当価格についても、抵当権の被担保債権に優先して配当を受けることになり、抵当権の被担保債権は、土地価格のうち底地価格のみしか租税債権に優先しないことになる。その結果、抵当権者は、もともと把握していた土地全体の価値を把握することができないことになる。

最判平9.6.5（民集51巻5号2116頁・金法1491号25頁）は、「新建物に設定された抵当権の被担保債権に法律上優先する債権が存在する場合は、新建物に右抵当権に優先する担保権が設定されている場合と実質的に異なるところがなく、抵当権者にとっては、新建物に抵当権の設定を受けないときは土地全体の担保価値を把握することができるのに、新建物に抵当権の設定を受けることによって、かえって法定地上権の価額に相当する価値を把握することができない結果となり、その合理的意思に反する」として、新建物に設定された抵当権の被担保債権に法律上優先する債権が存在するときは、前記最判平9.2.14がいう「特段の事情」がある場合には当たらず、

新建物のために法定地上権が成立しないものと解するのが相当である旨判示し、新建物についての抵当権の被担保債権に優先する租税債権（いわゆる中間租税債権）について執行裁判所に対し交付要求がされたときは、新建物のために法定地上権が成立しないとした。

なお、中間租税債権の額が新建物自体の価格を下回り、土地の抵当権者への配当に影響が及ばない場合には法定地上権の成立を認めるという考え方もあり得るが（小林明彦ほか座談会「再築建物のための法定地上権をめぐって」金法1493号39頁〔小林明彦発言〕参照）、東京地裁民事執行センターでは、売却条件の一義的明確性の観点等から、中間租税債権の額の多寡にかかわりなく、法定地上権の成立を否定する扱いである。

また、土地の抵当権者が、新建物について土地の抵当権と同順位の共同抵当権の設定を受けた場合において、法定地上権が成立するものとして売却基準価額を決定し、物件明細書を作成したにもかかわらず、その後にされた交付要求が事後的に配当要求終期前のものとなり（法52条参照）、新建物の抵当権に優先する中間租税債権が存在することとなったときは、交付要求が売却実施処分後開札期日前にされれば売却実施処分を取り消し、開札期日後売却決定期日前であれば売却不許可決定をすることになろう（上田正俊「平成9年度主要民事判例解説」判タ978号213頁）。

4　本設例の検討

以上述べたところによれば、Yが建物を取り壊して新たに建物を建築した場合（設例(1)）には原則として新建物のために法定地上権は成立しないが、Xが、再築建物について土地に対する抵当権と同順位の共同抵当権の設定を受けた場合（設例(2)）には、例外的に法定地上権の成立が認められる。ただし、再築建物に抵当権を設定する前に法定納期限の到来した国税について交付要求があった場合（設例(3)）には、法定地上権の成立は認められないことになる。

Q73　共有と法定地上権

土地又は建物の一方又は双方が共有の事案において、法定地上権が成立するのはどのような場合か。

1　問題の所在

民法388条の法定地上権は、抵当権設定時に土地及び建物が同一所有者に属していること（所有者要件。〔Q71〕参照）を成立要件の一つとしているが、土地と建物の一方又は双方が共有である場合、所有者要件をどのように判断するのかという問題がある。

この土地及び建物の共有の事例には、共有関係が生じているのが土地のみの場合、建物のみの場合、土地と建物の双方の場合の3通りがあり、さらに、抵当権の目的の範囲（土地共有持分の一部のみ、建物共有持分の一部のみ、建物全部、土地全部）と抵当権実行の範囲（同前）、実体上の法定地上権の問題か評価上のそれかといった諸要素との組合せで多数の類型が考えられ、複雑な問題を生じる。

ここでは、典型的な事例について、判例を中心に説明する。

2　建物がA単独所有で土地がA・B共有の場合

このような場合、抵当権の目的の範囲及び抵当権実行の範囲にかかわらず、法定地上権の成立を肯定すると、法定地上権は共有地全体の負担となり、Bの利益が害されてしまうので、法定地上権は成立しないと解される（不動産執行の理論と実務(上)266頁ないし274頁）。

最判昭29.12.23（民集8巻12号2235頁）は、土地のA共有持分のみに抵当権が設定され、これが実行された場合について、法定地上権の成立を否定している。土地共有者の一人のみについて民法388条本文の事由が生じたとしても、そのために他の共有者の意思いかんにかかわらずその者の共有持分までが無視されるべきいわれはないとするものである。

なお、建物のみに抵当権が設定され、これが実行された場合についても、前記最判昭29.12.23と同様の理由で、法定地上権は成立しないのが原則であるが、最判昭44.11.4（民集23巻11号1968頁・金法571号23頁）は、この原則を認めつつ、例外的に法定地上権の成立を肯定している。この最判は、仮換地の特定部分の売買により、法律上は従前地の共有持分が売買されたことになったために共有関係が生じた特殊な事案であり、この仮換地の特定部分の売買により、Bは法定地上権成立を容認していたものとして、法定地上権の成立を肯定したものと解されている（廣田民生「現況調査と法定地上権」執行官雑誌20号19頁）。もっとも、この最判を含め判例の法定地上権の成否に関する一般的な基準は、他の共有者において法定地上権の成立をあらかじめ容認しているとみられる場合又は法定地上権の成立を認めても他の共有者に何ら不利益を与えない場合に法定地上権の成立を肯定し、そうではない場合は法定地上権の成立を否定するものと理解されているが（廣田・前掲20頁）、このような「容認」という主観的な意思ないし認識の有無は、通常、外形的に認識困難であり、かつ、民事執行手続内において適切に確定することは困難であるから、「容認」は個別具体的な主観的なものでは足りず、客観性をもったものであることを要するというべきであり（不動産執行の理論と実務(上)266頁）、「容認」があったものとして法定地上権の成立を認める取扱いは極めて例外的なものとして位置付けられる。ちなみに、最判平6.12.20（民集48巻8号1470頁・金法1416号41頁）は、土地がAを含む3名の共有で建物がAを含む9名の共有の場合で土地共有持分全部に抵当権が設定され、それが実行された事案について、法定地上権の成立を否定したが、その理由として、当該事案における客観的事情から、A以外の共有者らが法定地上権の発生をあらかじめ容認していたとみることはできないことを挙げている。

3 建物がA・B共有で土地がA単独所有の場合

(1) A所有の土地のみについて抵当権が設定され、これが実行された場合

最判昭46.12.21（民集25巻9号1610頁・金法649号24頁）は、土地のみに

抵当権が設定され、これが実行された場合について、建物の共有者の一人がその敷地である土地を単独で所有する場合においては、土地所有者であるAは、自己のみならず他の建物共有者のためにも土地の利用を認めているものというべきであるから、民法388条の趣旨により抵当権設定当時に同人が土地及び建物を単独で所有していた場合と同様、法定地上権が成立する旨判示して、建物共有者全員のために法定地上権の成立を肯定している。

(2) **建物のA共有持分のみに抵当権が設定され、これが実行された場合**

前記(1)の場合と同様に、土地所有者Aは自己のみならず他の建物共有者のためにも土地の利用を認めているといえるから、建物共有者全員のために法定地上権が成立する。

(3) **建物のB共有持分のみに抵当権が設定され、これが実行された場合**

競売によって土地所有者と建物所有者が異なる状態になったとみることができず(Bが買受人と入れ替わるだけである。)、所有者要件を満たしていないから、法定地上権は成立しないと解される（不動産執行の理論と実務(上)276頁参照）。

(4) **建物のA共有持分及び土地に抵当権が設定され、これが実行され、それらを一括売却する場合**

前記(1)と同様に考えれば、土地所有者Aは、自己のみならず他の建物共有者Bのためにも土地の利用を認めているとみることができるから、法定地上権は成立することになる。しかし、実際上の競売された結果からすると、単に買受人とAとが入れ替わっただけとみることもできるから、競売手続の評価上は成立として扱うものの、現実の利用権としての法定地上権は成立しないと解することもできる（不動産執行の理論と実務(上)277頁参照）。

4 土地・建物がいずれもA・B共有の場合

このような場合、抵当権の目的の範囲及び抵当権実行の範囲により、組合せが複雑で多岐にわたる（不動産執行の理論と実務(上)281頁ないし287頁参照）。

(1) A・Bの共有持分双方に抵当権が設定されている場合

　土地及び建物の一方又は双方のAの共有持分及びBの共有持分双方（土地及び建物の一方全部又は双方全部）に抵当権が設定されている場合、抵当権実行の範囲にかかわらず、原則として、法定地上権が成立し、例外として、土地のA共有持分及び建物のA共有持分が売却されたときは、法定地上権は成立しないとされる（不動産執行の理論と実務(上)286頁）。もっとも、この例外とされる場合についても、これはあくまで現実の利用上の法定地上権の成否に関する説明であり、このような場合において土地のA共有持分又は建物のA共有持分の一方のみが売却されたときに法定地上権は成立すると解されていることとの均衡からすれば、評価上の法定地上権（〔Q71〕参照）としては成立する（土地及び建物のA共有持分権相互間）と取り扱って差し支えない。

(2) Aの共有持分のみに抵当権が設定されている場合

　これに対し、土地及び建物の一方又は双方のAの共有持分のみに抵当権が設定されている場合については、法定地上権の成立を肯定すると、Bの利益を害することになるから、法定地上権は成立しないと解される。最判平6.4.7（民集48巻3号889頁・金法1439号92頁）は、土地のAの共有持分のみに抵当権が設定され、それが実行された場合について、共有者（A）のために法定地上権が成立すると、他の共有者（B）はその意思に反して土地共有持分権に基づく使用収益権を害されることになり、また、法定地上権の成立を認めなくても直ちに建物の収去を余儀なくされるということにはならないとして、法定地上権の成立を否定している。

5　敷地権化されていない土地上に区分所有建物が存在する場合

(1) Aの単独所有土地上にA及びB所有の各区分所有建物（横割り）が存在する場合

ア　土地のみに抵当権が設定され又は土地の抵当権のみが実行された場合

　A所有の区分所有建物とB所有の区分所有建物は独立した所有権の客体となっているから、区分所有建物ごとに法定地上権の成否を判断せざるを

得ない。この場合に準共有の関係にある法定地上権が成立するという法律構成を採用することは困難である。また、A所有の区分所有建物について法定地上権という排他的な権利を認めると、Bの権利を害することになる。したがって、法定地上権の成立を否定する考え方が有力であり（不動産執行の理論と実務(上)288頁、物件明細書の作成に関する研究475頁、476頁参照）、東京地裁民事執行センターでは、このような場合に法定地上権の成立を否定する取扱いである。

なお、A所有の区分所有建物の利用に必要な範囲で法定地上権が成立するとする見解もある。第1順位の抵当権者が敷地に抵当権を設定した当時に一棟の建物の全区分所有建物と敷地の所有者が同一であり、かつ、一部の区分所有建物のみが売却された場合、当該区分所有建物の存立のために必要な限度で法定地上権が成立するものとした裁判例として、東京高決平14.11.8（判タ1109号109頁、金法1672号36頁）がある。

イ　A所有の区分所有建物のみに抵当権が設定され又はA所有の区分所有建物の抵当権のみが実行された場合

上記アと同様、東京地裁民事執行センターでは、このような場合に法定地上権の成立を否定する取扱いであるが（同旨の裁判例として東京地判昭53.2.1金判567号45頁）、法定地上権成立を肯定する見解もある。

ウ　土地及びA所有の区分所有建物に抵当権が設定され又は当該土地建物の抵当権のみが実行された場合

上記アと同様、東京地裁民事執行センターでは、このような場合に法定地上権の成立を否定する取扱いであるが（同旨の裁判例として東京高判平3.1.17判タ768号159頁）、法定地上権成立を肯定する見解もあり得る。

(2)　A及びB所有の分有土地上にA及びB所有の各区分所有建物（縦割り）が存在する場合

例えば、A及びBがそれぞれ単独所有する隣接する土地の上に、長屋やテラスハウスのように、一棟の建物を縦に割った形の区分所有建物が存在するが、Aの区分所有建物がA所有の土地上にあり、Bの区分所有建物がB所有の土地上にあるような場合である。この場合、それぞれの区分所有建物につき、あたかも一個の土地の上に一個の建物が存在する場合と同様に

考えられ、法定地上権が成立する（不動産執行の理論と実務(上)289頁参照）。

(3) A及びB所有の分有土地上にA及びB所有の各区分所有建物（横割り）が存在する場合

例えば、A及びBがそれぞれ単独所有する隣接する土地の上にまたがって一棟の建物が存在し、その1階がAの、2階がBの、各区分所有建物とされているような場合である。この場合、前記(1)と同様の理由により、法定地上権成立を否定する見解が有力であり（不動産執行の理論と実務(上)289頁、物件明細書の作成に関する研究479頁参照）、東京地裁民事執行センターでは、このような場合に法定地上権の成立を否定する取扱いである。

Q74 件外建物と附属建物の判断

土地及び建物が競売の対象とされている場合において、現況調査により、土地上に未登記の申立外建物が発見されたとき、この申立外建物を件外建物とするか目的建物の附属建物とするかは、どのような基準で判断されるか。

1 問題の所在

未登記の申立外建物について、差押えの効力の及ばない件外建物と解すべきか、差押えの効力が及ぶ附属建物と解すべきかが問題となることがある。差押えの効力は、差し押さえた不動産に対して生じるが、差し押さえた目的建物と申立外建物との間に主物と従物の関係（民87条1項）が認められるときには、主物に対する差押えの効力が従物である申立外建物にも及び、申立外建物は附属建物として売却の対象となるので、申立外建物が従物の要件を満たすか否かが重要となる。

2 従物の要件

(1) 独立の建物であること

主物の一部又は構成物である場合は、当然に主物に対する差押えの効力が及ぶので、従物の要件としては、主物の一部又は構成物でないことが必要である。

(2) 目的建物と申立外建物の所有者が同一であること

現況調査報告書に表れた関係人の陳述等により、申立外建物の所有者が、目的建物の所有者と異なると認定されるときは、その申立外建物を従物である附属建物として扱うことはできないから、件外建物として扱われる。しかし、所有者が執行を逃れるために虚偽の陳述をすることも考えられるため（後記(4)）、所有者の陳述のみから判断するのではなく、後記(3)及び(4)の要件も考慮に入れ、総合的に判断すべきである。

(3) 申立外建物が目的建物の常用に供されていること

　申立外建物が目的建物の常用に供されているか否かは、現況調査報告書に添付された写真、関係人の陳述等によって確認することができる。申立外建物が目的建物の常用に供されていると認められるには、社会通念上、目的建物の経済効用を補助するために継続的に役立っている必要がある。例えば、居宅である目的建物の利用に供される、同一敷地内の便所、台所、風呂、車庫、物置等の申立外建物（大判大7.7.10民録24輯1441頁、福岡高判昭28.8.19高民集6巻9号514頁、岐阜地判昭40.2.27判タ173号213頁、東京高判平12.11.7判時1734号16頁）、目的建物に隣接して同一敷地内に建築されたが、便所、台所、風呂がなく、独立した居宅として使用するに不十分な申立外建物（東京高判昭63.12.15金法1240号35頁）等は、附属建物として、売却の対象となる。

(4) 申立外建物が目的建物に附属すると認められる程度の場所的関係にあること

　申立外建物と目的建物がどのような位置関係にあるのかは、現況調査報告書に添付された建物位置関係図及び写真によって知ることができる。申立外建物が目的建物に附属すると認められる程度の場所的関係にあるといえるためには、必ずしも両建物が同一敷地上にあることまでは求められていない。やや離れた位置にあったとしても、それらが効用上一体として利用される位置関係にあるのであれば、主従関係を認めることができる。

3　競売における取扱い

　このようにして、申立外建物が差押えに係る目的建物との関係で従物であると認定された場合には、差押登記後にこの申立外建物を他に譲渡することは、差押えの処分制限効に抵触することとなる。

　また、この申立外建物は、売却の対象となるから、当然評価の対象となり、物件明細書や売却基準価額決定の物件目録に未登記付属建物である申立外建物が記載され、売却により買受人が当該申立外建物の所有権も取得することになる。買受人は、代金を納付して目的建物及び申立外建物の所有者となった後、目的建物の一部として未登記附属建物である申立外建物

が表示されている売却許可決定等に基づいて、目的建物の表題部の附属建物に申立外建物を加えて登記手続をすることができる。

他方、申立外建物が前記2の従物の要件を満たさない場合には、申立外建物は、差押えの効力が及ばない件外建物となる。この場合、目的土地上に件外建物が存在することにより、目的土地の利用が制限され、その価値が低下することになる。

4 申立外建物を用いた執行妨害とその対策

実務上、本来は目的建物所有者の所有である未登記の申立外建物について、第三者が、執行妨害目的で所有権を主張することが見受けられる。よく見られるのが、従物要件を満たす建物でもそれが1個の建物としての要件を満たす場合には、不動産登記実務において独立の表示登記を受理する取扱いがされていることを悪用して、実質上は従たる建物であって主たる建物に対する差押えの処分制限効が及んでいるにもかかわらず、競売手続の途中で、執行妨害目的で第三者名義の独立の登記をするというものである。

このような執行妨害に対しては、申立外建物につき第三者名義で所有権保存登記がされていたとしても、競売手続において目的建物の附属建物として売却の対象とすることを認める方法により、事後的な救済を図ることが考えられる。

東京地裁民事執行センターでは、未登記の申立外建物につき、差押えに係る目的建物の従物と認められるにもかかわらず、競売手続の途中に執行妨害目的で第三者名義の所有権保存登記がされたと判断することができる場合には、申立外建物も売却の対象になるとものとしている。もっとも、この場合、競売手続の中で買受人への所有権移転登記をすることはできず、別途、登記名義人と買受人との共同申請によって所有権移転登記手続をする必要がある。登記名義人が任意の登記申請に応じない場合には、買受人が登記名義人を被告として所有権移転登記手続請求の訴えを提起し、その勝訴判決に基づき所有権移転登記をしなければならない（未登記建物の権利の得喪に関わることであるため、最終的には訴訟手続において決着を図

らなければならないのはやむを得ない。）。そこで、当該申立外建物を附属建物として売却の対象とする場合、裁判所書記官は、競売手続では所有権移転登記をすることができない旨及び売却基準価額の決定においてその点を考慮した旨を物件明細書の「その他買受けの参考となる事項」欄に注記することとする取扱いである。

　関連する裁判例としては、執行裁判所が目的建物の附属建物と認定して売却した申立外建物につき、所有者が差押えの登記後に独立の主たる建物として保存登記をしたことから、買受人が所有者に申立外建物の真正な登記名義の回復を原因とする所有権移転登記を求めた事案において、所有者の保存登記は差押えを免れるために行ったものであり、目的建物の附属建物であることに変わりがないとして、買受人の請求を認めた裁判例（前記東京高判昭63.12.15）、抵当権の実行としての不動産競売手続においては、申立外建物として売却の対象とされていなかった登記済みの車庫について、競売の対象となっていた建物の従物であるとともに、競売の対象となっていた土地の一部となっていると認められることから、実行された抵当権の効力が及び、買受人は同車庫の所有権を取得したものと解されるとして、同車庫の登記名義人に対する所有権移転登記請求を認めた裁判例（前記東京高判平12.11.7）、主たる建物について根抵当権が設定された場合、表示登記の有無にかかわらず根抵当権の効力はその従物である附属建物にも及び、その後その附属建物が第三者に譲渡されて所有権移転登記がされても、当該根抵当権の負担を免れるものではなく、主たる建物の競売手続で件外建物とされていても変わりがないとした裁判例（東京高判平15.3.25判時1829号79頁）がある。

　なお、このような執行妨害を阻止する方法としては、申立債権者が、所有者に代位して、これらの建物を主たる建物の附属建物として登記をする方法も考えられる。しかし、そのために必要な建物図面と所有権証明書を目的建物の所有者から入手するのは非常に困難であると思われるし、申立債権者に調査権限もないことから、この方法の実現可能性は小さいといわざるを得ない。

Q74

〈参考文献〉
幾代通ほか編『不動産登記講座Ⅱ』368頁、競売不動産評価マニュアル92頁、上田正俊ほか「〈事例研究座談会〉表示登記を用いた執行妨害への対処」登記情報482号6頁、古賀政治「附属建物を用いた執行妨害に対する抵当権者および買受人の対応」登記情報482号34頁

事 項 索 引

※Q1～Q74は〈上巻〉，Q75～Q151は〈下巻〉所収。

〔英数字〕

3点セット ……………………………………………… Q48, Q80, Q85
　――の写しの備置き …………………………………………… Q85
BITシステム …………………………………………………… Q83, Q85
KBネット ……………………………………………………………… Q51

〔あ 行〕

相手方を特定しないで発する保全処分 ………………………… Q56
案分表 …………………………………………………………………… Q128
遺産分割事件における終局処分としての競売を命ずる審判 …… Q149
遺産分割のための競売 ………………………………………………… Q151
異時配当 ………………………………………………………………… Q129
一部代位弁済 ………………………………………… Q28, Q121, Q123
一部代位弁済者 ………………………………………………………… Q12
一部売却の場合の費用の取扱い ……………………………………… Q118
一括競売（民389条） ………………………………………… Q14, Q70
　――の追加申立て ……………………………………………… Q14
一括売却 ……………………………………………………… Q76, Q79
　――と法定地上権 ……………………………………………… Q71
一般承継 ………………………………………………………… Q28, Q29
一般の先取特権 …………………………………………………… Q43
違法執行 …………………………………………………………… Q1
印影の同一性についての認証 …………………………………… Q83
インターネットの利用による公示 …………………………… Q83, Q85
内訳価格 …………………………………………………………… Q51
閲覧、謄写 ………………………………………………………… Q6
オリジネーター …………………………………………………… Q20

〔か 行〕

買受可能価額 ……………………………………………………… Q75
買い受けた不動産に抵当権を設定 ……………………………… Q97
買受人の不動産取得 ……………………………………………… Q94
買受けの申出がない場合の競売手続の停止及び取消し ………… Q141
買受けの申出をした差押債権者のための保全処分 ……………… Q55

事項索引　521

買受申出の取消し	Q89
開札期日	Q86
開札場の秩序維持	Q86
開始決定通知	Q24, Q32
開始決定通知書兼求意見書	Q32
会社更生	Q38
会社分割による承継	Q28, Q29, Q31
買戻登記	Q37, Q96
価格減少行為	Q54
隠れたる本税	Q45, Q115
過剰執行の禁止	Q89
仮差押債権者	Q133
仮差押登記に後れる抵当権	Q36
仮差押えの暫定性	Q36
仮差押えの執行	Q59
仮差押えの登記に後れる抵当権者	Q111
仮処分の執行	Q59
管理組合	Q21
管理組合法人	Q21
管理者	Q21
管理人による配当等の実施	Q147
管理人の権限（担保不動産収益執行）	Q146
期間入札	Q83
――の公告	Q85
期間入札調書	Q86
期限未到来の債権	Q114
期日の延期	Q88
期日の続行	Q88
期日の変更	Q88
給付義務者	Q144
給付文言	Q19
共益費用	Q116
狭義の形式的競売	Q148
強制管理	Q144
強制競売申立て	Q17
競争売買阻害価格減少行為	Q54
共通費用	Q118
共同抵当	Q128
――の異時配当	Q129
共有物分割のための競売	Q149

共有持分の売却と引渡命令	Q104
許可代理	Q20
許可代理制度	Q4
許可代理人	Q4
具体的納期限	Q124
区分所有建物（縦割り）	Q73
区分所有建物（横割り）	Q73
区分所有法59条に基づく競売	Q21，Q150
区分所有法7条の先取特権に基づく担保不動産競売の申立て	Q21
ぐるぐる廻り	Q124
形式的競売	Q148，Q149，Q150，Q151
形質変更時要届出区域	Q50
競売市場修正	Q51，Q75
競売手続終了通知	Q32
競売手続の一時停止を命ずる仮処分	Q136
競売特有の価格形成要因	Q51
競売の申立てをすべき時期	Q7
競売物件の公示	Q85
競売不動産評価基準	Q51
——の標準化	Q51
競売不動産評価マニュアル	Q51
競売申立受理証明書	Q30
欠格事由	Q88
件外建物	Q74
現況調査	Q48
現況調査報告書	Q48
現況調査命令	Q48
現況評価主義	Q51
原審却下	Q2，Q107
現存増加額	Q44
現存増加額の鑑定	Q44
原抵当権者の競売申立て	Q11
権利能力のない社団としての管理組合	Q21
権利能力のない社団の構成員の総有不動産	Q18
権利濫用説	Q100
合意更新	Q49，Q62
高額入札人型	Q91
広義の形式的競売	Q148
後行事件	Q24，Q25
——に要した費用	Q117

公債権と抵当権との優劣……………………………………………Q124
公債権の反復行使………………………………………………Q124
公債権用配当表…………………………………………………Q110
公示送達……………………………………………………………Q5
後順位抵当権者の権利行使……………………………………Q129
交付要求……………………………………………………………Q45
　　破産手続開始決定後の新たな――……………………Q130
交付要求債権者…………………………………………………Q109
交付要求先着手主義……………………………………………Q125
国徴基本通達………………………………………………………Q46
個別相対効…………………………………………………………Q23
固有費用……………………………………………………………Q118

〔さ行〕

サービサー………………………………………………Q20，Q28
債権回収目的の賃借権…………………………………………Q61
債権額の認定……………………………………………………Q113
債権管理回収業…………………………………………………Q20
債権計算書………………………………………………………Q113
債権者の同意……………………………………………………Q12
債権者不出頭供託………………………………………………Q134
債権届出書…………………………………………………………Q42
債権届出の催告…………………………………………………Q42
最高価買受申出人………………………………………………Q86
最高価買受申出人又は買受人のための保全処分……………Q99
最後の2年分を超える利息及び損害金……………………Q121
再生計画認可決定…………………………………………………Q40
再生手続開始決定…………………………………………………Q40
最先賃借権…………………………………………………………Q60
再評価………………………………………………………………Q50
債務者死亡…………………………………………………………Q29
債務者のうち一部の者を当事者としない申立て………………Q9
債務者の所有に属することを証する文書………………………Q18
差額負担の申出……………………………………………………Q77
差額要件……………………………………………………………Q11
作為命令……………………………………………………………Q54
差押先着手主義………………………………………Q32，Q125
差押えの効力………………………………………………………Q23
差押えの処分制限効………………………………………………Q23
差引納付……………………………………………………………Q93

524　　事項索引

サブリース（担保不動産収益執行）	Q146
サブリース契約	Q60
残余金がない旨の通知	Q32
残余金の交付（滞調法）	Q32
シェアハウス	Q48
市街地再開発事業と競売手続	Q41
時効の完成猶予	Q23, Q47
時効の更新	Q23
時効の中断	Q23
事実実験公正証書	Q16
事実到来（条件成就）執行文	Q16
次順位買受申出人	Q86, Q98
事情届（担保不動産収益執行）	Q147
自助売却	Q148, Q151
事前求償権から事後求償権への変更	Q13
事前求償権を請求債権とする担保不動産競売申立て	Q13
執行異議	Q1, Q2, Q27
──に伴う執行停止	Q27
執行開始要件	Q16
執行官の注意義務	Q49
執行官保管命令	Q54, Q99
執行抗告	Q1, Q2
──に伴う執行停止	Q2
──の原審却下	Q3
競売記録に表れない事由による──	Q106
執行停止文書	Q50, Q139
執行停止を命ずる裁判	Q136
執行取消文書	Q138
執行費用	Q116
執行文の付与された債務名義の正本	Q17
執行文付与に対する異議の訴え	Q1
執行妨害を目的とする賃借権	Q61
実質的な当事者	Q149
実体異議	Q27
実体上の瑕疵	Q95
自動更新	Q49, Q62
自動車執行	Q22
自動車譲渡命令	Q22
自動車担保競売	Q22
収益執行物件情報シート	Q144

住宅資金特別条項………………………………………………………………	Q38
従物…………………………………………………………………………………	Q74
承継会社……………………………………………………………………………	Q31
承継執行文………………………………………………………………	Q16, Q29
承継上申書………………………………………………………………	Q28, Q29
承継を証する文書………………………………………………………………	Q28
条件成就執行文…………………………………………………………………	Q16
条件付特売………………………………………………………………	Q75, Q87
消除主義……………………………………………	Q59, Q148, Q149, Q150
商事留置権………………………………………………………………………	Q69
上申特売…………………………………………………………………………	Q87
承諾書……………………………………………………………………………	Q11
承諾要件…………………………………………………………………………	Q11
自用マンション…………………………………………………………	Q48, Q50
剰余金交付請求権の差押え……………………………………………………	Q122
剰余主義…………………………………………………………………	Q77, Q148
剰余判断…………………………………………………………………	Q77, Q78
処分禁止の仮処分………………………………………………………………	Q59
――の登記………………………………………………………………	Q37
所有権移転仮登記………………………………………………………………	Q37
所有者の死亡……………………………………………………………	Q28, Q30
所有者不出頭供託………………………………………………………………	Q134
信義則上否認すべき賃借権……………………………………………………	Q61
信託を原因とする所有権移転登記……………………………………………	Q28
請求異議の訴え…………………………………………………	Q1, Q136, Q140
――に伴う仮の処分……………………………………………………	Q140
請求債権説………………………………………………………………………	Q115
請求債権の拡張…………………………………………………………………	Q115
――のための二重開始決定……………………………………………	Q24
設立会社…………………………………………………………………………	Q31
ゼロ届……………………………………………………………………………	Q31
先行事件…………………………………………………………………	Q24, Q25
――に要した費用………………………………………………………	Q117
――の差押登記と後行事件の差押登記との間に仮差押えの登記を経由した仮差押債権者……………………………………………………………………	Q112
全国競売評価ネットワーク……………………………………………………	Q51
宣誓供述書………………………………………………………………………	Q83
全体価値考慮説…………………………………………………………………	Q72
占有移転禁止の保全処分………………………………………	Q54, Q57, Q99
占有減価…………………………………………………………………………	Q60

占有の実態がない賃借権	Q61
相続財産換価のための競売	Q151
相続財産管理人の選任	Q30
相続財産管理人の報酬	Q120
相続登記	Q30
――の申請の義務化	Q30
相続放棄	Q29
送達場所の届出義務者に関する特例	Q5
送達場所の届出義務者に対する送達場所の認定	Q5
租税優先の原則	Q125
続行決定	Q33
続行決定（滞調法）	Q32, Q33, Q34, Q35
続行決定（二重開始）	Q25, Q26

〔た行〕

代位による相続登記	Q30
――に要した費用	Q120
代位弁済	Q28
代位弁済者の配当受領資格	Q123
代金納付	Q92
――による登記嘱託	Q96
代金納付期限の延期	Q98
代金不納付	Q98
第三者異議の訴え	Q1
代償請求	Q16
滞調法による続行決定	Q34, Q35
――の通知	Q33
滞納処分による差押え	Q32
――の処分制限効	Q65
代払地代等の償還	Q119
代払地代の償還	Q52
代理人許可の申立て	Q4
宅地建物取引業者	Q82
建物明渡猶予制度	Q61
建物共有者の一人を賃貸人とする賃借権	Q66
建物共有持分の一部に対する滞納処分	Q65
短期賃貸借保護制度	Q61, Q62
担保権消滅許可	Q38
担保権登記が抹消された登記事項証明書の提出	Q100
担保権の不存在又は消滅	Q27

事項索引　527

担保先徴取主義	Q125
担保責任	Q94
担保の取消し	Q54
担保不動産競売開始決定前の保全処分	Q53
担保不動産収益執行	Q144
――の申立書	Q145
地上権	Q59
地代等代払許可	Q52
地代等代払許可の制度	Q119
中間仮差押え	Q138
中間処分としての競売を命ずる審判（遺産分割）	Q151
中間租税債権	Q72
中間担保権	Q25, Q138
中間用益権	Q25, Q138
中間利息控除方式	Q114
中止命令	Q38, Q39, Q40
抽象的納期限	Q124
超過売却	Q76
超過売却留保制度	Q89
超過判断	Q76
賃借人に対する引渡命令	Q105
追加配当	Q111
付郵便送達	Q5
低額入札人型	Q91
定期借家権	Q67
抵当権実行禁止の仮処分	Q136
抵当権者の配当金交付請求権の差押債権者	Q126
抵当権消滅請求制度	Q15
抵当権付債権差押え	Q28
抵当権の準共有	Q121
抵当権の被担保債権の仮差押え債権者	Q126
抵当権の被担保債権の差押債権者	Q126
抵当証券に基づく申立て	Q115
滌除	Q15
手続上の瑕疵	Q95
手続相対効	Q23, Q36
手続相対効説	Q64
手続費用	Q116
転抵当権者への配当	Q10
同意書	Q12

登記記録上共有持分を有する者	Q149
登記事項証明書（不動産）	Q9
登記嘱託書の交付	Q97
登記のされていない遅延損害金	Q9
当事者恒定効	Q58
当事者の住所等の確認	Q8
当事者の承継	Q28, Q29
同日付サブリース	Q60
同時廃止決定	Q39
同時配当	Q128
登録免許税	Q9
特定承継	Q28, Q29
特別送達	Q5
特別代理人の選任	Q30
特別売却	Q9, Q87
特別売却実施に関する意見書	Q9
都市再開発法による権利変換手続	Q41
土壌汚染	Q50
土地収用法による裁決手続	Q41
都道府県警察へ調査の嘱託	Q82
滞調法による競売手続続行	Q32, Q33, Q34, Q35
取消命令	Q38, Q39, Q40
取下げ	Q143
——の効果	Q143
——の制限	Q143

〔な行〕

内覧	Q81
——の実施	Q81
内覧参加の申出	Q81
内覧実施命令	Q81
二重開始	Q25
二重開始決定	Q24
二重開始事件	Q79
二重開始制度	Q24
二重配当表	Q36, Q111
入札期間等の通知	Q84
根抵当権の極度額を超える債権	Q122

〔は行〕

売却基準価額……………………………………………………………………Q75
　――の変更………………………………………………………………Q50, Q75
売却許可決定取消しの申立て…………………………………………………Q101
売却許可決定に対する執行抗告…………………………………………………Q90
売却許可決定の取消し……………………………………………………………Q101
売却許可決定留保決定……………………………………………………………Q89
売却決定期日………………………………………………………………………Q88
売却代金交付計算書………………………………………………………………Q110
売却単位説…………………………………………………………………………Q79
売却のための保全処分……………………………………………………………Q54
売却不許可決定に対する執行抗告………………………………………………Q90
売却不許可事由………………………………………………………………Q82, Q88
売却不許可又は売却許可決定取消しの申出……………………………………Q102
配偶者居住権…………………………………………………………………Q60, Q68
配偶者短期居住権…………………………………………………………………Q68
配当異議……………………………………………………………………………Q135
　――の訴え…………………………………………………………………………Q136
　――の申出…………………………………………………………………………Q136
配当期間……………………………………………………………………………Q144
配当期日等の指定後に事情変更が生じた場合…………………………………Q108
配当期日の呼出し…………………………………………………………………Q108
配当期日呼出状の送達の特則……………………………………………………Q5
配当金等支払請求書………………………………………………………………Q131
配当金等の交付の相手方…………………………………………………………Q130
配当金等の支払手続………………………………………………………………Q131
配当等の段階における請求債権の拡張の可否…………………………………Q115
配当等を受ける債権者の範囲……………………………………………………Q109
配当表………………………………………………………………………………Q110
配当表原案…………………………………………………………………………Q135
配当要求……………………………………………………………………………Q43
　――の終期…………………………………………………………………………Q42
　　　――の公告……………………………………………………………………Q42
配当要求債権者……………………………………………………………………Q109
配当留保供託………………………………………………………………………Q132
破産管財人の続行申立権…………………………………………………………Q26
破産手続開始決定…………………………………………………………………Q130
　――と強制競売……………………………………………………………………Q39
　――と競売……………………………………………………………………Q38, Q39

530　　事項索引

——と二重開始	Q26
はみだし二重開始	Q24, Q118
引受主義	Q59, Q148
引換給付の関係にある反対債務の履行の提供	Q16
非共益費用	Q116
引渡命令	Q103
土地に対する——	Q103
非正常な短期賃借権	Q62
非正常な賃借権	Q61
被担保債権説	Q115
評価書	Q51
——の記載の補正	Q51
評価上の法定地上権	Q71
表示に関する登記のみがされた不動産	Q18
不作為命令	Q54
不出頭供託	Q134
付属建物	Q74
物件単位説	Q79
物件明細書	Q80
物件明細書等の写しの備置き	Q83, Q85
物上代位による賃料差押え等	Q127
物上保証人の権利行使	Q129
物理的価格減少行為	Q54
不動産鑑定評価基準	Q51
不動産強制競売における請求債権の差押債権者	Q126
不動産工事の先取特権	Q44
不動産の従物	Q51
不動産の所在場所の調査	Q8
不動産の占有状況の調査	Q8
不動産の滅失	Q142
不当執行	Q1
不当利益返還請求の可否	Q137
ブルーファイル	Q83, Q85
併合の場合の費用の取扱い	Q118
別除権	Q38
別除権目的物換価のための競売	Q151
弁済期要件	Q11
弁済供託のための競売	Q151
弁済金交付の日の通知	Q108
弁済競売許可	Q151

事項索引　531

弁済受領文書	Q139
弁済猶予文書	Q139
包括的禁止命令	Q38, Q39, Q40
法人の役員	Q82
法定更新	Q49, Q62
法定地上権	Q71
法定納期限等	Q124
暴力団	Q48
暴力団員	Q82
暴力団員等	Q82
――による買受け防止	Q82
補充評価	Q50
ホフマン式計算法	Q114
本執行移行	Q133

〔ま 行〕

マスタリース賃料	Q146
マル共事件	Q79
マンション建替事業における権利変換手続	Q41
未登記不動産	Q18
みなし不動産	Q53
民事再生	Q38, Q40
無益執行の禁止	Q77, Q78
無剰余執行禁止	Q77
無剰余取消し	Q77, Q78
無剰余の回避	Q77
免責許可決定	Q39
免責手続と強制競売	Q39
目的不動産の損傷	Q101
目的不動産の特定	Q103

〔や 行〕

優先債権者の換価時期選択権の保護	Q77
優先担保権者の換価時期選択権の保護	Q78
要措置区域	Q50

〔ら 行〕

ライフライン調査	Q50
利害関係を有する者	Q6
留置権による競売	Q148, Q151

留保不動産に対する競売取消し……………………………………………………Q89
利用上の牽連性………………………………………………………………………Q76

〔わ 行〕

割り込み型の転貸借…………………………………………………………………Q61

民事執行の実務【第5版】
不動産執行編（上）

2022年9月20日	第1刷発行
2003年5月20日	初版発行
2007年11月21日	第2版発行
2012年6月12日	第3版発行
2018年11月27日	第4版発行

編著者　中村　さとみ
　　　　劒持　淳子
発行者　加藤　一浩

〒160-8520　東京都新宿区南元町19
発　行　所　一般社団法人　金融財政事情研究会
企画・制作・販売　株式会社きんざい
　出版部　　TEL 03(3355)2251　FAX 03(3357)7416
　販売受付　TEL 03(3358)2891　FAX 03(3358)0037
　URL https://www.kinzai.jp/

校正：株式会社友人社／印刷：株式会社太平印刷社

・本書の内容の一部あるいは全部を無断で複写・複製・転訳載すること、および磁気または光記録媒体、コンピュータネットワーク上等へ入力することは、法律で認められた場合を除き、著作者および出版社の権利の侵害となります。
・落丁・乱丁本はお取替えいたします。定価はカバーに表示してあります。

ISBN978-4-322-14144-3